ALLEN COUNTY PUBLIC LIBRARY
ACPL
S0-BWT-289
DISCARDED

Лоуренс Сэндерс

Грэм Грин

Уильям Фолкнер

LAWRENCE SANDERS
The Anderson Tapes
GRAHAM GREENE
The Third Man
WILLIAM FAULKNER
Short Stories

ОСТОЖЬЕ
MOSCOW 1997

ЛОУРЕНС СЭНДЕРС

Пленки Андерсона

ГРЭМ ГРИН

Третий

УИЛЬЯМ ФОЛКНЕР

Рассказы

ОСТОЖЬЕ
МОСКВА 1997

В предлагаемом сборнике впервые на русском языке детективный роман известного американского писателя Лоуренса Сэндерса «Пленки Андерсона», повесть Грэма Грина «Третий» и рассказы Уильяма Фолкнера, не вошедшие в собрания сочинений.

ISBN 5-86095-094-2

ЛОУРЕНС СЭНДЕРС

Пленки Андерсона

От автора

Предлагаемый читателю рассказ о преступлении, совершенном в Нью-Йорке в ночь с 31 августа на 1 сентября 1968 года, составлен из разных источников, в том числе:

Свидетельских показаний, как продиктованных автору, так и полученных из официальных источников, в записи на магнитной пленке и на бумаге.

Документов из судов, исправительных учреждений и сыскных агентств.

Расшифровок магнитофонных записей, полученных с помощью электронного подслушивания службами профилактики и расследования преступлений города Нью-Йорка, правительства США и частными сыскными агентствами.

Предоставленных автору личных писем, записей бесед и частных бумаг тех, кто был замешан в данном преступлении.

Газетных публикаций.

Официальных рапортов и показаний, ставших достоянием общественности, в том числе и предсмертных утверждений.

Личных впечатлений автора.

Нет необходимости приводить фамилии всех лиц, официальных и частных, оказавших автору ценную помощь. Однако я особенно признателен Луису Д. Джирарди, редактору нью-йоркской газеты «Пост-Леджер», временно освободившему меня от обязанностей репортера уголовной хроники, чтобы я мог собрать материал и написать подробную историю этого преступления, составляющую часть журналистского расследования злоупотреблений в использовании электронных подслушивающих устройств государственными и частными агентствами.

1

Дом № 535 на Восточной Семьдесят третьей стрит Нью-Йорка построен в 1912 году как особняк Эрвина К. Бартолда, владельца манхеттенской фирмы «Бартолд инкорпорейтед», торгующей канатами, смолой, судовыми припасами и принадлежностями. Мистер Бартолд умер в 1931 году. До 1943 года в доме жили его вдова, Эдвина, и сын, Эрвин-младший. Сын погиб 14 июля 1943 года, когда бомбил Бремен. Между прочим, в этом городе родился его отец. Через полгода скончалась от рака матки миссис Бартолд.

После этого дом перешел к брату исконного владельца, Эмилю Бартолду. Он жил в городе Палм-Бич, штат Флорида, и вскоре после того, как завещание утвердили, продал дом (16 февраля 1946 года) компании «Бакстер энд Бейли», Нью-Йорк, Парк-авеню, 7456.

Эта инвестиционная компания переоборудовала особняк в восемь отдельных квартир и две конторы на первом этаже. Установила лифт самообслуживания и центральную систему кондиционирования. Квартиры и конторы были проданы как кооперативные по ценам от 45 768 до 92 350 долларов.

Дом представляет собой красивое здание из серого камня в архитектурном стиле французского замка. Взят на учет нью-йоркским обществом достопримечательностей. Наружная отделка без излишеств и претензий; медная крыша потемнела. Вестибюль отделан плитками серого с прожилками мрамора и вставленными антикварными зеркалами. Помимо главного входа есть еще служебный, узкий проезд ведет к самой двери, за дверью широкая бетонная лестница. Обе квартиры на верхнем этаже с небольшими балконами. В подвале размещается маленькая квартира управляющего. Управляет домом компания «Шови энд Уайт», Нью-Йорк, Мэдисон-авеню, 1324.

До 1 сентября 1967 года квартиру 3-б занимала супружеская пара (бездетная) Дэвид и Агнесса Эверли. Потом они разошлись, и миссис Эверлли осталась владелицей квартиры, а Дэвид Эверли поселился в клубе «Симеон» на углу Двадцать третьей стрит и Мэдисон-авеню.

В начале марта 1968 года (предположительно) Дэвид Эверли прибег к услугам частного сыскного агентства «Душевный покой», Западная Сорок вторая стрит, 983. С помощью Дэвида — предположительно, поскольку у него оставались ключи от квартиры, — в основание телефонного аппарата было вмонтировано электронное подслушивающее устройство.

Это был микрофон-передатчик «Интел Модел МТ 146 Б», способный улавливать и передавать телефонные разговоры и ведущиеся в квартире беседы. Управляющему дома 534 — это напротив — ежемесячно платили 25 долларов за установку в чулане для метелок на третьем этаже магнитофона, включающегося от звука голоса.

Таким образом, присутствие детектива не требовалось. Магнитофон записывал все телефонные разговоры и беседы, ведущиеся в квартире 3-б. Каждое утро оператор из «Душевного покоя» вынимал пленку и вставлял новую.

Полученные записи дали Дэвиду Эверли повод для возбуждения дела о разводе (рассматривалось Верховным судом округа Нью-Йорк) по причине супружеской неверности (дело Эверли против Эверли, НЙВС-148352), и расшифровка записей стала достоянием общественности, что позволяет привести их здесь. Стоит отметить, что вердикт суда в пользу Дэвида Эверли оспаривался адвокатом миссис Эверли на том основании, что Дэвид Эверли не получил предписания суда и не имел права устанавливать электронное подслушивающее устройство в квартире, несмотря на то что является законным ее владельцем.

Предполагается, что эта тяжба в конце концов дойдет до Верховного суда США и окончится знаменательным решением.

Ниже приводится отрывок из расшифровки записи, сделанной примерно в час пятнадцать ночи 24 марта.

Пленка ДП—24/III—68 ЭВЕРЛИ. Разговаривают миссис Агнесса Эверли и Джон Андерсон, опознанные по спектрограмме голосов и внутренним уликам.

(Звук открывающейся и закрывающейся двери)

МИССИС ЭВЕРЛИ. Вот и пришли... будь как дома. Брось пиджак куда-нибудь.

АНДЕРСОН. Что ж это, такой шикарный дом, и нет швейцара?

МИССИС ЭВЕРЛИ. Есть, только он небось сидит в подвале с управляющим за бутылкой вина. Оба не дураки выпить.

АНДЕРСОН. Вот как?

(Пауза семь секунд).

АНДЕРСОН. Славная у тебя квартира.

МИССИС ЭВЕРЛИ. Рада, что тебе нравится. Смешай нам по коктейлю. Бутылки вот здесь, лед на кухне.

АНДЕРСОН. Тебе какой?

МИССИС ЭВЕРЛИ. «Джеймсон». Со льдом. Содовой чуть-чуть. А сам что будешь пить?

АНДЕРСОН. Есть коньяк? Или бренди?

МИССИС ЭВЕРЛИ. Есть «Мартель».

АНДЕРСОН. Отлично.

(Пауза сорок две секунды).

АНДЕРСОН. Вот, держи.

МИССИС ЭВЕРЛИ. Будем здоровы.

АНДЕРСОН. Угу.

(Пауза шесть секунд).

МИССИС ЭВЕРЛИ. Сядь, расслабься. Я сброшу свою сбрую.

АНДЕРСОН. Само собой.

(Пауза две минуты шестнадцать секунд).

МИССИС ЭВЕРЛИ. Ну, теперь легче. Слава Богу.

АНДЕРСОН. В доме все квартиры такие?

МИССИС ЭВЕРЛИ. Большая часть просторней. А что?

АНДЕРСОН. Квартира мне нравится. Шик!

МИССИС ЭВЕРЛИ. Шик? Скажешь тоже. Как ты зарабатываешь на жизнь?

АНДЕРСОН. Работаю в типографии на фальцовочной машине. Там печатается газета универсама. Ежедневная. Товары по сниженным ценам и все такое.

МИССИС ЭВЕРЛИ. Не желаешь спросить, как зарабатываю я?

АНДЕРСОН. Ты где-то работаешь?

МИССИС ЭВЕРЛИ. Смех, да и только. Квартира принадлежит мужу. Мы расстались. Он не дает мне ни цента. Но я обхожусь. Я закупщица товара для магазинов дамского белья.

АНДЕРСОН. Занятно.

МИССИС ЭВЕРЛИ. Пошел к черту.

АНДЕРСОН. Захмелела?

МИССИС ЭВЕРЛИ. Слегка. Надо бы добавить.

(Пауза семнадцать секунд).

МИССИС ЭВЕРЛИ. Надеюсь, ты не думаешь, что я всегда цепляю мужчин на улице?

АНДЕРСОН. Почему же подцепила меня?

МИССИС ЭВЕРЛИ. Приличный человек, недурно одет. Только вот галстук. Боже, как я ненавижу этот галстук. Ты женат?

АНДЕРСОН. Нет.

МИССИС ЭВЕРЛИ. А был?

АНДЕРСОН. Не был.

МИССИС ЭВЕРЛИ. Черт возьми. Я даже не знаю твоего имени. Как тебя зовут?

АНДЕРСОН. Выпьешь еще?

МИССИС ЭВЕРЛИ. Конечно.

(Пауза тридцать четыре секунды).

МИССИС ЭВЕРЛИ. Спасибо. Так как же зовут тебя, черт возьми?

АНДЕРСОН. Джон Андерсон.

МИССИС ЭВЕРЛИ. Славное, благозвучное, приятное имя. А я Агнесса Эверли. В прошлом миссис Дэвид Эверли. Как мне называть тебя — Джек?

АНДЕРСОН. Большей частью меня называют Герцог.

МИССИС ЭВЕРЛИ. О Господи, аристократия. Фу, что-то в сон клонит...

(Пауза четыре минуты тридцать секунд. Тут есть основания (для суда неприемлемые) полагать, что миссис Эверли задремала. Андерсон расхаживает по квартире (предположение). Осматривает систему внутренней связи, соединенную со звонками и микрофоном в вестибюле. Запоры на окнах. Замок наружной двери).

МИССИС ЭВЕРЛИ. Чего бродишь?

АНДЕРСОН. Так, разминаю ноги.

МИССИС ЭВЕРЛИ. Останешься на всю ночь?

АНДЕРСОН. Нет. Но и уходить пока не собираюсь.

МИССИС ЭВЕРЛИ. Большое спасибо, бродяга.

(Громкий звук шлепка).

МИССИС ЭВЕРЛИ (ловя ртом воздух). Чего это ты?

АНДЕРСОН. Тебе хотелось этого, не так ли?

МИССИС ЭВЕРЛИ. Как ты догадался?

АНДЕРСОН. Здоровая баба, в теле, работа сидячая... догадаться нетрудно.

МИССИС ЭВЕРЛИ. Неужели это так уж заметно?

АНДЕРСОН. Нет. Если ты не ждешь этого. Может, снять для этой цели ремень?

МИССИС ЭВЕРЛИ. Давай.

Нижеследующее — предположения, отчасти подтвержденные показаниями свидетеля.

Выйдя из квартиры 3-б в 3 часа 4 минуты утра, Джон Андерсон несколько минут разглядывал замок квартиры 3-а, расположенной напротив. Потом поднялся лифтом на пятый этаж, осмотрел замки и стал медленно спускаться, осматривая замки и двери. Глазков на дверях квартир не было.

Выйдя из вестибюля — куда швейцар до сих пор не вернулся, — Андерсон осмотрел запоры на двери и сигнальную систему. Потом, постояв на углу Восточной Семьдесят третьей стрит и Йорк-авеню, взял такси и поехал домой в свою квартиру в Бруклине, приехал туда в 4 часа 36 минут. Свет в его окнах погас в 4 часа 43 минуты (показание свидетеля).

2

В среду 17 апреля 1968 года в 14 часов 35 минут на северной стороне Пятьдесят девятой стрит, между Пятой авеню и авеню Америк, стоял черный седан «кадиллак эльдорадо» производства 1966 года (с кондиционером), номер ХГР 45-9159, зарегистрированный как автомобиль компании «Бенефикс Риэлти, инк», Нью-Йорк Пятая авеню, 6501. Шофер, позднее опознанный как Леонард Голдберг, сорока двух лет, проживающий в Бронксе на Грант-Паркуэй, 19778, слонялся поблизости.

В машине находился один человек, сидел он на заднем сиденье, это был Фредерик Саймонс, вице-президент компании «Бенефикс Риэлти, инк». Пятидесяти трех лет, рост примерно пять футов семь дюймов, вес сто девяносто фунтов. На нем был черный котелок и двубортное твидовое пальто. Волосы и усы седые. Он окончил юридический колледж имени Роулинса в Эрскине, штат Виргиния, у него еще был патент общественного контролера штата Нью-Йорк (№ 41-51-1843). Под судом не был, хотя дважды допрашивался: в районной прокуратуре (Южный район) и перед большим жюри манхеттенского Верховного суда — относительно контролирования компании «Бенефикс Риэлти, инк» преступным синдикатом и роли, которую играла компания в приобретении несколькими ресторанами Нью-Йорка и Буффало разрешения на торговлю спиртным.

Пять месяцев тому назад, 14 ноября 1967 года, был выдан судебный ордер на установку в этом автомобиле электронного подслушивающего устройства. Заявление было подано отделом по борьбе с мошенничеством налогового бюро штата Нью-Йорк. Микрофон-передатчик «Грегори Мт-146-ГБ» был установлен над приборной доской упомянутого автомобиля. Установка произведена в гараже, где обслуживаются машины компании «Бенефикс Риэлти, инк».

В среду 17 апреля 1968 года в 14 часов 38 минут видели, как к этому автомобилю подошел человек. Впоследствии он был опознан по спектрограмме голоса и свидетелями.

Джон Андерсон, «Герцог», тридцати семи лет, проживал в Бруклине на Харрар-стрит, 314. Рост пять футов одиннадцать дюймов, вес сто восемьдесят восемь фунтов; каштановые волосы, карие глаза; одевался аккуратно, говорил с легким южным акцентом. Профессиональный вор, за кражу со взломом был заключен по приговору манхеттенского уголовного суда в тюрьму Синг-Синг (№ 568-849), отбыл год одиннадцать месяцев и за четыре месяца до этого дня условно-досрочно освобожден. Это первая судимость Андерсона, однако раньше он дважды подвергался аресту, один раз за кражу со взломом, другой за оскорбление. Оба дела прекращены без суда.

Запись на пленке НЙМБ—ОБМ—17(IV—68—106—1А) начинается так:

САЙМОНС. Герцог! Господи, рад тебя видеть! Влезай, влезай, садись рядом.

АНДЕРСОН. Здравствуйте, мистер Саймонс. Очень рад встрече. Как дела?

САЙМОНС. Замечательно, Герцог, просто прекрасно. Выглядишь ты недурно. Пожалуй, чуть похудел.

АНДЕРСОН. Надо думать.

САЙМОНС. Конечно, конечно! У нас здесь есть буфет. Как видишь, я уже подкрепляюсь. Угостить тебя чем-нибудь?

АНДЕРСОН. Есть коньяк? Или бренди?

САЙМОНС. «Реми Мартен» тебя устроит?

АНДЕРСОН. В самый раз.

САЙМОНС. Не обессудь, стаканчики картонные. Мы находим, что с ними удобней.

АНДЕРСОН. Само собой, мистер Саймонс.

(Пауза пять секунд).

САЙМОНС. Ну... за преступление.

(Пауза четыре секунды).

АНДЕРСОН. Господи... хороша штука.

САЙМОНС. Скажи, Герцог, как у тебя делишки?

АНДЕРСОН. Не жалуюсь, мистер Саймонс. Спасибо за все, что для меня сделали.

САЙМОНС. Ты для нас тоже сделал немало, Герцог.

АНДЕРСОН. Да. Но не так уж и много. Проносил при случае письма. Бывало, и попадался.

САЙМОНС. Не волнуйся, нам это понятно. В заключении нельзя ждать, что все пойдет как по маслу.

АНДЕРСОН. Никогда не забуду тот вечер, когда вернулся в Манхеттен. Номер в отеле. Деньги. Выпивка. И та женщина, что вы прислали. И шмотки! Как вы узнали мой размер?

САЙМОНС. У нас есть способы, Герцог. Сам знаешь. Надеюсь, женщина тебе понравилась. Ее выбирал я сам.

АНДЕРСОН. Как раз то, что прописал врач.

САЙМОНС (со смехом). Вот именно.

(Пауза девять секунд).

АНДЕРСОН. Мистер Саймонс, я, с тех пор как вышел, хожу по струнке. Ночами работаю в типографии на фальцовочной машине. Печатаем ежедневную газету, которую выпускает ряд универсамов. Сами знаете, товары по сниженным ценам и все такое. Регулярно отмечаюсь. Из прежней компании ни с кем не вижусь.

САЙМОНС. Знаем, Герцог, знаем.

АНДЕРСОН. Но тут наклюнулось одно дело, и я хотел обратиться с просьбой. Шальная задумка. Там в одиночку не справиться. Потому и позвонил вам.

САЙМОНС. Что за дело?

АНДЕРСОН. Может, вы сочтете, что я чокнутый, что за эти двадцать три месяца мозги у меня сдали.

САЙМОНС. Мы не считаем тебя чокнутым, Герцог. Дело что... крупное?

АНДЕРСОН. Да. Подвернулось случайно недели три назад. И с тех пор не дает мне покоя. Может выгореть хороший куш.

САЙМОНС. Говоришь, самому не справиться? Сколько людей тебе нужно?

АНДЕРСОН. Больше пяти. От силы десять.

САЙМОНС. Не нравится это мне. Дело непростое.

АНДЕРСОН. Простое, мистер Саймонс. Может, хватит и пятерых.

САЙМОНС. Давай еще по одной.

АНДЕРСОН. Конечно... Спасибо.

(Пауза одиннадцать секунд).

САЙМОНС. Сколько рассчитываешь огрести?

АНДЕРСОН. Предположительно? Пока что могу только предполагать. Не меньше ста тысяч.

(Пауза шесть секунд).

САЙМОНС. И ты хочешь поговорить с Доктором?

АНДЕРСОН. Да. Если можете это устроить.

САЙМОНС. Объясни хоть толком, что это за дело.

АНДЕРСОН. Вы поднимете меня на смех.

САЙМОНС. Не подниму, Герцог. Обещаю.

АНДЕРСОН. В Ист-Сайде есть один дом. Неподалеку от реки. Бывший особняк. Теперь разделен на квартиры. Внизу консультационные палаты врачей. На остальных четырех этажах восемь квартир. Жильцы богатые. Швейцар. Лифт без лифтера.

САЙМОНС. Решил грабануть одну квартирку?

АНДЕРСОН. Нет, мистер Саймонс. Я решил грабануть весь дом. Захватить его и очистить полностью.

3

Энтони ди Медико, «Доктор», возраст пятьдесят четыре года, проживает на Лонг-Айленде, Грейт-Нек, Малберри-лейн, 14532, назван перед специальным подкомитетом Сената США по расследованию организованной преступности на восемьдесят седьмом съезде (первой сессии) 15 марта 1965 года (Доклад о слушании дел, стр. 413—418) третьеразрядным капо (капитаном) семейства Анджело. Анджело — одно из шести семейств мафии, контролирующих торговлю наркотиками, вымогательство, проституцию, ростовщичество и другую противозаконную деятельность в штатах Нью-Йорк, Нью-Джерси, Коннектикут и в восточных районах Пенсильвании.

Ди Медико является президентом компании «Бенефикс Риэлти, инк». Кроме того, владеет на равных паях с партнером рестораном «Великая граница», Бруклин, Флэтбаш-авеню, 106372; полностью владеет клубом здоровья с финской сауной, Западная Сорок восьмая стрит, 746; имеет треть в посреднической фирме «Лафферти, Райли энд д'Амато» (дважды оштрафованной комиссией по ценным бумагам и биржам) на Уолл-стрит, 1441; полагают, что он является владельцем или совладельцем нескольких таверн, ресторанов и частных клубов в манхеттенском Ист-Сайде, обслуживающих гомосексуалистов и лесбиянок.

Ди Медико высок, рост 6 футов 5 дюймов, дородный,

одевается неброско (костюмы ему шьет портной Квинт Риддл, Лондон, Сэвайл-роуд, 1486, рубашки — Триони, Рим, виа Венето, 142 Е, обувь — Б. Хэлли, Женева). Много лет страдал болезненным тиком, очень мучительной невралгией лицевых мышц, что привело к спазматическому подергиванию правого века и щеки.

Его уголовное досье минимально. В семнадцатилетнем возрасте он был арестован за нападение с ножом на полицейского. Полицейский не пострадал. Дело закрыто Бронкским судом по делам несовершеннолетних по заявлению родителей ди Медико. Больше нет ни приговоров, ни обвинений, ни арестов.

22 апреля 1968 года в помещении «Бенефикс Риэлти, инк» стояли электронные подслушивающие устройства трех агентств: ФБР, отдела по борьбе с мошенничеством налогового управления штата Нью-Йорк и нью-йоркского управления полиции. Очевидно, все эти агентства действовали без контакта друг с другом.

Ниже приводится расшифровка пленки НЙУП-СИС № 564—03, дата 22/IV—1968.

АНДЕРСОН. Я к мистеру ди Медико. Меня зовут Джон Андерсон.

СЕКРЕТАРША. Мистер ди Медико ожидает вас?

АНДЕРСОН. Да. Мистер Саймонс договорился о встрече.

СЕКРЕТАРША. Пожалуйста, минутку, сэр.

(Пауза четырнадцать секунд).

СЕКРЕТАРША. Проходите, сэр. Сюда. Первая дверь направо.

АНДЕРСОН. Спасибо.

СЕКРЕТАРША. Пожалуйста, сэр.

(Пауза двадцать три секунды).

ДИ МЕДИКО. Входи.

АНДЕРСОН. Добрый день, мистер ди Медико.

ДИ МЕДИКО. Герцог! Рад тебя видеть.

АНДЕРСОН. Док... Счастлив видеть вас снова. Вы хорошо выглядите.

ДИ МЕДИКО. Слишком располнел. Вот, посмотри. Слишком. Все из-за макарон. Но отказаться от них не в силах. Как дела, Герцог?

АНДЕРСОН. Не жалуюсь. Хочу поблагодарить вас...

ДИ МЕДИКО. Ладно, ладно. Видел ты, Герцог, какой вид открывается у нас с крыши? Может, поднимемся, поглядим? Глотнем свежего воздуха?

АНДЕРСОН. Отлично.

(Пауза пять секунд).

ДИ МЕДИКО. Мисс Райли? Я ухожу из кабинета на несколько минут. Будьте добры, попросите Сэма включить кондиционер. Здесь очень душно. Спасибо.

(Пауза три минуты сорок три секунды. Дальнейшая запись обрывочна и невнятна из-за механического шума).

ДИ МЕДИКО. ...мы знаем? Каждое утро приходит какой-то тип, но... Ты не поверишь... телефоны... устройства, которые... Вон то здание напротив... окнах... дальнего действия... избегаем... конец. Лучше не... сюда и включаем кондиционер. Его шум... Не замерз?

АНДЕРСОН. Нет, я...

ДИ МЕДИКО. Фред мне говорил... крупное дело... Любопытно. Что тебе потребуется пять человек или... еще от меня нужно.

АНДЕРСОН. Я понимаю... задумка... однако... Конечно, я еще даже не начинал... И... у вас денег, мистер ди Медико.

ДИ МЕДИКО. (Совершенно неразборчиво).

АНДЕРСОН. Нет. Нет, я... месяца два, на мой взгляд... разузнать как можно больше... толковых ребят, если возьмется за дело. Так что мне... сейчас... только с протянутой рукой. Я надеялся... задаток... дела.

ДИ МЕДИКО. Понятно... сколько тебе... на первый...

АНДЕРСОН. Трех тысяч хватит... нужно... толковых ребят. Не стоит мелочиться... деле, как это.

ДИ МЕДИКО. Имей в ви... собственные. Из моего кармана. Если все... хорошо, мне... остальных. Понимаешь? Тогда мы... большей доли... того... послать на дело... человека. Нашего.

АНДЕРСОН. Ясно. Спасибо... помощь. Можете... сумею провернуть...

ДИ МЕДИКО. Герцог... никто не... сумеешь. Стал бы... Фред Саймонс... с этим делом. Давай... вниз. Холодно... полюсе. У меня... дергаться лицо. Черт.

Конец записи. Предположительно, оба человека спустились вниз, но Андерсон больше не заходил в кабинет ди Медико. Вышел на улицу в 14 часов 34 минуты.

4

Магазин мясных деликатесов Петси, Нью-Йорк, Девятая авеню, 11901. Четыре месяца назад следственный отдел Управления по контролю за качеством пищевых продуктов и медикаментов установил там электронное подслушивающее устройство. Ниже приводится расшифровка пленки УККПМ № 198—08, дата 24/IV—1968. Время — около 11 часов 15 минут.

АНДЕРСОН. Петси, это вы?

ПЕТСИ. Да.

АНДЕРСОН. Моя фамилия Саймонс. Я заказывал три бифштекса. Вы сказали, что к моему приходу будут готовы.

ПЕТСИ. Само собой. Вот они, дожидаются вас.

АНДЕРСОН. Спасибо. Припишите к моему счету, ладно?

ПЕТСИ. С удовольствием.

5

Томас Хэскинс (он же Тимоти Хокинс, Теренс Холл и т. д.), возраст 32 года, рост 5 футов 4 дюйма, вес 128 фунтов, на левом виске небольшой белый шрам, белокурые волосы отбелены еще больше; гомосексуалист и не скрывает этого. Два ареста за приставание к мальчикам. Обвинения сняты, потому что родители мальчиков отказались возбуждать дело. Арестован 18 марта 1964 года во время налета на маклерскую контору, Манхеттен, Уолл-стрит, 1432. Обвинение снято. Арестован 23 октября 1964 года за попытку жульничества по жалобе миссис Элоизы Маклеви, Манхеттен, Сентрал-парк Уэст, 41105, утверждавшей, что этот человек выудил у нее обманом 10131 доллар 56 центов, обещая высокую прибыль на вклад в откорм свиней. Обвинение снято. Последний известный адрес — Нью-Йорк, Западная Семьдесят шестая стрит, 713. Вместе с ним жила сестра (см. ниже).

Синтия Хэскинс, «Кусака», возраст 36 лет, рост 5 футов 8 дюймов, вес 148 фунтов, волосы рыжие (крашеные, часто носит парик), особых примет нет. Три судимости за кражи в магазинах, четыре за проституцию и одна за мошенничество, обвинялась в покупке товаров на 1061 доллар 78 центов по краденой кредитной карточке компании «Бай Эвритинг кредит, инк», Калифорния, Лос-Анджелес, Марвел-стрит, 4501. Отбыла в общей сложности 4 года 7 месяцев 13 дней в манхеттенской женской тюрьме, в тюрьме имени Барнеби, Лоссет, штат Нью-Йорк, и женской тюрьме имени Макалистера, Карберн, штат Нью-Йорк. Автор книг «Я была девушкой второго сорта», выпущена в свет 10 марта 1963 года издательством «Смит энд Таунсенд» и «Женская тюрьма. История страсти и крушения», выпущена в свет 26 июля 1964 года издательством «Нью уорлд».

В доме № 713 по Западной Семьдесят шестой стрит Бюро по борьбе с наркобизнесом Государственного казначейства США установило электронное подслушивающее устройство. Ниже приводится расшифровка пленки ББНБ—ТХ 0018—95ГТ, пленки под тем же номером (только последние знаки 95Г). Участники разговора опознаны по спектрограмме голосов, внутренним и наружным уликам. Дата и время суток не установлены.

ХЭСКИНС. ...так что мы на мели, голубчик. Такова печальная история нашей жизни. Хочешь косячок?

АНДЕРСОН. Нет. Кури сам. Что скажешь ты, Кусака?

СИНТИЯ. Ничего, живем. Я понемногу ворую, Томми торгует задницей. Концы с концами сводим.

АНДЕРСОН. У меня есть для вас работенка.

СИНТИЯ. Для обоих?

АНДЕРСОН. Да.

СИНТИЯ. Сколько платишь?

АНДЕРСОН. Пять сотен. Дел от силы на неделю. Риска никакого.

ХЭСКИНС. Вот это да!

СИНТИЯ. Слушаем тебя.

АНДЕРСОН. Я скажу то, что вам нужно знать. После этого... никаких вопросов.

ХЭСКИНС. Ясное дело, голубчик.

АНДЕРСОН. В Ист-Сайде есть один дом. Получите адрес и все, что я знаю о графике швейцаров и управляющего. Томми, мне нужен полный список всех, кто там живет и работает. Имеются в виду швейцары, управляющий, приходящая прислуга. С полными данными. Фамилии, возраст, род занятий, распорядок дня — все до мелочей.

ХЭСКИНС. Это пустяк, голубчик.

АНДЕРСОН. Кусака, на первом этаже два врачебных кабинета, в одном — обычный врач, в другом — психиатр. Осмотрись там. Мебель? Сейфы? Может, картины на стенах? Коробки из-под обуви в темном чулане? Эти лекаря немало имеют наличными и не заявляют о них в налоговой декларации. Подумай, прикинь, как действовать. Потом скажешь, что надумала.

СИНТИЯ. Ты прав — риска никакого. Как нам держать связь, Герцог?

АНДЕРСОН. Буду звонить в полдень каждую пятницу, пока у тебя не будет все на мази. Ваш телефон не прослушивается?

СИНТИЯ. Вот... я запишу. Это телефон в будке кондитерской на Уэст-Энд-авеню. Каждую пятницу в двенадцать часов я буду там.

АНДЕРСОН. Идет.

СИНТИЯ. Дашь что-нибудь авансом?

АНДЕРСОН. Две сотни.

СИНТИЯ. Ты прелесть.

ХЭСКИНС. Он — возлюбленный посланец небес. Как у тебя с любовными делами, Герцог?

АНДЕРСОН. Порядок.

ХЭСКИНС. Вчера вечером я видел Ингрид. Она слышала, что ты уже на воле. Спрашивала про тебя. Хочешь видеть ее?

АНДЕРСОН. Не знаю.

ХЭСКИНС. Она тебя хочет.

АНДЕРСОН. Да? Хорошо. Живет она там же?

ХЭСКИНС. Да, там же, голубчик. Ты не винишь ее... так ведь?

АНДЕРСОН. Нет. Она тут ни при чем. Я влип по своей глупости. Как выглядит Ингрид?

ХЭСКИНС. Все так же. Белая мышка из стали и проволоки. Воплощение порока.

АНДЕРСОН. Угу.

6

Компания по продаже и ремонту электронного оборудования «Фан сити, инк», Нью-Йорк, авеню Д, 1975.

Нижеследующая запись произведена Федеральной торговой комиссией при довольно необычных обстоятельствах. ФТК установила там электронное подслушивающее устройство (судебный ордер МСС № 198-67ВС) после жалоб нескольких крупных компаний по звукозаписи, что владелец «Фан сити, инк» Эрнест Генрих Манн занимается противозаконной деятельностью, покупает дорогие коммерческие долгоиграющие пластинки и магнитофонные записи классической музыки — оперы и симфонии, — переписывает на пленки и продает обширной клиентуре по пониженной (но приносящей доход) цене.

Расшифровка пленки ФТК 30/IV—68 — ЭГИ—14.

СЛУЖАЩИЙ. Слушаю вас.

АНДЕРСОН. Хозяин здесь?

СЛУЖАЩИЙ. Мистер Манн?

АНДЕРСОН. Да. Можно повидать его? Я с жалобой на купленный у вас кондиционер.

СЛУЖАЩИЙ. Сейчас позову.

(Пауза девять секунд).

АНДЕРСОН. Вы установили у меня кондиционер, и он сломался. Я включил его, он поработал несколько минут, потом перестал.

МАНН. Прошу ко мне в кабинет, сэр, попытаемся разобраться с вашей проблемой. Эл, занимайся делами сам.

СЛУЖАЩИЙ. Хорошо, мистер Манн.

(Пауза тринадцать секунд).

АНДЕРСОН. Профессор... выглядишь ты недурно.

МАНН. Дела идут хорошо. А у тебя, Герцог?

АНДЕРСОН. Не жалуюсь. Искал я тебя довольно долго. Кормушку ты здесь устроил себе неплохую.

МАНН. Чего мне всегда и хотелось. Приемники, телевизоры, высокочастотное оборудование, магнитофоны, кондиционеры. Я доволен.

АНДЕРСОН. Другими словами, делаешь деньги?

МАНН. Да, ты прав.

АНДЕРСОН. Другими словами, сдерешь с меня три шкуры?

МАНН (со смехом). Герцог, Герцог, ты всегда был — как это сказать? — очень проницательным. Да, я сдеру с тебя три шкуры. А что тебе требуется?

АНДЕРСОН. В Ист-Сайде есть один дом. Не так уж далеко отсюда. Пять этажей. Служебный вход в подвал. Мне нужно знать, чтó в подвале — телефонные кабели, вентиляционные шахты, сигнализация, все, что там есть. Все системы.

(Пауза девять секунд).

МАНН. Нелегкая задача. В Ист-Сайде после этих недавних жутких ограблений все настороже. Швейцар там есть?

АНДЕРСОН. Есть.

МАНН. Служебный вход в задней части дома?

АНДЕРСОН. Да.

МАНН. И, наверно, кабельное телевидение от служебного входа к будке швейцара в вестибюле. Швейцар не нажмет кнопки, отпирающей заднюю дверь, пока не увидит на экране, кто звонит. Я прав?

АНДЕРСОН. На сто процентов.

МАНН. Вот-вот. Дай мне подумать.

АНДЕРСОН. Думай, Профессор.

МАНН. «Профессор». Никто не зовет меня Профессором, только ты.

АНДЕРСОН. Разве ты не профессор?

МАНН. Бывший. Но постой... дай сообразить... Так... да... Мы ремонтники телефонной сети. Настоящий грузовик стоит перед домом, на виду у швейцара. Форменная одежда, оборудование, удостоверения... все, что нужно. Прокладываем по кварталу новую линию. Должны осмотреть телефонную проводку в подвале. Ну как, Герцог? Пока что все нормально?

АНДЕРСОН. Да.

МАНН. Швейцар настаивает, чтобы мы подъехали к служебному входу.

АНДЕРСОН. Там есть проезд к задней стороне дома.

МАНН. Превосходно. Он проверяет мое удостоверение, мы идем. Все хорошо. Водитель остается в кабине грузовика. Швейцар видит меня на экране своего телевизора. Открывает запор. Да, я думаю, так.

АНДЕРСОН. Я тоже.

МАНН. И что ты хочешь знать?

АНДЕРСОН. Все. Как вводятся телефонные провода? Можно ли перерезать их? Как? Одна ли там линия? Сколько аппаратов во всем доме? Отводы? Сигнальные системы? В местный полицейский участок или в частные агентства? Мне нужна схема всей системы проводки. И осмотрись там как следует. Может, ничего особенного не обнаружишь, но как знать? Умеешь снимать фотоаппаратом со вспышкой?

МАНН. Конечно. Четкие, полные виды. Каждую сторону. Детали. Инструкции, что перекрыть и что резать. Качество гарантируется.

АНДЕРСОН. Потому-то я и пришел к тебе.

МАНН. Работа будет стоить тысячу долларов, половину авансом.

АНДЕРСОН. Работа будет стоить семьсот, три сотни авансом.

МАНН. Восемьсот, четыре сотни авансом.

АНДЕРСОН. Идет.

МАНН. В эту сумму не входят грузовик телефонной компании и водитель. У меня нет людей, которым можно доверять. Найди их сам. Грузовик, водителя, форменную одежду, документы. Берешь эти расходы на себя?

(Пауза четыре секунды).

АНДЕРСОН. Ладно. Ты сделаешь все, что от тебя требуется?

МАНН. Да.

АНДЕРСОН. Когда все будет готово, дам знать. Спасибо, Профессор.

МАНН. Обращайся в любое время.

7

С пленки ДП—14/V—68 ЭВЕРЛИ. Часть I, около 9 часов 45 минут.

МИССИС ЭВЕРЛИ. Господи, ты просто невозможен. Я таких еще не встречала. Как ты научился всем этим штукам?

АНДЕРСОН. Практика.

МИССИС ЭВЕРЛИ. Я прямо сама не своя. Ты знаешь все способы, чтобы разжечь меня. Полчаса назад я чувствовала себя обнаженным нервом. От тебя я чуть не теряю сознание.

АНДЕРСОН. Да.

МИССИС ЭВЕРЛИ. Мне даже хотелось завопить.

АНДЕРСОН. Что ж не завопила?

МИССИС ЭВЕРЛИ. Эта стерва соседка могла услышать и вызвать полицию.

АНДЕРСОН. Что за стерва?

МИССИС ЭВЕРЛИ. Старая миссис Горовиц. Они с мужем живут напротив, в квартире три-а.

АНДЕРСОН. Днем она дома?

МИССИС ЭВЕРЛИ. Конечно. И муж ее тоже — кроме тех дней, что проводит у своего маклера. Он на пенсии — и играет на бирже ради азарта. С чего бы — не знаю. Скряга он жуткий.

АНДЕРСОН. Богатый?

МИССИС ЭВЕРЛИ. Богатый и жадный. Однажды я видела, как она бросала в мусоропровод банки из-под собачьих консервов — а собаки у них нет. Один раз была у них в квартире. Мы не общаемся, но как-то вечером ее муж позвал меня, когда она потеряла сознание. Перепугался и позвонил ко мне. Это был просто обморок — ничего особенного. В спальне у них я видела сейф, которому немало лет. Держу пари, набит он битком. Муж занимался оптовой ювелирной торговлей. Сделай это еще раз, малыш.

АНДЕРСОН. Что сделать?

МИССИС ЭВЕРЛИ. Сам знаешь... пальцем... сюда.

АНДЕРСОН. Я знаю и кое-что получше. Раздвинь ноги. Пошире, вот так. Подними колени, глупая телка.

МИССИС ЭВЕРЛИ. Нет, не надо. Пожалуйста.

АНДЕРСОН. Я только начинаю. Сейчас будет лучше.

МИССИС ЭВЕРЛИ. Пожалуйста, не надо. Прошу тебя, Герцог. Мне больно.

АНДЕРСОН. Так и должно быть.

МИССИС ЭВЕРЛИ. Не могу... о Господи, нет... пожалуйста, Герцог, я прошу... ох, ох, ох...

АНДЕРСОН. Толстая дура. О Господи, ты плачешь...

8

Типография Хелмаса Джоба, Нью-Йорк, Амстердам-авеню, 8901, 14/V-68, 10 часов 46 минут. Электронное подслушивающее устройство, «Телетек МТ-18», установленное Налоговым управлением США, связано с включающимися от звука голоса магнитофоном в подвале находящейся рядом деликатесной лавки. Расшифровка пленки НУ—ХДБ—14/V—68 106.

СЛУЖАЩИЙ. Да?

ХЭСКИНС. Хозяин здесь?

СЛУЖАЩИЙ. Смитти? У себя. Эй, Смитти! К тебе пришли!

(Пауза шесть секунд).

ХЭСКИНС. Привет, Смитти.

СМИТТИ. Где моя двадцатка?

ХЭСКИНС. Здесь, Смитти. Прости, что так долго не платил. Извиняюсь. Но, уверяю тебя, я не забыл о ней.

СМИТТИ. Угу. Спасибо, Томми...

ХЭСКИНС. Можно тебя на несколько слов?

СМИТТИ. Да вот... ну... ладно. Пошли ко мне.

(Пауза одиннадцать секунд).

ХЭСКИНС. Смитти, мне нужны кое-какие документы. Деньги у меня есть. Видишь? Навалом. Расплачусь сразу же по получении заказа.

СМИТТИ. Что тебе требуется?

ХЭСКИНС. Я все отпечатал на машинке Кусаки. Удостоверение личности на имя Сидни Бревоорта. Мне всегда нравилось имя Сидни. Выданное Новым городским комитетом по реконструкции, некоммерческим отделом. Любой неподозрительный адрес. Непременно проставь этот телефонный номер. Вот фотография к удостоверению. Должно быть напечатано: «Удостоверение выдано...» и так далее. Потом еще двадцать визитных карточек на имя Сидни Бревоорта. Заодно изготовь десять листов фирменной бумаги и конвертов с заголовком «Новый городской комитет по реконструкции». Могут пригодиться. Сможешь это сделать?

СМИТТИ. Конечно. Что еще?

ХЭСКИНС. Кусаке нужно двадцать визитных карточек. Очень изящных, элегантных. С рукописным шрифтом. Вот фамилия и адрес: Миссис Дорин Марголис; Восточная Семьдесят третья стрит, пятьсот тридцать пять. Что-нибудь со вкусом. Понимаешь?

СМИТТИ. Конечно. Вкус у меня есть. Это все?

ХЭСКИНС. Да, все.

СМИТТИ. Сегодня в три часа. Двадцать пять долларов.

ХЭСКИНС. Большое спасибо, Смитти. Ты славный парень. До трех часов.

СМИТТИ. Приходи с деньгами.

ХЭСКИНС. Конечно. Желаю...

(Запись обрывается из-за механической неисправности).

9

Расшифровка пленки ДП—14/V—68 ЭВЕРЛИ. Часть II, примерно 11 часов 15 минут.

МИССИС ЭВЕРЛИ. Мне нужно ехать в контору. Я уже слишком задержалась. Господи, я вся как выжатая.

АНДЕРСОН. Выпей еще глоток, станет лучше.

МИССИС ЭВЕРЛИ. Наверно. Как думаешь, выходить нам вместе?

АНДЕРСОН. Почему же нет? Швейцар ведь знает, что я здесь.

МИССИС ЭВЕРЛИ. Да. Тут же позвонил мне. Черт возьми, надеюсь, он не станет трепаться об этом другим жильцам.

АНДЕРСОН. Дай ему на чай. Он будет помалкивать.

МИССИС ЭВЕРЛИ. Сколько дать?

АНДЕРСОН. Поручи вызвать такси и сунь два доллара.

МИССИС ЭВЕРЛИ. Два? Этого хватит?

АНДЕРСОН. Вполне.

МИССИС ЭВЕРЛИ. А куда ты потом?

АНДЕРСОН. Денек хороший — наверно, прогуляюсь до Девятой стрит, оттуда автобусом на работу.

МИССИС ЭВЕРЛИ. Мы не сможем видеться некоторое время. Недели две.

АНДЕРСОН. Почему?

МИССИС ЭВЕРЛИ. Я отправляюсь в Париж делать закупки. Если дашь свой адрес, пришлю непристойную французскую открытку.

АНДЕРСОН. Подожду, пока вернешься. И часто у тебя такие поездки?

МИССИС ЭВЕРЛИ. Почти ежемесячно. Или в Европу, или еще куда делать рекламу. Примерно одну неделю в месяц меня здесь не бывает.

АНДЕРСОН. Неплохо. Я бы хотел путешествовать.

МИССИС ЭВЕРЛИ. Просто ты работаешь не в таком месте. Будешь скучать без меня?

АНДЕРСОН. Конечно.

МИССИС ЭВЕРЛИ. О Господи... Ну что... готов?

АНДЕРСОН. Пошли.

МИССИС ЭВЕРЛИ. Да, кстати... Я тебе кое-что купила. Золотая зажигалка от Данхилла. Надеюсь тебе понравится.

АНДЕРСОН. Спасибо.

МИССИС ЭВЕРЛИ. О Господи...

10

Примерно через три недели после условно-досрочного освобождения Джона Андерсона из Синг-Синга в снятых им меблированных комнатах по адресу Брукли, Харрар-стрит, 314, было установлено электронное подслушивающее устройство. Ниже приводится расшифровка записи на пленке НЙУП—ДАГ—146—09. Пленка не датирована, говорящие опознаны по спектрограммам голосов и внутренним уликам.

АНДЕРСОН. Эд Бродски?

БИЛЛИ. Его нет.

АНДЕРСОН. Билли, ты?

БИЛЛИ. Кто это?

АНДЕРСОН. Тот, с кем ты ходил в Парк на бокс, смотреть встречу Питерса и Маккоя.

БИЛЛИ. Вот это да! Герцог, как...

АНДЕРСОН. Замолчи и слушай. Карандаш у тебя есть?

БИЛЛИ. Подожди сек... да... порядок, Герцог, карандаш у меня в руке.

АНДЕРСОН. Долго тебе идти до телефона-автомата?

БИЛЛИ. Минут пять.

АНДЕРСОН. Позвони мне по этому номеру. Записывай.

БИЛЛИ. Давай, диктуй.

АНДЕРСОН. Пять-пять-пять — шесть-шесть-семь-один. Записал?

БИЛЛИ. Да. Конечно.

АНДЕРСОН. Прочти.

БИЛЛИ. Пять-пять-пять — шесть-шесть-один-семь.

АНДЕРСОН. Семь-один. Две последние цифры: семь-один.

БИЛЛИ. Семь-один. Да, теперь порядок. Пять-пять-пять — шесть-шесть-семь-один. Как дела, Герцог? Я, само собой...

АНДЕРСОН. Положи трубку, Билли, и ступай к автомату. Я буду ждать.

БИЛЛИ. А... да. Ладно, Герцог. Кладу трубку.

(Пауза три минуты сорок три секунды).

БИЛЛИ. Герцог?

АНДЕРСОН. Как дела, Билли?

БИЛЛИ. Очень рад потолковать с тобой, Герцог. Мы слышали, что ты вышел. Эд недавно говорил...

АНДЕРСОН. Где он сам?

БИЛЛИ. Сидит, Герцог.

АНДЕРСОН. Сидит? За что, черт возьми?

БИЛЛИ. Он был... был... Герцог, как это называется — ну, знаешь, у тебя много штрафных квитанций за нарушение правил движения и ты их выбрасываешь?

АНДЕРСОН. Злостный неплательщик?

БИЛЛИ. Вот-вот! Точно! Эд был злостным неплательщиком. Судья сказал, что он худший неплательщик в Бруклине. Вот какое дело! И Эд получил тридцать дней.

АНДЕРСОН. Ну, ничего. Когда он выходит?

БИЛЛИ. Сегодня какой день?

АНДЕРСОН. Пятница, Билли. Семнадцатое мая.

БИЛЛИ. Так. Дай-ка сообразить... Восемнадцать, девятнадцать, двадцать, двадцать один. Да, двадцать первого. Это вторник... Верно?

АНДЕРСОН. Верно, Билли.

БИЛЛИ. Эд выйдет во вторник.

АНДЕРСОН. Я позвоню во вторник вечером или в среду утром. Передай ему, ладно, малыш?

БИЛЛИ. Обязательно передам. Герцог, у тебя есть для нас работа?

АНДЕРСОН. Вроде того.

БИЛЛИ. Нам работа была бы кстати. Дела с тех пор, как Эд сидит, идут неважно. Слушай, Герцог, а может, я сам смогу справиться? То есть, если что-то срочное, я справлюсь. Незачем ждать, пока выйдет Эд.

АНДЕРСОН. Это работа для двоих, Билли. Если б хватило одного человека, я бы сразу тебе сказал, потому что знаю, что ты справишься с любым заданием.

БИЛЛИ. Конечно, Герцог. Ты меня знаешь.

АНДЕРСОН. Но это работа для двоих, так что, видимо, придется подождать Эда. Идет?

БИЛЛИ. Ну конечно, Герцог... тебе ведь видней.

АНДЕРСОН. Слушай, малыш, тебе приходится совсем туго? Если нужно пару бумажек, пока не выйдет Эд, скажи.

БИЛЛИ. Нет, Герцог, спасибо. Что ты, дела не так уж плохи. То есть я перебьюсь, пока Эда не выпустят. Спасибо, Герцог. Я очень тебе благодарен. Слушай, ты сказал про тот вечер в Парке, и мне все так вспомнилось. Вечерок был, а... вечерок. Помнишь хмыря, которого я уложил в ресторане? Вечерок был... а, Герцог?

АНДЕРСОН. Замечательный вечерок, Билли. Я помню. Только слушай, не ввязывайся ни во что, ладно, малыш?

БИЛЛИ. Конечно, Герцог. Я буду осторожен.

АНДЕРСОН. И скажи Эду, что я позвоню во вторник вечером или в среду утром.

БИЛЛИ. Я не забуду, Герцог. Честное слово, не забуду. Во вторник вечером или в среду утром. Герцог позвонит. Как вернусь в комнату, запишу.

АНДЕРСОН. Молодчина, Билли. Ни во что не ввязывайся. Скоро увидимся.

БИЛЛИ. Конечно, Герцог. Рад был поговорить с тобой. Большое спасибо.

11

Ингрид Махт, 34 года, адрес: Нью-Йорк, Западная Двадцать четвертая стрит, 627; родилась в Германии или в Польше (не установлено); рост 5 футов 5 дюймов, вес 112 фунтов; черные, обычно коротко стриженные волосы. Карие глаза. На левой ягодице шрам от удара хлыстом. На левой ляжке шрам от ножа в виде буквы X. На правом предплечье шрам от ожога второй степени. Бегло

2 Заказ 2107

говорит по-немецки, английски, французски, испански, итальянски (см. досье Интерпола № 356 — М49896).

Предположительно еврейка; есть свидетельство (неподтвержденное), что она нелегально въехала в США с Кубы в 1964 году в составе группы настоящих беженцев. В досье Интерпола (см. выше) перечислены аресты в Гамбурге за мошенничество, проституцию, грабеж и шантаж. Отбыла полтора года в исправительном заведении в Мюнхене. Арестована 16 ноября 1964 года в Майами, штат Флорида, по обвинению в замысле вымогательства денег у кубинских беженцев, якобы за переправку их родственников в США. Обвинение снято за отсутствием улик. Работала учительницей танцев в танцевальном зале «Фанданго», Нью-Йорк, Бродвей, 11563.

15 января 1968 года следственным отделом Комиссии по ценным бумагам и биржам в квартире мисс Махт установлено электронное подслушивающее устройство на основании ходатайства в Федеральный суд, утверждающего, что мисс Махт причастна к хищению и сбыту ценных бумаг, в том числе акций, промышленных и правительственных облигаций США. По судебному ордеру ФДС-1719М-89С установлен микрофон-передатчик «Ботгомли 956-МТ», улавливающий телефонные переговоры и беседы в квартире.

Ниже приводится расшифровка пленки КЦББ—21/V ИМ—12 18МП—130С.

АНДЕРСОН. Подслушивающих устройств у тебя не поставлено?

ИНГРИД. Чего ради их ставить? Я веду честную жизнь. Герцог, я слышала, что тебя выпустили. Как оно там?

АНДЕРСОН. В тюрьме? Полно педиков. Ты знаешь, как оно там. Сама сидела.

ИНГРИД. Да. Сидела. Бренди — как обычно?

АНДЕРСОН. Угу. Теперь твоя квартира мне нравится. Выглядит совсем по-другому.

(Пауза двадцать девять секунд).

ИНГРИД. Спасибо. Я потратила на нее много денег. Прозит.

(Пауза пять секунд).

ИНГРИД. Откровенно говоря, твой приход для меня сюрприз. Я думала, ты больше не захочешь меня видеть.

АНДЕРСОН. Почему?

ИНГРИД. Думала, что ты винишь меня.

АНДЕРСОН. Нет. Не виню. Что ты могла сделать — признаться и получить срок? Зачем? Что было бы толку?

ИНГРИД. Я так и рассудила.

АНДЕРСОН. Я сглупил и попался. Такое случается. За глупость в этом мире нужно расплачиваться. На твоем месте я поступил бы точно так же.

ИНГРИД. Спасибо, Герцог. Теперь... на душе у меня полегчало.

АНДЕРСОН. Ты прибавила в весе?

ИНГРИД. Может быть. Слегка. То прибавляю, то убавляю.

АНДЕРСОН. Выглядишь хорошо, ничего не скажешь. Я тут кое-что тебе принес. Вот. Золотая зажигалка от Данхилла. Куришь ты все так же много?

ИНГРИД. Да — даже больше, чем прежде. Спасибо. Очень красивая. Дорогая, нет? У тебя так хорошо идут дела — или это подарок женщины?

АНДЕРСОН. Догадайся.

ИНГРИД (со смехом). Мне все равно, откуда она. Зажигалка очень хорошая, и очень мило, что ты вспомнил обо мне. Итак... что происходит теперь? Чего ты хочешь?

АНДЕРСОН. Не знаю. Право, не знаю. А чего хочешь ты?

ИНГРИД. Шатци, я перестала хотеть много лет назад. Теперь я только принимаю. Так легче.

АНДЕРСОН. Тебе все равно, пришел бы я к тебе или нет?

ИНГРИД. Да... все равно. Мне, конечно, было любопытно. Но в любом случае безразлично.

(Пауза четырнадцать секунд).

АНДЕРСОН. Ты холодная женщина.

ИНГРИД. Да. Я научилась быть холодной.

АНДЕРСОН. Томми Хэскинс сказал, что ты хотела меня видеть.

ИНГРИД. Вот как? Молодец Томми.

АНДЕРСОН. Хотела ты меня видеть?

ИНГРИД. Хотела — не хотела. Не все ли равно?

АНДЕРСОН. Когда тебе идти на работу?

ИНГРИД. Выхожу в семь. В восемь надо быть в зале.

АНДЕРСОН. Я работаю. Неподалеку отсюда. В четыре мне нужно быть на месте.

ИНГРИД. Ну и что?

АНДЕРСОН. А то, что в нашем распоряжении три часа. Давай займемся любовью.

ИНГРИД. Если хочешь.

АНДЕРСОН. Горячая женщина — это мне нравится.

ИНГРИД. Герцог... будь я горячей женщиной, ты не стал бы связываться со мной.

АНДЕРСОН. Снимай халат. Ты знаешь, как мне нравится.

ИНГРИД. Ладно.

АНДЕРСОН. Потолстела. Но выглядишь недурно.

ИНГРИД. Спасибо. Раздеться не хочешь?

АНДЕРСОН. Не сейчас. Потом.

ИНГРИД. Да.

(Пауза семнадцать секунд).

АНДЕРСОН. Ты помнишь, так ведь?

ИНГРИД. Такая женщина, как я, не забывает этих вещей. Медленно, Шатци... как раньше?

АНДЕРСОН. Да.

(Пауза одиннадцать секунд).

АНДЕРСОН. О Господи. На той неделе одна женщина спросила меня, где я научился таким штукам. Надо было б сказать ей.

ИНГРИД. Да. Но ты всего не знаешь, Герцог. Несколько штучек я утаила. Вроде этой...

АНДЕРСОН. Я... Господи, не надо... не могу...

ИНГРИД. Можешь, можешь. Ты не умрешь от этого, Шатци, уверяю тебя. Это можно вынести. Думаю, теперь мы разденемся.

АНДЕРСОН. Да. Пойдем в спальню?

ИНГРИД. Пожалуйста, не надо. Я только что сменила постельное белье. Достану из корзины грязную простыню, и мы расстелем ее здесь, на ковре.

АНДЕРСОН. Ладно.

(Пауза двадцать три секунды).

АНДЕРСОН. Что это за штука?

ИНГРИД. Мне сказала о ней одна девица в танцзале. Я пошла и купила. Четыре доллара с мелочью в уцененных товарах. Служит для массажа. Хочешь попробовать?

АНДЕРСОН. Ладно.

ИНГРИД. Видишь, какой формы? Совершенно ясно. Когда я включу его, он зажужжит. Не пугайся, тебе понравится. Я и сама им пользуюсь.

(Жужжанье. Пауза восемнадцать секунд).

АНДЕРСОН. Нет... перестань. Не могу вытерпеть.

ИНГРИД. От меня? Герцог, ты же как-то сказал, что вытерпишь от меня все что угодно.

АНДЕРСОН. Господи...

ИНГРИД. Давай, придвинусь к тебе поближе. Смотри на меня.

АНДЕРСОН. Что? Я... что?

ИНГРИД. В глаза. На меня, Герцог. В глаза.

АНДЕРСОН. Ой... ой...

ИНГРИД. «Ой, ой!» Что это за любовные речи? Надо наказать тебя за них. Есть один нерв поблизости... ага, здесь. Разве я не умница, Шатци?

АНДЕРСОН. Уххх...

ИНГРИД. Пожалуйста, не теряй сознание так быстро. Я хочу показать несколько новых штучек. Одни старые, но незнакомы тебе. А другие действительно новые... я научилась им, пока... тебя не было. Открой глаза; ты на меня не смотришь. Ты должен смотреть на меня, Шатци. Должен смотреть мне в глаза. Это очень важно.

АНДЕРСОН. Зачем...

ИНГРИД. Это очень важно для меня.

АНДЕРСОН. Ай... ай... ай.

ИНГРИД. Раскинься пошире, и я отключу тебя. Смотри внимательней, Герцог, учись... Как знать? Может, получишь от нее еще одну зажигалку.

12

Квартира Томаса и Синтии Хэскинс, Нью-Йорк, Западная Семьдесят шестая стрит, 713, 24/V—68. Фрагмент пленки ББНБ—ГК—ТХ—0018—96Г.

ТОМАС. ...а потом этот гад отказался платить. Сказал, что у него при себе только десять долларов. Раскрыл бумажник, показал.

СИНТИЯ. Скотина.

ТОМАС. Потом со смехом спросил, не возьму ли кредитную карточку. Клянусь, будь у меня бритва, он бы сейчас был кастратом. Я просто вышел из себя. Надеялся содрать с него не меньше полусотни. Житель Среднего Запада. Разумеется, столп церкви. Член ассоциации родителей и преподавателей. Состоит в клубе «Ротари», в Клубе Лосей. И в прочих престижных обществах.

СИНТИЯ. И в тайном братстве.

ТОМАС. Ты только представь! Сказал, что приехал в Нью-Йорк по делам, но я-то знаю, птичка. Приезжает он два раза в год выпустить пар. Надеюсь, в следующий раз наткнется на какого-нибудь грубияна с окраины. Ему затолкают в зад его кредитную карточку.

СИНТИЯ. Сегодня звонил Герцог.

ТОМАС. И что ты ему сказала?

СИНТИЯ. Что делаем дело. Что набросали план и теперь работаем над ним. Герцог остался доволен.

ТОМАС. Хорошо. Думаю, слишком уж выказывать усердие не стоит... а ты, птичка?

СИНТИЯ. Нет. Не стоит. Но работу, Томми, я хочу сделать на совесть. Тогда, может, он возьмет нас в дело. Похоже, у него намечается что-то крупное.

ТОМАС. С чего ты взяла?

СИНТИЯ. Герцог очень, очень осторожен. И пять сотен за нашу работу — слишком щедрая плата. В этом деле кто-то стоит за ним. Он всего несколько месяцев на воле. У него не может быть таких денег.

ТОМАС. Сделаем на совесть. Иногда он меня пугает. У него такие светлые глаза, и они видят человека насквозь.

СИНТИЯ. Знаю. И эта Ингрид тоже не Матушка-гусыня.

(Пауза семь секунд).

ТОМАС. Скажи мне вот что, Кусака. Ты когда-нибудь путалась с ней?

(Пауза пять секунд).

СИНТИЯ. Два раза. И все.

ТОМАС. Она извращенка, да?

СИНТИЯ. Еще какая. У меня слов нет.

ТОМАС. Я так и думал, птичка. По ней видно. И держу пари, ее «пунктик»...

СИНТИЯ. Что?

ТОМАС. Плети, цепи, перья... весь набор.

СИНТИЯ. Ты догадлив.

ТОМАС (со смехом). Еще бы. Только не понимаю — чего Герцог путается с ней. На него это не похоже.

СИНТИЯ. Каждому мужчине рано или поздно надо отключаться. Я сказала ему, что будем готовы к следующей пятнице. Годится?

ТОМАС. Почему же нет? Я уже готов.

(Пауза шесть секунд).

СИНТИЯ. Сегодня утром я прошлась мимо того дома на Семьдесят третьей стрит.

ТОМАС. Господи, ты хоть не заходила в подъезд?

СИНТИЯ. Думаешь, я совершенно безмозглая? Герцог же велел не соваться туда... так ведь? Пока он не скажет... Прошла мимо по другой стороне улицы.

ТОМАС. Ну и как этот дом выглядит? Хочешь травки, птичка?

СИНТИЯ. Ладно, зажги косячок. Роскошный дом. Из серого камня. Черный навес от подъезда до обочины тротуара. Видела две медные таблички с фамилиями врачей. Швейцар болтал у входа с участковым полицейским. Дом с виду богатый. Поживиться там, похоже, есть чем. Интересно, что задумал Герцог?

ТОМАС. Наверно, очистить одну из квартир. Как ты думаешь делать свое дело?

СИНТИЯ. Запишусь на прием к терапевту. Фамилию назову с тех визитных карточек, что ты принес. Меня никто не рекомендует, я недавно переехала в этот район, мне нужен врач, я увидела его вывеску. Прежде чем идти к нему, обкусаю ногти до мяса. Попрошу чего-нибудь, чтобы не грызть ногтей. Если он что-то пропишет, скажу, что перепробовала все жидкости, все мази, и все без толку. Спрошу, может, здесь психическая или эмоциональная проблема. Пусть порекомендует обратиться к соседу-психиатру.

ТОМАС. Неплохо придумано.

СИНТИЯ. Зайду к психиатру и повидаюсь с ним или договорюсь о приеме. Оставлю карточку и ему, скажу, что меня послал терапевт. Если не узнаю, все, что нужно, при первом визите, найду повод прийти еще раз. Ну, как придумано? Недочеты есть?

ТОМАС. Есть... один. Карточки у тебя с ложным адресом. Никто не станет проверять, там ты живешь или нет, пока счета не вернутся обратно. А тогда, возможно, будет слишком поздно. Но ты на всякий случай справься у Герцога. Выясни, как быть со счетами. Господи, если терапевт отправит счет на другой день и он вернется, можно провалить все дело. Посоветуйся с Герцогом.

СИНТИЯ. Да, Томми, ты прав. Обычно врачи посылают счет несколько недель или месяц спустя — но лучше не рисковать. Я не подумала, как с ними расплачиваться. У тебя в башке, оказывается, есть мозги.

ТОМАС. Я тоже обожаю тебя, птичка.

СИНТИЯ. Знаешь... травка паршивая. Откуда она?

ТОМАС. Достал, и все. Не нравится?

СИНТИЯ. Сплошные веточки и семена. Ты не очищал ее?

ТОМАС. Он сказал, что травка уже очищена.

СИНТИЯ. Кто?

ТОМАС. Пол.

СИНТИЯ. Этот сопляк? Неудивительно, что травка дрянная. Лучше закурю «Честерфилд». Томми, а как ты собираешься делать свое дело?

ТОМАС. В открытую. Вхожу, предъявляю документы и получаю полный список жильцов. Я же провожу неофициальную перепись жителей для Комитета по реконструкции. Кстати, когда я отправлюсь туда, тебе придется сидеть в телефонной будке той кондитерской. На моем удостоверении стоит этот самый номер. Вдруг кто-то вздумает проверить.

СИНТИЯ. Ладно.

ТОМАС. Это займет у тебя не больше часа. Уходя, я тут же позвоню. Получив список, я попрошу швейцара позвонить жильцам, спросить, не хотят ли они побеседовать со мной. Совершенно добровольно. Никаких требований. Никакого нажима. Тихо-спокойно. Не захотят — не надо. Может, загляну в одну-две квартиры. Этим богатым сукам днем бывает скучно. Хочется поболтать с кем-нибудь.

СИНТИЯ. Всего один визит?

ТОМАС. Да. Лучше не рисковать, птичка. Я сделаю, что смогу, в один визит. Если Герцог будет недоволен, черт с ним.

СИНТИЯ. Тебе хотелось бы, чтобы он остался недоволен? Или наоборот?

ТОМАС. А тебе? Наверно, хотелось бы, точно не знаю. Я сказал тебе, что иногда он пугает меня. Такой холодный, невозмутимый, замкнутый. Когда-нибудь он станет убийцей.

СИНТИЯ. Ты вправду так считаешь?

ТОМАС. Да.

СИНТИЯ. Герцог не носит оружия.

ТОМАС. Я знаю. Но когда-нибудь он пойдет на убийство. Может, забьет кого-то насмерть ногами. Или руками, или тем, что подвернется. Это очень на него похоже — спокойно пинать человека, топтать. Пока тот не отдаст душу.

СИНТИЯ. Господи, Томми.

ТОМАС. Это правда. Сама знаешь, я очень хорошо чувствую людей. От него исходит такая эманация.

СИНТИЯ. Тогда я даже не стану предлагать.

ТОМАС. Что предлагать?

СИНТИЯ. Ну... все это дело очень любопытное — раз Герцог дает такие деньги за нашу работу. Уверена, что очень прибыльное. И я подумала...

ТОМАС. Да?

СИНТИЯ. Подумала, что, если б мы... ты и я... как-то выяснили, что это такое... может, могли бы... как-нибудь... сделать первый ход и взять...

ТОМАС (кричит). Дура! Забудь об этом! Забудь... слышишь! Если еще хоть раз услышу от тебя что-то подобное, тут же пойду к Герцогу и расскажу. Мы получаем деньги за нашу работу. И все! Понимаешь! Ни во что больше не суемся, если Герцог ничего больше нам не поручит. Уяснила?

СИНТИЯ. Господи, Томми, незачем орать на меня.

ТОМАС. Дура проклятая! С такими мыслями нам конец. Понимаешь? Конец.

СИНТИЯ. Ладно, Томми, ладно. Я больше ничего не скажу об этом.

ТОМАС. Даже не думай об этом. Гони эту мысль из своей глупой башки. Я знаю людей лучше, чем ты, и...

СИНТИЯ. Конечно, лучше, Томми.

ТОМАС. ...и Герцог не такой, как мы. Ты не представляешь, что он с нами сделает, если узнает. И ему это ничего не составит. Ничего, глупая шлюха.

СИНТИЯ. Ладно, Томми, ладно.

(Пауза шестнадцать секунд).

СИНТИЯ. В следующую пятницу, когда Герцог позвонит, сказать ему, что мы наметили, и действовать дальше?

ТОМАС. Да. Опиши ему все. Спроси, как расплачиваться с врачами. Он что-нибудь придумает.

СИНТИЯ. Хорошо.

(Пауза шесть секунд).

ТОМАС. Кусака, извини, что я разорался. Но твои слова напугали меня. Прости, пожалуйста.

СИНТИЯ. Ладно, чего там.

ТОМАС. Хочешь принять горячую ванну? Я тебе все приготовлю. С ароматами.

СИНТИЯ. Было б...

(Конец записи из-за нехватки пленки).

13

Эдвард Дж. Бродски; возраст 36 лет, рост 5 футов 9,5 дюйма, вес 178 фунтов; длинные черные волосы с пробором посередине. Средний палец правой руки ампутирован. На правом предплечье небольшой шрам от ножа. Карие глаза. Четыре ареста, одна судимость. Арестован по обвинению в оскорблении 2 марта 1963 года. Дело прекращено. Арестован за взлом 31 мая 1964 года. Дело прекращено за отсутствием улик. Арестован за подготовку мошенничества 27 сентября 1964 года. Обвинение снято. Арестован за неуплату штрафов 14 апреля 1968 года. Приговорен к тридцатидневному заключению в Бруклинской тюрьме. Освобожден по отбытии срока 21 мая 1968 года. Член Бруклинского профсоюза портовых грузчиков, Локэл-стрит, 418 (работал официантом на судне с 5 мая 1965 года по 6 мая 1966 года). Допрашивался в связи с убийством одного из профсоюзных чиновников БПГ, Локэл-стрит, 526, 28 декабря 1965 года. Обвинения предъявлено не было. Адрес: Нью-Йорк, Бруклин, Флэтбуш-авеню, 124, квартира 159. Старший брат Уильяма К. Бродски (см. ниже).

Уильям К. Бродски, «Билли», 27 лет, рост 6 футов 5 дюймов, вес 215 фунтов; светлые волосы, голубые глаза, особых примет нет. Очень мускулистый. Избирался «мистером Юный Бруклин» в 1963, 1964 и 1965 годах. 4 мая 1964 года арестован по обвинению в совращении несовершеннолетней. Обвинение снято. Арестован по обвинению в угрозе смертоносным оружием — своими кулаками. Вынесен условный приговор. Допрашивался 16 июля 1967 года по делу, включающему нападение и изнасилование двух девушек в Бруклине. Освобожден за отсутствием улик. Исключен из школы после седьмого класса. Следователь по делу об угрозе в 1966 году утверждает в рапорте, что у него умственное развитие десятилетнего. Жил Уильям вместе с братом по указанному выше адресу.

Разговор, запись которого приводится ниже, велся в гриль-баре «Ты здесь свой», Бруклин, Флэтбуш-авеню, 136-943, днем 25 мая 1968 года. В гриль-баре тогда было установлено нью-йоркской комиссией по торговле спиртными напитками электронное подслушивающее устройство по подозрению, что владельцы подают спиртное несовершеннолетним и что там собираются нежелательные лица, в том числе проститутки и гомосексуалисты.

Пленка КТС 25/V—68—246 ДБ.

АНДЕРСОН. Пусть принесут пиво, тогда поговорим.
ЭДВАРД. Конечно.
БИЛЛИ. Герцог, вот это да...

ОФИЦИАНТ. Пожалуйста, джентльмены... три пива. Нужно будет повторить — позовите.

ЭДВАРД. Ладно.

АНДЕРСОН. Старый каторжник.

ЭДВАРД. Да брось ты, Герцог, не насмешничай. Надо же так влипнуть! Сколько всего натворил, а попался за стоянку в неположенном месте. Честное слово, я бы смеялся... случись это с кем другим.

БИЛЛИ. Судья сказал, Эд самый злостный неплательщик в Бруклине. Правильно, ага?

ЭДВАРД. Правильно, да... Ты совершенно прав, малыш. Именно так судья и сказал.

АНДЕРСОН. Прекрасно. Занят каким-нибудь делом?

ЭДВАРД. Сейчас нет. Обещают что-то в октябре, но это когда еще.

БИЛЛИ. Герцог говорил, у него есть для нас работа... правда, Герцог?

АНДЕРСОН. Правда, Билли.

БИЛЛИ. Герцог сказал, что это работа для двоих, а то бы я сам с ней справился. Верно, ага, Герцог? Я сказал, что могу что-нибудь сделать, пока тебя нет, Эдвард, но Герцог ответил, что подождет, потому что это работа для двоих.

АНДЕРСОН. Верно, Билли.

ЭДВАРД. Слушай, малыш, пей пиво и помалкивай... ладно? Нам с Герцогом нужно говорить о деле. Не перебивай. Пей пиво и слушай. Идет?

БИЛЛИ. Ну да, Эдвард, конечно. Можно мне еще пива?

ЭДВАРД. Само собой, малыш... только допей сперва эту кружку. У тебя что-то есть, Герцог?

АНДЕРСОН. Есть один дом в Ист-Сайде на Манхеттене. Там нужно обследовать подвал. Человек для этого у меня найден — технарь по имени Эрни Манн. Знаешь его?

ЭДВАРД. Нет.

АНДЕРСОН. Человек толковый, надежный. Дело свое знает. Войдет в подвал только он один. Но ему требуется водитель. Просит грузовик телефонной компании. Манхеттенской. Форменную одежду и удостоверения. Все причиндалы. Я скажу тебе, где раздобыть документы, об остальном позаботишься сам. Дел всего на несколько часов, от силы на три.

ЭДВАРД. А где быть мне?

АНДЕРСОН. Снаружи. В грузовике. Такой небольшой фургон, ты их видел.

БИЛЛИ. Это работа для двоих... верно, Герцог?

АНДЕРСОН. Как Эд скажет. Ну что?

ЭДВАРД. Расскажи поподробней.

АНДЕРСОН. Перестроенный особняк в тихом квартале. Швейцар. Проезд ведет к служебному входу. Войти без того, чтобы швейцар не увидел тебя по кабельному телевизору и не нажал кнопку, нельзя. Ты останавливаешься у парадного входа. Эрни входит в подъезд и предъявляет документы. Твои швейцар вряд ли захочет проверять, ты будешь сидеть снаружи, в служебном грузовике, на виду. Эрни скажет, что телефонная компания прокладывает под кварталом новую линию и ему нужно осмотреть вводы. Пока что все нормально?

ЭДВАРД. Пока что да.

АНДЕРСОН. Что может случиться? Технарю нужно войти в подвал, и все; он не собирается проверять квартиры. Швейцар соглашается, тебе нужно свернуть на проезд и подъехать к служебному входу. Идет туда, как я уже сказал, только Эрни. Ты остаешься в машине.

БИЛЛИ. И я, Герцог. Не забывай обо мне.

АНДЕРСОН. Само собой. Ну как, Эд?

ЭДВАРД. Где нам взять удостоверения?

АНДЕРСОН. На Амстердам-авеню есть один типограф, Хелмас. Никогда не обращался к нему?

ЭДВАРД. Нет.

АНДЕРСОН. Самый лучший. У него есть чистые бланки. Не копии. Настоящие. Тебе потребуется фотография, чтобы приклеить ее, — знаешь, из тех, что делают на Сорок второй стрит по четыре штуки за двадцать пять центов.

ЭДВАРД. А грузовик, форменная одежда, снаряжение и прочее?

АНДЕРСОН. Это твоя забота.

ЭДВАРД. Сколько?

АНДЕРСОН. Четыре сотни.

ЭДВАРД. Когда?

АНДЕРСОН. Как только будешь готов. Я позвоню Эрни, и мы назначим время. Это не грабеж, Эд, просто разведка.

ЭДВАРД. Я понимаю, но все же... нельзя ли пять сотен, Герцог?

АНДЕРСОН. Не могу, Эд. Я на бюджете. Но если все сойдет гладко, может, тебе... всем нам обломится еще кое-что. Понимаешь?

ЭДВАРД. Конечно.

БИЛЛИ. О чем это вы? Я не понимаю.

ЭДВАРД. Помолчи немного, малыш. Давай еще раз обговорим все, Герцог; я хочу быть уверен, что понял правильно. Это просто разведка, а не грабеж. В дом я не вхожу. Я достаю грузовик манхеттенской телефонной компании со всем оборудованием. Я одет по форме, через плечо сумка с инструментами. А как технарь?

АНДЕРСОН. У него будет своя.

ЭДВАРД. Хорошо. Я угоняю грузовик. По пути подбираю этого Эрни. Так?

АНДЕРСОН. Так.

ЭДВАРД. Мы подъезжаем к парадному входу. Эрни вылезает, идет к швейцару и показывает удостоверение. Мы едем к служебному входу. Эрни вылезает, показывается на экране телевизора, и швейцар его впускает. Я остаюсь в машине. Правильно я понял?

АНДЕРСОН. Правильно.

ЭДВАРД. И долго мне стоять там?

АНДЕРСОН. От силы три часа.

ЭДВАРД. А потом?

АНДЕРСОН. Если он до тех пор не выйдет, уезжай.

ЭДВАРД. Хорошо. Именно это я и хотел услышать. Значит, в подвале он проводит не больше трех часов. А потом что?

АНДЕРСОН. Высади его, где он захочет. Спрячь грузовик. Переоденься в обычную одежду. Уходи.

БИЛЛИ. Да ведь это пустяки... верно, Эдвард? Пустяки, да?

ЭДВАРД. На словах все пустяки, малыш. Как нам держать связь, Герцог?

АНДЕРСОН. Договорились?

ЭДВАРД. Да. Договорились.

АНДЕРСОН. Я буду звонить тебе ежедневно в час. Если не застану, ничего. Позвоню на другой день. Когда у тебя все будет готово, я звоню технарю, и мы уславливаемся о встрече. Хочешь сейчас две сотни?

ЭДВАРД. Господи, еще бы! Официант... еще по одной!

14

В кондитерской и табачной лавке на Уэст-Энд-авеню, 4678, 16 ноября 1967 года Нью-Йоркское управление полиции установило электронное подслушивающее устройство по подозрению, что лавка используется как игорный (числовая лотерея) дом. Катушки с пленками установлены в кабинах двух телефонов-автоматов в глубине лавки.

Ниже приводится расшифровка пленки НЙУП—ССР—182—БЛ. Пленка не датирована, но предположительно запись сделана 31 мая 1968 года.

СИНТИЯ. ...словом, план у нас такой, Герцог. Как на твой взгляд?

АНДЕРСОН. Хорошо. На мой взгляд, хорошо.

СИНТИЯ. Единственное затруднение, какое мы предвидим, — это расплата с врачами. Знаешь, врачи обычно присылают счет через несколько недель или через месяц. Но если тот или другой отправят счет через несколько дней по вымышленному адресу и письмо вернется, я не смогу нанести второго визита.

АНДЕРСОН. А что говорит Томми?

СИНТИЯ. Он просил передать, что это можно уладить несколькими способами. Я могу сказать, что еду в морское путешествие или в отпуск, и попросить не слать счета в течение месяца хотя бы для того, чтобы в мое отсутствие не набивался почтовый ящик, поскольку это уведомление ворам, что дома никого нет. И, как говорит Томми, можно достать поддельную чековую книжку у Хелмаса. Я могу на месте выписать поддельный чек. Таким образом, пока выяснится, что чек фальшивый, у меня будет не меньше трех-четырех дней, чтобы нанести еще один визит.

АНДЕРСОН. А почему бы, уходя, не расплатиться наличными?

СИНТИЯ. Томми говорит, это будет не соответствовать роли.

АНДЕРСОН. Ерунда. Твоему брату играть бы в театре. Слушай, нечего особенно хитрить. Ты не совершаешь никакого преступления. Не рискуй. Узнай все, что сможешь, при первом визите. Расплатись наличными. И можешь прийти снова когда угодно.

СИНТИЯ. Раз ты так считаешь, Герцог, ладно. А как тебе нравится план Томми?

АНДЕРСОН. Я не вижу никаких изъянов, Кусака. Действуйте оба. Если что, выкручивайтесь поумнее и выходите. Не настырничайте. Я позвоню в следующую пятницу в это же время, и договоримся о встрече.

15

Расшифровка пленки ФТК 1/VI—68 ЭГМ—29Л. Место записи — компания «Фан сити, инк», авеню Д, 1975.

АНДЕРСОН. Профессор?

МАНН. Да.

АНДЕРСОН. Это Герцог. Твой телефон не прослушивается?

МАНН. Нет, конечно.

АНДЕРСОН. У меня есть для тебя водители.

МАНН. Водители? Не один?

АНДЕРСОН. Двое братьев.

МАНН. Это необходимо?

АНДЕРСОН. Это команда. Профессионалы. Не пугайся. Ждать тебя они будут три часа.

МАНН. Достаточно. Более, чем достаточно. Я выйду через час.

АНДЕРСОН. Хорошо. Когда?

МАНН. Ровно в девять сорок пять утра четвертого июня.

АНДЕРСОН. То есть в следующий вторник. Так?

МАНН. Так.

АНДЕРСОН. Где?

МАНН. На северо-западном углу Семьдесят девятой стрит и Лексингтон-авеню. На мне будет коричневый плащ, в руке черный чемоданчик. Я буду без шляпы. Запомнил?

АНДЕРСОН. Запомнил.

МАНН. Герцог, два человека... это необходимо?

АНДЕРСОН. Я же сказал тебе, это команда. Старший ведет машину. Младший просто ударная сила.

МАНН. А зачем нужна ударная сила?

АНДЕРСОН. Там ничего не случится, Профессор. У малыша в голове не все дома. Брат присматривает за ним. Малышу нужно находиться со старшим. Понимаешь?

МАНН. Нет.

АНДЕРСОН. Профессор, они оба будут сидеть в грузовике и ждать тебя. Никаких неприятностей не будет. Ударная сила не потребуется. Все сойдет гладко.

(Пауза шесть секунд).

МАНН. Отлично.

АНДЕРСОН. Я позвоню тебе в среду, пятого июня, и договоримся о встрече.

МАНН. Как угодно.

16

Расшифровка личной звукозаписи автора, сделанной 19 ноября 1968 года. Насколько мне известно, содержащиеся здесь сведения не приводятся в официальных записях, расшифровках или документах.

АВТОР. Это будет запись ГО—1А. Представьтесь, пожалуйста, и назовите свой адрес.

РАЙЕН. Меня зовут Кеннет Райен. Я живу на Западной Девятнадцатой стрит, дом тысяча сто девяносто восемь.

АВТОР. Назовите, пожалуйста, свою должность и место работы.

РАЙЕН. Я швейцар. Работаю в доме пятьсот тридцать пять по Восточной Семьдесят третьей стрит в Манхеттене. Обычно нахожусь на работе с восьми часов утра до четырех дня. Иногда, понимаете, мы подменяем друг друга. Нас трое, иногда кто-то хочет куда-то съездить, иногда кому-то нужно к семье. Тогда мы подменяемся. Но обычно я на работе с восьми до четырех.

АВТОР. Спасибо, мистер Райен. Как я уже объяснил, эта запись нужна мне только для подготовки рассказа о преступлении, совершенном в Нью-Йорке в ночь с тридцать первого августа на первое сентября тысяча девятьсот шестьдесят восьмого года. Я не состою на государственной службе. Я не стану просить вас подтвердить под присягой те показания, которые вы дадите, они не будут фигурировать ни на суде, ни в другой юридической процедуре. Заявление, которое вы сделаете, будет служить только для моих личных целей и не будет опубликовано без вашего согласия, которым может служить лишь подписанное вами заявление, где вы даете разрешение на публикацию. В свою очередь я плачу вам сто долларов независимо от того, согласитесь вы на публикацию или нет. Я обеспечу вам — за свой счет — дубликат этой магнитофонной записи. Вам все понятно?

РАЙЕН. Конечно.

АВТОР. Итак... я показал вам фотографию. Узнали вы этого человека?

РАЙЕН. Конечно. Этот тип назвался мне Сидни Бревоортом.

АВТОР. Так... его настоящее имя Томас Хэскинс. Но он представился вам как Сидни Бревоорт?

РАЙЕН. Да.

АВТОР. Когда это было?

РАЙЕН. В начале июня. В этом году. Третьего, четвертого или пятого. Где-то в этих числах. Он зашел ко мне в вестибюль, где я работаю; как я вам уже говорил, это Восточная Семьдесят третья стрит, дом пятьсот тридцать пять.

АВТОР. В котором часу?

РАЙЕН. Точно не помню. То ли в девять сорок пять, то ли в десять. Примерно в это время. Говорит: «Доброе утро», я отвечаю: «Доброе». Он заявляет: «Меня зовут Сидни Бревоорт, я представитель Нового городского комитета по реконструкции. Вот мое удостоверение». И предъявляет документ, там все, как он сказал.

АВТОР. Удостоверение было с фотографией?

РАЙЕН. Да, конечно. Типографский бланк, все честь по чести. Официально — понимаете, что я имею в виду? И говорит: «Сэр» — он постоянно обращался ко мне «сэр», — говорит: «Сэр, наша организация проводит неофициальную перепись населения в манхеттенском Ист-Сайде от Пятой авеню до реки и от Двадцать третьей стрит на юге до Восемьдесят шестой на севере. Мы добиваемся от законодательного собрания штата Нью-Йорк разрешения на заем для строительства метро под Второй авеню». Точнее припомнить я не могу. Говорил он, знаете, очень официально. Очень солидно. Ну я и говорю: «Вот-вот. Несколько лет назад выпустили такие облигации, а потом пустили деньги на другие дела. Прямо в карман политикам». Он и говорит: «Вижу, вы в курсе городских дел». Я говорю ему: «Знаю, что творится». Он отвечает: «Не сомневаюсь, сэр. Так вот, надо как-то убедить членов законодательного собрания, что этот билль должен быть принят, и Новый городской комитет по реконструкции проводит в этом районе манхеттенского Ист-Сайда подсчет буквально каждого жителя, которому метро на Второй авеню принесет удобства. От вас мне бы хотелось узнать фамилии жильцов дома и номера их квартир».

АВТОР. И что вы на это ответили?

РАЙЕН. Послал его к черту. Не буквально, сами понимаете. Но сказал, что сделать этого не могу.

АВТОР. Что он сказал потом?

РАЙЕН. Сказал, что перепись — дело добровольное. Что любой житель, который согласится дать сведения о себе, может не беспокоиться, фамилий никто не узнает. Это будет — ну, знаете, вроде как статистика. Он хотел узнать, кто в какой квартире живет, у кого есть слуги, как жильцы ездят на работу, когда выходят из дому, когда возвращаются. Такие вот вещи. Ну я и отвечаю: «Извините, не могу». Сказал, что дом находится под управлением компании «Шови энд Уайт», Мэдисон-авеню, тысяча триста двадцать четыре, и все швейцары получили строгое распоряжение ни с кем не вести разговоры о жильцах, не разглашать никаких сведений и никого не пускать в квартиры без ведома «Шови энд Уайт».

АВТОР. Как он на это среагировал?

РАЙЕН. Мозгляк несчастный. Сказал, что это, наверно, из-за недавних краж по Ист-Сайду, и предложил позвонить в компанию насчет разрешения поговорить со мной и порасспросить жильцов, которые не откажутся говорить с ним. Ну я и говорю — позвоните, конечно; если там дадут добро, я не буду ничего иметь против. Он сказал, что позвонит и, если там согласятся, попросит передать мне разрешение по телефону. Спросил, с кем ему говорить в компании, я сказал, что с мистером Уолшем, который занимается нашим домом. Дал ему телефонный номер... дрянь! Потом спрашивает, видел ли я хоть раз мистера Уолша, и я был вынужден ответить, что не видел ни разу. Разговаривал с ним дважды по телефону, и только. Вы должны понять, что у этих управляющих нет никакого интереса к людям. Сидят в своих креслах у телефона, и все.

АВТОР. И что сделал человек, известный вам как Сидни Бревоорт?

РАЙЕН. Сказал, что позвонит в компанию, объяснит, что ему нужно, и попросит мистера Уолша связаться со мной. Я ответил — если они будут не против, буду не против и я. Он извинился за беспокойство — очень вежливо, понимаете — и ушел. Грязная мелкая тварь.

АВТОР. Спасибо, мистер Райен.

17

Расшифровка пленки НЙУП—ССР—196—БЛ. Кондитерская на Уэст-Энд-авеню, 4678, 3/VI-68, примерно 10 часов 28 минут.

СИНТИЯ ХЭСКИНС. Новый городской комитет по реконструкции. Могу я помочь вам?

ТОМАС. Кусака, это я.

СИНТИЯ. Что случилось?

ТОМАС. У меня провал. Этот сучий ирландец-швейцар не хочет говорить, пока не получит разрешения от служащих компании «Шови энд Уйат» на Мэдисон-авеню.

СИНТИЯ. О Господи, Герцог убьет нас.

ТОМАС. Не пугайся раньше времени, птичка. По пути сюда я кое-что придумал. Звоню я из автомата на углу Семьдесят третьей и Йорк-авеню.

СИНТИЯ. Томми, ради Бога, не волнуйся. Герцог говорит, чтобы мы не рисковали. Сказал: «В случае чего — уходите». А ты говоришь, что-то придумал. Томми, не надо...

ТОМАС. По-твоему, Герцог платит пять сотен за то, что мы уйдем? Он хочет, чтобы мы поработали мозгами, разве не так? Потому-то и обратился к нам, разве нет?

Будь ему нужна пара остолопов, он бы нашел их за сотню. Герцогу нужны результаты. Если мы не завалим дело — что бы оно ни представляло собой, — ему все равно, как мы его провернем.

СИНТИЯ. Томми, я...

ТОМАС. Замолчи и слушай. Мы с тобой сделаем вот что...

18

3/VI-68, примерно 10 часов 37 минут.

РАЙЕН. Восточная Семьдесят третья стрит, пятьсот тридцать пять.

СИНТИЯ. Это швейцар?

РАЙЕН. Да. А кто вы?

СИНТИЯ. Я Рут Дэвид, служащая фирмы «Шови энд Уайт». С вами говорил недавно Сидни Бревоорт из Нового городского комитета по реконструкции?.

РАЙЕН. Да. Был здесь несколько минут назад. Хотел получить список жильцов и поговорить с ними. Я сказал, чтобы он обратился к мистеру Уолшу.

СИНТИЯ. Вы поступили совершенно правильно. Но мистера Уолша нет, он болеет. Кажется, грипп. Его не было вчера и нет сегодня. Пока он не выйдет, этим домом занимаюсь я. Как выглядит этот Бревоорт?

РАЙЕН. Похож на мышонка. Я мог бы разжевать его и выплюнуть на противоположный тротуар.

СИНТИЯ. Я имею в виду, похож ли он на вора?

РАЙЕН. Нет. Но это ничего не значит. Как мне быть, если он заявится снова?

СИНТИЯ. Я звонила в Новый городской комитет по реконструкции, это официальное учреждение. Мне сказали — да, Сидни Бревоорт работает у нас. Удостоверение у него было?

РАЙЕН. Да. Он предъявлял его.

СИНТИЯ. Я не хочу брать на себя ответственность за

дачу ему списка жильцов или позволения поговорить с ними.

РАЙЕН. Правильно. Я тоже не хочу.

СИНТИЯ. Я вот что скажу вам... мистер Уолш просил позвонить ему домой, если возникнет какое-то затруднение. У меня есть его домашний телефон. Если мистер Уолш даст согласие, можете поговорить с Бревоортом. Если нет, к черту Бревоорта и Новый городской комитет по реконструкции. В любом случае вы и я будем ни при чем; пусть решает Уолш.

РАЙЕН. Да. Это разумно.

СИНТИЯ. Ладно. Я кладу трубку и звоню Уолшу. Через несколько минут перезвоню, передам, что он скажет.

РАЙЕН. Я буду на месте.

19

3/VI-68, примерно 10 часов 48 минут.

СИНТИЯ. Швейцар? Это опять Рут Дэвид.

РАЙЕН. Да. Вы говорили с мистером Уолшем?

СИНТИЯ. Говорила. Он совершенно не против. Сказал, что можно дать Бревоорту список жильцов. И пусть поговорит с теми, кто изъявит согласие. Но сперва спросите их по внутреннему телефону. Не позволяйте Бревоорту шастать по дому. И проследите, чтобы после каждого разговора он спускался в вестибюль.

РАЙЕН. Не беспокойтесь, мисс Дэвид. Я знаю, как быть в таких делах.

СИНТИЯ. Отлично. Господи, какой груз с моей души. Я не хотела брать на себя ответственность.

РАЙЕН. И я не хотел.

СИНТИЯ. Мистер Уолш просил передать, что вы поступили совершенно правильно, заставив Бревоорта позвонить нам. Просил передать, что не забудет этого.

РАЙЕН. Да. Отлично. Ладно, тогда я поговорю с Бревоортом. Спасибо, что позвонили, мисс Дэвид.

СИНТИЯ. Благодарю вас, сэр.

20

Расшифровка пленки КЦББ 3/VI—68-ИМ—01—48ПМ—142С. Квартира Ингрид Махт на Западной Двадцать четвертой стрит, 627.

ИНГРИД. Входи, Шатци.

АНДЕРСОН. Очки? Ты стала пользоваться очками?

ИНГРИД. Уже с год. Только для чтения. Нравятся они тебе?

АНДЕРСОН. Да. Ты занята чем-то?

ИНГРИД. Кончаю завтракать. Сегодня я поздно встала. Кофе?

АНДЕРСОН. Отлично. Черного.

(Пауза минута тридцать секунд).

ИНГРИД. Может, немного бренди?

АНДЕРСОН. Замечательно. Составишь компанию?

ИНГРИД. Спасибо, нет. Отопью глоточек у тебя.

АНДЕРСОН. Потом скажешь, что я пью слишком много, а сама выпьешь по глоточку у меня половину.

ИНГРИД. Шатци, когда я говорила, что ты пьешь слишком много? Когда я вообще критиковала твое поведение?

АНДЕРСОН. Никогда... насколько я помню. Я пошутил. У тебя нет чувства юмора.

ИНГРИД. Это верно. Тебя что-то беспокоит?

АНДЕРСОН. Нет. А что?

ИНГРИД. У тебя такой взгляд. В глазах что-то такое отдаленное. Ты напряженно думаешь о чем-то. Я права?

АНДЕРСОН. Может быть.

ИНГРИД. Пожалуйста, не рассказывай мне. Я не хочу знать. Не хочу снова проходить через все это. Ты понимаешь?

АНДЕРСОН. Конечно. Сядь ко мне на колени. Нет... очки не снимай.

ИНГРИД. Они тебе нравятся?

АНДЕРСОН. Да. Когда я жил на Юге, у меня было

свое представление о женщине из большого города. Я рисовал ее себе. Очень худая. Не слишком высокая. Жесткая. Костлявая. Широкие глаза. Бледные губы. И очки в массивной черной оправе.

ИНГРИД. Странная мечта для мужчины. Обычно это нежная пухлая маленькая блондинка с большой грудью.

АНДЕРСОН. Ну, а у меня была такая мечта. И длинные черные волосы до талии.

ИНГРИД. У меня есть такой парик.

АНДЕРСОН. Знаю. Это мой подарок.

ИНГРИД. Да, Шатци, твой. Я и забыла. Надеть?

АНДЕРСОН. Надень.

(Пауза четыре минуты четырнадцать секунд).

ИНГРИД. Ну, вот. Теперь я твоя мечта?

АНДЕРСОН. Близка. Очень близка. Садись опять сюда.

ИНГРИД. А что ты принес мне сегодня, Герцог... опять зажигалку?

АНДЕРСОН. Нет. Сто долларов.

ИНГРИД. Замечательно. Я люблю деньги.

АНДЕРСОН. Знаю. Все покупаешь акции?

ИНГРИД. Конечно. Дела у меня идут хорошо. Мой маклер говорит, что у меня инстинкт для игры на бирже.

АНДЕРСОН. Я мог бы сам сказать это ему. Тебе не больно?

ИНГРИД. Нет. Может, пойдем в спальню?

(Пауза две минуты тридцать четыре секунды).

ИНГРИД. Ты похудел... стал жестче. Этот шрам... ты говорил мне, откуда он, но я забыла.

АНДЕРСОН. Драка на ножах.

ИНГРИД. Ты убил того человека?

АНДЕРСОН. Да.

ИНГРИД. Из-за чего ты дрался?

АНДЕРСОН. Не помню. А тогда это казалось важным. Дать тебе деньги сейчас?

ИНГРИД. Не будь противным, Герцог. Это на тебя не похоже.

АНДЕРСОН. Тогда начинай. Господи, мне это нужно. Я должен отключиться.

ИНГРИД. Отключаться — для тебя это очень важно?

АНДЕРСОН. Нужно. Я втянулся. Помедленней...

ИНГРИД. Конечно. Нет... я говорила тебе, не закрывай глаз. Смотри на меня.

АНДЕРСОН. Хорошо. Смотрю.

ИНГРИД. Знаешь, я, пожалуй, напишу книгу. Расслабь мышцы, Шатци; ты слишком скован.

АНДЕРСОН. Ладно... да. Так лучше?

ИНГРИД. Гораздо. Смотри... разве не лучше?

АНДЕРСОН. О Господи, да. Книгу о чем?

ИНГРИД. О боли и преступлениях. Знаешь, по-моему, преступники — большинство преступников — делают свое дело, потому что могут причинить кому-то боль. И еще потому, что могут быть схвачены и наказаны. Причинять боль и ощущать боль. Ради этого они лгут, мошенничают, крадут и убивают.

АНДЕРСОН. Да...

ИНГРИД. Смотри... Я обовью вокруг тебя свои длинные черные волосы. Затяну покрепче и завяжу... вот так. Ну вот. Как смешно ты выглядишь... словно рождественский подарок в странной упаковке...

АНДЕРСОН. Начинается... Я чувствую.

ИНГРИД. Отключаешься?

АНДЕРСОН. Понемногу. Может быть, ты права. Я не разбираюсь в таких вещах. Но в этом есть смысл. В тюрьме я познакомился с человеком, которому грозило тридцать лет как минимум. Он бы получил от восьми до десяти, если бы не калечил людей, которых грабил. Необходимости в этом не было. Они отдавали ему все, что он хотел. Не кричали. Но он их калечил. А потом оставлял отпечатки пальцев по всей квартире.

ИНГРИД. Да, это понятно. Опять напрягаешься, Шатци. Расслабься. Да, так лучше. А теперь...

АНДЕРСОН. О Господи, Ингрид, прошу тебя... пожалуйста, не надо...

ИНГРИД. Сперва просил начать, теперь просишь прекратить. Но я должна помочь тебе отключиться. Разве не так, Герцог?

АНДЕРСОН. Ты единственная, кто может это сделать... единственная...

ИНГРИД. Ну вот... Теперь стисни зубы и постарайся не орать... Сюда... и сюда...

АНДЕРСОН. Твои зубы... не могу... пожалуйста, я... О Господи...

ИНГРИД. Еще чуть-чуть. Ты отключаешься... по глазам вижу. Еще чуть-чуть. А теперь... так... так... О, ты отключаешься, Герцог... не правда ли? Да, ты уже забылся. А я нет, Герцог... я нет...

21

Начиная с 12 апреля целый ряд писем — очевидно, написанных душевнобольным человеком — с угрозой личной безопасности был отправлен президенту Соединенных Штатов, членам Верховного суда США и нескольким сенаторам. Как ни странно, анонимные письма были отпечатаны на бумаге отеля «Экскалибур Армс», Нью-Йорк, Бродвей, 14896.

29 апреля при содействии адресатов секретная служба США установила в отеле электронные подслушивающие устройства. Главное устройство было установлено на вводе телефонной линии в здание. Дополнительно в нескольких комнатах и номерах были установлены микрофоны для записи ведущихся там разговоров. Все эти устройства были подключены к магнитофону 47-83Б фирмы «Эмплекс», включающемуся от звука голоса, подключенному к дублирующему магнитофону 47-82Б-1 на тот случай, если два разговора будут вестись одновременно. Магнитофоны были установлены в подвале отеля.

Ниже приводится расшифровка пленки СССША—ВС—901КД—432, дата 5/VI—68. Запись велась из комнаты

432. Двое находящихся там людей, Джон Андерсон и Томас Хэскинс, опознаны по спектрограмме голосов и внутренним уликам.

(Стук в дверь).

АНДЕРСОН. Кто там?

ХЭСКИНС. Я... Томми.

АНДЕРСОН. Заходи. Внизу все в порядке?

ХЭСКИНС. Чисто. Какой грязный клоповник, голубчик.

АНДЕРСОН. Я снял эту комнату только для нашей встречи. Спать здесь не собираюсь. Садись сюда. У меня есть бренди.

ХЭСКИНС. Спасибо, не хочу. Но, кажется, у меня есть травка. Составишь компанию?

АНДЕРСОН. Обойдусь бренди. Как прошла разведка?

ХЭСКИНС. По-моему, очень хорошо. Я сделал все два дня назад. Кусака сделает завтра.

АНДЕРСОН. Были проблемы?

ХЭСКИНС. Небольшая загвоздка. Ничего серьезного. Мы с ней справились.

АНДЕРСОН. Много разузнал?

ХЭСКИНС. Сколько сумел. Не до мельчайших подробностей, как тебе, конечно, хотелось бы, но порядочно.

АНДЕРСОН. Томми, я не собираюсь темнить. Мозги у тебя есть. Сам понимаешь, раз я плачу пять сотен за разведку, значит, намечаю дело. Для начала скажи прямо — стоит браться или нет?

ХЭСКИНС. Какую квартиру, голубчик?

АНДЕРСОН. Весь дом.

ХЭСКИНС. Боже Всемогущий!

АНДЕРСОН. Стоит или нет?

ХЭСКИНС. Господи, еще бы!

АНДЕРСОН. Как думаешь, сколько можно там взять?

ХЭСКИНС. Как думаю? Уж не меньше ста тысяч. А то и двести.

АНДЕРСОН. Мы с тобой мыслим одинаково. Я давно это понял. Ладно, выкладывай.

ХЭСКИНС. Я напечатал на машинке Кусаки отчет в двух экземплярах, чтобы можно было просматривать его вдвоем. Само собой, ты получишь обе копии.

АНДЕРСОН. Само собой.

ХЭСКИНС. Ладно... начнем со швейцаров. Их трое: Тимоти О'Лири, Кеннет Райен, Эд Бэкли. По сменам распределяются с полуночи до восьми утра, с восьми до четырех и с четырех до полуночи. О'Лири, тот, что дежурит с полуночи до восьми, пьяница, бывший полицейский. Если кто-то берет выходной, другие работают по двенадцать часов и получают двойную плату. Иногда, к примеру на Рождество, выходной берут сразу двое, и профсоюз присылает подмену. Удовлетворен?

АНДЕРСОН. Давай дальше.

ХЭСКИНС. В отчете у меня сказано все более подробно, голубчик, но я хочу обговорить с тобой основные факты на тот случай, если у тебя возникнут вопросы.

АНДЕРСОН. Давай дальше.

ХЭСКИНС. Управляющий. Ивен Блок. По-моему, поляк или венгр. Пьяница. Живет в подвальной квартире. Торчит там безвылазно шесть дней в неделю. По понедельникам ездит в Нью-Джерси проведать замужнюю сестру. По необходимости его заменяет управляющий дома пятьсот тридцать семь. Он же заменяет Блока, когда тот берет в мае ежегодный двухнедельный отпуск. Блоку шестьдесят четыре года, он слеп на один глаз. Квартира его состоит из одной комнаты и ванной. Райен намекнул, что он прижимистый. Возможно, у него кое-что припрятано под матрацем.

АНДЕРСОН. Возможно. Эти скупердяи из Старого Света не доверяют банкам. Продолжай. Я не хочу долго торчать здесь. Эта конура действует мне на нервы.

ХЭСКИНС. Еще бы. Я только что видел клопа. Врачебный кабинет один-а, первый этаж, рядом с вестибюлем. Доктор медицины Эрвин Лейстер, терапевт.

АНДЕРСОН. Что это означает?

ХЭСКИНС. Специалист по внутренним болезням. У него работают медсестра и секретарша, совмещающая обязанности личной секретарши с приемом. Приемные часы с девяти до шести. Иногда он задерживается и дольше. Медсестра и секретарша обычно уходят в полшестого. В кабинете один-б психиатр Дмитри Рубикофф. У него одна медсестра-секретарша. Принимает обычно с девяти до девяти. Иногда задерживается дольше. Кусака даст тебе после четверга более полный отчет.

АНДЕРСОН. Вы отлично работаете.

ХЭСКИНС. Выше на каждом этаже по две квартиры. Этажей всего пять.

АНДЕРСОН. Знаю.

ХЭСКИНС. Второй этаж. Квартира два-а. Эрик Сэбайн. Декоратор интерьеров. Блестящая репутация. Его квартиру широко расписали в прошлом году в журнале «Таймс». Я оглядел ее. Подлинники Пикассо и Клее. Тщательно подобранная коллекция предметов искусства доколумбовой эпохи. Роскошный восточный ковер девять на двенадцать, оцененный в двадцать тысяч. На фото в «Таймс» у него три перстня, похоже золотые. Явно из педиков, хотя и не мой тип. Если тебе любопытно, я без труда разузнаю о нем побольше.

АНДЕРСОН. Посмотрим.

ХЭСКИНС. Квартира два-б. Мистер и миссис Арон Рабинович. Богатые молодые евреи. Он служит на Уоллстрит в юридической фирме. Младший партнер. Занимается оперными, балетными и театральными труппами. И прочим в том же духе. Очень широких взглядов. Это одна из трех квартир, которые я осмотрел как следует. Супруга была дома, с восторгом говорила о предполагаемом метро на Второй авеню и о положении бедняков. Современная мебель. Ничего впечатляющего, кроме обручального кольца, я не заметил. Поскольку он юрист, у него должен где-то быть встроенный сейф. Хорошие картины, две слишком велики, чтобы связываться с ними. Громадные абстрактные полотна.

АНДЕРСОН. Серебро?

ХЭСКИНС. Ты ничего не упускаешь, так ведь, голубчик? Да, серебро... на виду и очень приличное, по-моему, антикварное. Должно быть, свадебный подарок. Лежит на буфете в столовой. Вопросы есть?

АНДЕРСОН. Служанка?

ХЭСКИНС. Приходящая. Является в полдень и уходит после того, как подаст ужин и уберется. Немка. Средних лет. А теперь... поднимаемся на третий этаж. Квартира три-а. Мистер и миссис Макс Горовиц. Он на покое. Был оптовым торговцем ювелирными изделиями. У нее в коленях артрит, ходит с тростью. Еще у нее три меховые шубы, одна из них норковая, одна соболья, и серьги с бриллиантами. По крайней мере так говорит швейцар. Еще он говорит, что они скупердяи — всей обслуге дают на Рождество в общей сложности пятьсот долларов. Но думает, что они богачи. Квартира три-б. Миссис Агнесса Эверли. С мужем разошлась. Квартира принадлежит ему, но он там не живет. Ничего особо любопытного. Может, норковая шуба. Она закупщица для сети магазинов дамского белья. Много разъезжает. Кстати, я упомянул о меховых шубах — но ты понимаешь, голубчик, сейчас они почти все, наверно, сданы на хранение.

АНДЕРСОН. Конечно.

ХЭСКИНС. Четвертый этаж. Квартира четыре-а. Мистер и миссис Джеймс Т. Шелдон с трехлетними дочерьми-близняшками. В квартире живет служанка, ежедневно ходит за покупками в ближайшие магазины. Я попал и в эту квартиру. Служанка уходила при мне. Вест-индианка. Аппетитная... только у меня другой аппетит. Приятный акцент. Большие груди. Сияющая улыбка. Миссис Джеймс Т. Шелдон настоящая страшилка: физиономия лошадиная, зубы как пила, кожа будто клеенка. У нее должны быть деньги. А мистер Шелдон, должно быть, путается со служанкой. Он партнер в посреднической фирме, заведует отделом на Парк-авеню. Я наскоро оглядел его обшитый деревянными панелями кабинет с застекленными шкафами у стены. Потом миссис Шелдон прикрыла дверь. Там, кажется, есть коллекция монет. Вполне годится. Взять легко.

АНДЕРСОН. Да. Говоришь, служанка ходит за покупками ежедневно в полдень?

ХЭСКИНС. Да. С точностью часового механизма. Потом и швейцар это подтвердил. Зовут ее Андроника.

АНДЕРСОН. Андроника?

ХЭСКИНС. Совершенно верно. Я указал это в отчете. Шикарная женщина. Квартира четыре-б. Миссис Марта Хэтуэй — не Хэтоуэй, а Хэтуэй. Вдова девяноста двух лет с восьмидесятидвухлетней компаньонкой-домохозяйкой. Не совсем в своем уме. Можно сказать, затворница.

АНДЕРСОН. Кто?

ХЭСКИНС. Затворница. Вроде отшельницы. Почти не выходит. Весь день смотрит телевизор. Гостей у нее не бывает. Домохозяйка заказывает все, что нужно, в магазинах по телефону. Райен, швейцар, говорит, что много лет назад муж ее был политическим деятелем, большой шишкой в Таммани-холле. Квартира обставлена мебелью из городского особняка Хэтуэев на Восточной Шестьдесят второй стрит. Хозяйка много из вещей продала, но лучшие оставила. Был большой аукцион, можешь без труда все разузнать, или я сам это сделаю.

АНДЕРСОН. Что, ты выяснил, у нее есть?

ХЭСКИНС. Серебро, драгоценные камни, картины... чего только нет. У меня такое чувство, что квартира четыре-б может оказаться настоящей сокровищницей.

АНДЕРСОН. Возможно.

ХЭСКИНС. Верхний этаж — пятый. Обе квартиры с небольшими балконами. Квартира пять-а. Мистер Джералд Бингем с женой и пятнадцатилетний сын Джералд-младший. Мальчишка пользуется креслом-каталкой, у него отнялись обе ноги. К нему ежедневно приходит домашний учитель. У Бингема собственная консультационная фирма по управлению на Мэдисон-авеню. А также собственный лимузин, водит его шофер, гараж на Лексингтон-авеню. Шофер каждое утро возит его на работу и каждый вечер привозит обратно. Характер мягкий. Телефон его есть во всех справочниках, проверить, дома ли он, нетрудно. У жены тоже есть деньги. Ничего особенного в этой квартире нет. Ничего стоящего.

АНДЕРСОН. Дальше.

ХЭСКИНС. Квартира пять-б. Эрнест Лонджин и Эприл Клиффорд. Утверждают, что состоят в браке, но каждый носит свою фамилию. Он театральный продюсер, а она была знаменитой актрисой. Уже десять лет не появляется на сцене, но вспоминает. Господи, как она вспоминает! С ними живет служанка. Рослая, толстая, похожа на няню. Это третья квартира, в которую я заходил. Эприл собиралась на ленч в ресторан «Плаза» и надела свои дневные бриллианты. Очень хорошие. На стенах небольшие хорошие картины. Очень хорошая коллекция необработанных самоцветов под стеклом.

АНДЕРСОН. Деньги там есть?

ХЭСКИНС. У него сейчас две постановки на Бродвее. Это означает, что дома есть наличные, возможно, они хранятся в сейфе. Ну вот, голубчик, таковы основные факты. К сожалению, более точных данных сообщить не могу.

АНДЕРСОН. Ты сделал больше, чем я рассчитывал. Давай второй экземпляр отчета.

ХЭСКИНС. Конечно. Заверяю тебя, других копий нет.

АНДЕРСОН. Верю. Рассчитаюсь с тобой полностью, когда получу отчет Кусаки.

ХЭСКИНС. Это не срочно, не срочно. Есть у тебя вопросы или, может, что-то нужно раскопать поглубже?

АНДЕРСОН. Пока не надо. Это вроде предварительного отчета. Может, потом для тебя найдется еще дело.

ХЭСКИНС. Готов в любое время. Положиться на меня можно, сам знаешь.

АНДЕРСОН. Конечно.

(Пауза шесть секунд).

ХЭСКИНС. Скажи, голубчик... ты опять видишься с Ингрид?

АНДЕРСОН. Да.

ХЭСКИНС. Ну и как эта душка?

АНДЕРСОН. Все хорошо. Думаю, тебе пора идти. Я выжду полчаса и тоже смотаюсь. Кусаке скажи, позвоню в пятницу, как обычно.

ХЭСКИНС. Ты сердит на меня, Герцог?

АНДЕРСОН. Чего мне сердиться? Работу свою ты, на мой взгляд, сделал хорошо.

ХЭСКИНС. Из-за того, что я заговорил об Ингрид...

(Пауза четыре секунды).

АНДЕРСОН. Ты завистлив, Томми?

ХЭСКИНС. Ну... может быть. Слегка...

АНДЕРСОН. Можешь не продолжать. Мне не нравится твое любопытство.

ХЭСКИНС. Да, я вроде бы...

АНДЕРСОН. Угу. Ступай. И не строй никаких догадок.

ХЭСКИНС. Догадок, голубчик? Какие у меня могут быть догадки?

АНДЕРСОН. По поводу моих дел.

ХЭСКИНС. Не говори ерунды, голубчик. Я не настолько глуп.

АНДЕРСОН. Это хорошо.

22

Расшифровка пленки НЙНБ—ОБМ—6/VI—68 106—9X. Место стоянки автомобиля — Шестьдесят пятая стрит возле Парк-авеню.

АНДЕРСОН. Черт возьми, я же сказал Доктору, что свяжусь с ним, когда буду готов. А сейчас я не готов.

САЙМОНС. Успокойся, Герцог. Господи, я не встречал еще таких вспыльчивых.

АНДЕРСОН. Я не люблю, когда на меня давят, вот и все.

САЙМОНС. Никто не давит на тебя, Герцог. Доктор вложил своих три тысячи и, вполне естественно, интересуется ходом дел.

АНДЕРСОН. А если я ему скажу, что это ерунда... пустой номер?

САЙМОНС. Так и передать Доктору?

(Пауза одиннадцать секунд).

АНДЕРСОН. Нет. Извините, что я вспылил, мистер Саймонс, только не надо меня подгонять. Это дело крупное, может, даже самое крупное, в каком я участвовал. Крупнее, чем тот грабеж бенсонхерстовского банка. Я хочу, чтобы все сошло гладко. Хочу действовать наверняка. Нужно еще неделю-две. От силы три. Я тщательно учитываю расходы из этих трех тысяч. Себе ничего не присвоил. Готов отчитаться перед Доктором, на что пошел каждый цент. Я не пытаюсь обмануть его.

САЙМОНС. Герцог, Герцог, дело не в деньгах. Уверяю тебя, деньги тут почти ни при чем. Для Доктора это мелочь. Но ты пойми, Герцог, Доктор очень гордый человек и очень дорожит своим положением. Добился он его тем, что делал ставки на победителей. Понимаешь? Вдруг станет известно, что он поставил три тысячи на человека со стороны и ничего не выиграл? Это повредит репутации Доктора и уязвит его самолюбие. Люди помоложе, чего доброго, скажут, что он идет под уклон, ошибается в своих оценках, и его пора сместить. Доктору надо думать о таких вещах. Понимаешь?

АНДЕРСОН. Да... конечно. Понимаю. Дело в том, что я хочу взять большой куш, большой... чтобы мне было с чем уехать куда-нибудь. Вот почему я так взвинчен. Дело не должно сорваться.

САЙМОНС. То есть все идет хорошо... пока что?

АНДЕРСОН. Мистер Саймонс, пока что все идет просто отлично.

САЙМОНС. Доктор будет доволен.

23

Эрнест Генрих Манн, «Профессор»; возраст 53 года, адрес: Нью-Йорк, Восточная Пятьдесят первая стрит, 529. Деловой адрес: Авеню Д 1975, компания «Фан сити, инк». Рост 5 футов 6 дюймов, вес 147 фунтов; почти совсем лысый, с седой бахромой на затылке и за ушами; седые брови; вандейковская бородка, тоже седая. На левой ляжке глубокий шрам (очевидно, след ножевой раны; смотри досье Интерпола № 96Б-Д3146). Инженер, специалист по механическому, электрическому и электронному оборудованию. Окончил с отличием Высшую техническую школу в Штутгарте в 1938 году. Ассистент профессора по механическим и электрическим машинам в «Академи дю механик» в Цюрихе в 1939—1946 гг. Эмигрировал в США (со швейцарским паспортом) в 1948 году. Арестован в Штутгарте 17 июня 1937 года за нарушение общественного порядка (предстал голым перед пожилой женщиной). Дело закрыто, сделано предупреждение. Арестован в Париже 24 октября 1938 года за возмутительное поведение (мочился на могилу Неизвестного солдата). После закрытия дела выслан из Франции. В Цюрихе трижды подвергался аресту за хранение опасного наркотика (опиум), непристойное раздевание и незаконное хранение шприца. Приговоры условные. Очень умен. Владеет немецким, французским, итальянским, английским языками и немного говорит по-испански. Полагают, что к насильственным действиям не склонен. Холост. В досье отмечается нерегулярный прием наркотиков (опиум, морфий, гашиш). В досье ФБР не содержится сведений о противозаконных деяниях за время проживания в США. В мае 1954 года подал заявление о предоставлении американского гражданства. Получил отказ 16 ноября 1954 года. (В это время брат Э. Г. Манна занимал высокий пост в министерстве финансов ФРГ, и в его досье была памятка «В СЛУЧАЕ АРЕСТА ПЕРЕД

ТЕМ, КАК ПРЕДЪЯВИТЬ ОБВИНЕНИЕ, ПРОСИМ СВЯЗАТЬСЯ С ГОСДЕПАРТАМЕНТОМ США»).

Ниже приводится первая часть продиктованных, подписанных, подтвержденных под присягой и засвидетельствованных показаний Эрнеста Генриха Манна. Они получены после продолжительного допроса (полная расшифровка насчитывает 56 машинописных страниц) с 8 по 17 октября 1968 года. Допрос вел помощник окружного прокурора округа Нью-Йорк. Весь документ зашифрован НЙОП—ЭГМ—101А—108Б. Нижеприведенный отрывок снабжен пометой «Часть 101А».

МАНН. Меня зовут Эрнест Генрих Манн. Живу на Восточной Пятьдесят первой стрит, дом пятьсот двадцать девять. У меня есть собственное дело — компания по продаже и ремонту электронного оборудования «Фан сити» с ограниченной ответственностью по законам штата Нью-Йорк, авеню Д, девятнадцать семьдесят пять. Может быть, я слишком быстро говорю?.. Ладно.

Тридцатого апреля шестьдесят восьмого года ко мне в контору пришел человек, которого я знаю как Джона Андерсона, он также известен как Герцог Андерсон. Заявил, что хочет нанять меня для обследования подвала в доме пятьсот тридцать пять по Восточной Семьдесят третьей стрит. Сказал, что нужно будет осмотреть телефонный ввод, сигнализацию и средства безопасности этого дома. Для какой цели, не сообщил.

Мы условились о цене, и было намечено, что я подъеду к дому в форменной одежде ремонтника телефонной сети на настоящем грузовике телефонной компании. Андерсон сказал, что обеспечит грузовик и водителя. Форменную одежду и удостоверение я раздобыл сам. Можно стакан воды?.. Спасибо.

Примерно месяц спустя Андерсон позвонил мне, сказал, что с грузовиком телефонной компании все улажено. Будут два водителя. Я возражал, но он заверил меня, что это совершенно безопасно.

Четвертого июня в девять сорок пять утра я встретил грузовик на углу Семьдесят девятой стрит и Лексингтон-авеню. В кабине сидели двое, они представились мне просто как Эд и Билли. Оба были в форменной одежде ремонтников телефонной сети. Мы почти не разговаривали. Водитель, человек по имени Эд, казался довольно разумным и осторожным. Другой, по имени Билли, был рослый, мускулистый, но с детским разумом. Я думаю, он умственно отсталый.

Мы подъехали прямо к тому дому и остановились перед ним. Как и было условлено, я вылез, вошел в вестибюль и предъявил швейцару удостоверение. Он тщательно изучил его, поглядел на грузовик, стоящий у обочины, и сказал, чтобы мы ехали в проезд, идущий по периметру здания. Джентльмены, не угостите ли сигаретой?.. Спасибо.

(Пауза четыре секунды).

Итак... швейцар опознал меня на экране своего телевизора в вестибюле, нажал кнопку, отпирающую служебный вход, и позволил мне войти в подвал. Прошу прощенья?..

Нет, это был просто осмотр. Не было намерения ни красть, ни выводить из строя. Андерсону нужен был лишь полный план подвала и снимки всего интересного. Понимаете? Если б я думал, что это для каких-то противозаконных целей, то не взялся бы за эту работу.

Итак, я спустился в подвал. Первым делом подошел к телефонной коробке. Совершенно обычная. Я сделал пометки о главных телефонах и отводах. Сделал моментальный снимок главного входа в подвал и где его нужно перерезать, чтобы лишить весь дом связи. Понимаете, этого требовал Андерсон. Я еще убедился, что там две системы проводов, судя по устройству, сигнализационные, одна в местный полицейский участок, очевидно включаемая ультразвуком или радиосигналом, другая — в частное охранное агентство, включаемая, как я решил, при открывании двери или окна. Совершенно неожиданно на обеих системах оказались ярлычки с номерами квартир, и я заметил, что от квартиры пять-б сигнализация идет в полицейский участок, а от квартиры четыре-б — в частное агентство. Я сделал пометки об этом и снимки.

В эту минуту дверь в подвал отворилась, вошел человек. Оказалось, это Ивен Блок, управляющий домом. Он спросил, что я делаю, я ответил, что телефонная компания собирается прокладывать по этой улице новую линию и я осматриваю подвал, чтобы выяснить, какое потребуется оборудование. То же самое объяснение я дал и швейцару. Можно еще стакан воды?.. Спасибо.

(Пауза шесть секунд).

Блок, очевидно, удовлетворился моим объяснением. Прислушиваясь к его речи, я понял, что он венгр или, может быть, чех. Поскольку на этих языках не говорю, я заговорил с ним по-немецки, на что он ответил на ломаном немецком с сильным акцентом. Однако говорил он на этом языке с удовольствием. По-моему, он был слегка навеселе. Настаивал, чтобы я зашел к нему в квартиру выпить стаканчик вина. Я пошел, радуясь возможности произвести более подробный осмотр.

Квартирка управляющего оказалась грязной, унылой. Однако я выпил с ним стакан вина, тем временем осматриваясь. Единственной ценной вещью, какую я заметил, был древний триптих на туалетном столике. С прекрасной резьбой; на мой взгляд, ему не меньше трехсот лет. Стоимость его, по моей оценке, около двух тысяч долларов. Речи об этом я не заводил.

Блок продолжал пить вино, я сказал ему, что мне надо позвонить в контору, и ушел. Затем продолжил осмотр подвала. Единственная любопытная вещь, которую я обнаружил, оказалась очень странной...

Это что-то вроде будки — вернее, небольшой погреб в углу. Явно очень старый. Я решил, что он построен, когда здание еще возводилось. В углу к подвальным стенам пристроены под прямым углом две стены из подогнанного горбыля. В одной из этих стен дверь, запирающаяся очень массивным старомодным рычагом и засовом из бронзы. Большие дверные петли тоже бронзовые. На двери висел большой замок.

При более пристальном осмотре оказалось, что дверь снабжена довольно примитивной сигнализацией, очевидно установленной много лет спустя после постройки погреба. Это простая контактная система, включающая звонок или свет при открывании двери. Проследив, куда идет провод, я решил, что в вестибюль, где швейцар может принять сигнал тревоги.

Я сфотографировал со всех сторон это странное, похожее на будку сооружение и пометил, где систему можно легко нарушить. Словно бы спохватясь, приложил ладонь к стене погреба и обнаружил, что она совершенно холодная. Мне вспомнились камерные холодильники, какие можно встретить в лавках у здешних мясников.

Напоследок я огляделся и решил, что все сведения, нужные Андерсону, моему клиенту, собраны. Потом вышел из подвала и сел в грузовик. Те двое, Эд и Билли, терпеливо ждали. Мы выехали из-за дома. Швейцар стоял на тротуаре, я улыбнулся ему и помахал рукой.

Высадив меня на углу Семьдесят девятой стрит и Лексингтон-авеню, Эд и Билли уехали. Чем они занимались потом, не знаю. Вся операция заняла час двадцать шесть минут. Андерсон позвонил пятого июня. Я предложил ему прийти на другой день ко мне в контору. Он пришел, и я дал ему сделанные фотографии, схемы и полный отчет о том, что видел — буквально то же самое, что сообщил вам, джентльмены. Большое спасибо за любезность.

Гриль-бар Блинки, угол Сто двадцать пятой стрит и Хэннокс-авеню; 12 июня 1968 года; 13 часов 46 минут. В тот день там велось электронное подслушивание, аппаратуру установила Комиссия по торговле спиртными напитками штата Нью-Йорк по подозрению, что в баре ведутся азартные игры. Ниже приводится расшифровка пленки КТС—841—КИМ. Присутствие Андерсона установлено по спектрограмме голоса и показаниям свидетеля.

АНДЕРСОН. Бренди.

БАРМЕН. Заведение для черных, а не для белых.

АНДЕРСОН. Ну так, может, вышвырнешь меня?

БАРМЕН. Вижу, ты напористый?

АНДЕРСОН. Когда надо — напористый. Получу я бренди?

БАРМЕН. Ты с Юга?

АНДЕРСОН. Не с глубокого. Кентукки.

БАРМЕН. Лексингтон?

АНДЕРСОН. Грешем.

БАРМЕН. Я из Лекса. «Кордон Бло» годится?

АНДЕРСОН. В самый раз.

(Пауза восемь секунд).

БАРМЕН. Запить хочешь?

АНДЕРСОН. Глоток воды.

(Пауза одиннадцать секунд).

АНДЕРСОН. Мне нужен один человек. Светло-коричневый. Сэм Джонсон. Известен под кличкой Ловкач.

БАРМЕН. Даже не слышал о нем.

АНДЕРСОН. Понятно. На левой щеке у него шрам от бритвы.

БАРМЕН. Никогда не видел такого человека.

АНДЕРСОН. Понятно. Меня зовут Герцог Андерсон. Если такой человек все же зайдет, я, допив бренди, пойду на ту сторону улицы поесть свиных ножек с кормовой капустой. Буду там по меньшей мере час.

БАРМЕН. Ничем не могу тебе помочь. Никогда не видел этого человека. Никогда не слышал о нем.

АНДЕРСОН. Он может зайти... неожиданно. Вот тебе доллар на случай, если появится.

БАРМЕН. Большое спасибо. Только зря тратишься. Я не знаю этого человека. Ни разу не видел.

АНДЕРСОН. Понятно. Запомни — Герцог Андерсон. Буду у «мамочки». Не теряй надежды, малыш.

БАРМЕН. Сам не падай духом, приятель.

25

Расшифровка пленки НЙББНБ (Нью-Йоркское бюро по борьбе с наркобизнесом) 48Б—1061 (продолжение). Запись сделана 12 июня 1968 года в 14 часов 11 минут в кафе «Негритянская кухня мамочки», угол Сто двадцать пятой стрит и Хэннокс-авеню.

ДЖОНСОН. Старому другу рад пожать руку.

АНДЕРСОН. Привет, Ловкач. Садись, делай заказ.

ДЖОНСОН. Тогда пока возьму пивка.

АНДЕРСОН. Как жизнь?

ДЖОНСОН. Курю траву, значит, живу.

АНДЕРСОН. Дела идут хорошо?

ДЖОНСОН. Потею, но не богатею.

АНДЕРСОН. Кончай ломаться, говори нормально. Найдешь время сделать для меня одно дело?

ДЖОНСОН. Нарушить закон время найдем.

АНДЕРСОН. Тьфу ты, черт. Ловкач, в Ист-Сайде есть один дом. Адрес назову, если согласишься. Там в одной из квартир живет вместе с хозяевами негритянка-домработница. Ежедневно в полдень ходит за покупками.

ДЖОНСОН. А ее рожа на что похожа?

АНДЕРСОН. Она из Вест-Индии. Светло-коричневая. Симпатичная. Грудастая. Надо разговорить ее.

ДЖОНСОН. О чем, Господи, о чем?

АНДЕРСОН. Обо всем. Что только сможет рассказать о своей квартире. Зовут служанку Андроника. Да, точно — Андроника. Она из квартиры четыре-а. Возможно, там есть коллекция монет. Но я хочу знать и об остальных квартирах — все, что она сболтнет.

ДЖОНСОН. Не сболтнет сама — сболтнет кума.

АНДЕРСОН. В подвале есть какая-то странная будка. Холодная. На запоре. Постарайся узнать, что это такое.

ДЖОНСОН. Раз там прохлада, все будет как надо.

АНДЕРСОН. Берешься?

ДЖОНСОН. Не жалей деньгу, а закрутить с ней смогу.

АНДЕРСОН. Сотню?

ДЖОНСОН. Выкладывай двести — все будет по чести.

АНДЕРСОН. Ладно — двести. Но дело сделай. Для начала вот сотня. Я буду здесь через неделю в это же время. Идет?

ДЖОНСОН. По натуре ты зверь, но бываешь и щедр.

26

Расшифровка пленки ДП—14/VI—68 ЭВЕРЛИ. Примерно 2 часа 10 минут ночи.

МИССИС ЭВЕРЛИ. Швейцар тебя видел?

АНДЕРСОН. Его не было на месте.

МИССИС ЭВЕРЛИ. Вот гад. Дежурство у нас должно быть круглосуточное, а этот тип вечно пьет в подвале с нашим пропойцей управляющим. Бренди?

АНДЕРСОН. Да.

МИССИС ЭВЕРЛИ. Пожалуйста.

АНДЕРСОН. Пошла ты.

МИССИС ЭВЕРЛИ. О Господи, у нас сегодня прекрасное настроение. Устал?

АНДЕРСОН. Только глаза.

МИССИС ЭВЕРЛИ. По-моему, не только. Судя по виду, у тебя масса забот. С деньгами туго?

АНДЕРСОН. Нет.

МИССИС ЭВЕРЛИ. Если нужны деньги, могу помочь.

АНДЕРСОН. Нет... спасибо.

МИССИС ЭВЕРЛИ. Ну вот, уже другое дело. Пей. Я купила ящик «Реми Мартен». Чего улыбаешься?

АНДЕРСОН. Думаешь, я успею его выпить?

МИССИС ЭВЕРЛИ. Как это понимать? Хочешь уйти? Ну так уходи.

АНДЕРСОН. Я не хочу уходить. Просто решил, что тебе могли надоесть мои шлепки по всем местам. Надоели?

(Пауза семь секунд).

МИССИС ЭВЕРЛИ. Нет. Не надоели. Я только об этом и думаю. В Париже я скучала по тебе. Как-то ночью до того захотелось, чтобы ты был со мной, хоть криком кричи. На работе я света не вижу. Заказы. Уточнения. Нервотрепка. Я отстала от моды на целый сезон. Тружусь на худших мерзавцев в этом бизнесе — на худших. Только с тобой и отдыхаю. В конторе весь день думаю о тебе. О том, что мы делали и что будем делать. Пожалуй, не стоит рассказывать тебе о таких вещах.

АНДЕРСОН. Почему?

МИССИС ЭВЕРЛИ. Женщине полагается разыгрывать недотрогу.

АНДЕРСОН. Дура ты набитая, черт возьми.

(Пауза пять секунд).

МИССИС ЭВЕРЛИ. Да. Дура. Когда дело касается тебя. Ты сидел в тюрьме?

АНДЕРСОН. В детской колонии. За угон машины.

МИССИС ЭВЕРЛИ. А потом нет?

АНДЕРСОН. Нет. С чего ты взяла?

МИССИС ЭВЕРЛИ. Не знаю. Наверно, по взгляду. С прищуром. По тому, как ты говоришь. Или молчишь. Иногда ты пугаешь меня.

АНДЕРСОН. Пугаю?

МИССИС ЭВЕРЛИ. Вот бутылка. Наливай сам. Есть не хочешь? Могу сделать бутерброд с ростбифом.

АНДЕРСОН. Есть не хочу. Ты еще поедешь в командировку?

МИССИС ЭВЕРЛИ. Почему ты спрашиваешь?

АНДЕРСОН. Так, для разговора.

МИССИС ЭВЕРЛИ. Меня пригласили на Четвертое июля в Саут-хемптон. Потом с конца августа до Дня труда я буду в Риме. Можно, сяду на кушетку рядом с тобой?

АНДЕРСОН. Нет.

МИССИС ЭВЕРЛИ. Вот это мне нравится — романтичный мужчина.

АНДЕРСОН. Будь я романтичный, ты бы не связалась со мной.

МИССИС ЭВЕРЛИ. Пожалуй, да. Однако было бы приятно время от времени видеть, что ты чуткий.

АНДЕРСОН. Я чуткий. Садись на пол.

МИССИС ЭВЕРЛИ. Здесь?

АНДЕРСОН. Поближе, напротив меня.

МИССИС ЭВЕРЛИ. Сюда, дорогой?

АНДЕРСОН. Да. Сними с меня туфли и носки.

(Пауза четырнадцать секун.

МИССИС ЭВЕРЛИ. Я еще ни разу не видела твоих ног. Какие они белые. Пальцы — как белые черви.

АНДЕРСОН. Снимай эту штуку.

МИССИС ЭВЕРЛИ. Что ты собираешься делать?

АНДЕРСОН. То, что заставит тебя забыть о мерзавцах, на которых ты трудишься, о заказах, уточнениях, нервотрепке. Ты ведь этого хочешь... разве нет?

МИССИС ЭВЕРЛИ. Не только.

АНДЕРСОН. А чего еще?

МИССИС ЭВЕРЛИ. Хочу забыть, кто я и что я. Забыть и тебя, и на что трачу свою жизнь.

АНДЕРСОН. Хочешь отключиться?

МИССИС ЭВЕРЛИ. Отключиться? Да. Хочу.

АНДЕРСОН. Загар у тебя что надо. Сбрасывай халат. Ложись на ковер.

МИССИС ЭВЕРЛИ. Так?

АНДЕРСОН. Так. Черт, здоровая ты кобыла. Большие груди, большой зад.

МИССИС ЭВЕРЛИ. Герцог... будь понежнее со мной... пожалуйста.

АНДЕРСОН. Понежнее? Ты этого хочешь?

МИССИС ЭВЕРЛИ. Нет... понимаешь... не физически. Делай все что угодно. Все. Но будь нежен со мной как личность... как человек.

АНДЕРСОН. Не пойму, о чем ты. Раскинься.

МИССИС ЭВЕРЛИ. О Господи, кажется, меня стошнит.

АНДЕРСОН. Давай, давай, блюй.

МИССИС ЭВЕРЛИ. Ты не чуткий. Нет.

АНДЕРСОН. Ну и ладно. Нет так нет. Но я единственный мужчина на свете, способный тебя отключить. Раскинься пошире.

МИССИС ЭВЕРЛИ. Так? Так хорошо, Герцог?

АНДЕРСОН. Да.

(Пауза минута восемь секунд).

МИССИС ЭВЕРЛИ. Больно, больно.

АНДЕРСОН. Само собой.

МИССИС ЭВЕРЛИ. Белые черви.

АНДЕРСОН. Вот именно. Отключаешься?

МИССИС ЭВЕРЛИ. Да... да...

АНДЕРСОН. У тебя мягкое тело.

МИССИС ЭВЕРЛИ. Прошу тебя, Герцог...

АНДЕРСОН. Как ил.

МИССИС ЭВЕРЛИ. Герцог, прошу...

АНДЕРСОН. «Герцог, прошу, Герцог, прошу». Дура набитая. Открой рот.

МИССИС ЭВЕРЛИ. Прошу тебя...

АНДЕРСОН. Вот так. Ну что? Вот я и нежен с тобой как личность. Как человек. Верно?

МИССИС ЭВЕРЛИ. Ы... ы...

27

Ксерокопия написанного от руки отчета. По заключению доктора Сеймура П. Эрнста, президента Нового института графологии, Чикаго, Эрскин-авеню, 14426, почерк принадлежит Синтии Хэскинс, «Кусаке» (образцы ее почерка были предварительно получены). Два листа нелинованной бумаги, исписанной с обеих сторон, хранят отпечатки пальцев Синтии Хэскинс, Томаса Хэскинса и Джона Андерсона. Бумага — деловая писчая, без водяных знаков, зубчики на верхней кромке (оклеенной красной липкой лентой) указывают, что листы вырваны из блокнота. Установлено, что это распространенный сорт писчей бумаги, продаваемой блокнотами по 25 листов. Их можно приобрести во многих писчебумажных магазинах и универмагах.

Герцог!

Я осмотрела обе конторы, ты знаешь где. Без забот, без хлопот. Обоим врачам дала вместо наличных фальшивые чеки. Больше туда не пойду. Незачем.

Оба заведения большие. Дела, по-моему, идут неплохо. У терапевта работают медсестра и секретарша. Я видела, как она распечатывала почту. В конвертах, главным образом, были чеки. Сейфа в приемной нет. Очевидно, деньги вечером вносятся в банк. У терапевта кроме личного кабинета две комнаты: смотровая и небольшая кладовка. В углу кладовки сейф с наркотиками. Туалет слева по коридору.

Картины на стенах — дешевые гравюры. В кабинете пять серебряных кубков — за греблю парными веслами. Что бы это ни означало.

К сожалению, номер оказался пустым — там ничего больше нет.

У психиатра небольшая приемная с медсестрой-секретаршей, большой личный кабинет и туалет справа от приемной.

Три отличные небольшие картины: Пикассо, Миро и еще кто-то. Похоже, подлинники. Я описала их Томми. Он считает, что все три стоят тысяч двадцать, может, и больше.

На левой тумбе письменного стола цифровой замок. Когда я вошла, психиатр клал в ящик стола катушку с магнитофонной пленкой. Едва начала говорить, он нажал в углублении на столешнице кнопку. Все, что я сказала, наверняка было записано. Должно быть, в этой тумбе-сейфе есть любопытные вещи. Подумай над этим.

Рядом с кабинетом, возле задних окон, выходящих в сад, небольшой туалет и чулан для одежды. Может, в чулане есть что-то интересное?

Медсестра-секретарша молодая, лет двадцати восьми. Психиатру около пятидесяти пяти, говорит он с акцентом. Невысокий, полный, усталый. Наверно, что-то принимает. Мне кажется, дексис.

Вот все, что я узнала, жаль, что не больше.

Не забывай о магнитофонных записях. Прямо с кушетки. Понимаешь, что я имею в виду?

Примерный план обеих контор на обороте листа. Если можем быть еще чем-то полезными, пожалуйста, дай знать.

Как насчет остальных денег, Герцог? Мы поиздержались и сейчас на мели. Спасибо.

Кусака.

Пленка НЙББСН—1157 (продолжение). Записана в 14 часов 17 минут 19 июня 1968 года в «Негритянской кухне мамочки», угол Сто двадцать пятой стрит и Хэннокс-авеню. Разговаривают Джон Андерсон и Сэмюэл Джонсон, опознанные находящимся там платным осведомителем.

Сэмюэл Джонсон, «Ловкач», 33 года, негр со светло-коричневой кожей, длинные черные напомаженные волосы зачесаны с высоким коком (помпадур). Рост около 6 футов 2 дюймов, вес 178 фунтов. На левой щеке глубокий шрам от бритвы. Левое ухо утратило слух на 75 процентов. Носит дорогую одежду ярких расцветок. На ногтях светло-розовый маникюр. По последним сведениям, ездил на «кадиллаке» образца 1967 года с откидным верхом (цвета электрик), номерной знак штата Нью-Джерси (4CB-6732A), зарегистрированный на Джейн Марту Гуди, проживающую в Хейвенсэке, Хемпти-стрит, 149. Досье Джонсона включает в себя аресты за жульничество, мелкие кражи, нарушение общественного порядка, простое нападение, нападение с целью убить, угрозу телесным повреждением, нарушение режима условно-досрочного освобождения, взлом, вооруженное ограбление и харканье на общественный тротуар. В заключении провел в общей сложности шесть лет одиннадцать месяцев четырнадцать дней: в детской колонии Доусона, в тюрьмах Хиллкреста и Даннеморы. Обладал необыкновенной способностью правильно сложить в уме двадцать названных восьмизначных чисел за несколько секунд. Обычно носил пружинный нож в маленьком кожаном чехле, пристегнутом к правой лодыжке. Часто говорил в рифму.

АНДЕРСОН. Как дела, Ловкач?

ДЖОНСОН. Давай руку, друг мой, я пока что живой. Сядем вдвоем, пива попьем. Желание есть, закажем поесть.

АНДЕРСОН. Только пива.

ДЖОНСОН. Я думал, тебе нравится эта негритянская жратва — свиные ножки, хрящики, зелень.

АНДЕРСОН. Нравится. А тебе?

ДЖОНСОН. Ну ее. Мне бы хороший «шатобриан» или, скажем, лягушачьи лапки с чесноком в масле. Вот это я понимаю. А здешняя кормежка дрянь. Значит, только пивка? И больше ничего?

АНДЕРСОН. Ничего. Что ты разузнал?

ДЖОНСОН. Подожди, пусть принесут пиво.

(Пауза двадцать семь секунд).

ДЖОНСОН. Между прочим, дела у меня на мази.

АНДЕРСОН. Спасибо.

ДЖОНСОН. Это ты мне удружил и спасибо заслужил.

АНДЕРСОН. Чем же?

ДЖОНСОН. Тем, что вывел на малышку Андронику. Вот это цыпочка. Лакомый кусочек. Земляничное мороженое со взбитыми сливками и вишенкой.

АНДЕРСОН. И ты первым делом принялся за вишенку.

ДЖОНСОН. Не задавай вопросов, не услышишь лжи.

АНДЕРСОН. Развлекаешься с ней?

ДЖОНСОН. При каждой возможности — выпадающей не так уж часто. Андроника бывает свободна одну ночь в неделю. Тут уж мы оказываемся на седьмом небе. Дважды проделывали это по утрам. Такая темпераментная, прямо сожрал бы ее.

АНДЕРСОН. Что ты и проделываешь, держу пари.

ДЖОНСОН. При случае, Великий Белый Отец, при случае.

АНДЕРСОН. Как ты познакомился с ней?

ДЖОНСОН. Зачем тебе это?

АНДЕРСОН. Как мне научиться делать дела, если ты ничего не рассказываешь?

ДЖОНСОН. Герцог, Герцог... ты плохой ученик. Ты забыл больше, чем я мог преподать тебе. Ну так вот, у меня есть старый приятель. Глянешь на него — безмозглый громила. Но это только с виду. Малый на все руки мастер. Черный. Малыш Билли. Дошлый. Понимаешь?

АНДЕРСОН. Конечно.

ДЖОНСОН. Я дал ему сотню. Он встречает эту Андронику на выходе из универсама. Начинает лапать. «Ах ты, грязный скот, — кричу я, — как ты смеешь трогать эту славную скромную девочку?»

АНДЕРСОН. Отлично.

ДЖОНСОН. Я ему кулаком в рожу — он увернулся. И наутек. Андроника перепугана.

АНДЕРСОН. И благодарна.

ДЖОНСОН. Да — и благодарна. Тут я помог ей довезти до дому коляску с овощами. Одно влечет за собой другое.

АНДЕРСОН. Так. Ну и что ты разузнал?

ДЖОНСОН. Коллекция монет застрахована на пятьдесят тысяч. В кабинете за картиной, где нарисована корзина с цветами, — встроенный сейф. Миссис Шелдон хранит там свои бриллианты. Моя малышка думает, что в нем и другие ценности. Облигации. Может быть, и наличные. Ну как?

АНДЕРСОН. Недурно. Шелдоны будут дома все лето?

ДЖОНСОН. К сожалению, нет, масса. В ближайшую субботу все они уезжают в Монток. Папаша Шелдон будет навещать их все летние выходные, включая День труда. Это значит, мы с моей цыпочкой не будем видеться три месяца, если не придумаем что-нибудь — чтобы ей наезжать в город или мне к ней.

АНДЕРСОН. Придумаешь.

ДЖОНСОН. Надо будет. Непременно. Чтобы видеться с Андроникой и играть с ней на гармонике.

АНДЕРСОН. А как насчет холодного погреба в подвале? Помнишь?

ДЖОНСОН. Не забыл, белый господин мой с языком змеиным. Догадайся, что там?

АНДЕРСОН. Не могу. Я уж ломал голову.

ДЖОНСОН. Поначалу в том погребе держали овощи и фрукты. Потом, когда появились холодильники, старый чудик, построивший дом, стал использовать погреб для хранения вин. Стены там толстые.

АНДЕРСОН. А теперь? Что в нем хранится? Вино?

ДЖОНСОН. Не угадал. Там установлено что-то вроде небольшой морозильной камеры и какая-то машина, поглощающая влагу из воздуха. В погребе холодно и сухо. И все жильцы — то бишь жительницы — с наступлением тепла вешают туда меховые шубы. Бесплатно. Прямо в доме хранилище для мехов. Как тебе это нравится?

АНДЕРСОН. Нравится. Очень даже.

ДЖОНСОН. Я так и думал. Герцог, если ты что-то намечаешь — заметь, я говорю «если» — и тебе понадобится человек, то знаешь, кто не откажется, так ведь?

АНДЕРСОН. В тебе я не сомневаюсь; буду иметь в виду.

ДЖОНСОН. А, малыш, вот это я рад слышать.

АНДЕРСОН. Сунь руку под стол; держи другую сотню.

ДЖОНСОН. Деньги ваши станут наши. Только с какой стати платить мне? За такую бабу деньги брать с меня бы.

АНДЕРСОН. До встречи.

29

Расшифровка пленки КЦББ—139Х—ИМ, 25/VI—68. 12 часов 48 минут. Телефонный разговор.

АНДЕРСОН. Алло! Это я.

ИНГРИД. Угу. Аахх...

АНДЕРСОН. Разбудил? Извини.

ИНГРИД. Который час?

АНДЕРСОН. Примерно без четверти час.

ИНГРИД. Приедешь?

АНДЕРСОН. Нет. Сегодня не выйдет. Потому и звоню. Телефон твой не прослушивается?

ИНГРИД. Что ты, Шатци... чего связываться со мной? Я никто.

АНДЕРСОН. Господи, так бы хотелось приехать. Но не могу. Сегодня никак. Потом в сон потянет. А вечером у меня встреча.

ИНГРИД. Угу.

АНДЕРСОН. Очень важная. С очень значительными людьми. Надо быть бодрым. Начеку. Они ссужают меня деньгами.

ИНГРИД. Нужно держать ухо востро?

АНДЕРСОН. Да.

ИНГРИД. Желаю тебе большой удачи.

АНДЕРСОН. Возможно, часа в два-три ночи я освобожусь. Мы встречаемся в Бруклине. Можно тогда приехать?

ИНГРИД. К сожалению, нет, Шатци. Ночью я занята.

АНДЕРСОН. Занята?

ИНГРИД. Угу.

АНДЕРСОН. Важное дело?

ИНГРИД. Ну, скажем, выгодное. Он прилетает из форта Уэйн, штат Индиана. Это кое-что... правда? Лететь из Индианы в Нью-Йорк, к бедной маленькой Ингрид Махт.

АНДЕРСОН. Я бы прилетел из Гонконга.

ИНГРИД. Ах! Как романтично! Спасибо. Так, может, завтра?

АНДЕРСОН. Да. Хорошо. Так, пожалуй, будет лучше. Я расскажу тебе о сегодняшнем деле.

ИНГРИД. Как хочешь, Герцог...

АНДЕРСОН. Да?

ИНГРИД. Что-то в тебе беспокоит меня — какая-то дикость, странность... Думай, Герцог. Обещай, что будешь думать... очень четко.

АНДЕРСОН. Обещаю. Буду думать очень четко.

ИНГРИД. Дас ист гут. И может, завтра днем мы наконец отключимся. Вместе, Герцог. Впервые.

АНДЕРСОН. Вместе? Да. Я тебя отключу. Обещаю.

ИНГРИД. Хорошо. А теперь я снова завалюсь спать.

30

Рукопись, обнаруженная 3 сентября 1968 года при обыске квартиры Джона Андерсона, «Герцога». Состоит из трех листов пожелтевшей почтовой бумаги, расчерченной по горизонтали голубыми линиями, а по вертикали тонкими трехцветными (красный — голубой — красный) с полями слева шириной 1,25 дюйма. Формат листов примерно 8 х 12 (3/8 дюйма), с зазубринками наверху, указывающими, что листы вырваны из блокнота.

Эксперты установили, что такая бумага называется «обычная почтовая» и продается блокнотами. Ею часто пользуются студенты, адвокаты, писатели и т.д.

Эти листы, очевидно, представляют собой часть или раздел более обширной рукописи. Страницы не пронумерованы. Эксперты полагают, что они исписаны приблизительно за десять лет до того, как были обнаружены, — то есть в 1958 году. Почерк определенно принадлежит Джону Андерсону. Для письма применялась шариковая авторучка с зеленой пастой.

Эти три листа использовались для застилки полок в небольшом чулане квартиры на Харрар-стрит, 314, где их обнаружили и отправили на экспертизу.

(первый лист)

можит быть все, что угодно.

Другими словами, приступления савиршают не единицы, не малая часть общиства, приступность коринится в обществе и вся так называемая нармальная правильная пристойная жизнь насквозь пронизана ею. Привидем примеры.

Когда женщина не отдается мужчине, если он не женится на ней, это можно назвать вымагательством или шантажом.

Или женщина хочет меховую шубку, а муж не покупает, а она говорит, что тагда секса не будет. Тоже своего рода преступление, вроде шантажа.

Босс спит со сваей сикритаршей, потому что иначе она лишится работы. Вымагательство.

Парень говарит женщине, я знаю, что ты гуляешь от мужа. Если не пойдешь со мной, все ему расскажу. Шантаж.

Большой овощной магазин открываится рядом с маленькой овощной лавкой. Понижает цены и выживает маленькую лавку из дела. Грабеж. С помощью денег, но все равно грабеж.

Война. Ты гавариш маленькой стране, делай то, что нам нужно, а то мы уничтожим тебя. Вымагательство или шантаж.

Или большая страна, как США, вмешивается в дела другой страны и пакупает правительство, какое нам нужно. Это преступное взяточничество.

Или же мы обещаем дать то-то и то-то, если вы сделаете то-то и то-то, та страна делает, мы говорим «большое спасибо». И ничего не даем. Мошенничество или мошеннический заговор.

Бизнесмен, а то и профессор колледжа боится, что другой может занять место, на которое метит он сам. Строчит ананимные письма и отправляет наверх. Клевета. И ничего, кроме намека, ему не пришьешь.

Существует множество, почти бесконечное

(второй лист)

других примеров, гаворящих о том, как многое из того, что мы считаем нормальным обычным человеческим поведением, на самом деле есть приступление.

Одни примеры из отнашений между людьми, например между мужчиной и женщиной или двумя мужчинами или женщинами, другие из деловой жизни, третьи из политики правительства.

Человек злится на другого в своей фирме и распускает слух, что он педик. Клевета.

Человек покупает жене подарки, иначе она не будет спать с ним. Взятка.

Мы учим в армии молодых рибят, как лучше всего уничтожать людей. Убийство.

В овощном магазине или универмаге приписывают лишнее к счету, если это может сойти с рук, или обсчитывают. Вымагательство.

Человек дает дамочке нитку бус, гаварит, что это бриллианты, а на самом деле это циркон или горный хрусталь, и она идет с ним в постель. Мошенничество.

Может, женщина хочет чтобы ее побили. И парень выдает ей шлепки. И ей это нравится. Ну и что? Все равно это побои.

Один держит другого на поводке, угрожая, что донесет, если первый не зохочет дилиться с ним. Вымагательство.

Точно также если человек гаварит я кончу с собой, если ты не сделаешь, чего я хочу, это вымагательство. Или шантаж,

(третий лист)

смотря как решат законники и судьи.

Это я к тому, что приступление — не просто нарушение закона, потому что закон нарушают все. Не знаю, первый ли я додумался до этого, или это известно уже давно. Но мы все преступники.

Мы все приступники. Разница только в степени, это как первая, вторая и третья степень тяжести преступления. Но если законы против приступников справедливы, то сидеть в тюрьме должны почти все. Если эти законы справедливы и неукоснительны, то степень не должна иметь значения. Женщина, которая не спит с мужем, если он не купит ей меховую шубку, так же виновна, как тот, кого привлекают за вымагательство милиона доларов.

И бедный отец, который забирается к детям в копилку; да, это смешно, и берет мелочь на проезд до работы, не слишком отличается от грабителей банков вроде Сонни Брукса, он вчера погиб, об этом напечатано в газетах. Черт возьми, я любил этого человека, он меня обучил всему, что я знаю, он был замечательным. Его шлепнули на выходе из из банка в Западной Виргинии. Мне даже не верится, он был очень осторожен, настоящий профессионал. Ходил на дело раз в году, но готовился к нему полгода. Возьми хороший куш раз в год, гаварил он, а потом уходи на дно. Я ходил с ним на два дела и многому научился.

Черт возьми, в жизни все преступление. Каждый шаг. Весь образ жизни. Любого из нас. Мы все преступники, все до единого. И я только стараюсь быть ловким, чтобы не попадаться.

Мы лжем, мошенничаем, крадем и убиваем, и если дело не в деньгах, то в других людях или в любви или просто в удовольствии. О черт, как это грязно.

Когда я сидел, то считал, что те, кто сидит, чище тех, кто на воле. По крайней мере, мы были откровенны и совершали преступления откровенно. А остальные мнят себя такими уже нормальными, чистыми и пристойными, но они-то и есть самые крупные и грязные преступники, так как

(конец третьего листа)

31

Расшифровка пленки с записью разговора в итальянском ресторане «Эльвира», Бруклин, Хаммахер-стрит, 96532, поздно ночью 26 июня 1968 года.

В это время в ресторане были установлены электронные подслушивающие устройства как минимум четырех агентств. Очевидно, эти агентства не сотрудничали между собой.

Применялось много разнообразных электронных устройств, в том числе миниатюрные микрофоны, установленные в телефонных трубках, под определенными столиками, в стойке, в мужской и женской уборных. И даже под плинтусом на кухне был установлен новый микрофон-передатчик «Сонекс-Нейлхед—158 ДБ».

«Эльвира» — популярный и процветающий ресторан во Флэтбаше, одном из районов Бруклина, много лет известен полиции как место обедов и собраний семейства Анджело. 15 октября 1968 года в ресторане взорвалась зажигательная бомба, тогда, очевидно, шла война между семейством Анджело и соперничающей организацией, известной как «Братья Снайп». В результате взрыва погиб официант Паскуале Гардини.

3 февраля 1959 года Энтони Анджело по кличке «Даго» был убит в передней телефонной кабине ресторана во время разговора с неизвестным лицом. Убийца вошел в застекленную дверь, очевидно, увидев с наружного наблюдательного поста, как Анджело идет к телефонной кабине. В Анджело были выпущены четыре пули 32-го калибра. Он умер мгновенно. Личность убийцы до сих пор не установлена.

На встрече в маленьком отдельном кабинете ресторана ночью 26 июня 1968 года присутствовали Джон Андерсон — «Герцог», Энтони ди Медико — «Доктор» и Патрик Анджело — «Маленький Пат». Эти люди были четко опознаны по спектрограмме голосов, внутренним и наружным уликам, а также платными осведомителями, находившимися в ресторане.

Патрик Анджело, «Маленький Пат», родился в 1932 году в Бруклине. Его отец Пэтси Анджело, «Крюк», был убит в ссоре возле порта за два месяца до рождения Патрика. Образование Патрика оплачивал его дед, Доминик Анджело, «Папа», дон семейства Анджело. Рост Патрика Анджело 5 футов 8,5 дюйма, вес 193 фунта; голубые глаза, длинные густые седые волосы, зачесанные назад без пробора. Особые приметы: царапина над правым виском — пулевая; вдавленный шрам на левом бедре —

шрапнель; удалено третье левое ребро — граната. Окончил Уолшемскую школу деловых администраторов, проучился год в юридической академии Ролли. В 1950 году вступил в армию США и, пройдя курс обучения, был отправлен в Корею с 361-м штурмовым батальоном 48-го полка 22-й дивизии. К концу войны получил за боевые заслуги звание майора и был награжден орденом «Пурпурное сердце» третьей степени, «Серебряной звездой» и крестом «За безупречную службу»; кроме того, получил награды от южнокорейского и турецкого правительств.

Демобилизовался Патрик Анджело в 1954 году с наилучшими характеристиками. После этого основал фирму «Модерн Аутоменеджмент», Нью-Йорк, Пятая авеню, 6501, и стал ее президентом. Это была консультационная фирма по управлению, которая... Кроме того, он был членом правления фирмы «Свитиз Лайненз», Бруклин, Фробишер-стрит, 361; вице-президентом «Ренчинг Баулингз Эллиз», Грэнд-Эварт, 1388, и секретарем-казначеем Пятой национальной организации «Учет векселей и обслуживание», компании «Пам кредит, инк» и торговой корпорации имени Томаса Джефферсона, все в Уолмингтоне, штат Делавер.

Уголовного досье не имеет. Женат на Марии Анджело, троюродной сестре, имеет двух сыновей, ныне курсантов Харрингтонской военной академии, штат Вирджиния. И четырехлетнюю дочь Стеллу.

Предположение: Патрик Анджело после смерти Доминика Анджело, «Папы», которому 94 года, станет доном семейства Анджело.

Из-за механических неполадок и сильного шума снаружи ни одна из магнитофонных пленок не содержит полностью приводимого ниже разговора. Это расшифровка частей четырех разных пленок, записанных четырьмя сыскными агентствами (по их просьбе часть расшифровки опущена, поскольку она касается дел, по которым ведется расследование). Это авторская расшифровка ГО—1106Т—25/VI—68 г. Время — 1 час 43 минуты.

ДИ МЕДИКО. ...полагаю, ты не знаком с Патом Анджело. Пат, это Герцог Андерсон, тот самый, о котором я говорил тебе.

АНДЕРСОН. Рад познакомиться, мистер Анджело.

АНДЖЕЛО. Герцог, не сочти, что я хочу побыстрее отшить тебя, но сегодня ночью у меня еще одна встреча. Потом дорога домой в Тинек. Так что ты поймешь, если я проведу эту встречу как можно короче. Идет?

АНДЕРСОН. Конечно.

АНДЖЕЛО. Я повторю то, что рассказал мне Док. Следи, правильно ли я понял. Если нет, поправь меня. Потом я начну задавать вопросы. Ты наметил дело. Это дом в Ист-Сайде на Манхеттене. Хочешь очистить его полностью. Док дал тебе три тысячи. Из собственного кармана. Ты все разузнал. Теперь мы стоим перед вопросом, делать это дело или отказаться. Пока что все правильно?

АНДЕРСОН. Все правильно, мистер Анджело. Мистер ди Медико, у меня при себе полный список расходов; от вашего аванса у меня осталось триста пятьдесят девять долларов шестнадцать центов.

ДИ МЕДИКО. Я же говорил тебе, Пат! Вот видишь!

АНДЖЕЛО. Вижу. Давай продолжим разговор. Так что мы имеем, Герцог?

АНДЕРСОН. У меня при себе отчет. Написанный от руки. Копий нет. Для вас и для мистера ди Медико. Помоему, дело стоящее.

АНДЖЕЛО. Сколько?

АНДЕРСОН. Минимум сто тысяч. На мой взгляд, около четверти миллиона.

АНДЖЕЛО. На твой взгляд? Что ты, черт возьми, имеешь в виду? Что? Розничную стоимость? Оптовую стоимость? Стоимость от перепродажи? Что мы сможем получить от скупщиков краденого? Что там есть? Объясни толком.

АНДЕРСОН. Есть драгоценности, меха, неограненные камни, ценная коллекция монет, ковры, возможно, наркотики у двух врачей, наличные, ценные бумаги, которые можно продать. Публика там богатая.

(Пауза пять секунд).

АНДЖЕЛО. Стало быть, ты говоришь о первоначальной розничной стоимости?

АНДЕРСОН. Да.

АНДЖЕЛО. Значит, нужно рассчитывать на треть названной суммы. Тысяч на тридцать. Если все удастся сбыть. Или, возможно, на восемьдесят тысяч.

АНДЕРСОН. Да.

АНДЖЕЛО. Давай исходить из минимума — тридцать тысяч. Сколько у тебя людей?

АНДЕРСОН. Пять человек.

АНДЖЕЛО. Пять? И еще один наш. Значит, ты собираешься разделить все по пять тысяч на каждого?

АНДЕРСОН. Нет. Мои люди получат обусловленную сумму. На какой сойдемся. Но дележки не будет. Думаю, на пятерых уйдет в крайнем случае восемь тысяч. Сколько вы заплатите своему, я не знаю. Может, он у вас на окладе. Ну пусть на расплату уйдет от силы десять тысяч. Значит, на дележ остается двадцать. Это самое малое. На картах я не гадаю, но все же думаю, доход будет около восьмидесяти тысяч. В итоге.

АНДЖЕЛО. Неважно, что ты думаешь. Мы исходим из минимума. Итак, на дележ у нас остается двадцать тысяч. Как ты намерен их делить?

АНДЕРСОН. Семьдесят — тридцать.

АНДЖЕЛО. Семьдесят, конечно, тебе?

АНДЕРСОН. Да.

АНДЖЕЛО. Ты, я смотрю, напористый.

ДИ МЕДИКО. Пат, успокойся.

АНДЕРСОН. Да, напористый.

АНДЖЕЛО. Из Теннесси?

АНДЕРСОН. Из Кентукки.

АНДЖЕЛО. Оно и видно. Герцог, поставь себя на мое место. Ты хочешь, чтобы я дал согласие. Гарантируешь нам шесть-семь тысяч, если мы согласимся на твои условия. Ну ладно, ладно — может, даже двадцать, если добыча окажется такой богатой, как ты предполагаешь. Я не могу обходиться предположениями. Я должен знать.

Поэтому исхожу из шести. Окажется что сверх — будем считать упавшим с неба. И все это ради шести тысяч? Такие деньги мы имеем от нашего лучшего букмекера. Какая ж тут выгода?

АНДЕРСОН. А какой тут риск? Один громила? Случись что, о нем нечего жалеть, разве не так?

(Пауза восемь секунд).

АНДЖЕЛО. Котелок у тебя, я смотрю, варит.

АНДЕРСОН. Да, варит. И я вынужден повторить, что семь тысяч — это абсолютный минимум. Будет больше, гораздо больше — я клянусь в этом.

АНДЖЕЛО. Ты твердо решил провернуть это дело?

АНДЕРСОН. Да, черт возьми.

ДИ МЕДИКО. Господи, Пат...

АНДЖЕЛО. Он — как я сказал — напористый. Ты мне нравишься, Герцог.

АНДЕРСОН. Спасибо.

АНДЖЕЛО. Не за что. Ты уже начал обдумывать операцию?

АНДЕРСОН. Понемногу. Самое начало. Нужно браться за дело в выходной. Половина жильцов разъедется на пляж или на отдых в летние домики. Было бы неплохо Четвертого июля, но нам не успеть. Если вы дадите согласие, наметим День труда. Перережем коммуникации. Лишим связи весь дом. Подгоним машину. Спешить не будем: потратим три, четыре часа — сколько потребуется.

АНДЖЕЛО. Но ты не продумал все до конца?

АНДЕРСОН. Пока нет. Тут у меня отчет. Там указано, кто живет в доме, где находятся ценные вещи, где нужно шарить и как это можно сделать. Но, если вы дадите согласие, нам придется копнуть значительно глубже.

АНДЖЕЛО. То есть?

АНДЕРСОН. Узнать привычки жильцов. График пеших патрулей и патрульных машин в этом секторе. Частных охранников. Людей, прогуливающих собак поздно ночью. Расположение телефонов-автоматов. Баров, работающих допоздна. Многое...

АНДЖЕЛО. Ты служил в армии?

АНДЕРСОН. В морской пехоте. Около полутора лет.

АНДЖЕЛО. Что произошло?

АНДЕРСОН. Демобилизован с лишением прав и привилегий.

АНДЖЕЛО. За что?

АНДЕРСОН. Развлекался с женой капитана — помимо всего прочего.

АНДЖЕЛО. Так. Чем ты занимался? Был хоть раз в бою?

АНДЕРСОН. Нет. Я дослужился до капрала. Был инструктором по стрельбе на паррис-айлендском стрельбище.

АНДЖЕЛО. Стреляешь хорошо?

АНДЕРСОН. Да.

АНДЖЕЛО. Но ты никогда не брал ствол на дело — так ведь, Герцог?

АНДЕРСОН. Никогда.

АНДЖЕЛО. Черт, в горле пересохло. Док, будь добр, принеси еще бутылку этой вальполичеллы. Но если дело выгорит, тебе, Герцог, придется сматываться. Ты ведь понимаешь это?

АНДЕРСОН. Да.

АНДЖЕЛО. И готов?

АНДЕРСОН. Да.

АНДЖЕЛО. Получал ли ты в бытность капралом морской пехоты инструктажи по технике налета? С последующим быстрым отходом?

АНДЕРСОН. Немного.

АНДЖЕЛО. Слышал ты когда-нибудь о налете в Детройте на... мы брали... Использовали примерно... Мы совершили отвлекающий маневр. Поэтому все силы полицейского участка были брошены... и пока они... И это сработало великолепно. Нечто в этом роде может сработать и здесь.

АНДЕРСОН. Может.

АНДЖЕЛО. Голос у тебя не особенно восторженный.

АНДЕРСОН. Надо будет подумать.

ДИ МЕДИКО. Вот и вино, Пат. Охлажденное самую малость... как тебе нравится.

АНДЖЕЛО. Отлично. Спасибо, Доктор. Значит, хочешь подумать, так, Герцог?

АНДЕРСОН. Да. Все ложится на меня.

АНДЖЕЛО. Конечно. Ну ладно. Допустим, Папа даст согласие. Что тебе потребуется? Ты думал об этом?

АНДЕРСОН. Да, думал. Нужно будет еще две тысячи, чтобы закончить осмотр.

АНДЖЕЛО. Рекогносцировку?

АНДЕРСОН. Вот именно. Чтобы решить, как действовать.

АНДЖЕЛО. Выход на позицию и развертывание по фронту. А что дальше?

АНДЕРСОН. Вы получите окончательный план всего дела. Потом, если дадите согласие, мне потребуются деньги, чтобы расплатиться со своими пятью людьми. Половину вперед, половину по окончании.

ДИ МЕДИКО. Около двух тысяч на разведку, а потом четыре или пять для твоих людей?

АНДЕРСОН. Примерно так.

ДИ МЕДИКО. Авансы и расходы вычитаются из добычи до дележа?

АНДЕРСОН. Да.

АНДЖЕЛО. Мне нужно ехать в Манхеттен. Я уже и так опоздал. Герцог, я хочу поговорить с Доктором. Ты понимаешь?

АНДЕРСОН. Конечно. Спасибо, что уделили мне время.

АНДЖЕЛО. Мы свяжемся с тобой — так или иначе — примерно через неделю. Мне нужно поговорить с Папой, а он, как, должно быть, тебе известно, болен. Всем бы нам болеть в девяносто четыре года.

ДИ МЕДИКО. Аминь.

АНДЕРСОН. Рад был познакомиться с вами, мистер Анджело. Спасибо, мистер Ди Медико.

ДИ МЕДИКО. Не за что, Герцог. Свяжемся.

(Пауза семнадцать секунд).

ДИ МЕДИКО. Как ты догадался, что он из Теннесси или из Кентукки — из тех краев?

АНДЖЕЛО. Я узнал его, как только он вошел. Не лично его, а породу. Горец. Видит Бог, я их насмотрелся в Корее. Кентукки, Теннесси, Западная Виргиния. Народ неотесанный. Как и южане... только никогда не трусят. Трусливый южанин иногда попадается. Трусливого горца я не встречал ни разу. Они все рождаются без чувства страха. У них нет ничего, кроме гордости. Под моим началом служило несколько горцев, у которых до армии не было обуви. Этот Андерсон... черт возьми, он напоминает одного парня, служившего у меня. Родом из Теннесси. Лучшего стрелка я в жизни не видел. Тогда я был первым лейтенантом. Командовал патрулем, мы шли по сухому руслу ручья. Этот горец был мишенью. Целью. Мы потеряли три мишени за три дня. Гуки стреляли по мишени, и так мы узнавали об их присутствии.

ДИ МЕДИКО. Недурно.

АНДЖЕЛО. Да. Значит, этот горец из Теннесси был мишенью ярдах в двадцати от меня. Из кустов выскакивает гук и набрасывается на него. С кухонным ножом, привязанным к длинной палке. Возможно, он был под наркотиком. Идет с криком в атаку. Мой парень мог бы трижды застрелить его. Только стрелять он не стал. Он засмеялся. Ей-Богу, засмеялся. На винтовке у него был примкнут штык, и он ждал, когда гук приблизится. Это было классически. Черт возьми, классически. Я прошел курс штыкового боя: наступай, отбивай, коли. По наставлению. И тут все было по наставлению. Классически. Хоть снимай для армейского наставления. Мой парень встал в позицию, подался вперед и, когда гук хотел его пырнуть, отбил удар, всадил гуку штык в живот, выдернул, всадил еще раз в пах, выдернул, воткнул штык в землю, чтобы очистить от крови, обернулся и усмехнулся мне. Ему это доставило удовольствие. Там были такие ребята. Им это доставляло удовольствие. Радость. Я имею в виду, война.

4 Заказ 2107

ДИ МЕДИКО. И что с ним сталось?

АНДЖЕЛО. С кем?

ДИ МЕДИКО. С твоим парнем.

АНДЖЕЛО. А... Рота вернулась в Токио для передышки. И этот теннессиец попался, когда насиловал девятилетнюю японскую девочку. Его посадили.

ДИ МЕДИКО. Где он теперь?

АНДЖЕЛО. Наверно, все еще сидит. Ну так расскажи мне об Андерсоне. Что ты знаешь о нем?

ДИ МЕДИКО. Он приехал с Юга лет десять назад. Замечательный водитель. По-моему, возил там спиртное для Солли Бенедикта. В общем, он там пырнул кого-то и вынужден был уехать на Север. Солли отрекомендовал его мне по телефону. А в то время мой двоюродный брат Джино планировал одно дело. Ты его знаешь?

АНДЖЕЛО. Нет, кажется, ни разу не встречался.

ДИ МЕДИКО. Черт, как болит лицо. Джино собирался очистить склад. С наркотиками. Кажется, стимуляторами. Дело было разработано прекрасно, но один тип донес в полицию. Мы с ним потом рассчитались. В общем, я вспомнил, что Андерсон отличный водитель, и Джино согласился. План заключался в том, что Джино и двое громил едут на машине с Андерсоном. Андерсон должен был остановиться за квартал и ждать возвращения Джино. Предполагалось, что они возьмут склад, оба громилы уедут на грузовике, а Джино вернется к машине, где его будет ждать Андерсон.

АНДЖЕЛО. Ну и что?

ДИ МЕДИКО. Все сорвалось. Прожектора, сирены, клаксоны, стрельба, собаки... полный набор. Джино получил пулю в живот и, шатаясь, зашел за угол. Он велел Андерсону ждать, и, несмотря ни на что, Андерсон ждал.

АНДЖЕЛО. Горец.

ДИ МЕДИКО. Да. Не струсил. Словом, он втащил Джино в автомобиль и отвез к хирургу. Спас ему жизнь.

АНДЖЕЛО. Чем он занимается теперь?

ДИ МЕДИКО. Джино? У него небольшая кондитерская в Ньюарке. Приторговывает наркотиками, дает в долг под проценты. Не особо преуспевает... однако жив. По возможности я помогаю ему. Но мне никогда не забыть, что Герцог ждал его, когда шла стрельба. Настоящий мужчина.

АНДЖЕЛО. Я это понял. Что с ним было дальше?

ДИ МЕДИКО. Работать по заданиям не захотел. Пожелал действовать сам. Первым делом обговорил все со мной, и я дал согласие. Действовал он очень недурно. Герцог умный парень, Пат. Быстро усваивает уроки. Он очистил несколько квартир в Ист-Сайде. Главным образом ради бриллиантов. Оружия никогда не брал. Приобрел опыт. Проворачивает дела и сматывается до того быстро, ловко, что полиция не может понять как. Действовал он недурно. Три-четыре дела в год. Всегда вносил контрибуцию и не попадался. Я навел о нем справки и узнал, что он извращенец.

АНДЖЕЛО. То есть?

ДИ МЕДИКО. Плетки... сам понимаешь.

АНДЖЕЛО. Он хлещет или его? Это важно.

ДИ МЕДИКО. Как я слышал, и то, и другое. Потом он после одного дела ждал на углу шлюху-еврейку, которой должен был передать добычу — всего в одном квартале оттуда, и тут один везунчик-полицейский, надзиравший за условно освобожденными, почему-то вздумал обыскать Андерсона. Теперь он детектив второй ступени. Вот так Герцог и попался. Ту женщину не тронули; он не сказал про нее ни слова. Я слышал, она опоздала на встречу, потому что была у своего биржевого маклера.

АНДЖЕЛО. Прекрасно. Ты контачишь с ней?

ДИ МЕДИКО. Ну конечно. Когда Герцог заговорил об этом налете, мы заинтересовались ею. Отбыла срок, теперь шустрит — мошенничество, проституция, аборты. Работает в танцзале Сэма Бергмана. Можем нажать на нее в любое время.

АНДЖЕЛО. Хорошо. Как Андерсон наткнулся на этот дом?

ДИ МЕДИКО. У него там живет бабенка. Как он познакомился с ней, мы не знаем. Бывает у нее не реже двух раз в неделю. Крупная, симпатичная дамочка.

АНДЖЕЛО. Ладно. Пожалуй, это все. Черт, мы прикончили еще одну бутылку. Мне ж необходимо ехать в Манхеттен.

ДИ МЕДИКО. Пат, как ты смотришь на это дело?

АНДЖЕЛО. Будь моя воля, я бы сказал «нет». Слушай, Док, ведь у нас рестораны, отели, банки, прачечные, страховые общества, грузовые перевозки, уборка мусора — приличные, достойные, легальные предприятия. И доходы неплохие. На кой черт нам этот разбой?

ДИ МЕДИКО. И все же... ты заинтересовался?

АНДЖЕЛО. Да... вроде бы. Это военная проблема. Посмотри на меня... я бизнесмен, живот выпирает, зад отвис, у меня жена и трое детей, состою в четырех клубах, в погожие выходные играю в гольф, хожу с женой в Ассоциацию родителей и преподавателей, беспокоюсь из-за ползучих сорняков, у меня есть пудель с глистами. Словом, добропорядочный гражданин. Но иногда я смотрюсь в зеркало, вижу брюшко, круглые щеки, жирные бедра и думаю, что в Корее был более счастлив.

ДИ МЕДИКО. Пат, может, ты и сам из тех парней, о которых рассказывал — которым война доставляет радость?

АНДЖЕЛО. Может быть. Не знаю. Знаю только, что, когда слышу о таких вещах, меня охватывает возбуждение. Мозг начинает работать. Я снова молод. Операция. Проблемы. Надо все рассчитать. Это действительно кое-что. Но решение отложу до разговора с Папой. Во-первых, я обязан это сделать. Во-вторых, пусть он прикован к постели, пусть иногда для согрева к нему ложится толстый мальчишка, ум у него все тот же — острый и основательный. Я все изложу Папе. Ему приятно сознавать, что он все еще нужен, все еще принимает решения. Черт возьми, у нас тысяча юристов и бухгалтеров, принимающих решения, которых он даже не способен понять, — но такую проблему он поймет. Так что я все ему изложу. Скажет Папа «нет» — значит, нет. Скажет «да» — значит, да. О его решении я сообщу примерно через неделю. Тебя это устраивает?

ДИ МЕДИКО. Конечно. Там нужен шестой человек. У тебя есть кто-нибудь на примете?

АНДЖЕЛО. Нет. А у тебя?

ДИ МЕДИКО. Некто Сэм Хеминг. Шантрапа. Одни мускулы, никаких мозгов. Из ребят Пола Вашингтона.

АНДЖЕЛО. Черный?

ДИ МЕДИКО. Да, но вполне подходит.

АНДЖЕЛО. Почему именно он?

ДИ МЕДИКО. Мне нужно рассчитаться с Полом за услугу.

АНДЖЕЛО. За Линду Кертис?

ДИ МЕДИКО. Ты мало что упускаешь из виду, а?

АНДЖЕЛО. Да, Док, мало что. Если этот Хеминг надежен, я не против.

ДИ МЕДИКО. Надежен.

АНДЖЕЛО. Ладно. Папа заинтересуется. Я скажу ему, что ты ручаешься за этого парня. Согласен?

ДИ МЕДИКО. Да... если это необходимо.

АНДЖЕЛО. Необходимо. Господи, Док, ты подергиваешься, как наркоман. Неужели ничего не можешь поделать со своим лицом?

ДИ МЕДИКО. Нет. Ничего.

АНДЖЕЛО. Скверное дело. Мне надо бежать. Спасибо за обед и вино.

ДИ МЕДИКО. Рад был угостить тебя. Значит, сообщишь примерно через неделю?

АНДЖЕЛО. Непременно. Да... кстати, Док, пригляди за Фредом Саймонсоном.

ДИ МЕДИКО. Что-нибудь случилось?

АНДЖЕЛО. Пока нет. В последнее время он много пьет. И, возможно, болтает больше, чем следует. Просто дай ему дружеский совет.

ДИ МЕДИКО. Конечно. Спасибо. Я одерну его.

АНДЖЕЛО. Одерни.

32

Расшифровка пленки ДП—9/VI—68 ЭВЕРЛИ. Примерно 14 часов 15 минут.

МИССИС ЭВЕРЛИ. Давай налью тебе большой бокал. Посиди немного спокойно. Хочу показать тебе несколько фотографий — свой альбом.

АНДЕРСОН. Ладно.

(Пауза шестнадцать секунд).

МИССИС ЭВЕРЛИ. Держи... как тебе нравится, с одним кубиком льда. Ну вот. Я купила этот альбом в магазине у Марка Кросса. Хороший, правда?

АНДЕРСОН. Угу.

МИССИС ЭВЕРЛИ. Вот... этот ферротип. Мой прадед по отцовской линии. Он воевал на Гражданской войне. На нем мундир с погонами капитана. Снимок сделан, когда он приехал домой на побывку. Потом он потерял руку при Энтайтеме. Но ему разрешили по-прежнему командовать ротой. В те дни на такие вещи не обращали особого внимания.

АНДЕРСОН. Я знаю. Мой прадедушка с деревянной ногой участвовал во второй битве при Дебрях.

МИССИС ЭВЕРЛИ. Потом, когда кончилась война, он вернулся домой и женился на моей прабабушке. Вот их свадебная фотография. Скажи, видел ты еще такое славное, стройное, хорошенькое создание? Она вырастила семерых детей в Рокфорде, штат Иллинойс. А это единственная у меня фотография родителей матери. Он был постарше, владел универмагом возле Сьюикли в Пенсильвании. Жена его была сущим чудовищем. Громадной и уродливой. Помню я ее смутно. Наверно, комплекцией я пошла в нее. Моя мать была единственным ребенком в семье. Вот выпускной класс матери. Она проучилась два года в учительском колледже. Здесь она обведена кружком. Этот малыш — мой отец в десятилет-

Йеле. Посмотри, какой костюм! Умора, правда? Он был членом гребной команды. И хорошо плавал. Вот он в купальном костюме. Снимался на последнем курсе.

АНДЕРСОН. У него такой вид, будто он влюблен.

МИССИС ЭВЕРЛИ. Гад. Так вот, могу сказать, что он был отличным мужчиной. Рослым, мускулистым. С моей матерью он познакомился на балу, и, когда он закончил учебу, они поженились. Он начал работать младшим клерком на Уолл-стрит года за три до первой мировой войны. Мой брат Эрнест родился в девятьсот пятнадцатом, но, когда Америка вступила в войну, отец пошел в армию. Во всяком случае, он отправился за океан. В бою, видимо, ни разу не бывал. Вот он в мундире.

АНДЕРСОН. Возни, небось, было с этими обмотками. Первый муж моей матери погиб на Марне, он был морским пехотинцем.

МИССИС ЭВЕРЛИ. Значит, он не мог быть твоим отцом?

АНДЕРСОН. Нет. Отец был третьим ее мужем.

МИССИС ЭВЕРЛИ. Ну, а вот отец и мать с Эрни и Томом — он появился на свет вторым. Во время второй мировой войны пропал без вести во Франции. Здесь мама держит меня на руках — это мой первый снимок. Хорошенькой я была, правда?

АНДЕРСОН. Да.

МИССИС ЭВЕРЛИ. Вот несколько снимков по мере подрастания. В женском костюме с широкими штанами. В спортивном костюме. В купальном костюме. Мы снимали домик на озере в Канаде. Вот здесь все дети — Эрнест, Томас, я и Роберт. Все мы.

АНДЕРСОН. Ты была единственной девочкой?

МИССИС ЭВЕРЛИ. Да. Но в плавании я не отставала от братьев, а потом даже стала перегонять любого. Мать заболела и почти все время лежала в постели, а папа занимался делами. Так что все мы четверо много времени проводили вместе. Эрни, как старший, был главным, но, когда он уехал в Дартмут, его место заняла я. У Тома и Боба не было той властности, что у Эрни.

АНДЕРСОН. Сколько тебе лет на этой фотографии?

МИССИС ЭВЕРЛИ. Тринадцать, наверно.

АНДЕРСОН. Груди шикарные.

МИССИС ЭВЕРЛИ. Да, я созрела рано. Такова история моей жизни. В одиннадцать у меня пошли месячные. Обрати внимание на плечи и бедра. В плавании я обгоняла братьев и всех друзей. Ребята, наверно, возмущались этим. Им нравились хрупкие, слабые, женственные. У меня было грузное, сильное, мускулистое тело. Я думала, ребятам нравится девушка, которая может плавать с ними, устраивать скачки, бороться и все такое... Но когда пошли танцульки, заметила, что приглашают хрупких, слабых, бледных и женственных. Мать настояла, чтобы я брала уроки танцев, но я так и не научилась хорошо танцевать. Плавать и нырять я умела, а на танцверанде чувствовала себя колодой.

АНДЕРСОН. Кто у тебя был первым мужчиной?

МИССИС ЭВЕРЛИ. Брат Эрни. Тебя это шокирует?

АНДЕРСОН. Ничуть. Я из Кентукки.

МИССИС ЭВЕРЛИ. Это случилось, когда в одни из пасхальных каникул он приехал из Дартмута. И он был пьян.

АНДЕРСОН. Само собой.

МИССИС ЭВЕРЛИ. Это я на школьном выпускном вечере. Выгляжу хорошенькой, правда?

АНДЕРСОН. Ты выглядишь комиком в вечернем платье.

МИССИС ЭВЕРЛИ. Пожалуй, да... пожалуй, да. О Господи, а шляпка-то. А вот здесь я уже начала ходить в школу миссис Прауд. И похудела. Слегка. Не слишком, но все же. Я была в команде по плаванию, капитаном команды хоккеисток на траве и неплохо играла в теннис. Не умно, однако сильно. Вот я с кубком как лучшая спортсменка.

АНДЕРСОН. Господи, ну и тело. Жаль, что я тогда не был у тебя в любовниках.

МИССИС ЭВЕРЛИ. Были многие ребята. Пусть я не умела танцевать, но все же открыла тайну успеха. Очень простую тайну. Меня, должно быть, называли Мисс Круглые Пятки. Нужно было только попросить, и я опрокидывалась на спину. Так что свиданий у меня было много.

АНДЕРСОН. Я бы принял тебя за лесбиянку.

МИССИС ЭВЕРЛИ. А... я пробовала и это. Первая не начинала, но таких вещей у меня было много. Пробовала, но не привилось. Может, из-за того, как от них пахло. Ты ведь не принимал душа сегодня утром?

АНДЕРСОН. Нет.

МИССИС ЭВЕРЛИ. У тебя лошадиный, горько-кислый запах. Он, право же, меня возбуждает. Только не подумай, что у меня что-то было с жеребцом, не строй глупых предположений. Потом я познакомилась с Дэвидом. Он был другом моего младшего брата Боба. Вот Дэвид.

АНДЕРСОН. Похож на педика.

МИССИС ЭВЕРЛИ. Он и есть педик, только я узнала об этом слишком поздно. И он пил, пил, пил... Но был смешной, любезный, заботливый. У него были деньги, он смешил меня, распахивал передо мной дверь, и, если в постели бывал не очень, я прощала это, потому что он много пил. Понимаешь?

АНДЕРСОН. Да.

МИССИС ЭВЕРЛИ. Много денег. Кливлендские уголь и сталь и тому подобное. Иногда мне казалось, что он немного еврей.

АНДЕРСОН. Немного еврей?

МИССИС ЭВЕРЛИ. Ну, понимаешь... далекие предки. Однако, вот мы на пляже, на балу, на выставке лошадей, на помолвке, свадебные фотографии, прием и так далее. Я носила низкий каблук, потому что чуть была повыше Дэвида. У него прекрасные волосы, правда?

АНДЕРСОН. Правда. Много там еще?

МИССИС ЭВЕРЛИ. Нет, уже немного. Вот мы на

летнем отдыхе в Ист-Хэмптоне. Некоторые развлечения. Пьяные компании. Я как-то застала его в постели с пуэрториканцем. Этой фотографии у меня нет! Вот и почти все. Есть несколько моих фотографий в командировках — Париж, Рим, Лондон, Женева, Вена...

АНДЕРСОН. Кто этот парень?

МИССИС ЭВЕРЛИ. Я купила его в Стокгольме.

АНДЕРСОН. Хороший любовник?

МИССИС ЭВЕРЛИ. Не особенно.

АНДЕРСОН. Черт возьми, чего ты плачешь?

(Пауза семь секунд).

МИССИС ЭВЕРЛИ. Из-за этих фотографий. Сто лет... Мои прадедушка и прабабушка. Гражданская война. Мои родители. Мировые войны. Мои братья. Подумать только, через что прошли эти люди. Чтобы произвести на свет меня. Я результат. Господи, Герцог, что произошло с нами? Я просто не могу думать об этом. Это очень ужасно. Очень печально.

АНДЕРСОН. Где теперь твой муж?

МИССИС ЭВЕРЛИ. Дэвид? Последний раз я видела его с накрашенными губами. Серьезно. И взгляни на меня. Чем я лучше?

АНДЕРСОН. Хочешь, чтобы я ушел?

МИССИС ЭВЕРЛИ. И оставил меня считать стены? Герцог, ради Бога, отключи меня...

33

Доминик Анджело, «Папа», дон семейства Анджело, адрес: Нью-Джерси, Дил, Флит-роуд, 67825. Полное имя Марио Доминик Никола Анджело, родился в сицилийской деревне Марено в 1874 году. Его семья была «левой ветвью» семейства Анджело, предки его в течение пяти поколений были фермерами-арендаторами на Сицилии. О ранних школьных годах Доминика сведений нет.

При расследовании в штате Нью-Йорк в 1934 году

(смотри материалы комиссии Мерфи, т.1, стр. 432—435) установлено, что он прибыл в Соединенные Штаты нелегально, приплыв на берег с торгового судна, где служил коком. Во всяком случае, документы оказались неграмотно оформлены или утеряны — и Доминик подал первое заявление о принятии в гражданство США в 1896 году и стал гражданином США в 1903 году. В графе «род занятий» указал «официант».

Его досье включает в себя арест за нарушение общественного порядка (характер нарушения не указан) и нападение с намерением убить (обвинение снято). В 1907 году был арестован за нападение со смертоносным оружием (ножом) с намерением причинить тяжкие телесные повреждения (пытался кастрировать свою жертву). Был осужден и отбыл два года семь месяцев и четырнадцать дней в даннеморской тюрьме (46783).

Существуют недостаточные улики, что по выходе из тюрьмы Доминик Анджело стал «крючком» в «Черной руке», как тогда именовалась итальянская преступная организация в США.

(В работе «Происхождение американского сленга», издательская компания «Хоули, Бутански энд Эффрим», 1958, авторы утверждают (стр. 38—39), что в период 1890—1910 годов термин «крючок» означал исполнителя смертных приговоров преступного мира и, очевидно, происходил от выражения «застегнуть губы» доносчику или врагу.

Авторы указывают, что позднее, в 20—30-х годах, этот термин в преступных группах стал обозначать полицейского).

В 1910 году Доминик Анджело получил работу в бруклинской компании «Алсотто Сэнд энд Грейвл», очевидно, в качестве грузчика.

В 1917 году вступил добровольцем в Американский экспедиционный корпус, но по возрасту его обязанности ограничивались несением караульной службы в доках Байонны, штат Нью-Джерси.

В 1920 году Доминик Анджело устроился десятником

в судовую компанию «Джованни шиппинг энтерпрайзис, инк». Работая там, женился на Марии Флорене Анджело, дальней родственнице. Их первый ребенок, мальчик, родился в 1923 году. Впоследствии он погиб в бою на острове Гуадалканал в 1942 году.

Во время Второй мировой войны Доминик Анджело предложил свои услуги правительству США, и, как явствует из документов в досье, его помощь в подготовке к высадке войск на Сицилии и в Италии была «неоценимой». Существует письмо от высокопоставленного сотрудника Управления стратегических служб, свидетельствующее о его «замечательном и необыкновенном сотрудничестве».

Официальные документы в период 1948 — 1968 годов свидетельствуют о его выдвижении на значительное место в организации с преобладанием итальянцев, контролирующей организованную преступность в США. Путь от рядового члена до капо и затем дона занял у него менее десяти лет, и к 1957 году он был признанным главарем нескольких «семейств». Его личное состояние предположительно составляет сумму от 20 до 45 миллионов долларов.

Люди, занимающиеся изучением организованной преступности в США — той организации, что именовалась «Черной рукой», «Синдикатом», «Мафией», «Коза ностра I», «Семейством» и т.д., — согласны в том, что Доминик Анджело был ведущим духом, мозгом и силой в превращении бандитской шайки в полулегальный картель, все более и более избегающий насильственных методов прежних лет и вкладывающий все больше средств в ссудные банки, недвижимость, увеселительные заведения, маклерские фирмы, банки, компании по поставке льна, рестораны, прачечные самообслуживания, страховые компании и рекламные агентства.

В 1968 году Доминику Анджело было 94 года; вес 124 фунта, рост 5 футов 6 дюймов; почти совершенно лысый; почти прикованный к постели из-за диабета, артрита и двух серьезных закупорок сосудов. Очень черные глаза; необычно длинные пальцы; привычка поглаживать пальцем верхнюю губу (до 1946 года он носил длинные усы).

Дом его в Диле, штат Нью-Джерси, большой, удобный, расположен посреди большого земельного участка, но особенно не бросается в глаза. Поместье обнесено двенадцатифутовой кирпичной стеной с осколками стекла наверху. Полагают, что штат обслуги состоит из нескольких человек — экономки, двух-трех уборщиков спортплощадок, личного слуги, дворецкого, санитара, медсестры, трех горничных и двух шоферов.

16 мая 1966 года у запертых ворот усадьбы Анджело произошел взрыв. Полицейские, расследовавшие это дело, доложили, что взорвано несколько брусков динамита, соединенных проводом с примитивным часовым механизмом — дешевым будильником. О пострадавших ничего не сообщалось, и арестов не производилось. Следствие продолжается.

Второстепенный интерес представляют два неподтвержденных сообщения о Доминике Анджело: после смерти жены в 1952 году он стал вступать в гомосексуальные связи, предпочитая мальчиков, и изобрел гроб с двойным дном, хотя эта «заслуга» была отдана другим. Гроб с двойным дном — устройство для избавления от жертв преступного мира. Делается он глубже, чем обычно, жертва хоронится под легальным покойником. Выполнение этого плана, разумеется, зависит от сотрудничества похоронных бюро, в которых семейство Анджело имеет значительную долю.

Приводимая ниже расшифровка сделана с записи, произведенной агентами Особого законодательного подкомитета по расследованию организованной преступности. Она маркирована НДОЗК — ОП № 206 — IC, дата 10 июля 1968 года. Время примерно 23 часа 45 минут, запись сделана в доме Доминика Анджело по адресу: Дил, Флит-роуд, 67825. Передающее устройство — «Сокет МТ — модель К».

Судя по внутренним уликам, разговор ведут Доминик

Анджело, «Папа», и Патрик Анджело, «Маленький Пат». Хотя запись, с которой сделана расшифровка, велась чуть менее трех часов, те части, где повторяются уже опубликованные сведения, пропущены. К тому же правоохранительные органы Нью-Йорка, Нью-Джерси и Лас-Вегаса, штат Невада, просили, чтобы некоторые части не публиковались, поскольку они касаются дел, находящихся в расследовании. Все эти пропуски отмечены ремарками «пропуск».

(Пропуск тридцать две минуты, в течение которых Патрик Анджело расспрашивал дедушку о здоровье и получил ответ «Хорошо, насколько может быть». Затем Патрик Анджело сообщил о встрече с Джоном Андерсоном и Энтони ди Медико).

ПАТРИК. Ну, Папа, как ты думаешь?

ПАПА. А как думаешь ты?

ПАТРИК. Я говорю «нет». Вовлечено слишком много людей. Слишком сложно, выгода невелика.

ПАПА. Но я вижу, что глаза у тебя блестят, вижу, ты заинтересовался. Ты говоришь себе: «Это военная операция». Ты взволнован. Ты говоришь себе: «Я старею и толстею. Мне нужно действовать. Так же было и в Корее. Я все распланирую как военную операцию». Мне ты говоришь «нет», однако сам этого хочешь.

ПАТРИК (со смехом). Папа, ты просто чудо! Ты все понял совершенно правильно. Мозг подсказывает мне, что это ерунда, но кровь хочет этого. Извини.

ПАПА. Чего ж извиняться? Думаешь, хорошо, если у человека один мозг без крови? Так же плохо, как и одна кровь без мозга. Смесь в нужных пропорциях — вот что важно. Этот Андерсон — какого ты о нем мнения?

ПАТРИК. Напористый. Оружия с собой никогда не берет, но человек твердый. И гордый. Из Кентукки. Горец. Доктор говорил мне о нем только хорошее.

ПАПА. Андерсон? Лет десять назад Джино Белли, двоюродный брат Доктора, планировал одно дело. Оно казалось удачным, но не выгорело. У него был водитель по фамилии Андерсон? Это не тот?

ПАТРИК. Тот самый. Ну и память у тебя, Папа!

ПАПА. Тело стареет, но мозг, слава Богу, остается юным. Этот Андерсон отвез Джино к врачу. Теперь я все вспомнил. Я как-то виделся с ним, очень недолго. Высокий, худощавый. Длинное лицо, впалые щеки. Гордый. Да, ты прав — очень гордый человек. Помню.

ПАТРИК. Ну и как ты считаешь, Папа?

ПАПА. Помолчи, дай подумать.

(Пауза две минуты тринадцать секунд).

ПАПА. Этот Андерсон — ты говоришь, у него свои люди?

ПАТРИК. Да. Пятеро. Один негр. Один технарь. Два водителя, один из них дурачок.

(Пауза девять секунд).

ПАПА. Это четверо. А еще один? Пятый?

(Пауза шестнадцать секунд).

ПАПА. Ну? Пятый?

ПАТРИК. Педик. Разбирается в живописи, коврах, коллекциях и тому подобном.

ПАПА. Ясно. Фамилия его не Бейли?

ПАТРИК. Не знаю, как его фамилия, Папа. Могу выяснить.

ПАПА. Педик по фамилии Бейли есть в Лас-Вегасе. Мы как-то...

(Пропуск четыре минуты тридцать две секунды).

ПАПА. Но это не важно. К тому же, я подозреваю, что это не Бейли. Боюсь, что Бейли нет в живых. А кого рекомендует Доктор как нашего представителя?

ПАТРИК. Какого-то Сэма Хеминга. Это один из парней Пола Вашингтона.

ПАПА. Тоже негр?

ПАТРИК. Да.

ПАПА. Нет. Не пойдет.

ПАТРИК. Папа? Значит, ты одобряешь эту операцию?

ПАПА. Да. Одобряю. Действуй.

ПАТРИК. Но почему? Выгоды...

ПАПА. Я знаю. Выгоды никакой. В операции участвует слишком много людей. Она завершится катастрофой.

ПАТРИК. Вот как?..

(Пауза семнадцать секунд).

ПАПА. Маленький Пат думает, с какой стати Папе одобрять что-то подобное? Все эти годы мы стараемся легализоваться. Мы имеем дело с банкирами Уолл-стрит, рекламными агентами на Мэдисон-авеню, политическими партиями. Мы участвуем во всех добропорядочных предприятиях. Доходы хорошие. Все чисто. Никаких беспокойств. А Папе уже девяносто четыре, разум его, наверно, сдает — вот Папа и одобряет такой глупый план. Этот... налет, где люди будут получать раны и, может быть, гибнуть. Может, на Папу уже не стоит полагаться? Патрик думает так?

ПАТРИК. Клянусь Богом, Папа, никогда так не думал. Раз ты говоришь «да» — значит, да.

ПАПА. Маленький Пат, ты скоро уже будешь доном. Скоро. Через год. От силы через два.

ПАТРИК. Папа, Папа... ты переживешь всех нас.

ПАПА. Два года от силы. Может быть, год. Но если ты хочешь стать доном, то должен научиться думать... думать. Ты должен думать не только, мы сделаем то-то и то-то, получим или не получим доход, но и какими будут последствия. Что выйдет из этого через год, через пять лет, через десять. Многие люди — даже руководители многих американских компаний — собирают все факты и принимают решения. Но они забывают рассматривать последствия своих решений. Далекие последствия. Понимаешь меня?

ПАТРИК. Думаю, что да, Папа.

ПАПА. Допустим, есть человек, которого надо убрать. Мы рассматриваем, что он сделал и какую опасность для нас представляет. На основании этих фактов говорим, что его надо убрать. Но мы должны рассматривать также и последствия его смерти. Есть ли у него родственники, которые ожесточатся? Как воспримет это полиция? Что напишут в газетах? Есть ли молодой, умный, честолюбивый политик, который воспользуется этой смертью и благодаря ей одержит победу на выборах? Понимаешь? Рассматривать ближайшие последствия недостаточно. Ты еще должен мысленно перенестись в будущее. Поможет нам это в конечном счете или повредит?

ПАТРИК. Теперь я понял, Папа. Но при чем здесь операция Андерсона?

ПАПА. Помнишь, года четыре назад в Буффало мы...

(Пропуск четыре минуты девять секунд).

ПАПА. Итак, чему нас это учит? Тому, что внушать страх полезно. Мы должны создавать атмосферу страха и поддерживать ее. Как думаешь, почему мы так преуспели в легальных делах? В торговле недвижимостью, уборке мусора, банковских операциях и поставках льна? Потому что наши расценки ниже? Нет, ты знаешь, что наши расценки выше. Выше! Но нас боятся. И благодаря этому страху мы преуспеваем. Стальной кулак в бархатной перчатке. Но если мы хотим преуспевать и дальше, если хотим, чтобы наши легальные предприятия процветали, нам надо поддерживать свою репутацию. Надо напоминать бизнесменам, кто мы, на что способны. Не часто, но время от времени, подбирая инциденты, которые произведут впечатление, мы должны напоминать этой публике, что под мягкой бархатной перчаткой твердая блестящая сталь. Только в этом случае нас будут бояться, и наши легальные предприятия будут расти и расти.

ПАТРИК. И ты хочешь использовать операцию Андерсона в качестве примера? Ты считаешь, что она в конце концов провалится, но хочешь, чтобы газеты осветили ее как нашу? Хочешь, чтобы были раненые и убитые? Хочешь, чтобы, прочтя газеты, бизнесмены пришли в дрожь, позвонили бы нам и сказали, да, мы возьмем еще миллион ярдов вашей синтетической ткани или прибегнем к услугам ваших автотранспортных компаний или страховых контор?

ПАПА. Да. Именно этого я и хочу.

ПАТРИК. Потому-то и дал согласие на дело Эла Петти два года назад, когда...

(Пропуск сорок семь секунд).

ПАПА. Конечно. Я знал, что оно обречено на неудачу. Но о нем шумели газеты по всей стране и связывали арестованных с нами. При этом даже погибли трое, в том числе один ребенок, а наши доходы возросли за шесть месяцев на пять и две десятых процента. Страх. Пусть другие — англичане и американцы — прибегают к убеждению и деловому нажиму. Наш метод — страх. Потому что он всегда действует.

ПАТРИК. Но ведь Андерсон не...

ПАПА. Я знаю, что он тесно с нами не связан. Значит, нужно сунуть того, кто связан. Вчера ко мне приезжал Копченый.

ПАТРИК. Копченый? Я не знал, что он был в городе. Что ж он не позвонил мне?

ПАПА. Он просил передать тебе извинения. Промежуток между авиарейсами. Он едва успел наскоро заехать сюда на машине, а потом вылетел в Палм-Бич.

ПАТРИК. Сколько лет на сей раз его спутнице?

ПАПА. Около пятнадцати. Поистине красавица. Длинные белокурые волосы. И слепая.

ПАТРИК. Слепая? В данном случае тем лучше для нее.

ПАПА. Да. Но у Копченого есть одна проблема. Может, мы разрешим ее с помощью этого андерсоновского дела.

ПАТРИК. Что за проблема?

ПАПА. У Копченого есть один человек — Винсент Парелли. Знаешь его? По кличке Драчун.

ПАТРИК. Этот идиот? Читал о нем.

ПАПА. Да. Парелли просто взбесился. Колотит людей.

Давит машиной. Стреляет. Напропалую. Копченому из-за него житья нет.

ПАТРИК. Могу представить.

ПАПА. Парелли тесно связан с нами, очень тесно. Копченый хочет его убрать. Понимаешь?

ПАТРИК. Но Парелли так просто не уберешь. У него есть свои люди. Они все бешеные... бешеные. Под стать Аль Капоне. Дикари. Думать они не способны. Копченый спрашивал, не могу ли я как-то помочь. Значит...

ПАПА. Я должен отблагодарить Копченого за услугу. Помнишь, в прошлом году он устроил в университет племянника Паоло, когда парень всюду получил отказ? И мы сделаем вот что... Я скажу Копченому, пусть пришлет Парелли из Детройта, чтобы он был нашим человеком в андерсоновской операции. Копченый скажет, что в том доме драгоценностей минимум на миллион. Иначе Парелли поднимет нас на смех. Копченый скажет: «Чтобы нас не попытались надуть, для участия в деле нужен толковый, надежный человек». Этот Парелли любит пострелять. И, наверно, обрадуется такому поручению. А ты скажешь Андерсону, что мы одобряем его план при условии, что он возьмет пистолет и в конце дела убьет Парелли. Это наша цена за финансирование его дела.

(Пауза одиннадцать секунд).

ПАТРИК. Папа, я думаю, Андерсон на это не пойдет.

ПАПА. А я думаю — пойдет. Я знаю этих дилетантов. Они вечно рассчитывают на большую удачу, на крупный успех, чтобы потом уехать до конца своих дней в Южную Америку или на Французскую Ривьеру. Думают, что преступление — это одна большая ставка в лотерее. Им невдомек, какая это тяжелая работа... тяжелая, изнурительная работа из года в год. Без больших удач, без крупных успехов. Работа — как и любая другая. Может, доходы побольше, зато и риск тоже. Андерсон поколеблется, но в конце концов согласится. И уберет Парелли. Характер и гордость заставят Андерсона выполнить уговор. По-моему, вся эта затея окончится безумством, пострадают невинные люди, и Винсент Парелли, тесно связанный с нами, будет обнаружен мертвым на месте преступления.

ПАТРИК. И ты думаешь, Папа, нам это будет на руку?

ПАПА. Об этом зашумят газеты по всей стране. И в конце концов это окажется нам на руку.

ПАТРИК. А если операция удастся?

ПАПА. Тем лучше. Парелли больше не будет мешать Копченому, ограбление поставят в заслугу нам, и мы тоже окажемся в выигрыше. Да может, и Андерсон все же окончит свои дни в Мексике. Патрик, звони мне ежедневно и сообщай, как идут дела. Я очень заинтересовался. Доктору скажи только то, что ему необходимо знать. Понимаешь?

ПАТРИК. Да, Папа.

ПАПА. Я поговорю с Копченым, и Копченый устроит, чтобы Парелли был там, где нужен. У тебя есть вопросы?

ПАТРИК. Нет, Папа. Я знаю, что надо делать.

ПАПА. Ты умница, Патрик... умница.

34

12 июля 1968 года в 14.06 в кабинете диспетчера автотранспортной компании «Джиффи Тракинг энд Холинг», Нью-Йорк, Десятая авеню, 11098, состоялась встреча Джона Андерсона и Патрика Анджело. Это дочерняя компания «Томас Джефферсон трейдинг корпорейшн», членом которой является Патрик Анджело (секретарь-казначей). Таможенная служба установила в диспетчерской электронное подслушивающее устройство на основании выданного федеральным судом ордера МФС № 189—605 ХГ по подозрению, что автомобили компании используются для перевозки контрабандных товаров. Пленка ТССША—1089—75633—Б2.

АНДЕРСОН. Ну и как?

АНДЖЕЛО. Дело вроде бы стоящее. Папа одобрил. (Пауза четыре секунды).

АНДЕРСОН (со вздохом). Господи.

АНДЖЕЛО. Но за это ты должен кое-что сделать для нас.

(Пауза шесть секунд).

АНДЕРСОН. Что?

АНДЖЕЛО. Мы должны ввести в дело своего человека. Ты же знаешь, это УПД — установленный порядок действий.

АНДЕРСОН. Знаю. Я так и думал. Кого?

АНДЖЕЛО. Одного человека из Детройта. Винсента Парелли по кличке Драчун. Знаешь его?

АНДЕРСОН. Нет.

АНДЖЕЛО. И не слышал о нем?

АНДЕРСОН. Нет.

АНДЖЕЛО. Человек толковый. Опытный. Не новичок. Но боссом будешь ты. Это само собой. Ему будет сказано, чтобы он тебе подчинялся.

АНДЕРСОН. Хорошо. Согласен. Что еще?

АНДЖЕЛО. Мозги у тебя есть.

АНДЕРСОН. Что еще я должен сделать?

АНДЖЕЛО. Нужно, чтобы ты убрал его.

(Пауза пять секунд).

АНДЕРСОН. Что?

АНДЖЕЛО. Убрать его. После дела. Когда соберетесь сматываться, ты его уберешь.

(Пауза одиннадцать секунд).

АНДЖЕЛО. Понял?

АНДЕРСОН. Да.

АНДЖЕЛО. Понимаешь, что на это дело тебе придется идти с пушкой?

АНДЕРСОН. Да.

АНДЖЕЛО. Ну вот... и уберешь этого Парелли. Перед самым уходом.

АНДЕРСОН. Вам нужно, чтобы я убил его?

(Пауза семь секунд).

АНДЖЕЛО. Да.

АНДЕРСОН. Зачем?

АНДЖЕЛО. Тебе этого не нужно знать. Это не имеет отношения ни к тебе, ни к делу. Мы хотим его убрать — это все. Ты его уберешь. Такова наша цена.

(Пауза шестнадцать секунд).

АНДЖЕЛО. Ну?

АНДЕРСОН. Ответ вам нужен сейчас?

АНДЖЕЛО. Нет. Подумай день-два. Потом свяжемся. Если нет — никаких обид и забудем об этом деле. Если да, Доктор передаст тебе деньги и начнем разрабатывать план. Можем дать график пеших полицейских патрулей и машин. Но решать нужно тебе.

АНДЕРСОН. Да.

АНДЖЕЛО. Ты четко уяснил, что должен сделать? Вопросов нет? Все понятно? В таких делах надо полностью убедиться, что каждый знает, к чему быть готовым.

АНДЕРСОН. Я знаю, к чему быть готовым.

АНДЖЕЛО. Хорошо. Подумай.

АНДЕРСОН. Ладно. Подумаю.

35

В дополнение к микрофону-передатчику, установленному в доме Доминика Анджело, Федеральное бюро по борьбе с наркобизнесом установило подслушивающее устройство в телефоне. Ниже приводится фрагмент разговора с пленки ФББН—ДА—10935, дата 12 июля 1968 года. Время 14 часов 48 минут.

АНДЖЕЛО. Он был ошарашен, Папа... просто ошеломлен. Наверно, ты был прав. Я думаю, он согласится. Теперь о деле Бенефичи в Хейкенсэке... Думаю, нам нужно...

36

Пленка КЦББ 13/VII—68—ИМ 16.24.—149Х. Суббота.

ИНГРИД. Ты... в это время? Не работаешь?

АНДЕРСОН. Нет. Сегодня у меня выходной. Выходные у меня через раз в конце недели.

ИНГРИД. Надо было б сперва позвонить. Вдруг я оказалась бы занята.

АНДЕРСОН. Ты занята?

ИНГРИД. Нет. Штопала кое-что. Выпить хочешь?

АНДЕРСОН. Я принес «Берлинер Вайссе» и малинового сиропа.

ИНГРИД. Ты душка! Замечательно! Вспомнил!

АНДЕРСОН. У тебя есть большие стаканы?

ИНГРИД. Я подам самые большие коньячные бокалы. Как замечательно! Вспомнил!

(Пауза две минуты восемнадцать секунд).

ИНГРИД. Прошу. Какой прекрасный цвет. Прозит.

АНДЕРСОН. Прозит.

(Пауза четырнадцать секунд).

ИНГРИД. Ах. Отлично, отлично. Ну, Герцог, как у тебя дела?

АНДЕРСОН. Порядок.

ИНГРИД. Встреча, о которой ты говорил в тот раз... прошла хорошо?

АНДЕРСОН. Да... в общем.

ИНГРИД. Ты обеспокоен, Шатци? Потому и пришел? Хочешь отключиться?

АНДЕРСОН. Нет. Хочу поговорить. Не просто поболтать. Поговорить с тобой. Ты умнее всех, кого я знаю. Мне нужно услышать твое мнение. Твой совет.

ИНГРИД. Насчет дела?

АНДЕРСОН. Да.

ИНГРИД. Я не хочу о нем знать.

АНДЕРСОН. Пожалуйста. Я не так уж часто произношу это слово. Тебе говорю — пожалуйста.

(Пауза тринадцать секунд).

ИНГРИД. Знаешь, Герцог, в отношении тебя у меня есть предчувствие. Очень скверное предчувствие.

АНДЕРСОН. Какое?

ИНГРИД. Что из-за тебя я погибну. Найду безвременный конец, потому что знаю твои дела и говорю о них.

АНДЕРСОН. Тебя это страшит?

ИНГРИД. Нет.

АНДЕРСОН. Нет. Тебя ничто не страшит. А огорчает?

ИНГРИД. Возможно.

АНДЕРСОН. Хочешь, уйду?

(Пауза двадцать две секунды).

ИНГРИД. Что ты хотел сказать мне? Что это за такое важное дело, требующее моего совета?

АНДЕРСОН. Я составляю его план. Оно стоящее. Если проверну, буду при деньгах. Больших деньгах. Можно будет уехать в Мексику, в Южную Америку, в Европу — куда вздумается. И жить там до конца дней. Понимаешь — жить. И пригласить тебя с собой. Но не думай об этом. Пусть это не влияет на твой совет.

ИНГРИД. Не буду, Шатци. Я уже это слышала.

АНДЕРСОН. Знаю, знаю. Но для этого дела мне нужны деньги, наличные. Чтобы заплатить людям и все распланировать. Понимаешь?

ИНГРИД. Понимаю. Деньги ты хочешь взять у меня?

АНДЕРСОН. Нет. Денег от тебя мне не надо.

ИНГРИД. В таком случае люди, у которых ты возьмешь деньги, люди, в чьей помощи ты нуждаешься, — они чего-то потребуют от тебя... найн?

АНДЕРСОН. Ты так умна, что это меня пугает.

ИНГРИД. Вспомни, какая у меня была жизнь. Что они хотят?

АНДЕРСОН. Мне нужны люди. Пятерых я уже подыскал. Но те, у кого я беру деньги, суют еще своего человека. Пускай. Это понятно. Я одиночка. С одиночками так всегда. Ты получаешь разрешение действовать, но к тебе приставляют своего человека, чтобы все было без обмана, чтобы точно знать размер добычи. Понимаешь?

ИНГРИД. Конечно. Ну и что?

АНДЕРСОН. Они хотят вызвать человека из Детройта. Я его совершенно не знаю. Говорят, он профессионал. Будет у меня под началом. Боссом в этой операции буду я.

ИНГРИД. Ну и что?

АНДЕРСОН. Им нужно, чтобы я убрал его. Это их цена. После дела я должен его кончить. Зачем — не говорят; меня это не касается. Но это их цена.

ИНГРИД. А...

(Пауза минута двадцать семь секунд).

ИНГРИД. Они знают тебя. Знают хорошо. Знают, что если ты согласишься, то сделаешь. Не из страха перед ними, а потому, что ты Джон Андерсон и, если что обещал, выполнишь. Я права?

АНДЕРСОН. Не знаю, что они думают.

ИНГРИД. Ты просил у меня совета. Я пытаюсь дать тебе совет. Если согласишься, надо убивать. Скажи, Шатци, а отказаться не опасно?

АНДЕРСОН. Не опасно... нет. Меня не убьют. Исключено. Я того не стою. Однако делам тогда конец. Разрешения мне уже не дадут. При желании смогу продолжать, но уже будет совсем не то. Жалкие крохи. Хочешь не хочешь, придется возвращаться домой. Действовать в этом городе будет нельзя.

ИНГРИД. Домой? А где твой дом?

АНДЕРСОН. На Юге. В Кентукки.

ИНГРИД. И что бы ты стал там делать?

АНДЕРСОН. Распахни халат, а?

ИНГРИД. Ладно. Так?..

АНДЕРСОН. Да. Я хочу смотреть на тебя, пока говорю. Черт возьми, мне нужно говорить.

ИНГРИД. Так лучше?

АНДЕРСОН. Да... лучше. Не знаю, что стал бы там

делать. Развозить спиртное. Может, грабить заправочные станции. Если нашлись бы подходящие люди, то иной раз и банки.

ИНГРИД. Больше ты ничего не умеешь?

АНДЕРСОН. Да, черт возьми, ничего. Думаешь, в Кентукки я стану оператором компьютера или страховым агентом?

ИНГРИД. Не сердись на меня, Шатци.

АНДЕРСОН. Я не сержусь. У меня душа не на месте. Я же сказал, что очень нуждаюсь в твоем совете.

ИНГРИД. Однажды ты убил човеа.

АНДЕРСОН. Да. Но в гневе. Я был вынужден. Понимаешь? Он оскорблял меня.

ИНГРИД. А теперь для дела. Какая разница?

АНДЕРСОН. Тьфу ты, черт. Вы, иностранцы, этого не понимаете.

ИНГРИД. Да, я не понимаю.

АНДЕРСОН. Тот тип, которого я пришил, все цеплялся, цеплялся ко мне. В конце концов пришлось уложить его — иначе я не смог бы спокойно жить. Я был вынужден. Ничего другого не оставалось.

ИНГРИД. Странные вы люди, американцы. Вы «убираете» человека, или «пришиваете», или «кончаете». Но никогда не говорите «убил». Почему?

АНДЕРСОН. Да, ты права. Это странно. Не знаю, почему так. О том деле, которого хотят от меня эти люди, я, в конце концов, спросил напрямик: «Вы хотите, чтобы я убил его?», и тот, с кем я говорил, в конце концов признал, что да. Но по его паузе и виду я понял, что слово «убил» ему неприятно. Когда я развозил виски для бутлегера в Кентукки, у нас работал один старый негр — готовил прекрасное сусло, — так вот, он говорил, что всех нас ждет смерть — всех. Что люди больше всего боятся смерти и придумывают всякие слова, чтобы не говорить о ней прямо. А священники твердят, что ты родишься заново, и ты цепляешься за священника, даешь ему деньги, хотя в глубине души сознаешь, что он лжет.

Католики, баптисты, методисты, евреи — без разницы — все они знают, что никто не родится вновь. Раз ты мертв — значит, мертв. Это уже все. Конец. Вот что мне твердил тот старый негр, и, черт возьми, он был прав. Смерть ждет всех нас — тебя, меня, любого на свете, — и мы боимся ее, даже мысли о ней. Посмотри на себя, почти в чем мать родила, груди напоказ, и думаешь, такой будешь вечно? Детка, мы все уйдем из этого мира. В конце концов. Все. Как думаешь, почему я прихожу к тебе и прошу, чтобы ты меня отключила? Потому что ты отключаешь меня ненадолго, и всякий раз я знаю, что очнусь. Ты отключаешь меня на время, потом я прихожу в себя, и почему-то — не спрашивай почему — это помогает мне принять большую отключку. Последнюю. Словно бы я и после нее смогу очнуться. Не знаю. Разобраться в этом не могу — но ощущение у меня такое. Я хочу отключаться, чтобы забывать ежедневные пакости, но заодно и подготовиться к тому, что нас ждет. Понимаешь? И эта несчастная жирная богатая шлюха с Ист-Сайда, которой я выдаю шлепки, тоже думает об этом. Конечно, может, это удовольствие и мы забываем, в каком дерьме живем изо дня в день, — но, может, всякий раз, когда мы ненадолго прощаемся с миром, нас это убеждает, что это прощание надолго будет таким же и после него мы опять вернемся в мир. Хотя это и смешно. Разве это не смешно, детка?

ИНГРИД. Да. Это смешно.

АНДЕРСОН. Собственно говоря, я пришел не за советом. Я пришел сказать тебе, что намерен делать. Я убью этого Парелли. Не знаю, кто он, что он и насколько заслуживает смерти. Но или я его убью, или молния поразит его, завтра или через двадцать лет это произойдет. Но я убью его, потому что, может, смогу вырваться на несколько лет из всего этого. А сейчас кровь у меня кипит, ты сидишь передо мной голая и смотришь на меня, я предвкушаю тот миг, когда уберу этого типа, а сейчас я хочу отключить тебя... может, впервые в твоей жизни.

ИНГРИД. И как ты собираешься это сделать?

АНДЕРСОН. Сделаю. Не знаю как, но сделаю. У тебя под рукой все орудия для клиентов, не так ли? Плети, цепи, перья, проволочки и прочее? Мы сделаем это с помощью этих штук, если понадобится. Но сделаем. Я отключу тебя, Ингрид, клянусь.

ИНГРИД. Да?

37

Ксерокопия телетайпа от 6/VI—68.

ТТ—68—7946... ОТ НЙУП — ПОД. КОМ... ВСЕМ ОКР, ИНСП, ПРИГ и УЧ НАЧ КПТ ЛЕЙТ СЕРЖ... ДЛЯ ПОЧТОВЫХ... ПОВТОРЯЮ ПОЧТОВЫХ... ПОСКОЛЬКУ С 6 ИЮНЯ НОВЫЙ ПУС /ПОЛИЦЕЙСКИЙ УЗЕЛ СВЯЗИ/ РАБОТАЕТ ПОЛН МОЩ... ЭКСР НОМЕР 911 УБИЙСТВО 440—1234... ВСЕ ЖАЛОБЫ ПО 911 БУДУТ ПЕРЕДАВАТЬСЯ В УЧАСТОК ПО ТЕЛЕФОНУ ИЛИ ТЕЛЕТАЙПУ...

38

Расшифровка пленки НЙННБ—ОБМ 437—6Г; 15/VII—68; 12.45.

САЙМОНС. Привет, Герцог. Закрывай дверцу побыстрее. Не выпускай кондиционированный воздух. Рад тебя видеть.

АНДЕРСОН. Привет, мистер Саймонс. Как дела?

САЙМОНС. Помаленьку, Герцог, помаленьку. Выпить хочешь?

АНДЕРСОН. Пока нет, мистер Саймонс.

САЙМОНС. Что ж... но ты не против, если я выпью, а? Через полчаса меня ждут на ленч, а я неизменно нахожу, что мартини улучшает аппетит.

АНДЕРСОН. Пейте, пейте.

САЙМОНС. Ну, Герцог, что ты решил?

АНДЕРСОН. Да. Полный порядок.

САЙМОНС. Хорошо понял, как поступить с этим человеком из Детройта?

АНДЕРСОН. Да. Понял.

САЙМОНС. Прекрасно. Итак... перейдем к деталям. Этот человек из Детройта будет на нашей совести. То есть любой платеж ему или его наследникам — это наше дело и не имеет касательства к финансовому соглашению, которое, полагаю, мы вскоре заключим. Это ясно?

АНДЕРСОН. Да.

САЙМОНС. Все расходы и авансы будут вычитаться из общей суммы. Кстати, если эти условия тебя устраивают, при мне две тысячи долларов, что ты просил на дополнительные расходы, и я уполномочен вручить их тебе. Когда план операции будет одобрен, мы выдадим необходимую сумму, чтобы выплатить половину твоим людям, их, как я понял, четверо или пятеро, и тебе нужно четыре-пять тысяч долларов. Точно?

АНДЕРСОН. Да. Верно. Это половина их оплаты.

САЙМОНС. Итак... когда окончательный доход в наличных будет определен, все эти суммы — авансы, расходы, оплата — будут вычтены из него. Ясно?

АНДЕРСОН. И окончательная плата моим людям — другая половина — четыре или пять тысяч долларов?

САЙМОНС. Точно. Все эти расходы будут вычтены первым делом. Дополнительных расходов, кроме тех, что ты указал, мы не предвидим. В крайнем случае, нам кажется, они будут так незначительны, что сейчас о них не стоит думать. Итак... перейдем к чистому доходу. Мы предлагаем дележ пятьдесят на пятьдесят процентов.

АНДЕРСОН. Я просил семьдесят — тридцать.

САЙМОНС. Знаю, что просил, Герцог. Но при данных обстоятельствах и учитывая, что добыча может оказаться меньше, чем по самым радужным твоим прогнозам, мы считаем, что дележка поровну справедлива. Особенно учитывая выданные авансом деньги.

АНДЕРСОН. Это несправедливо. Учитывая, что я готов сделать для вас. Я не согласен.

САЙМОНС. Герцог, мы можем сидеть здесь и спорить до хрипоты, но я знаю, что тебе этого хочется не больше, чем мне. Я получил указание предложить дележку пополам, потому что, учитывая риск и вложенные деньги, нам кажется, это будет вполне справедливо. Откровенно говоря, я должен признать, мистер Анджело — то есть Маленький Пат — полагает, что ты будешь этим недоволен. Поэтому я уполномочен предложить тебе дележ шестьдесят — сорок. И это, Герцог, могу сказать со всей откровенностью, лучшее, что я могу сделать. Если тебя не устраивает, придется разговаривать с мистером ди Медико или с мистером Анджело.

(Пауза восемнадцать секунд).

АНДЕРСОН. Шестьдесят мне, сорок вам?

САЙМОНС. Точно.

АНДЕРСОН. И ради этого я должен идти на предумышленное убийство?

САЙМОНС. Герцог, Герцог... я не собираюсь давать тебе советы, мой мальчик. Решать предстоит тебе, ты знаешь, на что идешь, гораздо лучше меня. Я только могу предложить тебе дележ шестьдесят — сорок. Это моя работа, и я ее выполняю. Пожалуйста, не сердись на меня.

АНДЕРСОН. Я не сержусь на вас, мистер Саймонс. И ни на мистера ди Медико, ни на мистера Анджело. У вас своя работа, у меня своя. И, я полагаю, вы все должны отчитываться еще перед кем-то.

САЙМОНС. Должны, Герцог, должны.

(Пауза четыре секунды).

АНДЕРСОН. Ладно. На шестьдесят — сорок я согласен.

САЙМОНС. Прекрасно. Уверен, что ты об этом не пожалеешь. Вот две тысячи. Мелкими купюрами. Чистыми. Мы примем меры, чтобы Парелли приехал из Детройта. Тебе сообщат, когда с ним можно будет встретиться, обговорить планы. Нам кажется, что идея провернуть операцию в День труда неплоха. Тем временем мы посмотрим, что можно сделать по поводу графиков пятьдесят первого участка и рейсов машин в секторе Г. Когда план операции будет готов, сообщи, я устрою тебе встречу с мистером Анджело. Предлагаю устроить ее до окончательного разговора с твоими людьми. Незачем их посвящать во все, пока не будет полного плана.

АНДЕРСОН. Да.

САЙМОНС. Теперь все ясно? Относительно денег, людей и прочего? Если есть вопросы, задавай сейчас.

(Пауза шесть секунд).

АНДЕРСОН. Этот Парелли — что он натворил?

САЙМОНС. Не знаю и знать не хочу. Предлагаю и тебе относиться к этому так же. Теперь выпьешь что-нибудь?

АНДЕРСОН. Да, выпью. Бренди.

САЙМОНС. Прекрасно, прекрасно...

39

Ксерокопия письма от 16/VII—68 из компании «Юнайтед электроник китс, инк», Чикаго, Мичиган-бульвар, 65378, адресованного мистеру Джералду Бингему-младшему, Нью-Йорк, Восточная Семьдесят третья стрит, 535, кв. 5-а.

Уважаемый мистер Бингем.

В ответ на Ваше письмо от 5 числа сего месяца рады уведомить Вас, что мы нашли Ваше предложение вполне заслуживающим внимания. Соответственно мы модифицируем наш усилитель 57—68А, чтобы задняя панель легко снималась (отвинчивалась), а не припаивалась, как в настоящее время. Мы уверены, что, как Вы предположили, это улучшит конструкцию и обслуживание всего аппарата.

Мы хотим выразить Вам благодарность за Ваш интерес и, откровенно говоря, несколько огорчены, что наши инженеры не устранили этот изъян на комплекте 57—68А до его распространения. То, что Вам, как вы сообщаете, пятнадцать лет, делает наше огорчение еще более понятным.

Во всяком случае, чтобы выразить благодарность за Ваше предложение в более ощутимой форме, высылаем Вам (сегодня) поздравительный подарок — наш трехскоростной магнитофон «Д—люкс» 32—16895 (бесплатно).

Еще раз — спасибо за Ваш любезный интерес к нашей продукции.

Искренне Ваш (подпись) Дэвид К. Дэвидсон,
начальник рекламного отдела.

40

Расшифровка пленки ФББН—ДА—11036, четверг 16 июля 1968 года. 14 часов 36 минут.

ТЕЛЕФОНИСТКА. У меня заказан личный разговор с Детройтом. Мистер Доминик Анджело из Дила, штат Нью-Джерси, вызывает мистера Никола д'Агостино, номер три-один-один, один-пять-восемь, восемь-девять-семь-три.

ТЕЛЕФОНИСТКА. Сейчас.

ТЕЛЕФОНИСТКА. Спасибо.

(Пауза четырнадцать секунд).

ТЕЛЕФОНИСТКА. Это три-три-один, один-пять-восемь, восемь-девять-семь-три?

МУЖСКОЙ ГОЛОС. Да.

ТЕЛЕФОНИСТКА. Мистер Доминик Анджело, Дил, штат Нью-Джерси, заказал личный разговор с мистером Никола д'Агостино. Мистер д'Агостино там?

МУЖСКОЙ ГОЛОС. Одну минуту.

ТЕЛЕФОНИСТКА. Спасибо. Нью-Джерси, вы слушаете?

ТЕЛЕФОНИСТКА. Да.

ТЕЛЕФОНИСТКА. Спасибо. Там ищут мистера д'Агостино.

(Пауза одиннадцать секунд).

Д'АГОСТИНО. Алло?

ТЕЛЕФОНИСТКА. Мистер Никола д'Агостино?

Д'АГОСТИНО. Да.

ТЕЛЕФОНИСТКА. Пожалуйста, минуту, сэр. Звонят из Дила, Нью-Джерси. Говорите, Нью-Джерси. Мистер д'Агостино у аппарата.

АНДЖЕЛО. Алло? Алло? Копченый?

Д'АГОСТИНО. Папа — это вы? Очень рад слышать вас. Как вы там, Папа?

АНДЖЕЛО. Помаленьку. Помаленьку. Как провел время во Флориде?

Д'АГОСТИНО. Замечательно, Папа. Чудесно. Вам бы переехать туда. Прожили бы еще сто лет.

АНДЖЕЛО. Боже избавь. А как семья?

Д'АГОСТИНО. Прекрасно, Папа, прекрасно. Все чувствуют себя отлично. Тони вчера упал с велосипеда и сломал зуб, но это пустяки.

АНДЖЕЛО. Господи. Нужен хороший дантист? Я отправлю его самолетом.

Д'АГОСТИНО. Нет, нет, Папа. Это молочный зуб. Хороший дантист и у нас есть. Он сказал, что это пустяки. Не беспокойтесь.

АНДЖЕЛО. Хорошо. Если что, дай мне знать.

Д'АГОСТИНО. Непременно, Папа, непременно. Спасибо за заботу. Поверьте, мы с Анжеликой очень вам благодарны.

АНДЖЕЛО. Копченый, помнишь, когда ты был здесь, мы обсуждали твою проблему?

Д'АГОСТИНО. Да, Папа, помню.

АНДЖЕЛО. Кажется, мы сможем тебе помочь. Думаю, проблема будет решена.

5 Заказ 2107

Д'АГОСТИНО. Поверьте, Папа, я буду очень признателен.

АНДЖЕЛО. Решена окончательно. Понимаешь, Копченый?

Д'АГОСТИНО. Понимаю, Папа.

АНДЖЕЛО. Именно этого тебе и хотелось?

Д'АГОСТИНО. Именно этого.

АНДЖЕЛО. Хорошо, все будет как надо. Пришли его сюда поскорее. В течение недели. Это возможно?

Д'АГОСТИНО. Конечно.

АНДЖЕЛО. Скажи ему, что дело крупное. Понимаешь?

Д'АГОСТИНО. Понимаю, Папа. К пятнице он будет.

АНДЖЕЛО. Хорошо. Передай привет Анжелике. И тетушке с Ником. А Тони скажи, что я пришлю ему новый велосипед. Который не сбросит его и не сломает ему зуб.

Д'АГОСТИНО (со смехом). Папа, какой вы шутник! Я люблю вас! Мы вас любим.

АНДЖЕЛО. Будьте здоровы.

Д'АГОСТИНО. И вы, Папа, будьте здоровы — вечно.

41

Расшифровка пленки ДП—20/VII—68 ЭВЕРЛИ. Запись началась в 13.14 20 июля и окончилась в 14.06 21 июля. Произведена в квартире 3Б дома 535 по Восточной Семьдесят третьей улице. Пленка основательно отредактирована, убраны несущественные разговоры, имена посторонних людей и повторение сведений, уже полученных из других источников. Предполагается, что миссис Агнесса Эверли и Джон Андерсон в течение указанного времени не покидали квартиры.

Часть I. 20/VII—13.48.

АНДЕРСОН. ...не могу. Я отдыхал в прошлую субботу и воскресенье.

МИССИС ЭВЕРЛИ. Ты можешь сказать, что заболел, разве нет? Я не прошу тебя оставаться на все выходные. Только сегодня на ночь. Завтра можешь выйти на работу. Тебе дают отпуск по болезни, так ведь?

АНДЕРСОН. Да. Десять дней в году.

МИССИС ЭВЕРЛИ. Ты уже использовал сколько-то?

АНДЕРСОН. Нет. С тех пор как работаю там, не брал ни единого дня.

МИССИС ЭВЕРЛИ. Ну так отпросись сегодня на ночь. Я дам тебе пятьдесят долларов.

АНДЕРСОН. Ладно.

МИССИС ЭВЕРЛИ. И ты возьмешь эти полсотни?

АНДЕРСОН. Да.

МИССИС ЭВЕРЛИ. Ты в первый раз берешь у меня деньги.

АНДЕРСОН. И как ты к этому относишься?

МИССИС ЭВЕРЛИ. Сам понимаешь... не так ли?

АНДЕРСОН. Да. Давай полсотни. Я позвоню на работу, скажу, что заболел.

МИССИС ЭВЕРЛИ. Останешься? На всю ночь?

АНДЕРСОН. Конечно.

Часть II. 20/VII. 14.13.

МИССИС ЭВЕРЛИ. Я люблю тебя, когда ты такой — спокойный, нежный и добрый ко мне.

АНДЕРСОН. Я добрый к тебе?

МИССИС ЭВЕРЛИ. Пока что. Пока что ты — настоящий джентльмен.

АНДЕРСОН. А на это что скажешь?

МИССИС ЭВЕРЛИ. Тебе это необходимо? Необходимо?

АНДЕРСОН. Конечно. Хочу отработать свои полсотни.

МИССИС ЭВЕРЛИ. Какой ты гад.

АНДЕРСОН. Я честный. Честный.

Часть III. 20/VII. 17.26.

МИССИС ЭВЕРЛИ. ...по крайней мере сорок процентов. Как тебе это нравится?

АНДЕРСОН. Они могут это сделать?

МИССИС ЭВЕРЛИ. Идиот, конечно, могут. Квартира кооперативная. В правлении я не состою. Когда муж ушел, наши адвокаты устроили встречу, и я согласилась оплачивать обслуживание, а он — закладную. Квартира оформлена на его имя. Теперь они хотят увеличить стоимость обслуживания минимум на сорок процентов.

АНДЕРСОН. И что ты намерена делать?

МИССИС ЭВЕРЛИ. Пока что не решила. Если б я могла найти жилье получше, то съехала бы завтра же. Но попробуй найти квартиру в манхеттенском Ист-Сайде. Эти новые квартиры обходятся по сто восемьдесят пять долларов за одну комнату. Наверно, я уплачу, что они требуют, и останусь здесь. Повернись.

АНДЕРСОН. Я больше не хочу.

МИССИС ЭВЕРЛИ. Нет, хочешь.

Часть IV. 20/VII. 18.23.

МИССИС ЭВЕРЛИ. Смотря чего ты хочешь. У Ферраччи бывают жареные цыплята и короткие ребрышки — такие вот вещи. Если решим стряпать сами, сделаем заказ братьям Эрнесто. У них можно взять замороженный обед, который рекламирует телевидение, рок-корнишских кур, кусок мяса и поджарить или сварить — как пожелаешь.

АНДЕРСОН. Давай возьмем цыпленка — побольше. Фунта на три, если у них есть такие. И поджарим. Можно еще картофеля по-французски и овощей.

МИССИС ЭВЕРЛИ. Каких?

АНДЕРСОН. Кормовая капуста у них есть? Кормовая?

МИССИС ЭВЕРЛИ. На кой она тебе?

АНДЕРСОН. Черт с ней. Давай возьмем большого цыпленка для жарки и побольше холодного пива. Как тебе это предложение?

МИССИС ЭВЕРЛИ. Великолепно.

АНДЕРСОН. Делай заказ. Расплачусь я. Вот полсотни.

МИССИС ЭВЕРЛИ. Сукин сын.

Часть V. 20/VII. 21.14.

АНДЕРСОН. Что ты будешь делать в Риме?

МИССИС ЭВЕРЛИ. Как обычно... смотреть новые осенние моды... пройдусь по лучшим магазинам... кое-что куплю... тоска зеленая.

АНДЕРСОН. Я уже говорил, что хотел бы путешествовать. Для этого нужны только деньги. Взять вот жильцов этого дома. Ты едешь в Рим. Твои соседи — на взморье в Джерси. Держу пари, что все в этом доме куда-нибудь едут на День труда — в Рим, Джерси, Флориду, Францию... мало ли куда...

МИССИС ЭВЕРЛИ. Да, конечно. Шелдоны, сверху, из квартиры четыре-а, уже уехали в свой домик в Монтоке. Те, что живут внизу — адвокат с женой поедут в Ист-Хэмптон. Лонджина из квартиры пять-б и ту суку, что живет с ним, они не состоят в браке, непременно пригласят куда-нибудь. Так что дом, скорее всего, наполовину опустеет. Педик из квартиры два-а, наверно, тоже укатит. А что будешь делать ты?

АНДЕРСОН. Работать, наверное. За работу ночью в праздник платят тройную ставку. В День труда я смогу заработать недурно.

МИССИС ЭВЕРЛИ. Будешь вспоминать меня?

АНДЕРСОН. Конечно. Тут осталась цыплячья ножка. Хочешь?

МИССИС ЭВЕРЛИ. Нет, дорогой. Ешь сам.

АНДЕРСОН. Ладно. Ножки, крылышки и гузка мне нравятся. Больше, чем грудка. Черное мясо вкуснее.

МИССИС ЭВЕРЛИ. А белого мяса никак не хочешь?

АНДЕРСОН. Может, попозже.

Часть VI. 21/VII. 6.14.

АНДЕРСОН (стонет). Мама... мама...

МИССИС ЭВЕРЛИ. Герцог? Герцог? Что с тобой?

АНДЕРСОН. Мама?

МИССИС ЭВЕРЛИ. Тихо... тихо... Тебе снится кошмар. Я здесь, Герцог.

АНДЕРСОН. Мама... мама...

Часть VII. 21/VII. 8.56.

АНДЕРСОН. Тьфу ты, черт. У тебя есть сигареты?

МИССИС ЭВЕРЛИ. Вот.

АНДЕРСОН. С фильтром? Черт возьми. Открыты здешние магазины по воскресеньям?

МИССИС ЭВЕРЛИ. У Эрнесто открыт. Что тебе нужно?

АНДЕРСОН. Прежде всего сигарет. Значит, у них по воскресеньям всегда открыто?

МИССИС ЭВЕРЛИ. Ну да.

АНДЕРСОН. И по праздникам?

МИССИС ЭВЕРЛИ. Они работают круглый год двадцать четыре часа в сутки. И гордятся этим. Но объявления об этом на витрине нет. Беременная женщина может получить у Эрнесто пикулей в три часа ночи. Потому они и удерживаются на плаву. Конкурировать с большими универмагами, например с братьями Ламберто, им не под силу. Поэтому ни днем, ни ночью они не закрываются ни на минуту.

АНДЕРСОН. Господи, неужели их не грабят?

МИССИС ЭВЕРЛИ. Грабят, конечно... два-три раза в месяц. Но они не закрываются. Должно быть, в этом есть выгода. Кроме того, ведь за ограбление платят страховку?

АНДЕРСОН. Вроде бы. В таких делах я не очень-то разбираюсь.

МИССИС ЭВЕРЛИ. Ну так я позвоню им и закажу сигарет. Уже около девяти. Когда тебе нужно уходить?

АНДЕРСОН. Часа в два.

МИССИС ЭВЕРЛИ. Тогда, может, заказать продуктов на легкий завтрак и на обед в полдень? Например, мяса с тушеной картошкой? Как тебе это предложение?

АНДЕРСОН. Ничего.

МИССИС ЭВЕРЛИ. В жизни не встречала такого разговорчивого, восторженного мужчины.

АНДЕРСОН. Не понимаю.

МИССИС ЭВЕРЛИ. Ну и не надо.

42

Часть 101—Б документа НЙОП—ЭГМ—101А—108Б, продиктованные, подтвержденные под присягой, подписанные и засвидетельствованные показания Эрнеста Генриха Манна.

МАНН. Итак... мы дошли до двадцать шестого июля. Помню, это была пятница. В этот день человек, известный мне как Джон Андерсон, пришел ко мне в мастерскую и...

ДОЗНАВАТЕЛЬ. В какое время?

МАНН. Около часа. Определенно после ленча. Он пришел в мастерскую и сказал, что хочет поговорить со мной. Мы пошли в заднюю комнату. Там можно запереть дверь и говорить без помех. На сей раз Андерсон спросил, соглашусь ли я сделать для него работу, которую он задумал.

ДОЗНАВАТЕЛЬ. Какого рода работу?

МАНН. Он говорил очень уклончиво. Очень неопределенно. Умышленно вел себя так, понимаете. Но я догадывался, что работа связана с тем домом, который я осматривал для него. Поняв это, я спросил, выяснил ли он назначение погреба, который я обнаружил в подвале.

ДОЗНАВАТЕЛЬ. Что он ответил?

МАНН. Сказал, что да, выяснил.

ДОЗНАВАТЕЛЬ. Говорил он вам, для чего он используется?

МАНН. Тогда нет. Потом сказал. Но в тот день, двадцать шестого июля, не говорил, и я не спрашивал.

ДОЗНАВАТЕЛЬ. Какого рода работу просил вас сделать Джон Андерсон?

МАНН. Ну... он, собственно, не просил ее сделать. В тот день он просто хотел узнать, заинтересован ли я, можно ли на меня рассчитывать. Сказал, что работа заключается в том, чтобы перерезать телефонные провода и сигнализацию во всем доме.

ДОЗНАВАТЕЛЬ. Что еще?

МАНН. Ну... перерезать электропроводку к лифту самообслуживания.

ДОЗНАВАТЕЛЬ. Что еще?

МАНН. Ну... э...

ДОЗНАВАТЕЛЬ. Мистер Манн, вы обещали быть с нами полностью откровенным. На основании этого обещания мы согласились оказать вам посильную помощь в рамках закона. Разумеется, вы понимаете, что мы не можем полностью избавить вас от ответственности.

МАНН. Да. Понимаю. Конечно.

ДОЗНАВАТЕЛЬ. От вашего отношения зависит очень многое. Что еще просил вас сделать Джон Андерсон при встрече двадцать шестого июля?

МАНН. Как я уже сказал, он, собственно, не просил. Обрисовал предположительную ситуацию, понимаете. Вы, наверно, сказали бы, что он меня прощупывал. Определял мою заинтересованность в этом деле.

ДОЗНАВАТЕЛЬ. Да, вы уже это говорили. Поручение включало в себя обрезку телефонных проводов и сигнализации в данном доме и, возможно, обесточивание лифта самообслуживания.

МАНН. Да. Все правильно.

ДОЗНАВАТЕЛЬ. Хорошо, мистер Манн. Вы признались в порче частной собственности, это сравнительно мелкое преступление, и, возможно, взломе...

МАНН. О, нет! Нет, нет, нет! Никакого взлома. Когда я приехал, дом весь был нараспашку. К этому я не имею никакого отношения.

ДОЗНАВАТЕЛЬ. Понятно. Сколько же денег предложил вам Андерсон за перерезку проводов и обесточивание лифта?

МАНН. Ну... мы не пришли к определенному соглашению. Видите ли, мы говорили в общем. Не было определенной работы, определенного задания. Этот Андерсон просто хотел узнать, заинтересован ли я в этом деле и сколько потребую за свою работу.

ДОЗНАВАТЕЛЬ. И как же вы оценили ее?

МАНН. Я запросил пять тысяч.

ДОЗНАВАТЕЛЬ. Пять тысяч? Мистер Манн, не слишком ли большая сумма за то, чтобы перерезать несколько проводов?

МАНН. Ну... возможно... да.

ДОЗНАВАТЕЛЬ. Хорошо. Времени у вас достаточно, как и у нас. Мы еще вернемся к этому. Что вам еще предлагалось сделать в этой предположительной работе?

МАНН. Ну, понимаете, все это было очень неопределенно. Никакой договоренности заключено не было.

ДОЗНАВАТЕЛЬ. Да, да, мы это понимаем. Что еще хотел поручить вам Андерсон?

МАНН. Ну, возможно, отпереть несколько дверей. Еще, может, кабинетный или встроенный сейф. Ему нужен был технически грамотный человек, разбирающийся в таких вещах.

ДОЗНАВАТЕЛЬ. Конечно, мистер Манн. А вы разбираетесь?

МАНН. Еще бы! Я окончил Высшую техническую школу в Штутгарте и работал ассистентом профессора по механическим и электрическим устройствам в цюрихской «Академи дю механик». Уверяю вас, в своей области я очень компетентен.

ДОЗНАВАТЕЛЬ. Мы вполне уверены в этом, сэр. Теперь давайте убедимся, все ли мы поняли правильно. Двадцать шестого июля примерно в час дня Джон Андерсон явился к вам в мастерскую по адресу: Нью-Йорк, авеню Д, девятнадцать семьдесят пять — и спросил, не откажетесь ли вы от работы, которая, может, потребуется, может, и нет. Работа эта, насколько касалось вас, заключалась в перерезке телефонных проводов и сигнализации в одном многоквартирном доме — местонахождение не указывалось, — обесточивании лифта самообслуживания в этом же доме, во взломе дверей или отпирании замков в этом же доме и в открытии сейфов разных типов в этом же доме. Правильно?

МАНН. Ну, я...

ДОЗНАВАТЕЛЬ. Правильно?

МАНН. Можно, пожалуйста, стакан воды?

ДОЗНАВАТЕЛЬ. Да, конечно. Наливайте.

МАНН. Спасибо. В горле у меня совсем пересохло. Я очень много курю. Не найдется ли у вас сигареты?

ДОЗНАВАТЕЛЬ. Пожалуйста.

МАНН. Еще раз спасибо.

ДОЗНАВАТЕЛЬ. В показании, которое я вам повторил, все правильно?

МАНН. Да, правильно. Именно этого хотел от меня Андерсон.

ДОЗНАВАТЕЛЬ. И вы потребовали за это пять тысяч долларов?

МАНН. Да.

ДОЗНАВАТЕЛЬ. Как среагировал на это Андерсон?

МАНН. Сказал, что заплатить столько не может, что его оперативный бюджет этого не позволяет. Но сказал, что, если операция будет намечена, он уверен, что мы сможем прийти к взаимовыгодному соглашению.

ДОЗНАВАТЕЛЬ. Вы сказали «если операция будет намечена». Давайте уточним. В тот день, двадцать шестого июля, у вас сложилось впечатление, что еще не решено, будет ли проводиться эта работа или нет?

МАНН. Да, оно таким и осталось.

ДОЗНАВАТЕЛЬ. Спасибо. Полагаю, на сегодня хватит, мистер Манн. Благодарю вас за откровенность.

МАНН. Благодарю вас за любезность, сэр.

ДОЗНАВАТЕЛЬ. Нам предстоит еще много говорить об этом деле. Мы еще увидимся, мистер Манн.

МАНН. Я к вашим услугам, сэр.

ДОЗНАВАТЕЛЬ. Прекрасно. Конвой!

43

Ксерокопия письма, датированного 29/VII—68 г., от сотрудника отдела внешней информации департамента научно-исследовательских работ Национального центра космических исследований, Вашингтон, округ Колумбия, 20036, адресованного мистеру Джералду Бингему-младшему, Нью-Йорк, Восточная Семьдесят третья стрит, 535, кв. 5-а.

Уважаемый сэр.

Относительно Вашего письма от 16 мая 1968 года директор отдела научно-исследовательских работ Национального центра космических исследований поручил мне поблагодарить Вас за интерес к нашей деятельности и за Ваше предложение использовать твердый углекислый газ («сухой лед») в качестве абляционного материала на носовых конусах ракет, космических научно-исследовательских станциях и пилотируемых космических кораблях при возвращении на Землю.

Как Вам, несомненно, известно, мистер Бингем, в этой области проводилось много дорогостоящих исследований и опробовалось широкое количество материалов, от металлов и металлических сплавов до керамики и керамико-металлических сплавов. Материал, используемый в настоящее время, успешно опробован в наших программах «Меркьюри», «Джемини» и «Аполло».

Мне поручено сообщить Вам, что «сухой лед» не может выдержать очень высоких температур при вхождении в атмосферу Земли тяжелых ракет и пилотируемых космических кораблей.

Тем не менее Ваше письмо обнаруживает очень высокий уровень сложных научных заключений, и тот факт, что Вам, как явствует из Вашего письма, пятнадцать лет, представляет для нас большой интерес. Как, возможно, Вы знаете, Национальный центр космических исследований имеет в своем распоряжении несколько колледжей и поощрительных стипендий в университетах. В течение нескольких месяцев наш представитель отдела поощрительных стипендий позвонит Вам лично с целью определить Ваш интерес к этой области.

Тем временем мы хотим поблагодарить Вас еще раз за

Ваш интерес к нашей деятельности и к космическим программам.

Искренне Ваш (подпись) Сирус Эбернети,
сотрудник отдела внешних связей
Научно-исследовательского департамента.

44

Расшифровка магнитофонной записи, сделанной 13/VIII—68 г. Запись началась в 20 часов 42 минуты. Участники беседы, Патрик Анджело и Джон Андерсон, опознаны по спектрограмме голосов. Встреча состоялась в верхнем кабинете дома Анджело по адресу: Фоксберри-лейн, 10543, в нескольких милях к северу от Тинека, штат Нью-Джерси.

Федеральная торговая комиссия установила в доме электронные подслушивающие устройства, они работали несколько месяцев в течение длительного расследования деятельности взаимозависимых деловых предприятий Патрика Анджело. Расследование касалось возможных нарушений антитрестовского акта Шермана.

Во время записи образовалось несколько пауз, объяснить которые специалисты не в состоянии. Звукозаписывающий механизм проверен; эксперты склонны полагать, что причина в СК—7 МК2 М—Т, сравнительно новом устройстве, на которое влияет состояние атмосферы. Перед записанной ниже беседой шел сильный дождь, во время встречи небо было затянуто тучами и влажность была очень высокой.

Пленка ФТК—КЛЛ—13/VIII—68—1701.

АНДЖЕЛО. ...хочешь коньяка?

АНДЕРСОН. Да. Кроме бренди, я ничего не пью.

АНДЖЕЛО. Он тебе понравится. Импортируют его немного, ящиков тысячу в год. Две сотни из них покупаю я. Сам пью много и раздаю в подарок. Заказывает их для меня один человек из Тинека. Бутылка стоит около двадцати долларов. Вот, держи. Запить нужно?

АНДЕРСОН. Нет, отлично и так.

(Пауза четыре секунды).

АНДЕРСОН. Черт возьми, вот это да. Не знаю, пить эту штуку или вдыхать. То, что надо.

АНДЖЕЛО. Рад, что тебе нравится. И голова по утрам бывает свежей. Я снабжаю этим коньяком Папу. Он выпивает примерно бутылку в месяц. По глоточку перед сном.

АНДЕРСОН. Лучше, чем пить таблетки.

АНДЖЕЛО. Это уж точно. Ты встречался с Парелли?

АНДЕРСОН. Да.

АНДЖЕЛО. Какого ты мнения о нем?

АНДЕРСОН. Я с ним почти не разговаривал. Почти не видел его. Мы парились в клубе здоровья у Дока на Западной Сорок восьмой.

АНДЖЕЛО. Знаю, знаю. Какого ты мнения о нем?

АНДЕРСОН. Крепкий парень. Остолоп.

АНДЖЕЛО. Остолоп? Да, это уж точно. Мозгов маловато.

АНДЕРСОН. Я это понял.

АНДЖЕЛО. Слушай, Герцог, ты делаешь нам одолжение. Я тебе отвечу тем же. Этот тип — псих. Понимаешь, что я имею в виду? Ему нравится убивать людей, причинять им боль. У него всегда при себе большой армейский пистолет. Сколько он весит — фунтов десять?

АНДЕРСОН. Поменьше. Но все же тяжелый.

АНДЖЕЛО. Да, к тому же большой и зловещий. Парелли его любит. Ты встречал таких людей. Пистолет для них — это все.

АНДЕРСОН. Да.

АНДЖЕЛО. Ну так вот, не поворачивайся к нему спиной... понимаешь?

АНДЕРСОН. Понимаю. Спасибо.

АНДЖЕЛО. Ладно... а теперь, что ты хочешь сообщить нам?

АНДЕРСОН. Я привез отчет. Рукописный. В одном экземпляре. О том, как нам все проворачивать. Я не считаю его окончательным, но с чего-то надо начать. В отчет включено и то, что я узнал после нашей последней встречи. Мои ребята поработали. Я знаю, что изменения будут — возможно, вы захотите что-то изменить — и мы будем вносить их до последней минуты... ну, знаете, мелкие поправки. Но, считаю, что в основном план надежен.

АНДЖЕЛО. Доктор раздобыл для тебя график полицейских машин.

АНДЕРСОН. Да. Спасибо. Я еще сам поручил братьям Бродски разузнать график пеших патрулей. Тут полная ясность. Я указал все это в отчете. Прочтете вы его сейчас или оставить и вернуться через день-другой?

АНДЖЕЛО. Прочту сейчас. Времени остается мало. Меньше трех недель.

АНДЕРСОН. Да.

АНДЖЕЛО. Подливай себе коньяка, пока я буду читать. Почерк у тебя четкий, разборчивый.

АНДЕРСОН. Спасибо. Может, правописание не очень...

АНДЖЕЛО. Ничего. Не проблема.

(Пауза семь минут двадцать три секунды, нарушенная звуком открываемой двери).

МИССИС АНДЖЕЛО. Пат? Ой, извини; ты занят.

АНДЖЕЛО. Ничего, Мария... входи, входи. Дорогая, это Джон Андерсон, деловой партнер. Герцог, это моя жена.

МИССИС АНДЖЕЛО. Здравствуйте, мистер Андерсон.

АНДЕРСОН. Рад познакомиться с вами, мэм.

МИССИС АНДЖЕЛО. Мой муж не забывает о вас? Вижу, вы немного выпили. Не хотите покушать? У нас есть холодный цыпленок. Может, сделать бутерброд?

АНДЕРСОН. Нет, спасибо, мэм. Я не голоден.

МИССИС АНДЖЕЛО. Может, домашнего печенья? У нас оно очень вкусное.

АНДЕРСОН. Мэм, спасибо, вы очень любезны, но я обойдусь просто выпивкой.

МИССИС АНДЖЕЛО. Пат, Стелла уже в постели. Хочешь пожелать ей доброй ночи?

АНДЖЕЛО. Как же. Герцог, извини, пожалуйста, я на минутку.

АНДЕРСОН. Ну что вы, мистер Анджело.

АНДЖЕЛО. А вернусь, принесу домашнего печенья. Жена сама его печет. Такого не купишь.

(Пауза четыре минуты тридцать секунд).

АНДЖЕЛО. Вот... угощайся. Печенье замечательное. Глядя на мое брюшко, ты поймешь, сколько я его ем.

АНДЕРСОН. Спасибо.

АНДЖЕЛО. Теперь давай посмотрим... О чем я говорил? Ах, да. Герцог, у тебя прекрасные манеры. Я это ценю. Теперь давай посмотрим...

(Пауза шесть минут восемнадцать секунд).

АНДЖЕЛО. Герцог, я должен тебя поздравить. Вообще я считаю... Господи, коньяк уже кончился? Ну, давай уберем пустую бутылку. Потом рассмотрим твой план операции шаг за шагом и...

(Пауза восемнадцать минут девять секунд).

АНДЖЕЛО. ...вот. Только понюхай эту бутылку.

АНДЕРСОН. Замечательно.

АНДЖЕЛО. Выпьешь еще? Вижу, что да. Итак, у нас только легкие разногласия и почти несущественные мелочи. Я прав?

АНДЕРСОН. Пока что, в основном, план вы одобряете.

АНДЖЕЛО. Одобряю, конечно. План надежный. Как я уже говорил, с грузовиком мы тебе поможем. Это не проблема. Что касается отвлекающих маневров — возможно, ты прав. В полиции теперь появились оперативные отряды, их сажают в автобусы, и вдруг откуда ни возьмись — бам! Возможно, так мы только все испортим. Давай я поговорю об этом с Папой?

АНДЕРСОН. А в остальном план хорош?

АНДЖЕЛО. Да, хорош. Мне нравится, что в этот день половины жильцов не будет дома. Сколько у тебя людей?

АНДЕРСОН. Пятеро. Со мной шесть. С Парелли семь.

АНДЖЕЛО. Господи, вас будет больше, чем их!

АНДЕРСОН. Примерно столько же.

АНДЖЕЛО. Ну что ж, действуй. Завтра свяжись с Фредом Саймонсом, пусть выдаст первую половину жалованья твоим людям.

АНДЕРСОН. Жалованья?

АНДЖЕЛО. То есть доли или платы.

АНДЕРСОН. А... да.

АНДЖЕЛО. И теперь ты сможешь провести первую деловую встречу. Верно? Собрать всех вместе и поговорить о деле. Верно? Среди них должен быть и Парелли. Знаешь, как связаться с ним?

АНДЕРСОН. Через Саймонса или Доктора. Не самому.

АНДЖЕЛО. Правильно. Связь с ним будешь держать через Фреда. Еще я хотел бы встречаться с тобой для беседы примерно раз в неделю, по крайней мере, до решающего дня. Это проблема?

АНДЕРСОН. Машину я взял напрокат. Выезжать за пределы штата на ней не положено, но риск, думаю, невелик.

АНДЖЕЛО. Согласен. Ладно. Деньги получишь у Саймонса. В то же время свяжись через него с Парелли и назначь встречу со своими людьми. Я займусь грузовиком. Поговорю с Папой насчет отвлекающих маневров. Привези мне карту — ту, что сделали Бродски. Ну что ж... вперед!

АНДЕРСОН. Да, мы подходим к рубежу...

АНДЖЕЛО. Черт возьми, я в самом деле прихожу в возбуждение! Герцог, я думаю, ты справишься.

АНДЕРСОН. Мистер Анджело, я занимаюсь этим делом уже четыре месяца и не представляю, что может сорваться.

45

Расшифровка пленки КЦББ—16/VIII—68—ИМ211. 43 АМ—198С. Разговор по телефону.

АНДЕРСОН. Алло? Ингрид?

ИНГРИД. Да. Герцог, ты?

АНДЕРСОН. Говорить можно?

ИНГРИД. Конечно.

АНДЕРСОН. Я получил твою открытку.

ИНГРИД. Это была глупая мысль. Детская. Ты будешь смеяться надо мной.

АНДЕРСОН. В чем дело?

ИНГРИД. Завтра, в субботу, ты работаешь?

АНДЕРСОН. Да.

ИНГРИД. Тебе нужно быть на месте к четырем?

АНДЕРСОН. Примерно.

ИНГРИД. Мне бы хотелось... чего бы мне хотелось... ты будешь смеяться, Герцог.

АНДЕРСОН. Господи, да скажи, наконец, в чем дело.

ИНГРИД. Мне хотелось бы устроить вдвоем пикник.

АНДЕРСОН. Пикник?

ИНГРИД. Да. Завтра. В Центральном парке. Если погода будет хорошей. Я возьму холодных жареных кур, картофельный салат, помидоров, персиков, винограда — и все такое. Ты возьмешь для меня бутылку вина и, если хочешь, бутылку бренди для себя. Герцог? Как ты на это смотришь?

(Пауза пять секунд).

ИНГРИД. Герцог?

АНДЕРСОН. Отлично. Прекрасная мысль. Давай. Я возьму питье. Когда заехать за тобой — в одиннадцать?

ИНГРИД. Замечательно. Да, примерно в одиннадцать. Тогда мы сможем растянуть ленч до твоего ухода на работу. Знаешь ты хорошее место?

АНДЕРСОН. Да. Есть небольшая коса, она вдается в озеро на Семьдесят второй стрит. Добраться туда легко, народу там немного. Собственно, на ней разворот для машин, но склоны зеленые до самой воды. Там хорошо.

ИНГРИД. Ладно. Герцог, если возьмешь для меня бутылку вина, охлади ее.

АНДЕРСОН. Хорошо.

ИНГРИД. И, пожалуйста, не забудь штопор.

АНДЕРСОН. А ты, пожалуйста, не забудь соль.

ИНГРИД (со смехом). Герцог, для нас это будет хороший отдых. Я много лет не бывала на пикнике.

АНДЕРСОН. Да. Увидимся завтра в одиннадцать.

46

На основании сведений, содержащихся в предыдущей записи, КЦББ попросила помощи у администрации развлечений и культурных мероприятий нью-йоркских парков. С помощью этого агентства 17 августа 1968 года на лесистом холмике неподалеку от намеченного места пикника Джона Андерсона и Ингрид Махт был установлен «Боркганст ТМК—1К», телескопический микрофон.

Ниже приводится расшифровка пленки КЦББ № 17/VIII—68 № 146—37А. Она тщательно редактировалась, чтобы устранить посторонние звуки и улики, рассматриваемые в настоящее время в суде.

Часть I. 17/VIII. 11.37.

АНДЕРСОН. Это была отличная мысль. Прекрасный денек. Наконец-то ясный. Не особенно жарко. Посмотри на небо. Словно бы его кто-то выстирал и повесил сушить.

ИНГРИД. Я помню один такой день. Тогда я была девчонкой. Лет семи-восьми. Дядюшка взял меня на пикник. Отец тогда уже умер. Мать работала. И дядюшка предложил взять меня за город на весь день. Была суббота, как и сегодня. Солнце. Голубое небо. Прохладный ветерок. Душистые запахи. Дядюшка дал мне шнапса, а потом стащил с меня штанишки.

АНДЕРСОН. Вот так дядюшка.

ИНГРИД. Он был ничего. Вдовец лет пятидесяти. С усищами как у кайзера Вильгельма. Помню, как они щекотались.

АНДЕРСОН. Тебе понравилось?

ИНГРИД. Для меня это ничего не значило. Ничего.

АНДЕРСОН. Дал он тебе хоть что-то, какой-нибудь подарок, чтобы ты помалкивала?

ИНГРИД. Дал денег.

АНДЕРСОН. Это была его мысль или твоя?

ИНГРИД. Моя. Мы с матерью вечно голодали.

АНДЕРСОН. Смышленый ребенок.

ИНГРИД. Да. Я была смышленым ребенком.

АНДЕРСОН. И долго это продолжалось?

ИНГРИД. Несколько лет. Я его основательно потрясла.

АНДЕРСОН. Само собой. Мать знала?

ИНГРИД. Может быть. А может, и нет. Думаю, знала.

АНДЕРСОН. И что случилось?

ИНГРИД. С дядюшкой?

АНДЕРСОН. Да.

ИНГРИД. Его лягнула лошадь и убила.

АНДЕРСОН. Забавно.

ИНГРИД. Да. Но это уже не имело значения. Мне тогда уже сравнялось десять или одиннадцать. Я понимала, как это делается. Были и другие. Шатци, вино! Бутылка согреется.

Часть II. 17/VIII. 12.02.

АНДЕРСОН. А потом что?

ИНГРИД. Ты не поверишь.

АНДЕРСОН. Поверю.

ИНГРИД. К примеру, был один человек из Баварии. Очень богатый. Очень знаменитый. Назови я его фамилию, ты бы припомнил ее. Раз в месяц, в ночь с пятницы на субботу, его дворецкий собирал когда шесть, когда десять девочек. Мне было всего тринадцать. Мы раздевались догола. Дворецкий вставлял нам в волосы перья, надевал на талию пояс из перьев, делал браслеты из перьев на запястья и лодыжки. Потом этот очень значительный человек сидел на стуле, совершенно голый, и забавлялся сам с собой. Понимаешь? А мы плясали кружком вокруг него. Хлопали руками, кудахтали и пищали. Как цыплята. Понимаешь? А этот чудной дворецкий с седыми бакенбардами хлопал в ладоши, отбивая ритм, и напевал: «Раз и два, и раз и два», мы танцевали вокруг, кудахтали, а этот старик смотрел на нас и наши перья и развлекался сам собой.

АНДЕРСОН. Он хоть раз трогал тебя?

ИНГРИД. Ни разу. Когда он кончал, то поднимался и уходил. Мы сбрасывали перья и одевались. Дворецкий на выходе расплачивался с нами. Очень щедро. На другой месяц мы возвращались. Когда в том же составе, когда появлялось несколько новеньких. Та же история.

АНДЕРСОН. И как тебе этот его пунктик?

ИНГРИД. Никак. Я давно перестала осуждать такие вещи. Люди какие есть, такие есть. С этим я мирюсь. Но не могу мириться с тем, что они из себя корчат. Этот человек, который сам себя ублажал, пока я плясала вокруг него в птичьих перьях, каждое воскресенье ходил в церковь, делал пожертвования на благотворительные нужды и считался — считается до сих пор — одним из самых уважаемых граждан в городе и стране. Сын его теперь тоже очень значительная персона. Сперва все это раздражало меня.

АНДЕРСОН. Птичьи перья?

ИНГРИД. Грязь! Мерзость! Потом я поняла, как устроен мир. У кого в руках власть. Что могут делать деньги. И объявила миру войну. Личную войну.

АНДЕРСОН. Победила?

ИНГРИД. Побеждаю, Шатци.

Часть III. 17/VIII—68. 12.04.

АНДЕРСОН. Все могло быть по-другому.

ИНГРИД. Возможно. Но мы представляем собой

главным образом то, что выпало на нашу долю, что сделала с нами жизнь. Нам не всегда удается делать выбор. К пятнадцати годам я стала законченной шлюхой. Воровала, шантажировала, несколько раз была сильно избита и исцарапала рожу одному своднику. Хотя и оставалась ребенком. Образования у меня не было. Я старалась только выжить, иметь еду и крышу над головой. Тогда мне нужно было очень мало. Возможно, потому мы так симпатичны друг другу. Ты тоже жил в бедности... найн?

АНДЕРСОН. Да. Я из семьи белых негров.

ИНГРИД. Пойми, Шатци, я не оправдываюсь. Я делала то, что была вынуждена.

АНДЕРСОН. Конечно. Но когда стала постарше...

ИНГРИД. Очень быстро поумнела. Как уже говорила, я поняла, у кого деньги и у кого власть. После этого стала способна на все. Это была война — тотальная война. Я отбивалась. Потом нападала. Это очень важно. Единственное преступление на свете — быть бедным. Единственное. Если ты не беден, тебе дозволено все.

Часть IV. 17/VIII—68. 12.08.

АНДЕРСОН. Иногда ты меня пугаешь.

ИНГРИД. Почему, Шатци? Я не замышляю зла против тебя.

АНДЕРСОН. Знаю, знаю. Но ты не отключаешься. Ты беспрерывно живешь с этим.

ИНГРИД. Я испробовала все — алкоголь, наркотики, секс. На меня ничто не действует. Я вынуждена беспрерывно жить с этим — и живу. Теперь жизнь у меня спокойная. Есть теплый кров. Еда. Вложенные деньги. Надежно вложенные. Мужчины мне платят. Ты знаешь это?

АНДЕРСОН. Да.

ИНГРИД. Я перестала желать. Это очень важно — перестать вовремя.

АНДЕРСОН. Ты никогда не хотела отключиться?

ИНГРИД. Это было б приятно — но я не могу. Не могу.

(Пауза семь секунд).

АНДЕРСОН. Ну и женщина ты.

ИНГРИД. Это мое занятие, Шатци. Это не пол.

Часть V. 17/VIII. 14.14.

ИНГРИД. Прекрасный был день. Ты опьянел?

АНДЕРСОН. Слегка.

ИНГРИД. Нам скоро пора идти. Тебе надо на работу.

АНДЕРСОН. Да?

ИНГРИД. Ты дремлешь?

АНДЕРСОН. Слегка...

ИНГРИД. Поговорить с тобой... так, как ты любишь?

АНДЕРСОН. Да. А тебе это нравится?

ИНГРИД. Конечно.

Часть VI. 17/VIII. 15.03.

ИНГРИД. Шатци, пожалуйста, нам пора. Ты опоздаешь.

АНДЕРСОН. Да. Идем. Я уберу. Допивай вино; я допью бренди.

ИНГРИД. Отлично.

АНДЕРСОН. Я хотел рассказать тебе о своем деле.

ИНГРИД. Пожалуйста... не надо.

АНДЕРСОН. Ты самая умная из всех, кого я знаю. Мне хотелось бы услышать, что ты думаешь о нем.

ИНГРИД. Нет... ничего. Не рассказывай, я не хочу знать.

АНДЕРСОН. Дело серьезное.

ИНГРИД. Дела все серьезные. Просить тебя быть осторожным бессмысленно. Делай то, что ты должен, и все.

АНДЕРСОН. Я уже не могу выйти из игры.

ИНГРИД. Понимаю.

АНДЕРСОН. Поцелуешь меня?

ИНГРИД. Сейчас? Да. В губы?

47

Расшифровка пленки ББНБ—ГК—ТХ—0018 — 98Г; 19/VIII—68. 11.46.

ХЭСКИНС. То, что тебе было нужно?

АНДЕРСОН. Отлично. Все отлично, Томми. И больше, чем я ожидал.

ХЭСКИНС. Хорошо. Когда-нибудь я расскажу тебе, как раздобыл планы этажей. Это было потрясающе!

АНДЕРСОН. Хочешь принять участие?

ХЭСКИНС. Участие? Пойти на дело?

АНДЕРСОН. Да.

(Пауза пять секунд).

ХЭСКИНС. Сколько?

АНДЕРСОН. Ставка. Две тысячи.

ХЭСКИНС. Две? Маловато, а, голубчик?

АНДЕРСОН. Больше не могу. Мне нужно думать о шестерых.

ХЭСКИНС. Кусаку сюда включаешь?

АНДЕРСОН. Нет.

ХЭСКИНС. Не знаю... не знаю...

АНДЕРСОН. Решай.

ХЭСКИНС. Там предвидится... э... насилие?

АНДЕРСОН. Нет. Больше половины жильцов не будет дома.

ХЭСКИНС. Не надо мне будет брать...

АНДЕРСОН. Нет. Будешь только указывать. Что брать, что оставлять. Картины, ковры, серебро — всю эту ерунду.

(Пауза четыре секунды).

ХЭСКИНС. Когда я получу деньги?

АНДЕРСОН. Половину до, половину после.

ХЭСКИНС. Я еще не бывал в таких делах.

АНДЕРСОН. Ерунда. Беспокоиться нечего. Спешить нам не придется. Весь дом будет в нашем распоряжении. Три, четыре часа... сколько понадобится.

ХЭСКИНС. Мы будем в масках?

АНДЕРСОН. Ты согласен?

ХЭСКИНС. Да.

АНДЕРСОН. Хорошо. На этой неделе я скажу тебе, когда мы соберемся. Все будет хорошо, Томми.

ХЭСКИНС. О Господи! О черт!

48

21/VIII—68; 12.15. Пленка НЙББНБ—49Б—767 (продолжение).

АНДЕРСОН. Хочешь принять участие?

ДЖОНСОН. Кого надо бить, сколько будешь платить?

АНДЕРСОН. Две тысячи, половину авансом.

ДЖОНСОН. Старому другу рад пожать руку.

АНДЕРСОН. Я свяжусь с тобой, скажу, когда и где. Две недели ни во что не ввязывайся. Сможешь?

ДЖОНСОН. Должен сам знать. Веду себя на пять.

АНДЕРСОН. Не подводи меня, Ловкач. А то мне придется разыскивать тебя. Понимаешь?

ДЖОНСОН. Ну что вы, масса Андерсон, не издевайтесь над бедным неграмотным негром.

49

Расшифровка пленки НЙУП—ДАГ—154—11; 22/VIII—68; 13.36. Телефонный разговор.

АНДЕРСОН. Эд?

БРОДСКИ. Герцог?

АНДЕРСОН. Да.

БРОДСКИ. Все нормально? То, что тебе было нужно?

АНДЕРСОН. Отлично, Эд. То, что нужно. Карта замечательная.

БРОДСКИ. Черт возьми, рад слышать. Я хочу сказать, Герцог, что нам пришлось поработать. Попотеть.

АНДЕРСОН. Я знаю, Эд. Карта мне понравилась. И тому человеку тоже. Хочешь принять участие?

БРОДСКИ. Один? Или вместе с Билли?

АНДЕРСОН. Вдвоем. Две тысячи. Билли в деле не будет. Только ставка. Половина авансом.

БРОДСКИ. Да. Черт возьми, да! Мне нужны деньги, Герцог. Ты не представляешь, как нужны. Заимодавцы набрасываются на меня.

АНДЕРСОН. Я свяжусь с тобой.

БРОДСКИ. Большое спасибо, Герцог.

50

Разговор в квартире Андерсона. Расшифровка пленка НЙУП—ДАГ—155—23; 23/VIII—68. Участники разговора Джон Андерсон и Висент Парелли опознаны по спектрограмме голосов.

ПАРЕЛЛИ. Черт возьми, от подъема по этим треклятым лестницам можно получить сердечный приступ. Ты что, живешь в этой конуре?

АНДЕРСОН. Да.

ПАРЕЛЛИ. И тебе необходимо было устраивать встречу здесь? Не мог выбрать приличный ресторан на Таймс-сквер? Или номер в отеле?

АНДЕРСОН. Здесь нет подслушивающих устройств.

ПАРЕЛЛИ. Откуда ты знаешь? Откуда это можно знать? Может, передатчик установлен на одной из твоих крыс? Может, твои тараканы прошли специальное обучение? А? Что скажешь? Обученные клопы! Недурно, а?

АНДЕРСОН. Недурно.

ПАРЕЛЛИ. Я веду к тому, на кой черт мне пришлось тащиться сюда? Без этого нельзя было обойтись?

АНДЕРСОН. Я так захотел.

ПАРЕЛЛИ. Ладно, ладно. Значит, ты босс. Большая шишка. Так тому и быть. Я у тебя в подчинении. Ладно, босс, какая у нас проблема?

(Пауза шесть секунд).

АНДЕРСОН. Завтра вечером в полдевятого у нас первая встреча. Вот адрес. Не потеряй.

ПАРЕЛЛИ. Завтра? В полдевятого? О Господи, завтра суббота. Кто же, черт возьми, работает в субботу?

АНДЕРСОН. Я сказал, встречаемся в субботу.

ПАРЕЛЛИ. Без меня, бродяга. Я не смогу. Завтра в восемь встречаюсь с девочкой. Так что не жди.

АНДЕРСОН. Хочешь выйти из дела?

ПАРЕЛЛИ. Нет, выходить из дела не хочу. Но...

АНДЕРСОН. Я скажу мистеру Анджело, что ты не можешь завтра прийти на встречу, потому что тебя ждет какая-то стерва. Идет?

ПАРЕЛЛИ. Гад, погань. Когда все кончится, у нас с тобой будет своя встреча. Когда-нибудь и где-нибудь.

АНДЕРСОН. Конечно. Но завтра на встречу приезжай.

ПАРЕЛЛИ. Ладно, ладно... приеду.

АНДЕРСОН. Кроме нас с тобой у меня еще пять человек. Среди них один умный педик, способный указать ценные вещи. Разбирается в картинах, камушках и серебре. Фамилия его Хэскинс. Есть технарь, зовут его Эрнест Генрих Манн. Он обрежет телефонные провода и сигнализацию, отопрет двери и ящики — те, что нам потребуются. Потом негр по фамилии Джонсон, налетчик, но с мозгами. Не хулиган. Два брата — Эд и Билли Бродски. Эд мастер на все руки, хороший водитель. Билли дурачок, но очень сильный. Нам нужен человек поднимать и таскать тяжести. Билли будет делать все, что скажут.

ПАРЕЛЛИ. Может кто-то из них запаниковать?

АНДЕРСОН. Разве что Томми Хэскинс. Другие — народ твердый, настоящие профессионалы.

ПАРЕЛЛИ. За Хэскинсом я присмотрю.

АНДЕРСОН. Присмотри. Драчун, я хочу обойтись без стрельбы. Это ни к чему. Половина семей будет в отъезде. Останутся только старухи с детишками. У нас есть план, который предусматривает с середины четыре варианта. Завтра ты его услышишь. Все пройдет как по маслу.

ПАРЕЛЛИ. Я беру пушку, и никаких.

АНДЕРСОН. Ладно, бери. Только не хватайся за нее.

ПАРЕЛЛИ. Говорят, ты работаешь чисто.

АНДЕРСОН. Да.

ПАРЕЛЛИ. Все равно, пушку я беру.

АНДЕРСОН. Я сказал уже — дело твое, но она тебе не понадобится.

ПАРЕЛЛИ. Увидим.

АНДЕРСОН. И вот еще что — жильцов не бить. Ясно?

ПАРЕЛЛИ. О, я буду очень вежлив, босс.

(Пауза пять секунд).

АНДЕРСОН. А ты, долбонос, не подарочек. Только мне тебя навязали. Просил еще одного человека, а получил такой вот мешок дерьма.

ПАРЕЛЛИ. Ах ты, гад! Я ж могу кокнуть тебя! Прямо на месте!

АНДЕРСОН. Давай-давай, долбонос. Ты ведь не расстаешься с пушкой. У меня нет ничего. Давай, кокай.

ПАРЕЛЛИ. Ну, гад поганый! Ну, мразь! Клянусь Богом, после операции я с тобой на славу разделаюсь. На славу! Смачно, не спеша. Будь уверен, белая шваль. Смачно, не спеша проткну самое больное место. Это я могу тебе обещать! Могу!

АНДЕРСОН. Еще бы. Только и можешь разевать свою поганую пасть. Но смотри, будь на завтрашней встрече и на всех остальных до следующей субботы.

ПАРЕЛЛИ. А потом, белая шваль, встретимся ты и я... только ты и я.

АНДЕРСОН. Ладно, долбонос. Сколько баб ты долбил своим рылом? А теперь убирайся. И смотри, бери такси, а то как бы здешняя шантрапа, ребята лет по десяти, не отняла у тебя пушку.

ПАРЕЛЛИ. Ну, гад...

51

Подъездная аллея у дома Патрика Анджело, Нью-Джерси, Тинек, Фоксберри-лейн, 10543. 25 августа 1968 года, 20.36. В этот день в «личном» автомобиле Патрика Анджело (у него их три) находилось электронное подслушивающее устройство. Установило его правительственное сыскное агентство, называть которое в настоящее время нельзя, нельзя также раскрывать название подслушивающего устройства. Автомобиль — черный «континентл», № ЛПА—46Б—8935. К. Патрик Анджело и Джон Андерсон сидели на заднем сиденье стоящего автомобиля.

АНДЖЕЛО. Извини, Герцог, пригласить в дом не могу. К жене пришли соседки поиграть в бридж. Я решил, что нам лучше поговорить здесь.

АНДЕРСОН. Конечно, мистер Анджело. Полный порядок.

АНДЖЕЛО. Но я прихватил коньяка, который тебе нравится, и стаканы. Можно расслабиться. Держи...

АНДЕРСОН. Спасибо.

АНДЖЕЛО. За успех.

АНДЕРСОН. За удачу.

(Пауза четыре секунды).

АНДЖЕЛО. Прекрасная штука. Господи, просто музыка на языке. Герцог, я слышал, ты позавчера оскорблял нашего парня.

АНДЕРСОН. Парелли? Да, я оскорбил его. Он рассказал вам?

АНДЖЕЛО. Он рассказал ди Медико. Док рассказал мне. Ты что — настраиваешь его против себя?

АНДЕРСОН. Можно сказать так.

АНДЖЕЛО. Ты понял, что Парелли вспыльчив и глуп, поэтому бесишь его. Теперь он так обозлен, что даже не думает своим умишком. Это у тебя дополнительное преимущество.

АНДЕРСОН. По-моему, да.

(Пауза семь секунд).

АНДЖЕЛО. Или хочешь возненавидеть его, чтобы легче было убирать?

АНДЕРСОН. Какая разница?

АНДЖЕЛО. Никакой, Герцог. Совершенно никакой. Я просто болтаю. Состоялась у тебя первая встреча?

АНДЕРСОН. Да.

АНДЖЕЛО. Как она прошла?

АНДЕРСОН. Отлично.

АНДЖЕЛО. Есть слабые места?

АНДЕРСОН. Педик Томми никогда не занимался серьезной работой. Мошенничал, торговал задницей, подделывал чеки. Но дело у него легкое. Я буду приглядывать за ним. Джонсон, это негр, и оба Бродски — ребята стоящие. Крепкие. Технарь, Эрнест Манн, очень жаден на деньги, поэтому будет делать все, что я скажу. Если попадется, то, конечно, расколется. Полицейским стоит лишь пригрозить, что отберут сигареты.

АНДЖЕЛО. Но он не попадется... так ведь?

АНДЕРСОН. Нет. Парелли глупый, жестокий, помешан на убийствах. Скверное сочетание.

АНДЖЕЛО. Придется действовать с ним по обстановке. Я тебе уже говорил... спиной к нему не поворачивайся.

АНДЕРСОН. Не стану. Аванс ребятам я уже выдал.

АНДЖЕЛО. Знают они, сколько получил каждый?

АНДЕРСОН. Нет. Я раздал им заклеенные конверты. Каждому сказал, что он получает больше других, и велел помалкивать.

АНДЖЕЛО. Хорошо.

АНДЕРСОН. Спрашивали вы насчет отвлекающих маневров?

АНДЖЕЛО. Папа сказал — не надо. Делай все как можно проще. Он говорит, что дело и без того сложное.

АНДЕРСОН. Он прав. Я рад этому. Можете вы сейчас мне сказать насчет грузовика?

АНДЖЕЛО. Сейчас — нет. Встретимся в четверг, тогда.

АНДЕРСОН. Ладно. Ребята Бродски возьмут его там, где скажете. Это будет в Нью-Йорке, так ведь?

АНДЖЕЛО. Да. В Манхеттене.

АНДЕРСОН. Отлично... Тогда мы сможем рассчитать наш график. Как насчет доставки добычи?

АНДЖЕЛО. Тоже скажу в четверг. Сколько человек тебя нужно для доставки?

АНДЕРСОН. Рассчитываю на себя и братьев Бродски.

АНДЖЕЛО. Хорошо. Так... что я еще хотел спросить? Ах, да... пистолет тебе нужен?

АНДЕРСОН. Пистолет я могу достать. Не знаю, надежный ли будет.

АНДЖЕЛО. Давай я снабжу тебя надежным. Прямо с завода. Когда твои ребята возьмут грузовик, он будет лежать в ящичке или будет приклеен лентой под приборной доской. Что скажешь?

АНДЕРСОН. Годится.

АНДЖЕЛО. Тридцать второй калибр сойдет?

АНДЕРСОН. Да.

АНДЖЕЛО. Я позабочусь, чтобы все было сделано. Так, а теперь... ах, да, маски. Ты все устроил? Перчатки... и прочее?

АНДЕРСОН. Все в порядке, мистер Анджело.

АНДЖЕЛО. Хорошо. Что ж, кажется, все. Итак, увидимся в четверг. Следующая встреча с людьми у тебя в среду, а последняя в пятницу?

АНДЕРСОН. Да.

АНДЖЕЛО. Как настроение?

АНДЕРСОН. Отличное. Дело рискованное, но сомнений у меня нет.

АНДЖЕЛО. Герцог... запомни вот что. Это как на войне. Твои разведданные и план операции могут быть лучшими на свете. Но дела оборачиваются не так, как ты рассчитывал. Случиться может всякое. Кто-то поднимет крик. Зайчишка превращается в льва. Внезапно заявляется полицейский, потому что ему приспичило отлить. Случаются и совершенно неожиданные вещи, которые никак невозможно предвидеть. Понимаешь?

АНДЕРСОН. Да.

АНДЖЕЛО. Если что — не паникуй. План у тебя хороший, но будь готов импровизировать, справляться с неожиданностями по мере их появления. Не пугайся, если произойдет что-то непредвиденное.

АНДЕРСОН. Не испугаюсь.

АНДЖЕЛО. Знаю. Ты профессионал, Герцог. Потому-то мы и оказываем тебе поддержку. Мы полагаемся на тебя.

АНДЕРСОН. Спасибо.

52

Продиктованные, подписанные, подтвержденные под присягой и засвидетельствованные показания Тимоти О'Лири, проживающего по адресу: Нью-Йорк, Рослин, Хэлвер-стон-драйв, 648. Это копия документа НЙУП—ССР № 146—II от 7/IX—1968 г.

В ночь тридцать первого августа этого года — то есть в ночь между последним днем августа и первым днем сентября, накануне Дня труда, в субботу — я приехал на дежурство по адресу: Восточная Семьдесят третья стрит, 535, где я несу службу швейцара с полуночи до восьми утра.

Приехал я, как обычно, минут на десять раньше, поговорил с Эдом Бейкли, человеком, от которого я принимал смену, а потом спустился в подвал. Там, в коридоре, ведущем от квартиры управляющего к задним комнатам, где находятся бойлеры и прочее, у нас три шкафчика. Переоделся в униформу, летом это просто коричневая хлопчатобумажная куртка, и, поскольку на мне были черные брюки, белая рубашка и черный галстук-бабочка, времени ушло на это немного.

Затем я поднялся наверх, а Эд пошел переодеваться. Я взглянул на полку, куда нам кладут записки и прочее. Увидел, что доктор Рубикофф, это кабинет 1-б, у себя и все еще работает. В квартире Эрика Сэбайна, это 2-а, находились двое друзей, приехавших на День труда. Потом Эд поднялся — он нес в сумке шар для игры в кегли и сказал, что идет в свой кегельбан сыграть с друзьями несколько партий до закрытия.

Как только он ушел, я вышел на улицу глотнуть воздуха. По улице медленно ехал грузовик — да, с Ист-Энд авеню, потому что улица расположена так. К большому моему удивлению, он медленно развернулся и въехал на наш служебный проезд, подъехал к задней части дома, там остановился, выключил мотор и фары. Когда он проезжал мимо меня, я увидел, что это фургон для каких-то перевозок, помню, я заметил сбоку на кузове слово «перевозки», и решил, что водитель ошибся адресом или кто-то из моих жильцов переезжает или ждет доставку какой-то мебели, и, учитывая позднее время, мне это показалось странным, и, понимаете, если б кто ждал доставку, у нас на полке была бы записка.

Тогда я пошел туда, где стоял грузовик с погашенными фарами, и спросил: «Что это, черт возьми, вы делаете на моем проезде?»

Едва я произнес эти слова, как в затылок мне что-то уперлось. Холодное, металлическое и круглое. Это мог быть и обрезок трубы, но я решил, что это пистолет. Я двадцать лет прослужил в полиции и с пистолетами знаком.

Стало быть, я ощутил дульный срез на затылке — ощущение было неприятное. Человек, державший пистолет, сказал очень холодным голосом:

— Хочешь умереть?

— Нет, — ответил я, — не хочу.

Я говорил очень спокойно, понимаете, но честно.

— Тогда выполняй мои указания, — сказал тот человек, — и останешься жив.

С этими словами он повел меня к служебному входу, слегка подталкивая стволом в затылок.

— Ни звука, — сказал он мне.

— Буду вести себя тихо, — шепотом пообещал я.

— Порядок, — крикнул он, и я услышал, как открылись дверцы грузовика. Обе. Через минуту лязгнула цепь, и я услышал, как открылся задний борт. Я не видел ничего, совсем ничего. Стоя к стене лицом, я прочел молитву Пресвятой Богородице. У меня было ощущение, что те стоят рядом, но я не поворачивал головы ни вправо, ни влево. Услышал удаляющиеся шаги. Все было спокойно. Никто не разговаривал. Через минуту я услышал звонок и понял, что кто-то нажимает в вестибюле кнопку, отпирающую служебный вход.

Меня ввели внутрь, не убирая пистолет от затылка, и велели лечь на цементный пол, я повиновался, хотя жаль было пачкать куртку и брюки, которые Грейс, моя жена, выгладила перед уходом. Приказали скрестить лодыжки и руки за спиной. Я сделал все, как было сказано, но на сей раз читал «Отче наш».

Они пользовались, как я понял, широкой клейкой лентой. Слышно было, как она отдирается от рулона. Мне связали лодыжки, запястья, потом заклеили обрезком ленты рот.

На сей раз этот человек — я думаю, тот, что держал пистолет, — сказал мне:

— Дышать можешь? Если да — кивни.

Я кивнул и благословил его за эту заботу.

53

Отрывок из продиктованных, подтвержденных под присягой, подписанных и засвидетельствованных показаний Эрнеста Генриха Манна. Это часть НЙОП—ЭГМ—105А.

МАНН. Итак... мы дошли до ночи с тридцать первого августа на первое сентября. Грузовик подобрал меня в назначенном месте, и я...

ДОЗНАВАТЕЛЬ. Прошу прощения, минутку. Вы, кажется, говорили нам раньше, что грузовик должен был подобрать вас на юго-восточном углу перекрестка Лексингтон-авеню и Шестьдесят пятой стрит. Это так?

МАНН. Да. Так.

6 Заказ 2107

ДОЗНАВАТЕЛЬ. Тут, собственно говоря, вы и присоединились к остальным?

МАНН. Да.

ДОЗНАВАТЕЛЬ. В котором часу?

МАНН. Без двадцати двенадцать. Мы договорились о встрече в это время. Я был на месте в срок, и грузовик тоже.

ДОЗНАВАТЕЛЬ. Вы сможете описать нам этот грузовик?

МАНН. Я бы сказал, грузовой фургон среднего размера. В дополнение к дверцам кабины там были две большие задние двери, поддерживаемые бортом, также были двери посередине с обоих боков. В одну из этих дверей я и влез. Люди в кузове помогли мне вскарабкаться.

ДОЗНАВАТЕЛЬ. Сколько человек тогда было в грузовике?

МАНН. Все — все, кого я описал из тех, что присутствовали на собрании. Человек, которого я знаю как Андерсона, и двое, кого я знаю как Эда и Билли, сидели в кабине. Вел грузовик Эд. А остальные сидели в кузове.

ДОЗНАВАТЕЛЬ. Что было написано на кузове сбоку? Заметили вы какую-нибудь надпись или маркировку?

МАНН. Я видел только надпись «Грузовые перевозки». Было еще несколько знаков, обозначающих лицензионный номер и максимальную нагрузку, — вот и все.

ДОЗНАВАТЕЛЬ. Что последовало после того, как вы сели в грузовик?

МАНН. Грузовик тронулся. Я решил, что мы направляемся к тому дому.

ДОЗНАВАТЕЛЬ. Стояли вы в кузове или сидели?

МАНН. Мы сидели, но не на полу. Вдоль борта шла грубая деревянная скамья. Мы сидели на ней. В кузове было и освещение.

ДОЗНАВАТЕЛЬ. Что произошло потом?

МАНН. Человек, которого я знаю как Джона Андерсона, отодвинул деревянную панель между кабиной и кузовом. Велел нам надеть маски и перчатки.

ДОЗНАВАТЕЛЬ. Они были приготовлены?

МАНН. Да. По комплекту на каждого и два запасных комплекта на всякий случай... маски из чулка могли порваться при надевании.

ДОЗНАВАТЕЛЬ. И все вы надели их?

МАНН. Да.

ДОЗНАВАТЕЛЬ. Люди в кабине тоже?

МАНН. Этого я не знаю. Андерсон задвинул панель. Я не мог видеть, что там происходит.

ДОЗНАВАТЕЛЬ. Что дальше?

МАНН. Мы ехали. Потом остановились. Я услышал, как открылась и хлопнула дверца кабины. Решил, что это вышел Андерсон. Как я говорил вам, по плану он должен был при подъезде грузовика стоять на другой стороне улицы напротив дома.

ДОЗНАВАТЕЛЬ. А потом?

МАНН. Грузовик поехал дальше. Мы объехали несколько кварталов, чтобы дать Андерсону время встать на предусмотренное место.

ДОЗНАВАТЕЛЬ. Который был час?

МАНН. Наверное, десять минут первого плюс-минус минута. Время было точно рассчитано. Это был блестящий план.

ДОЗНАВАТЕЛЬ. Что дальше?

МАНН. Грузовик слегка прибавил скорость. Мы все сидели тихо. Грузовик сделал очень крутой поворот и въехал на небольшой подъем. Я понял, что мы подъезжаем к дому. Потом мотор выключили, и фары тоже.

ДОЗНАВАТЕЛЬ. И свет в кузове, где вы сидели?

МАНН. Там света не было совсем. И мы не разговаривали. Об этом было сказано совершенно ясно. Мы не издавали ни звука.

ДОЗНАВАТЕЛЬ. Что потом?

МАНН. Я услышал снаружи голоса. Но такие тихие, что не мог разобрать слов. Потом, через минуту-две, Андерсон подал голос: «Порядок». На сей раз открылась боковая дверь грузовика, и мы все вылезли. Эд и Билли из кабины тоже. Мне помог спуститься человек, которого я знаю как Ловкача, негр. Он был очень вежлив и предупредителен.

ДОЗНАВАТЕЛЬ. Продолжайте.

МАНН. Человек по имени Томми, щуплый, похожий на мальчишку, сразу же пошел вокруг дома к фасаду. Я наблюдал за ним. Он остановился на миг, убедился, что на улице никого нет, никто за нами не следит, — он был в маске и перчатках, понимаете, — и пошел к парадному входу. Через минуту на двери служебного входа щелкнул замок, и человек, известный мне как Драчун — тот грубиян, которого я описал вам раньше, — вошел первым, держа руки в карманах пиджака. Я думаю, у него было там оружие. Он пошел прямо в подвал. Я выждал, пока Андерсон свяжет швейцара и заткнет ему рот, потом пошел в подвал за Драчуном, как было запланировано. Распланирован был каждый шаг.

ДОЗНАВАТЕЛЬ. Почему вы ждали, пока швейцар будет связан, а не последовали сразу за Драчуном?

МАНН. Я точно не знаю, почему должен был ждать, но мне велели вести себя так — и я повиновался. Думаю, может, для того, чтобы дать время Драчуну связать управляющего. И дать Андерсону время последовать за мной и следить за моей работой. Во всяком случае, когда я спускался в подвал, Андерсон шел по пятам.

ДОЗНАВАТЕЛЬ. Что дальше?

МАНН. Когда мы спустились, Драчун вышел к нам из квартиры управляющего. Сказал: «Ну и хлев. Разит как в пивоварне. Этот тюфяк упился вдрызг. Продрыхнет до понедельника». Андерсон ответил: «Хорошо». Потом повернулся ко мне... Сказал: «За дело, профессор». И я принялся за работу.

ДОЗНАВАТЕЛЬ. В подвале горел свет?

МАНН. Да, одна тусклая лампочка наверху. Но этого было недостаточно, и во время работы мне светили фонариками и прожектором.

ДОЗНАВАТЕЛЬ. Инструменты вы привезли с собой?

МАНН. Да. Свои личные механические и электрические инструменты. Как я уже объяснял, тяжелое оборудование — резаки и газовые баллоны — было приготовлено и все еще лежало в кузове грузовика. Итак... я принялся за работу по составленному графику. Андерсон и Драчун светили мне. Первым делом я обрезал телефонные провода, изолировал весь дом. Потом отключил сигнализацию, как описал вашему технику мистеру Браудеру. На тот случай, если сигнализация сработает при обесточивании. Потом обесточил лифт самообслуживания. Просто выключил рубильник. Наконец я обрезал сигнализацию холодного погреба и открыл замок. В это время к нам присоединились те, кого я знаю как Эда и Билли. Андерсон указал на меха, висящие в погребе, и сказал: «Начинайте грузить. Все подряд. Очистите погреб полностью. И не забудьте квартиру управляющего». После этого я вышел к служебному входу на уровень земли и открыл замок двери, соединяющей служебный вход с вестибюлем. Негр Ловкач и Андерсон вошли в вестибюль. Мы с Томми ждали. Смотрели, как Эд и Билли носят охапки шуб и грузят в кузов.

54

Продиктованные, подписанные, заверенные под присягой и засвидетельствованные показания доктора Дмитри Рубикоффа, Нью-Йорк, Восточная Семьдесят третья стрит, кабинет 1-б. НЙУП—ССР № 146—8, дата 5/IX—68 г.

Я собирался провести все праздничные дни с женой, дочерью, ее мужем и ребенком в нашем летнем домике в Ист-Хэмптоне. Однако рано утром в пятницу обнаружил, что объем работы, ждущей меня, так велик, что я не смогу позволить себе роскошь покинуть на четыре-пять дней свой письменный стол.

Поэтому я отправил семью в Нью-Хэмптон — они взяли многоместный автомобиль, за руль села жена — и сказал, что приеду в субботу вечером или в воскресенье утром. Обещал известить их о своих планах по телефону.

Секретаршу я отпустил в пятницу утром, потому что она собралась отдыхать пять дней в Нассау. В субботу я работал один в кабинете целый день, понял, что слишком устал и не смогу вести машину всю ночь. Поэтому решил поработать допоздна, поспать дома — живу я на Восточной Семьдесят третьей стрит, — а в воскресенье утром выехать. Позвонил жене и сообщил о своих намерениях.

В полдень я съел бутерброд. Вечером пообедал в расположенном поблизости французском ресторане «Ле Клер». Съел прекрасно приготовленное филе камбалы, пожалуй чуть-чуть пересоленное. Около девяти вернулся в кабинет поработать, пока хватит сил. Как обычно, когда работаю по вечерам один, я запер дверь в вестибюль и накинул цепочку. Потом включил приемник. Слушал, кажется, какую-то вещь фон Вебера.

Около половины первого или немного позже в дверь позвонили. Я уже наводил на столе порядок и укладывал в портфель журналы по психиатрии, которые хотел прихватить в Ист-Хэмптон. Подойдя к двери, я открыл глазок. Человек перед дверью стоял так, что я видел лишь его плечо и половину туловища.

— Да? — спросил я.

— Доктор Рубикофф, — сказал он. — Я подменный швейцар на День труда. У меня для вас заказное письмо.

Должен признаться, я поступил опрометчиво. Но в оправдание скажу вот что: во-первых, я собирался уходить, готов был отпереть дверь, и казалось нелепо просить того человека подсунуть письмо под нее. Во-вторых, видите ли, по праздникам и в период отпусков у нас нередко работают люди, подменяющие постоянных швейцаров. Меня поэтому не удивило, что в канун Дня труда это человек с незнакомым голосом. В-третьих, заказное письмо — то есть заявление этого человека — не насторожило меня. Видите ли, психиатры привыкли к письмам, телеграммам и телефонным звонкам в необычной манере и в необычное время.

Ничего не подозревая, я снял цепочку и отпер дверь. Двое мужчин резко распахнули ее и вошли, они были в масках — похоже, из полупрозрачных женских чулок. Нижняя часть чулок была отрезана. Верхняя завязана узлом. Видимо, чтобы маска не смогла съехать и ее нельзя было сдернуть. Один из вошедших, надо заметить, был чуть ниже шести футов ростом. Другой дюйма на три повыше, мне показалось, что это негр. Судить было крайне трудно, потому что лица проступали сквозь маски очень смутно и оба были в белых хлопчатобумажных перчатках.

— Ваша секретарша здесь? — спросил тот, что пониже. Это были его первые слова.

Я привык иметь дело с взволнованными людьми и, думаю, повел себя совершенно спокойно.

— Нет, — ответил я. — Она уехала на пять дней. Я один.

— Хорошо, — сказал этот человек. — Доктор, мы не хотим причинять вам вреда. Пожалуйста, лягте на пол, скрестите руки за спиной и лодыжки.

Честно говоря, его спокойная властность произвела на меня впечатление. Конечно, я сразу же понял, что это грабеж. Решил, что, возможно, они хотят завладеть наркотиками. Меня уже до этого грабили дважды, и бандитам требовались только наркотики. В моих сейфах наркотиков было очень мало. Я подчинился требованию этого человека. Мне связали запястья и лодыжки, а потом заклеили рот широкой клейкой лентой. Можно добавить, что из-за усов снимать ее было очень мучительно. Этот человек спросил, могу ли я свободно дышать, и я кивнул. Он произвел на меня сильное впечатление, собственно говоря, как и вся операция. Ее провели очень профессионально.

55

Пленка НЙУП—ССР № 146—83С; допрос Томаса Хэскинса; часть 1А, дата 4/IX—68 г. Пленка тщательно отредактирована, чтобы избежать повторения уже приводившихся сведений и исключить материал, находящийся в настоящее время в рассмотрении суда.

ДОЗНАВАТЕЛЬ. Мистер Хэскинс, меня зовут Томас К. Броди, я детектив второй ступени, служу в полицейском управлении Нью-Йорка. Я должен...

ХЭСКИНС. Томас! Меня тоже зовут Томми. Приятное совпадение, правда?

ДОЗНАВАТЕЛЬ. Я должен полностью убедиться, что вы осведомлены о своих правах и привилегиях по законам Соединенных Штатов Америки как лицо, обвиняемое в преступлении, являющемся по законам штата Нью-Йорк тяжким. Итак, вы...

ХЭСКИНС. Томми, я осведомлен. Еще как! Знаю всю эту муру насчет адвокатов и прочего. Можешь не распространяться.

ДОЗНАВАТЕЛЬ. Вы не обязаны в настоящее время отвечать ни на один вопрос, который задаст вам служащий правоприменяющих органов. Вы можете потребовать адвоката по своему выбору. Если вам не по средствам нанять адвоката, если у вас нет своего адвоката, суд предоставит вам защитника на выбор. В довершение вы...

ХЭСКИНС. Да хватит уже! Я готов говорить. Я хочу дать показания! Свои права я знаю лучше тебя. Нельзя ли просто начать разговор с глазу на глаз между двумя Томми?

ДОЗНАВАТЕЛЬ. Любое показание, какое вы можете дать в настоящее время, без присутствия адвоката, будет дано по вашей доброй воле и желанию. И все, что вы ни скажете, — повторяю, все что вы ни скажете — даже то, что может показаться вам совершенно невинного свойства, — в будущем может быть использовано против вас. Понимаете?

ХЭСКИНС. Конечно.

ДОЗНАВАТЕЛЬ. Вам все ясно?

ХЭСКИНС. Да, малыш Томми, все.

ДОЗНАВАТЕЛЬ. В довершение...

ХЭСКИНС. Тьфу ты, черт!

ДОЗНАВАТЕЛЬ. В довершение попрошу вас подписать в присутствии служащей полиции Алисы Х. Хилкинс, находящейся здесь как свидетель, отпечатанное заявление, что вы полностью понимаете свои права и привилегии как обвиняемый по упомянутым законам и любое ваше заявление делается с полным пониманием этих прав и привилегий.

ХЭСКИНС. Слушай, Ищейка второй ступени, я намерен говорить, я хочу говорить и стремлюсь говорить. Так что давай...

ДОЗНАВАТЕЛЬ. Подпишете вы это заявление?

ХЭСКИНС. Охотно, охотно. Давай этот чертов листок.

(Пауза четыре секунды).

ДОЗНАВАТЕЛЬ. И еще второе заявление, в котором...

ХЭСКИНС. Томми, Томми, я просто...

ДОЗНАВАТЕЛЬ. Это второе заявление гласит, что вы подписали первое без угрозы физическим насилием, по доброй воле и желанию, что вам не давалось никаких обещаний относительно срока наказания за преступление, в котором вы обвиняетесь. В довершение вы заявляете, утверждаете и подтверждаете под присягой...

ХЭСКИНС. Томми, черт побери, можно ли человеку в наше время сделать признание?

(Пауза семь минут тринадцать секунд).

ХЭСКИНС. ...и в мозгу у меня прочно засела одна мысль, сказанная Герцогом на последнем нашем собрании. Он сказал, что преступление — это война в мирное время. Сказал, самое важное, чему учит война: как бы хорош ни был план, предусмотреть все просто немыслимо. Что дела могут пойти не так, или случится что-то неожиданное, и надо быть к этому готовым. Сказал — это слова Герцога, понимаешь, — что он и другие — Герцог так и выразился «другие» — разработали наш план надежно, как могли, но он знает, что произойдут неожиданности, которых не предусмотрели. Может, рядом остановится полицейский автомобиль. Может, патрульный зайдет в вестибюль поболтать со швейцаром. Может, кто-то из жильцов выхватит пистолет. Сказал, что нужно приготовиться к неожиданностям и не пугаться их. Что план хорош, но могут произойти незапланированные вещи...

И когда мы приехали на место, я пошел в вестибюль и нажал кнопку, отпирающую служебный вход. Находилась она именно там, где сказал Герцог. Затем подошел к полке для записок. Там оставляют записки швейцарам: какую доставку ожидать, кто из жильцов уезжает на выходные — такие вот сведения. Я сразу же обнаружил, что психиатр до сих пор работает у себя в кабинете. И еще в квартиру два-а приехало двое гостей. Две неожиданности, Герцог не зря предупреждал нас. И едва он вошел через отпертый служебный выход, я сказал ему о них. Герцог похлопал меня по плечу. Это он впервые прикоснулся ко мне...

Они с негром позаботились о психиатре, все сошло гладко, и мы продолжали действовать по плану. Понимаешь, мы знали, что кое-кто из жильцов не уехал на праздники и находился дома. Замысел состоял в том, чтобы не связывать их в квартирах или держать там под наблюдением, для этого нас было очень мало, а собрать всех в квартире четыре-б, где живет старая миссис Хэтуэй с компаньонкой. Дамы очень преклонного возраста. Герцог не хотел рисковать, связывая их. Словом, было решено, что мы приведем всех в квартиру четыре-б, припугнем как следует и Ловкач и Драчун будут приглядывать за всеми сразу. В конце концов, что они могли поделать? Телефонные провода обрезаны. Есть ли у нас пистолеты, ножи или что-то еще, жильцы не знали. И когда они все в одной квартире, один человек мог не давать им рыпаться, пока остальные очищают весь этот чертов дом.

Это был блестящий план...

56

Отрывок из пространного письма Эрнеста Генриха Манна автору от 28/III—1969 г.

Уважаемый сэр.

Хочу поблагодарить Вас за любезный интерес к моему здоровью и состоянию духа, как сказано в Вашем недавнем письме. Рад сообщить Вам, что я, слава Богу, пребываю в добром телесном и душевном здравии. Пища здесь простая, но ее достаточно. Моциона — то есть прогулок — вполне хватает, и свою работу в библиотеке я нахожу очень полезной.

Возможно, Вам будет интересно узнать, что я недавно занялся упражнениями по системе йогов, поскольку они связаны с физическими нагрузками. Философия меня не интересует. Но физические упражнения меня интересуют, поскольку не требуют снарядов и я могу в любое время заниматься ими в камере. Нет нужды говорить, что это весьма забавляет моего сокамерника, главное физическое упражнение которого — перелистывать страницы комикса, следя за приключениями Космического человека!

Благодарю Вас за присланные книги и сигареты, они дошли в хорошем состоянии. Вы спрашиваете, есть ли какие-нибудь специальные издания, которых нельзя найти в тюремной библиотеке и которые Вы могли бы прислать. Да, сэр, есть. Несколько месяцев назад я прочел в «Нью-Йорк таймс», что ученые впервые получили энзин синтетическим путем в лаборатории. Эта тема очень интересует меня, и я был бы весьма благодарен, если б Вы смогли прислать мне научные бюллетени, где описывается это открытие. Благодарю Вас.

А теперь... Вы спрашиваете о личности и характерных чертах человека по имени Джон Андерсон.

Могу сказать Вам, что это очень сложный человек. Как Вы, наверно, догадались, я имел с ним несколько дел до событий в ночь с 31 августа на 1 сентября. Во всех наших делах я находил его человеком высочайшей честности, исключительной порядочности, надежности и стойкости. Я без малейших колебаний дал бы ему наилучшую характеристику, если б ее у меня просили.

Человек очень необразованный и очень больших умственных способностей. Такое, как Вы, я уверен, согласитесь, встречается нечасто. Он излучал силу и целеустремленность во всех наших личных и деловых отношениях. При их характере понятно, что я, пожалуй, слегка побаивался его. Не потому, что он угрожал мне физическим насилием. Ничего подобного не бывало! Но я пугался, как все мы, бедные смертные, пугаемся тех, в ком видим существо почти нечеловеческой силы и смелости. Достаточно сказать, что я ощущал себя ниже его.

Думаю, что при более благоприятных обстоятельствах способности и природный ум вознесли бы его очень высоко. Право, очень. Позвольте привести пример...

После второго собрания, где обсуждался наш план, — кажется, 28 августа — я пошел с Андерсоном в метро. Все было отлично. Я поздравил его с детальной разработкой плана — как мне казалось, превосходного. Сказал, что ему, наверно, пришлось много думать. Андерсон улыбнулся и, насколько я помню, сказал вот что:

— Да, я занимаюсь этим делом уже несколько месяцев, постоянно думаю о нем наяву и даже во сне. Знаешь, с обдумыванием не сравнится ничто. У тебя есть проблема, которая беспокоит, снедает, не дает спать. Тогда нужно вникнуть в самую суть проблемы. Сперва выясняешь, почему это представляет проблему. Когда выяснишь, проблема наполовину решена. Например, как по-твоему, что было самой трудной проблемой в этом плане?

Я предположил, что как управиться со швейцаром, когда грузовик подъедет к дому.

— Нет, — ответил Андерсон. — Для этого есть несколько надежных способов. Главная проблема, на мой взгляд, как быть с жильцами, которые остаются дома. То есть как войти к ним в квартиры. Насколько я понимаю, двери у них будут на замках и цепочках. К тому же перевалит за полночь, и, насколько я понимаю, большинство людей — особенно старые дамы в квартире четыре-б и семья с парнишкой-калекой в пять-а — улягутся спать. Я перебрал все возможности. Двери, конечно, можно высадить. Но хотя телефоны и будут обрезаны, жильцы, прежде чем мы ворвемся, могут поднять вопль и, возможно, встревожат людей в соседнем доме. Я мог бы попросить тебя открыть замки — но у меня нет гарантий, что все в это время будут спать. Услышат, что ты возишься с замком, и поднимут крик. Проблемой был способ действовать наверняка. Три дня я ломал себе голову, на ум приходила дюжина решений. Я отбрасывал их все, потому что не считал верными. А потом, как и говорил тебе, вник в самую суть проблемы. Я задал себе вопрос: «Почему у всех этих людей на дверях замки и цепочки?» Ответ прост — боятся ребят вроде меня: жуликов, взломщиков, грабителей. И тогда я подумал: раз они запирают двери от страха, что может заставить их отпереть? Еще в первый свой визит туда я обратил внимание, что двери на всех этажах, кроме первого, без глазков. На первом этаже с глазками, а выше нет. Для чего глазки, если в вестибюле круглосуточно дежурит швейцар, служебный вход заперт и все такое прочее? И тогда я подумал, что если страх заставляет их запираться, то еще больший страх заставит отпереть двери. А что вызовет больший страх, чем ограбление? Ответить не трудно. Пожар.

И это, мой уважаемый сэр, может сказать Вам коечто о человеке, которого я знал как Джона Андерсона, каким он был сообразительным в своем деле, хотя, как я уже отмечал, необразованным...

57

После описанных здесь событий показания у потерпевших и обвиняемых брались в срочном порядке, пока в памяти свежи подробности. Вскоре выяснилось, что ключевой позицией в плане ограбления дома была квартира 4-а, принадлежащая миссис Хэтуэй, вдове, она проживает там с компаньонкой-домохозяйкой мисс Джейн Кейлер, старой девой.

Во время преступления миссис Хэтуэй был 91 год, мисс Кейлер — 82. Обе дамы отказались подвергаться допросу или делать заявления порознь; каждая настаивала на присутствии другой — желание с точки зрения итогов их допроса довольно странное.

Тем не менее показания у обеих дам были взяты одновременно. Ниже приводится отредактированная расшифровка пленки НЙУП—ССР № 146—91А.

МИССИС ХЭТУЭЙ. Хорошо. Я расскажу вам в точности, что произошло. Вы записываете, молодой человек?

ДОЗНАВАТЕЛЬ. Записывает машина, мэм. Все, что мы говорим.

МИССИС ХЭТУЭЙ. Хм... что ж... Это произошло в ночь на первое сентября. С субботы на воскресенье. Было примерно около часа ночи.

МИСС КЕЙЛЕР. Примерно без четверти час.

МИССИС ХЭТУЭЙ. Замолчи. Рассказываю я.

МИСС КЕЙЛЕР. Неверно рассказываете.

ДОЗНАВАТЕЛЬ. Дамы...

МИССИС ХЭТУЭЙ. Было около часа. Мы спали, пожалуй, около двух часов.

МИСС КЕЙЛЕР. Вы, может, и спали. А я глаз не сомкнула.

МИССИС ХЭТУЭЙ. Ну да, не сомкнула! Я слышала, как ты храпишь!

ДОЗНАВАТЕЛЬ. Дамы, пожалуйста...

МИССИС ХЭТУЭЙ. Вдруг я проснулась. В дверь

квартиры заколотили. Какой-то мужчина крикнул: «Пожар! Пожар! Дом горит, и все должны покинуть здание!»

ДОЗНАВАТЕЛЬ. Вы слышали именно эти слова?

МИССИС ХЭТУЭЙ. Примерно, да. Но, конечно, я только слышала «Пожар! Пожар!», поэтому сразу же встала и набросила халат.

МИСС КЕЙЛЕР. Само собой, поскольку я не спала, то была уже пристойно одета и стояла у двери в коридор. «Где горит?» — спросила я через дверь. «В подвале, мэм, — ответил тот человек. — Но огонь быстро распространяется по всему зданию, и мы вынуждены просить вас покинуть дом, пока пожар не будет погашен». Я спросила: «А кто вы?» Он ответил: «Пожарник Роберт Бернс из нью-йоркской пожарной охраны, и...»

МИССИС ХЭТУЭЙ. Перестанешь ты трещать хоть на минутку? Это моя квартира, и я вправе рассказывать, что произошло. Не так ли, молодой человек?

ДОЗНАВАТЕЛЬ. Видите ли, мэм, мы хотели бы выслушать обеих...

МИСС КЕЙЛЕР. «И я хотел бы, чтобы все жильцы немедленно покинули квартиру», — сказал тот человек. Тогда я спросила: «Это серьезно?» И он сказал — вы понимаете, разговор шел через запертую дверь, — он сказал: «Надеемся, что нет, мэм, но ради вашей же безопасности просим спуститься в вестибюль, пока огонь не будет погашен!» Тогда я сказала: «Что ж, раз вы...»

МИССИС ХЭТУЭЙ. Да заткнешься ли ты, глупое, болтливое создание? Помолчи, не мешай мне рассказывать этому славному молодому человеку, что случилось. Итак, видя, что мы обе пристойно одеты в халаты и на ногах у нас ковровые шлепанцы, я велела этой девчонке открыть дверь...

МИСС КЕЙЛЕР. Миссис Хэтуэй, я много раз просила не называть меня девчонкой. Вы обещали, если помните...

МИССИС ХЭТУЭЙ. Словом, она открыла дверь...

ДОЗНАВАТЕЛЬ. Дверь была заперта?

МИССИС ХЭТУЭЙ. Ну да, еще бы. У нас врезан обычный замок; находясь в квартире, мы запираемся на два оборота. Потом цепочка, которая позволяет слегка приоткрыть дверь, но оставить ее на запоре. И еще у нас есть так называемый полицейский замок, рекомендовал его мне сержант Том Салливен, сейчас он на пенсии, а раньше служил в двадцать первом участке. Вы знаете его?

ДОЗНАВАТЕЛЬ. Боюсь, что нет, мэм.

МИССИС ХЭТУЭЙ. Замечательный человек — очень близкий друг моего покойного мужа. Сержант Салливен вынужден был рано уйти на пенсию из-за грыжи. После того как в Ист-Сайде произошло так много ограблений, я позвонила ему, и Том посоветовал установить этот полицейский замок; представляет он собой вставленный в пол стальной прут, дверь им прижимается, и вломиться в квартиру невозможно.

МИСС КЕЙЛЕР. Спросите ее, как этот замечательный человек заработал грыжу.

МИССИС ХЭТУЭЙ. Я уверена, что это неважно. Значит, тот человек все кричал за дверью: «Пожар! Пожар!», мы, естественно, очень встревожились, поэтому открыли все три запора и распахнули дверь. И были очень...

МИСС КЕЙЛЕР. И там стоял он! Чудовище! Ростом, наверно, семь футов, в жуткой маске, с громадным пистолетом в руке. Он зарычал на нас: «Если вы...»

МИССИС ХЭТУЭЙ. Ростом он был футов шесть, и пистолета я не видела, хотя, кажется, он держал одну руку в кармане, возможно, оружие у него и было. Но, право, он был очень вежлив и сказал: «Дамы, нам придется ненадолго воспользоваться вашей квартирой, но если вы будете вести себя тихо и не окажете сопротивления, то мы сможем...»

МИСС КЕЙЛЕР. А за спиной у него стояли два других чудовища — все трое сексуальные маньяки! В масках, с револьверами. Они втолкнули нас обратно в квартиру, и я спросила: «Значит, пожара нет?» И первый ответил: «Нет, мэм, пожара нет, но мы вынуждены просить вас предоставить нам ненадолго свою квартиру. И если не станете вопить или мешать нам, то не придется связывать вас и заклеивать рот липкой лентой. Если будете вести себя разумно, мы этого не сделаем». И я сказала: «Я буду вести себя разумно». Тогда первый сказал: «Присматривай за ними, Убийца; если они поднимут крик или глупо поведут себя, можешь их угробить». Тут второй — я уверена, что это был негр, — сказал: «Да, Палач, если они завопят или поведут себя глупо, я их угроблю». Потом негр остался и смотрел на нас сквозь маску, а двое других...

МИССИС ХЭТУЭЙ. Да замолчишь ты, наконец? Заткнешь ты, наконец, свой рот?

ДОЗНАВАТЕЛЬ. Дамы, дамы...

58

Пленка НЙОП № 146—98Б; исправленная и отредактированная расшифровка НЙОП № 146—98БР.

ДОЗНАВАТЕЛЬ. Магнитофон включен, миссис Бингем. Меня зовут Роджер Лейбниц, я служу ассистентом в нью-йоркской окружной прокуратуре. Сегодня одиннадцатое сентября тысяча девятьсот шестьдесят восьмого года. Я хочу расспросить вас о событиях, происшедших в вашей квартире в ночь с тридцать первого августа на первое сентября сего года. Если по какой-либо причине вы не хотите давать показания или желаете, чтобы при нашей беседе присутствовал адвокат, или если хотите, чтобы суд назначил вам адвоката, будьте добры заявить об этом сейчас.

МИССИС БИНГЕМ. Нет... не надо.

ДОЗНАВАТЕЛЬ. Отлично. Вы понимаете, что я обязан уведомить вас о ваших законных правах?

МИССИС БИНГЕМ. Да. Понимаю.

ДОЗНАВАТЕЛЬ. Будьте добры, назовите для записи свое полное имя и адрес.

МИССИС БИНГЕМ. Я миссис Джералд Бингем, живу в Нью-Йорке, Манхеттен, Восточная Семьдесят третья стрит, квартира пять-а.

ДОЗНАВАТЕЛЬ. Спасибо. Пока мы не начали, можно поинтересоваться состоянием вашего мужа?

МИССИС БИНГЕМ. Ну... теперь я беспокоюсь о нем гораздо меньше. Врачи сперва думали, что на правый глаз он ослепнет. Теперь говорят, что зрение сохранится, но, возможно, ухудшится. Но он поправится.

ДОЗНАВАТЕЛЬ. Рад это слышать, мэм. Ваш муж очень храбрый человек.

МИССИС БИНГЕМ. Да. Очень храбрый.

ДОЗНАВАТЕЛЬ. Вы хорошо себя чувствуете, миссис Бингем?

МИССИС БИНГЕМ. Да... хорошо.

ДОЗНАВАТЕЛЬ. Если хотите отложить наш разговор на другой день или вдруг захотите передохнуть, пожалуйста, скажите. Не желаете ли кофе... чашку чаю?

МИССИС БИНГЕМ. Нет... ничего.

ДОЗНАВАТЕЛЬ. Прекрасно. Теперь, пожалуйста, расскажите своими словами, что произошло в ту ночь. Я постараюсь не перебивать вас. Не спешите, рассказывайте своими словами, что происходило...

МИССИС БИНГЕМ. Это было тридцать первого августа. Большинство жильцов нашего дома разъехалось на День труда. Мы выезжаем очень редко из-за сына. Зовут его Джерри — Джералд-младший. Ему пятнадцать лет. В десятилетнем возрасте с ним произошел несчастный случай — сбил грузовик, — у него отнялись ноги. Врачи говорят — нет надежды, что он снова будет нормально ходить. Мальчик он хороший, очень умный, но нуждается в помощи. Передвигается он в кресле-коляске, иногда понемногу ходит на костылях. Руки у него сильные, но ходить без помощи он не может. Поэтому выезжаем куда-то мы очень редко.

ДОЗНАВАТЕЛЬ. Больше детей у вас нет?

МИССИС БИНГЕМ. Нет. Тридцать первого августа

сын лег в постель около полуночи. Почитал немного, я принесла ему кока-колы, он ее очень любит, потом выключил торшер и уснул. Мы с мужем сидели в гостиной. Я вязала кружевное покрывальце на скамеечку для ног, а муж читал Троллопа. Ему очень нравится Троллоп. Было примерно четверть второго. Точно сказать не могу, плюс-минут пятнадцать минут. Внезапно в дверь из коридора сильно застучали. Мужской голос прокричал: «Пожар! Пожар!» Это был очень жестокий поступок.

ДОЗНАВАТЕЛЬ. Да, миссис Бингем, конечно.

МИССИС БИНГЕМ. Муж подскочил и сказал: «Господи!» Книга упала на пол. Он бросился к двери, отпер замок, снял цепочку и распахнул дверь. Там стояли трое в масках. Я видела их с того места, где сидела. Я все еще была в шезлонге. Среагировала не так быстро, как муж. Я видела двух мужчин, передний держал руку в кармане пиджака. На них были странные маски, с узлом на голове. Сперва я не поняла, а потом догадалась, что это чулки — женские чулки. Муж взглянул на них, снова сказал: «Господи!» Потом... хотел ударить переднего. Он среагировал очень быстро. Вспоминая потом все, я очень гордилась им. Он сразу понял, в чем дело, и среагировал очень быстро. А я так и сидела в оцепенении.

ДОЗНАВАТЕЛЬ. Очень смелый человек.

МИССИС БИНГЕМ. Да. Это так. Словом, он хотел ударить того человека, а тот засмеялся и отвел голову так, что удар прошел мимо цели. Потом выхватил из кармана пистолет и ударил мужа по лицу изо всей силы. Потом оказалось, что под и над правым глазом у мужа сломаны кости. Муж тут же упал на пол, и я увидела кровь. Она прямо-таки хлестала. Потом этот человек стал пинать мужа ногами. Ударил ногой в живот и... в пах. А я сидела и не могла шевельнуться. Сидела и не могла шевельнуться...

ДОЗНАВАТЕЛЬ. Пожалуйста, миссис Бингем... прошу вас. Может, перенесем этот разговор на другой день?

МИССИС БИНГЕМ. Нет... нет... ничего... не надо.

ДОЗНАВАТЕЛЬ. Давайте устроим небольшой перерыв. У меня к вам просьба, если вы сейчас в состоянии, спуститься в другую комнату. Там у нас выставлены разные пистолеты, отобранные у преступников. Я попросил бы вас, если можно, опознать пистолет, которым тот человек ударил вашего мужа. Вы сможете сделать это для нас?

МИССИС БИНГЕМ. Это был очень большой пистолет, очень тяжелый. Кажется, черный или, может...

ДОЗНАВАТЕЛЬ. Пойдемте со мной, посмотрим, сможете ли вы опознать этот пистолет в нашей коллекции. Магнитофон я возьму с собой.

(Пауза четыре минуты тридцать восемь секунд).

ДОЗНАВАТЕЛЬ. Это эн-ий-о-пэ, номер сто сорок шесть — девяносто восемь бэ-три. Мы находимся в оружейной комнате. Вот, миссис Бингем, витрины с оружием, которое использовалось при совершении преступлений. Прошу вас осмотреть это оружие — не спешите, смотрите, сколько вам нужно, — и постарайтесь высмотреть тот пистолет, которым первый человек в маске ударил вашего мужа.

МИССИС БИНГЕМ. Их так много!

ДОЗНАВАТЕЛЬ. Да... много. Но вы не спешите. Осмотрите все и попытайтесь найти пистолет, который был у того человека.

(Пауза минута тридцать секунд).

МИССИС БИНГЕМ. Я его не вижу.

ДОЗНАВАТЕЛЬ. Не торопитесь. Спешить некуда.

МИССИС БИНГЕМ. Он был черный или, может, темно-синий, прямоугольный.

ДОЗНАВАТЕЛЬ. Прямоугольный? Подойдите к этой витрине, мэм. Такой?

МИССИС БИНГЕМ. Да... эти большие похожи... да... да... вот он! Тот самый!

ДОЗНАВАТЕЛЬ. Который?

МИССИС БИНГЕМ. Этот... второй сверху.

ДОЗНАВАТЕЛЬ. Вы уверены, мэм?

МИССИС БИНГЕМ. Совершенно. Нет ни малейших сомнений.

ДОЗНАВАТЕЛЬ. Свидетельница опознала пистолет производства США, автоматический кольт сорок пятого калибра образца тысяча девятьсот семнадцатого года, кодовый номер девятнадцать-семнадцать эс-а, триста семьдесят один бэ. Спасибо, миссис Бингем. Пойдемте наверх. Может, заказать кофе или чаю?

МИССИС БИНГЕМ. Чашку чаю было б неплохо.

ДОЗНАВАТЕЛЬ. Конечно.

(Пауза семь минут шестнадцать секунд).

МИССИС БИНГЕМ. Теперь я чувствую себя получше.

ДОЗНАВАТЕЛЬ. Хорошо. Это эн-ий-о-пэ номер сто сорок шесть — девяносто восемь бэ-три. Мэм, вы хотите закончить сегодня — или перенесем на другой день?

МИССИС БИНГЕМ. Давайте закончим сегодня.

ДОЗНАВАТЕЛЬ. Прекрасно. Итак... вы сказали, что ваш муж хотел ударить человека в маске. Человек в маске выхватил пистолет и ударил вашего мужа. Ваш муж упал на пол. Человек в маске ударил его ногой в живот и в пах. Правильно?

МИССИС БИНГЕМ. Да.

ДОЗНАВАТЕЛЬ. Что случилось потом?

МИССИС БИНГЕМ. Тут все как в тумане. Точно сказать не могу. Кажется, я поднялась с шезлонга и направилась к двери. Но я четко видела, как второй человек оттолкнул первого в сторону. И сказал: «Хватит». Это я очень четко помню, сказал: «Хватит», потому что я как раз подумала то же самое. Второй оттолкнул первого плечом, чтобы он больше не мог пинать моего мужа, и сказал: «Хватит».

ДОЗНАВАТЕЛЬ. А потом?

МИССИС БИНГЕМ. Боюсь, что не помню точно, в какой последовательности все происходило. У меня все перепуталось...

ДОЗНАВАТЕЛЬ. Рассказывайте своими словами. Не думайте о последовательности.

МИССИС БИНГЕМ. Ну, я подбежала к мужу. Кажется, опустилась возле него на колени. Было видно, что глаз его сильно поврежден. Сильно шла кровь, и муж стонал. Один из этих людей спросил: «Где малыш?»

ДОЗНАВАТЕЛЬ. Помните, который?

МИССИС БИНГЕМ. Не уверена, но кажется, второй — тот, что велел первому не пинать моего мужа.

ДОЗНАВАТЕЛЬ. Он спросил: «Где малыш?»

МИССИС БИНГЕМ. Да.

ДОЗНАВАТЕЛЬ. Значит, он знал о вашем сыне?

МИССИС БИНГЕМ. Да. Я спросила его: «Пожалуйста, не трогайте Джерри». Говорила, что он калека и может передвигаться только в кресле-каталке или на короткое расстояние на костылях. Попросила еще раз: «Пожалуйста, не трогайте Джерри», и он пообещал, что не тронет.

ДОЗНАВАТЕЛЬ. Это вы говорите о втором человеке?

МИССИС БИНГЕМ. Да. Потом он пошел в спальню моего сына. Первый, что пинал моего мужа, остался в гостиной. Через некоторое время второй вышел из спальни. Он толкал перед собой пустое кресло-каталку моего сына и нес его алюминиевые костыли. Первый спросил: «Где малыш?» Тот ответил: «Притворяется спящим, но не спит. Я сказал, что, если заорет, вернусь и сверну ему шею. Пока его кресло и костыли у нас, он не сможет передвигаться. У него паралич ног. Мы это разузнали». Тогда первый сказал: «Я думаю, его нужно забрать». А второй говорит: «Лифт остановлен. Ты собираешься нести его на руках?» Потом они немного поспорили, забирать мальчика или нет. Наконец сошлись на том, что оставят его в постели, но заткнут рот и будут каждые десять минут заглядывать к нему. Я попросила их: «Пожалуйста, не делайте этого». Сказала, что у Джерри насморк и, если ему заткнуть рот, он может задохнуться. Второй сказал, что они отведут мужа и меня в квартиру миссис Хэтуэй на четвертый этаж и не могут пойти на риск, оставив Джерри одного в квартире, хотя он и не способен передвигаться. Я сказала, что возьму с Джерри обещание не поднимать шума, если мне позволят поговорить с ним. И мы пошли в спальню. Я включила свет. Джерри лежал на спине под одеялом. Лицо его было очень бледным. Я спросила, знает ли он, что происходит, и он сказал, что да, слышал наш разговор. Мой сын очень умный.

ДОЗНАВАТЕЛЬ. Да, мэм. Теперь мы это знаем.

МИССИС БИНГЕМ. Я сказала ему, что они унесли его кресло и костыли, но, если он пообещает не кричать и не поднимать никакого шума, согласны его не связывать. Этот человек подошел к кровати и посмотрел на Джерри. «Тот тип очень опасен, парнишка, — сказал он моему сыну. — Кажется, он уже выбил глаз твоему отцу. Веди себя тихо, иначе мне опять придется напустить его на твоего папу. Понимаешь?» «Понимаю», — ответил Джерри. Этот человек сказал, что кто-нибудь будет заглядывать к нему каждые несколько минут, так что дурить не стоит. Он так и выразился: «Дурить не стоит, малыш». Джерри кивнул. И тот человек снова ушел в гостиную.

ДОЗНАВАТЕЛЬ. Он оставил свет в комнате?

МИССИС БИНГЕМ. Я выключила, но человек в маске включил снова и сказал — пусть горит. И мы вернулись в гостиную. Муж стоял на ногах, слегка пошатываясь. Он взял в ванной полотенце и прижал его к глазу. Не знаю, почему я не подумала об этом раньше. Боюсь, что вела я себя не особенно хорошо.

ДОЗНАВАТЕЛЬ. Вы вели себя просто замечательно.

МИССИС БИНГЕМ. Ну... не знаю... не думаю, что я очень смелая. Я знаю, что плакала. Начала плакать, когда увидела, что муж лежит на полу, а тот человек пинает его, и никак не могла успокоиться. Не могла!... Пыталась, но...

ДОЗНАВАТЕЛЬ. Давайте перенесем остальное на другой день, хорошо? Я думаю, на сегодня хватит.

МИССИС БИНГЕМ. Да... ладно. Ну вот, они отвели

нас по служебной лестнице на четвертый этаж в квартиру миссис Хэтуэй. Полагаю, вы знаете, что последовало за этим. Я помогала поддерживать мужа, когда мы шли вниз; он и до сих пор нетвердо стоит на ногах. Но в квартире миссис Хэтуэй мы смогли оказать ему помощь. Туда привели всех, в том числе и доктора Рубикоффа, он помог мне промыть мужу глаз и наложить чистое полотенце. Все были очень... все... о Господи! Господи!

ДОЗНАВАТЕЛЬ. Да, миссис Бингем... да, да. Успокойтесь. Посидите молча, расслабьтесь. Это все прошло. Все позади.

59

Личное письмо автору, датированное 3/I—1969 г., от мистера Джереми Маррина, проживающего в штате Виргиния, Арлингтон, Буэна-Виста-драйв, 43—580.

Уважаемый сэр.

В ответ на Ваше недавнее письмо с просьбой поделиться переживаниями и воспоминаниями о случившемся в прошлом году в Нью-Йорке на День труда, хочу поставить Вас в известность, что я и Джон Берлингейм дали в нью-йоркской полиции очень подробные показания относительно этих событий, показания наши, я уверен, не засекречены, и Вы можете посмотреть их. Однако из обычной любезности (несомненно, именуемой обычной, потому что она очень необычна) я напишу это краткое письмо, поскольку, как Вы утверждаете, сведения эти Вам необходимы.

Мой приятель Джон Берлингейм и я собрались приехать на День труда в Нью-Йорк, посмотреть несколько представлений и навестить друзей. Мы написали нашему близкому другу Эрику Сэбайну, живущему на Восточной Семьдесят третьей стрит, 535, квартира 5-а, надеясь провести некоторое время с ним и очень тесным кругом его знакомых. Эрик ответил, что на праздник уезжает из города, кажется, на Файр-Айленд. Но предоставляет свою роскошную квартиру в наше полное распоряжение, прислал нам ключ и пообещал оставить указание швейцару, что мы будем жить в его квартире. Естественно, мы обрадовались и были очень благодарны добросердечному Эрику.

Выехали мы в субботу еще затемно, но то одно, то другое, и приехали только в 22.30, совершенно измотанные. На дорогах ужас что творилось. Мы купили воскресные газеты и заперлись на ночь. Дорогой Эрик оставил полный холодильник (свежий заливной лосось, представьте себе!), и, конечно, у него лучший бар в Нью-Йорке — да и где бы то ни было. Некоторые напитки просто невероятны. Мы с Джоном выпили по нескольку рюмок, полежали в теплой ванне и улеглись — это было примерно в 0.15 — 0.30. Мы не спали, понимаете, просто лежали в постелях, выпивали и читали газеты. Это было прекрасное времяпровождение.

Примерно в пятнадцать минут второго раздался страшный стук в дверь квартиры и мужской крик: «Пожар! Пожар! Все наружу! Весь дом в огне!»

Естественно, мы подскочили. Пижамы мы привезли с собой, но никому из нас не пришло в голову взять халаты. К счастью, у дорогого Эрика отличная коллекция халатов, так что мы взяли по одному (я взял прекрасный халат из малинового жаккардового шелка), надели их, бросились в гостиную, открыли дверь... и увидели двух отвратительных людей в масках. Один был низенький, другой очень рослый. Рослый, наверняка главарь, сказал: «Пошли. Идемте с нами, и никто из вас не пострадает».

Как вполне можно представить, мы чуть не попадали в обморок. Джон закричал: «Не бейте по лицу, не бейте по лицу!» Он ведь актер театра — очень красивый парень. Но они нас не били, даже не прикасались к нам. Руки они держали в карманах, подозреваю, что у них было оружие. Нас повели к служебной лестнице в глубь здания. Мы вошли в квартиру 4-б, где было собрано несколько человек. Насколько я понял, туда привели всех, кто находился в здании, в том числе и швейцара. Один человек был ранен, из глаза у него сильно шла кровь. Его жена, бедняжка, плакала. Но, насколько я мог понять, никто физически не пострадал.

Нам предложили устраиваться поудобнее, что было смешно, поскольку такой старомодной, неудобной квартиры мы не видели в жизни. Джон сказал, что это была бы прекрасная декорация для спектакля «Мышьяк и старое кружево». Велели не кричать, не поднимать никакого шума и не оказывать никакого сопротивления, потому что они хотят только ограбить квартиры и не собираются никому причинять вреда. В известной мере они были вежливы, но чувствовалось, что при желании спокойно перережут нам глотки.

Вскоре грабители ушли, кроме одного, как я уверен, негра. Он стоял у двери, держа руки в карманах, и, видимо, был вооружен.

Остальное, я уверен, вы знаете лучше, чем я могу рассказать. Это было потрясающее испытание, и, хотя я много раз замечательно проводил время в Нью-Йорке, смею вас уверить, что теперь в Город Развлечений поеду очень нескоро.

Надеюсь, это поможет вам в сборе материалов о случившемся, и, если поедете в нашу сторону, непременно заглядывайте ко мне.

Искренне ваш (подпись) Джереми Маррин.

60

Показания НЙОП—ЭГМ—106А.

МАНН. Было двадцать минут второго. Может быть, половина второго. Все шло прекрасно. Всех собрали в квартире четыре-б, за исключением управляющего, спящего пьяным в своей квартире, и парнишки-калеки из квартиры 5-а. Итак, обезопасив дом, мы приступили ко второй фазе операции, для чего разделились на три команды.

ДОЗНАВАТЕЛЬ. Команды?

МАНН. Да. Человек, которого я знаю как Джона Андерсона, и я образовали первую команду. Мы двигались от подвала вверх. У него был какой-то список. Мы входили в квартиры. Я отпирал дверь и...

ДОЗНАВАТЕЛЬ. Отпирали замок?

МАНН. Ну... э... моя задача была чисто технической, понимаете. Потом входили в квартиру. Андерсон, у которого в руках был список, указывал мне, что делать.

ДОЗНАВАТЕЛЬ. Что это включало в себя?

МАНН. Ну... понимаете... открыть шкаф-сейф, встроенный сейф. Запертый чулан или шкаф. В таком роде. Потом, когда мы выходили из квартиры, туда входила вторая команда. Это были очень низенький человек, Томми — по-моему, женоподобный, и двое людей, известных мне как Эд и Билли. Томми, очевидно знавший ценность вещей, держал в руках копию андерсоновского списка. Он указывал братьям, что брать и нести в грузовик. Они были просто рабочей силой, понимаете.

ДОЗНАВАТЕЛЬ. Что они брали и несли в грузовик?

МАНН. Чего только не брали! Меха, триптих из квартиры управляющего, маленький сейф с наркотиками, обнаруженный у одного из врачей, драгоценные камни, картины, серебро, неограненные камни, предметы искусства, даже коврики и маленькие предметы мебели у декоратора из квартиры 5-а. Неожиданное сокровище было обнаружено в кабинете терапевта на первом этаже. Когда я открыл дверь, этот Андерсон вошел, направился прямо к чулану и там, на задней полке, обнаружил коробку из-под обуви, где лежало много денег. На мой взгляд, не менее десяти тысяч долларов. Налоговое управление заинтересовалось бы этим... найн?

ДОЗНАВАТЕЛЬ. Возможно. У вас не возникало трудностей при отпирании дверей и сейфов?

МАНН. Нет, замки были весьма примитивные. Когда мы прошли третий этаж, я был уверен, что оставленные в грузовике резаки и баллоны не понадобятся. Откровенно говоря, задача не представляла сложностей. Простейшая. Все шло хорошо.

ДОЗНАВАТЕЛЬ. Вы упомянули три команды. Кто был в третьей?

МАНН. Негр и тот грубый человек. Им было приказано охранять людей, собранных в квартире четыре-б, и еще приглядывать за парнишкой-калекой в квартире пять-а. Они были, что называется, физической силой. В выносе вещей из дома они не принимали прямого участия — и, конечно, я тоже, понимаете. Их обязанностью было держать дом в тишине, пока он не будет очищен.

ДОЗНАВАТЕЛЬ. И все шло хорошо?

МАНН. Замечательно! Прекрасно! Все было организовано превосходно. Я восхищался человеком, которого знаю как Джона Андерсона.

61

Отрывок из показаний Джералда Бингема-младшего представителю окружной прокуратуры. Полностью его показания записаны на пленку НЙОП № 145—113А—113Г, в расшифровке (НЙОП № 145—113АР—113ГР) они составляют сорок три машинописных страницы.

Ниже приводится отрывок, освещающий самый критический период в деятельности свидетеля. Сведения, упомянутые в предыдущих и последующих показаниях, опущены.

СВИДЕТЕЛЬ. Я услышал, как закрылась дверь в квартиру, и взглянул на свои часы, лежащие на ночном столике. Было девять минут тридцать семь секунд второго. У меня был хронометр «Омега». Я так и не получил его назад. Прекрасный механизм. Очень точный. Думаю, они убегали не больше, чем на три минуты в год. Знаете, их очень удобно носить на руке. Во всяком случае, я заметил время. Само собой, я не был уверен, что оба грабителя ушли из квартиры. Однако слух у меня очень острый — возможно, из-за моей физической немощи. Это интересная тема для научного исследования: может ли паралич ног оказывать влияние на чувства — как при слепоте обостряются обоняние и слух. Что ж, когда-нибудь...

Я решил, что грабители вернутся посмотреть, что я делаю, минут через десять. Собственно говоря, я услышал, как открылась дверь гостиной минут через семь после их ухода. Человек в маске вошел в квартиру, пошел в спальню и взглянул на меня. Это был не тот, кто разговаривал со мной раньше. Пониже и потолще. Он просто взглянул на меня, не сказав ни слова. Потом увидел на ночном столике мой хронометр, взял его, сунул в карман и ушел. Это разозлило меня. Я уже решил сорвать их планы, и это послужило дополнительным стимулом. Не люблю, когда трогают мои вещи. Родители это знают и считаются с моими желаниями.

Услышав, как закрылась дверь гостиной, я начал считать, используя метод, которым пользуются профессиональные фотографы для отсчета секунд: «Сто один, сто два...» и так далее. Считая, я поднял трубку телефона, стоящего на ночном столике. Как я и подозревал, телефон не работал. Решил, что они перерезали в подвале ввод. Это меня не волновало.

Я решил, что они будут проверять меня через десять минут раза два. Потом, видя, что я не пытаюсь удрать или поднять тревогу, станут приходить реже. Так и оказалось. Первый визит, как я уже сказал, состоялся через семь минут после их ухода. Второй — через одиннадцать минут тридцать семь секунд после первого. Третий — через шестнадцать минут семь секунд после второго — на сей раз приходил худощавый человек повыше. Я решил, что четвертый визит состоится минут через двадцать после третьего. И предположил, что в моем распоряжении по меньшей мере десять минут. Использовать все двадцать я не хотел, боялся подвергнуть опасности родителей или других жильцов дома, которые старались быть со мной любезными.

Вы должны понять, что, хотя ноги у меня парализованы, верхняя часть туловища развита очень хорошо. Отец трижды в неделю возит меня в частный клуб здоровья. Я очень хорошо плаваю, могу заниматься на параллельных брусьях, и Пол — это тренер, — по его словам, не видел, чтобы кто-то так быстро лазал по канату. Руки и плечи у меня очень мускулистые.

Услышав, что после третьего визита одного из этих негодяев дверь закрылась, я сбросил простыню и стал сползать на пол. Естественно, как можно тише. Я не хотел производить тяжелых ударов, которые могли бы встревожить грабителей, окажись они в квартире четыре-а, прямо под нами. Поэтому сполз верхней частью туловища на пол и, касаясь пола спиной и плечами, взял руками ноги и спустил. Все это время я отсчитывал секунды, вы понимаете. Я хотел закончить все в течение десяти минут, которые сам себе отвел, и вернуться в постель до следующей проверки.

Я пополз, выбрасывая руки вперед и опираясь о пол предплечьями. Вешу я почти сто семьдесят пять фунтов, поэтому двигаюсь медленно. Помню, я пытался подсчитать физические коэффициенты — углы, работающие мышцы, требуемую силу, трение ковра — такие вот вещи. Но это неважно. В течение трех минут я добрался до своего чулана — высокого, с северной стороны моей спальни, а не южного, где хранится одежда.

Когда я стал интересоваться электроникой, отец убрал из чулана крючки, вешалки и стойки. Потом вызвал плотника, чтобы установить полки и столик на нужной высоте для сидящего в кресле-каталке. И в этом чулане я разместил всю свою аппаратуру. Имеется в виду не только коротковолновый приемник-передатчик, но также и высокочастотная аппаратура, соединенная с динамиками в моей спальне, в гостиной и в спальне родителей. У меня два разных проигрывателя, так что родители могут слушать одну долгоиграющую пластинку, в то время как я слушаю другую, при желании можно прослушивать разные магнитофонные пленки. Это очень разумное устройство, потому что они любят музыку бродвейских зрелищ — записанную во время исполнения, — а мне нравятся Бетховен, Бах и еще Гилберт и Салливен.

Возможно, вам будет интересно узнать, что всю аппаратуру в чулане я собрал сам из наборов для домашнего умельца. Скажи я вам, сколько соединений пришлось мне спаять, вы бы не поверили. Это дало не только значительную экономию по сравнению со стоимостью готовой аппаратуры, но и по ходу работы мне удалось внести еще кой-какие улучшения — незначительные, разумеется, — которые дали нам прекрасное стереозвучание пленок, долгоиграющих пластинок и частотную модуляцию радио. Сейчас я собираю кассетный проигрыватель на рабочем столе слева от контрольной панели. Ну хватит об этом...

Потянувшись вверх, я открыл дверцу чулана. Однако рабочий стол и управление коротковолновым передатчиком казались недосягаемо высокими. Но, к счастью, плотник, который устанавливал стол, строил крепко, и я смог подтянуться. Было больно, но терпимо. Здесь надо отметить, что моя антенна находится на крыше соседнего дома. Это восемнадцатиэтажный жилой дом, и он сильно возвышается над пятиэтажками. Отец уплатил за установку антенны и еще платит ежемесячный взнос десять долларов. Антенна идет по стене высокого здания и входит в окно моей спальни. Это несовершенное устройство, но явно лучше, чем иметь антенну на нашем балконе, блокируемую окружающими зданиями.

Вися на руках, я включил аппаратуру и терпеливо ждал, чтобы она нагрелась. Само собой, я все еще продолжал отсчет и понимал, что с тех пор, как я сполз с кровати, прошло пять минут. Примерно через тридцать секунд я начал передачу. Разумеется, я передал свои позывные, сообщил, что в Нью-Йорке на Восточной Семьдесят третьей стрит в доме пятьсот тридцать пять происходит ограбление, и попросил сообщить об этом в нью-йоркское управление полиции. Времени включать приемник и ждать подтверждения у меня не было. Я просто непрерывно вел передачу в течение двух минут, повторяя одно и то же, в надежде, что кто-то окажется настроен на мою волну.

Рассчитав, что после того, как я вылез из постели, прошло семь минут, я выключил аппаратуру, сполз на пол, закрыл дверцу чулана, дополз до кровати, вскарабкался и лег под простыню. Я немного устал.

Я был рад, что не воспользовался полностью двадцатью минутами, которые, как я считал, будут в моем распоряжении до четвертого визита, потому что один из грабителей зашел ко мне в спальню через шестнадцать минут тридцать семь секунд. Это был тот высокий, стройный человек, что устраивал предыдущую проверку.

— Ведешь себя как сказано? — добродушно спросил он. По голосу я догадался, что это негр.

— Да, — ответил я. — В любом случае передвигаться я не могу.

Он кивнул и сказал:

— У всех свои беды.

Потом ушел, и больше я его не видел. Я лежал, возвращаясь мысленно к тому, что только что сделал.

Пытался анализировать проблему, понять, мог ли я сделать что-то еще, но не мог представить что — не подвергая опасности родителей и других жильцов. Я надеялся, что меня кто-то услышал, и считал, что при везении кто-то должен был услышать. Везение, знаете ли, очень важно. А я везучий, в чем не раз убеждался.

Еще, если быть откровенным, я думал, что грабители очень глупы. Они, видимо, хорошо обследовали наш дом, но упустили одну вещь, могущую свести на нет все их старания.

Я мог бы спланировать преступление гораздо лучше.

62

НЙУП—ССР № 146—83С.

ХЭСКИНС. О Господи, Томми, это было замечательно. Замечательно! Примерно два часа, может, чуть больше. Первая команда работает на третьем этаже. Вторая во главе со мной заканчивает дело в квартирах два-а и два-б. Что мы нашли там, ты не поверишь! Из квартиры этого педика взяли картины, небольшие ковры, несколько предметов антикварной мебели, коллекцию неограненных камней, два оригинала Пикассо и один Клее. В квартире два-б из сейфа, который открыл технарь, — шикарную диадему, жемчужное ожерелье, а также очень скромное рубиновое колье, которое я сунул в карман, решив, что Кусаке оно очень понравится. Как-никак она тоже принимала участие в этом деле — хотя было приказано, чтобы все шло в грузовик. Когда мы очистили первый этаж, я знал, что мы уже получили больше, чем рассчитывали. У бывшего ювелира в квартире три-а оказалось много мешочков с неограненными алмазами — в основном промышленными, но было и несколько очень славных камешков. Маленькая предосторожность на случай инфляции. У технаря ушло меньше трех минут на открытие сейфа — притом без резака. Я знал, что мы взяли не меньше четверти миллиона. А то и больше. С третьего этажа мы собирались подняться на пятый, очистить его, а потом спуститься на четвертый, где содержались все жильцы. Но я уже знал, что все будет отлично — гораздо больше, чем мы рассчитывали. Знал, что квартира старух, четыре-б, окажется настоящей сокровищницей. И надеялся, что, возможно, у нас окажется полмиллиона. Господи, какая удача! Все шло как по маслу.

63

Вводные абзацы статьи, опубликованной в «Нью-Йорк таймс» 2 июля 1968 года. Статья опубликована на первой странице второй секции газеты за подписью Дэ-

7 Заказ 2107

вида Бернзема, авторское право принадлежит «Нью-Йорк таймс».

Статья озаглавлена «Мэр торжественно открывает центр срочных вызовов полиции».

Вчера мэр Линдсей торжественно открыл узел связи в полиции, стоимость которого составила 1,3 миллиона долларов. Теперь время на выезд по срочному вызову граждан сократится примерно вдвое.

«Замечательная новая электронная система связи, которую мы вводим в действие сегодня утром, окажет влияние на жизнь каждого жителя Нью-Йорка в любой части города, в любое время суток», — сказал мистер Линдсей на церемонии, проходящей в просторном, лишенном окон, снабженном кондиционерами узле связи на четвертом этаже массивного старого здания управления полиции на Сентр-стрит, 240.

«Возможно, это самое важное событие за время моего пребывания на посту мэра, — сказал мистер Линдсей. — Больше ни один житель города, попавший в беду, не будет подвергаться риску лишиться жизни или собственности из-за устаревшей системы связи».

Мэр торжественно открыл новую систему почти через месяц после того, как она вступила в действие.

За этот период время ответа на срочные вызовы снизилось примерно с двух минут до пятидесяти пяти секунд благодаря комплексу взаимосвязанных изменений в системе связи полиции.

Во-первых, сократилось время набора номера благодаря тому, что семизначный номер срочного вызова — 440-1234 — заменен трехзначным — 911.

Во-вторых, время, необходимое полиции для ответа на срочный вызов, сократилось благодаря увеличению количества сотрудников, принимающих вызовы в критические периоды, с 38 до 48 и тому, что все они размещены в одном помещении, где все под рукой, чтобы управлять любой чрезвычайной ситуацией, которая может возникнуть в каком-либо из районов. При старой системе связи, когда гражданин набирал 440-1234, его вызов шел в отдельный узел связи, расположенный в том районе, откуда он делал вызов.

64

Данный раздел — и аналогичные, приведенные ниже — представляет собой различные фрагменты круглосуточной магнитофонной записи в период с полуночи 31 августа до полуночи 1 сентября в нью-йоркском узле связи полиции, Манхеттен, Сентр-стрит, 240.

Пленка НЙУПС—31/VIII—1/IX. Время 2.14.03.

ПОЛИЦЕЙСКИЙ. Нью-йоркское управление полиции. Могу я помочь вам?

ТЕЛЕФОНИСТКА. Это нью-йоркское управление полиции?

ПОЛИЦЕЙСКИЙ. Да, мэм. Могу я помочь вам?

ТЕЛЕФОНИСТКА. Это нью-йоркская телефонная компания. Мой номер сорок один — пятьдесят шесть. Вы можете подождать минутку?

ПОЛИЦЕЙСКИЙ. Да.

(Пауза четырнадцать секунд).

НЬЮ-ЙОРКСКАЯ ТЕЛЕФОНИСТКА. Мэн, я соединила вас с нью-йоркским управлением полиции. Говорите, пожалуйста.

МЭНСКАЯ ТЕЛЕФОНИСТКА. Спасибо, Нью-Йорк. Алло? Это нью-йоркское управление полиции?

ПОЛИЦЕЙСКИЙ. Да, мэм. Могу я помочь вам?

МЭНСКАЯ ТЕЛЕФОНИСТКА. Говорит телефонистка из Грешема, штат Мэн. У меня заказ на платный разговор с кем-нибудь из нью-йоркского управления полиции от шерифа округа Корнерс Джонатана Приблса. Возьмете вы на себя оплату, сэр?

ПОЛИЦЕЙСКИЙ. Прошу прощенья? Не понял.

МЭНСКАЯ ТЕЛЕФОНИСТКА. У меня вызов кого-нибудь из нью-йоркского управления полиции от шерифа округа Корнерс, штат Мэн, Джонатана Приблса. Вызов платный. Возьмете вы на себя оплату, сэр?

ПОЛИЦЕЙСКИЙ. Какого рода разговор?

МЭНСКАЯ ТЕЛЕФОНИСТКА. Возьмете вы на себя оплату, сэр?

ПОЛИЦЕЙСКИЙ. Можете подождать минутку?

МЭНСКАЯ ТЕЛЕФОНИСТКА. Да, сэр.

(Пауза шестнадцать секунд).

О'НАСКА. Сержант О'Наска.

ПОЛИЦЕЙСКИЙ. Серж, это Джеймсон. У меня платный вызов от какого-то шерифа из штата Мэн. Они хотят знать, возьмем ли мы оплату на себя.

О'НАСКА. Платный вызов?

ПОЛИЦЕЙСКИЙ. Да.

О'НАСКА. В чем там дело?

ПОЛИЦЕЙСКИЙ. Они не скажут, пока мы не возьмем оплату на себя.

О'НАСКА. Черт возьми. Подожди, сейчас приду.

ПОЛИЦЕЙСКИЙ. Ладно, Серж.

(Пауза сорок семь секунд).

О'НАСКА. Алло? Алло? Это сержант Адриан О'Наска из нью-йоркского управления полиции. С кем я говорю?

МЭНСКАЯ ТЕЛЕФОНИСТКА. Сэр, это телефонистка из Грешема, штат Мэн. У меня заказ на платный разговор с кем-нибудь в нью-йоркском управлении полиции от шерифа Джонатана Приблса из округа Корнерс, штат Мэн. Возьмете вы на себя оплату, сэр?

О'НАСКА. В чем там дело?

МЭНСКАЯ ТЕЛЕФОНИСТКА. Возьмете вы на себя оплату, сэр?

О'НАСКА. Подождите минутку... Джеймсон, сколько может стоить разговор с Мэном?

ДЖЕЙМСОН. Доллара два. Зависит от продолжительности разговора. Я каждый месяц звоню родным в Лейнленд, штат Флорида. Обходится доллара два-три, смотря по тому, сколько мы разговариваем.

О'НАСКА. Не возместят мне этих денег. Зажмут. Вот увидишь... Ладно, телефонистка, пусть шериф говорит.

ТЕЛЕФОНИСТКА. Говорите, сэр. Сержант Адриан О'Наска из нью-йоркского управления полиции на проводе.

ШЕРИФ. Привет. Слушаете, сержант?

О'НАСКА. Слушаю.

ШЕРИФ. Так... приятно поговорить с вами. Какая у вас погода?

О'НАСКА. Шериф, я...

ШЕРИФ. Знаете, та неделя у нас была дождливая. Четыре дня лило как из ведра. Однако вчера развиднелось. Сегодня небо ясное. Видны звезды.

О'НАСКА. Шериф, я...

ШЕРИФ. Но звоню я по другому поводу.

О'НАСКА. Рад это слышать, шериф.

ШЕРИФ. Сержант, у нас тут неподалеку живет один парнишка. Умнющий как черт. Уилли Данстон. Второй сын старого Сэма Данстона. Сэм фермерствует в этих краях двести лет. Если не он, то его семья. Так вот, Уилли самый умный на моей памяти парнишка в этих краях. Мы им гордимся. Он выигрывает все призы. Опубликовал свою писанину в научном журнале. Ребята сейчас пошли, скажу я вам!

О'НАСКА. Шериф, я...

ШЕРИФ. Уилли последний год учится в школе. Интересуется всеми научными штучками. Смастерил себе телефон, и я видел собственными глазами маленькую метеостанцию, которую он соорудил собственноручно. Хочешь знать, какая погода завтра в Нью-Йорке, нужно только спросить у него.

О'НАСКА. Спрошу обязательно. Но, шериф, я...

ШЕРИФ. И еще Уилли соорудил радиоприемник, стоит он в углу сарая, который старый Сэм уступил ему. Вы знаете о коротковолновом радио, сержант?

О'НАСКА. Да, знаю. Знаю.

ШЕРИФ. Ну вот, минут пятнадцать-двадцать назад Уилли позвонил мне. Сказал, что сегодня субботняя ночь, завтра он сможет спать долго, и потому сидел в углу своего сарая, слушал радио и говорил с людьми. Знаете, какие они, коротковолновики-любители.

О'НАСКА. Знаю. Говорите дальше.

ШЕРИФ. Уилли сказал, что поймал передачу из Нью-Йорка. Говорит, тщательно зарегистрировал ее, было две минуты третьего. Вы поняли, сержант?

О'НАСКА. Понял.

ШЕРИФ. Говорит, что передачу вел один очень умный парнишка из Нью-Йорка, с которым он разговаривал раньше. Тот парнишка сказал, что в это время в многоквартирном доме, где он живет, происходит ограбление. Адрес: Восточная Семьдесят третья стрит, пятьсот тридцать пять. Поняли, сержант?

О'НАСКА. Понял. Восточная Семьдесят третья стрит, пятьсот тридцать пять.

ШЕРИФ. Точно. Так вот, Уилли сказал, что тот парнишка не вел приема и не отвечал на вопросы. Только сказал, что в доме идет грабеж и, если кто услышит его, пусть позвонит в нью-йоркскую полицию. Поэтому Уилли позвонил мне. Поднял с постели. Я стою раздетый. Может, за этим ничего и нет. Знаете, как эти ребята любят подурачиться. Но все же я решил позвонить и сообщить вам.

О'НАСКА. Шериф, большое спасибо. Вы поступили совершенно правильно, и мы вам благодарны.

ШЕРИФ. Дайте мне знать, как обернется дело, ладно?

О'НАСКА. Непременно. Спасибо, шериф. До свидания.

ШЕРИФ. До свидания. Теперь это ваша забота.

(Пауза шесть секунд).

ДЖЕЙМСОН. О Господи.

О'НАСКА. Ты слушал разговор?

ДЖЕЙМСОН. Конечно, слушал. Черт знает что —

звонит какой-то шериф из Мэна и сообщает, что у нас совершается преступление.

О'НАСКА. По-моему, это чушь, но как рисковать, если все это записано на пленку? Пошли туда машину. Это сектор Г, так ведь? Скажи, пусть едут на Восточную Семьдесят третью стрит к дому пятьсот тридцать пять. Пусть не останавливаются — просто объедут дом, посмотрят и доложат.

ДЖЕЙМСОН. Ладно. Шериф оказался болтливым... верно?

О'НАСКА. Еще бы. Под конец я совсем вышел из себя.

2.23.41.

ДИСПЕТЧЕР. Машина Г—три, машина Г—три.

Г—3. Г—три слушает.

ДИСПЕТЧЕР. Езжайте на Восточную Семьдесят третью стрит к дому пятьсот тридцать пять. Сигнал девять-пять. Предельная осторожность. Доложите как можно скорее.

2.24.13.

ПОЛИЦЕЙСКИЙ. Нью-йоркское управление полиции. Могу я помочь вам?

ГОЛОС. Меня зовут Эверетт Уилкинс-младший. Я живу в Талсе, штат Оклахома, и отсюда звоню. Я радиолюбитель и совсем недавно поймал...

2.27.23.

ПОЛИЦЕЙСКИЙ. Нью-йоркское управление полиции. Могу я помочь вам?

ГОЛОС. Привет! Это начальник полиции из Ориндж-Сити, штат Флорида. У нас тут есть парнишка, помешанный на электронике и коротковолновом радио, так он говорит...

2.28.12.

О'НАСКА. Черт возьми!

2.34.41.

Г—3. Машина Г—три докладывает.

ДИСПЕТЧЕР. Говорите, третий.

Г—3. По вашему сигналу девять-пять. Пятиэтажный жилой дом. Вестибюль освещен, но там никого не видно. У служебного подъезда стоит грузовик. Мы видели, как двое грузили туда что-то похожее на ковер. На них вроде бы маски.

ДИСПЕТЧЕР. Оставайтесь там. Но не на виду, спрячьтесь куда-нибудь за угол.

Г—3. Ясно.

2.35.00.

ДЖЕЙМСОН. Серж, машина докладывает, что это пятиэтажный жилой дом. В вестибюле никого. У служебного подъезда грузовик. Двое вроде бы в масках грузят в кузов что-то похожее на ковер.

О'НАСКА. Так. Кто на дежурстве — Либман?

ДЖЕЙМСОН. Нет, сержант. Его сыну сегодня сделали обрезание — вернее, уже вчера. Он поменялся сменами с лейтенантом Финелли.

О'НАСКА. Скажи ему, пусть спустится сюда.

ДЖЕЙМСОН. Кажется, он пошел в ресторан Реди напротив.

О'НАСКА. Так вызови его, черт возьми! И позвони в телефонную компанию. Узнай номер телефона в вестибюле по этому адресу.

2.41.15.

ПОЛИЦЕЙСКИЙ. Нью-йоркское управление полиции. Могу я помочь вам?

ГОЛОС. Меня зовут Роналд Трайджер, я живу в Балтиморе, штат Мериленд, Сент-Луис-стрит, сорок один, тридцать два. Я радиолюбитель и услышал...

2.48.08.

ПОЛИЦЕЙСКИЙ. Нью-йоркское управление полиции. Могу я помочь вам?

ГОЛОС. Это лейтенант Доналд Бреннон, Чикаго. Мы поймали передачу из Нью-Йорка, там сообщается...

2.49.32.

ДЖЕЙМСОН. Серж, телефонная компания говорит, что номер вестибюльного телефона в том доме пять-пять-пять, девять-ноль, семь-восемь.

О'НАСКА. Позвони по нему.

ДЖЕЙМСОН. Слушаюсь, сэр.

2.49.53.

ФИНЕЛЛИ. Что здесь происходит, черт возьми?

65

НЙУП № 146—83С.

ХЭСКИНС. Теперь без четверти три, может, чуть меньше. Мы все были в квартире пять-б. Вторая команда поравнялась с первой. Технарь возился с сейфом. Это квартира Лонджина, театрального продюсера. Мы уже завладели его коллекцией камней, и братья отнесли в грузовик очень хороший ковер. Мы думали, что в сейфе хранятся наличные Лонджина и драгоценности его жены — если она его жена, в чем лично я склонен сомневаться. Потом Эд Бродски, тяжело дыша, вбежал в квартиру. Он бегом поднимался по лестнице. Сказал Герцогу, что, когда они с братом грузили в кузов ковер, мимо проехала патрульная машина. Герцог жутко выругался и сказал, что машина, патрулирующая улицу, в это время должна стоять «в курятнике».

ДОЗНАВАТЕЛЬ. Он так и сказал — «в курятнике»?

ХЭСКИНС. Да, Томми, именно так. Потом спросил Эда, видели его полицейские или нет. Эд сказал, что точно не знает, но думает, что видели. Когда машина проезжала мимо, Эд с братом как раз выносили ковер из служебной двери. Лестница там была освещена, чтобы братья, спускаясь с грузом, не сломали шею. Эд сказал, что, кажется, видел какое-то белое пятно, когда лицо водителя повернулось к нему. Оба они, конечно, были еще в масках.

ДОЗНАВАТЕЛЬ. Что сказал на это Андерсон?

ХЭСКИНС. Постоял немного в раздумье. Потом отозвал меня в угол и сказал, что решил побыстрее закругляться. Брать только те вещи, которые не вызывают сомнений. И мы с ним посмотрели наши списки. Решили осмотреть встроенный сейф в квартире пять-б, над которым бился технарь. Квартиру пять-а пропустить. Ту, где в спальне лежал парень-калека. Затем спуститься в квартиру четыре-а, взять коллекцию монет Шелдона и вскрыть встроенный сейф. И все. Потом перевести всех жильцов из четыре-б в четыре-а и забрать все, что сможем, в квартире миссис Хэтуэй, где, как я и предполагал, была настоящая сокровищница. Итак, на этом мы порешили, и Герцог велел всем пошевеливаться — нас заметили. Тут же отправил негра в вестибюль, приказал притаиться там и сообщать о действиях полиции на улице. Маньяк из Детройта должен был охранять людей в квартире четыре-а. Тут технарь открыл, наконец, сейф Лонджина, мы взяли неплохую шкатулку бриллиантов, несколько облигаций и не менее двадцати тысяч наличными. Я счел это хорошим предзнаменованием, хотя мне не нравилось, что снаружи разъезжает патрульная машина.

66

Продолжение фрагментов круглосуточной пленки НЙУПС—31/VIII—1/IX.

2.52.21.

ДЖЕЙМСОН. Сэр, телефон в том вестибюле не отвечает. Даже не звонит.

ФИНЕЛЛИ. Позвони снова в телефонную компанию. Спроси, известно ли им что о повреждениях. Сержант!

О'НАСКА. Сэр?

ФИНЕЛЛИ. Капитан выбрал удачный выходной, чтобы укатить в Атлантик-Сити.

О'НАСКА. Да, сэр.

ФИНЕЛЛИ. Кто дежурный инспектор?

О'НАСКА. Абрахамсон, сэр.

ФИНЕЛЛИ. Подними его. Скажи, что происходит. Как только что-то узнаем, сообщим ему.

О'НАСКА. Слушаюсь, сэр.

ФИНЕЛЛИ. Ты... как твоя фамилия?

ПОЛИЦЕЙСКИЙ. Бейли, сэр.

ФИНЕЛЛИ. Бейли, принеси подробную карту двести пятьдесят первого участка. Посмотрим, какие дома стоят позади пятьсот тридцать пятого по Восточной Семьдесят третьей стрит. Это на северной стороне, так что задний дом будет находиться на южной стороне Семьдесят четвертой. Может, пятьсот тридцать четвертый или пятьсот тридцать шестой. Раздобудь его описание.

БЕЙЛИ. Слушаюсь, сэр.

2.52.49.

ФИНЕЛЛИ. Я тебе нужен?

ДЖЕЙМСОН. Сэр, в телефонной компании говорят, что линия в том вестибюле совершенно не работает. Они не знают почему. И ни один телефон по этому адресу не отвечает.

ФИНЕЛЛИ. Кто сказал им, чтобы они проверили другие телефоны по этому адресу?

ДЖЕЙМСОН. Я, сэр.

ФИНЕЛЛИ. Как тебя зовут?

ДЖЕЙМСОН. Марвин Джеймсон, сэр.

ФИНЕЛЛИ. Колледж?

ДЖЕЙМСОН. Двухгодичный, сэр.

ФИНЕЛЛИ. Ты отлично несешь службу, Джеймсон. Я этого не забуду.

ДЖЕЙМСОН. Спасибо сэр.

2.59.03.

БЕЙЛИ. Лейтенант, позади дома пятьсот тридцать пять находится пятьсот тридцать шестой по Восточной Семьдесят четвертой стрит. Это десятиэтажный жилой дом с небольшой мощеной площадкой позади.

ФИНЕЛЛИ. Хорошо. Кто вел разговор с машиной, из которой видели людей в масках — или как будто бы в масках?

ДЖЕЙМСОН. Я с диспетчером, сэр.

ФИНЕЛЛИ. Опять ты? Какой номер машины?

ДЖЕЙМСОН. Г—три, сэр.

ФИНЕЛЛИ. Где она сейчас?

ДЖЕЙМСОН. Я выясню, сэр.

ФИНЕЛЛИ. Побыстрее. Сержант.

О'НАСКА. Сэр?

ФИНЕЛЛИ. Как думаешь, нужно вызывать инспектора?

О'НАСКА. Думаю, да, сэр.

ФИНЕЛЛИ. И я тоже. Вызови и поторопи его водителя.

3.01.26.

ДЖЕЙМСОН. Лейтенант.

ФИНЕЛЛИ. Да?

ДЖЕЙМСОН. Машина Г—три стоит неподалеку на Восточной Семьдесят третьей стрит.

ФИНЕЛЛИ. Скажи, пусть едут на Восточную Семьдесят четвертую к дому пятьсот тридцать шесть. Без сирены. Пусть заберутся на крышу или на любой этаж, откуда можно смотреть сверху на дом пятьсот тридцать пять. Скажи, пусть докладывают о любых действиях там. Понятно?

ДЖЕЙМСОН. Да, сэр.

О'НАСКА. Лейтенант, инспектор выехал. Но живет он в Куинсе. Дорога займет не меньше получаса.

ФИНЕЛЛИ. Хорошо. Может, там ничего и нет. Позвони в двести пятьдесят первый участок, поговори с дежурным сержантом. Скажи ему, что происходит. Узнай, где его ближайшие патрульные. Пошли туда еще три машины. Пусть стоят на Восточной Семьдесят третьей стрит, без огней. Скажи дежурному сержанту, что мы пришлем на помощь еще две машины из сектора Д. Ты можешь справиться с этим сам. И будем держать его в курсе дела. Давай подумаем — ничего мы не упустили?

О'НАСКА. Оперативные патрульные силы, сэр?

ФИНЕЛЛИ. Да благословит тебя Бог. Но что может быть у них в распоряжении? Ведь праздник.

О'НАСКА. Один автобус. Двадцать человек. Приведу их в боевую готовность.

ФИНЕЛЛИ. Хорошо. Хорошо.

О'НАСКА. А я даже не учился в колледже.

67

Дополнительный отрывок из показаний, продиктованных представителю окружной прокуратуры Джералдом Бингемом-младшим, жильцом квартиры 5-а, Восточная Семьдесят третья стрит, 535, взят с пленки НЙОП № 146—113А—113Г, в расшифровке НЙОП № 146—113АР—113ГР.

СВИДЕТЕЛЬ. Я решил, что уже около трех часов ночи. Из квартиры напротив слышались голоса и шум возни. Подумал, что грабители очищают квартиру пять-б и скоро доберутся до нашей. Это вызвало у меня легкую тревогу, так как я был уверен, что они найдут аппаратуру в чулане моей спальни. Однако меня утешало, что, возможно, они не догадаются о ее назначении. Не поймут, что это коротковолновый передатчик. Возможно, мне удалось бы убедить их, что это часть нашей звуковоспроизводящей системы.

В любом случае, вы понимаете, я хотя и побаивался — у меня все тело было покрыто потом, — но не особенно беспокоился о том, что со мной сделают грабители. Они не могли знать, что я пользовался рацией. И не верилось, что меня убьют. Я думал, что они могут меня избить, если поймут, что представляет собой аппаратура, и подумают, что я мог работать на ней. Но к боли мне не привыкать, и эта перспектива меня не особенно тревожила. Но беспокоила мысль, что они могут избить мать и отца.

Однако все мои страхи оказались напрасными. По причинам, которых я тогда не сознавал, они совершенно не стали грабить нашу квартиру. Единственным, кто входил, был тот высокий, худощавый человек, который раньше унес мои кресло и костыли. Он вошел, встал у моей кровати и спросил:

— Ведешь себя, как сказано?

Я ответил:

— Да, сэр.

И тут же удивился, почему назвал его «сэр». Я и к отцу так не обращаюсь. Но в этом человеке с маской что-то было. Я много думал о нем после событий той ночи и решил, что не совсем понятно почему — у него не были властными вид и манеры. Почему-то, не знаю почему, он вызывал к себе почтение.

Во всяком случае, он кивнул и огляделся.

— Твоя комната? — спросил он.

— Да, — ответил я.

— Только твоя. — Он снова кивнул. — В твои годы я жил в комнате чуть побольше этой с матерью, отцом и пятью братьями и сестрами.

— Покойный Джон Ф. Кеннеди говорил, что жизнь несправедлива, — сказал я ему.

Он засмеялся и ответил:

— Да, это верно. И каждый старше четырех лет, не понимающий этого, просто дурак. Кем ты хочешь быть, парень?

— Ученым, — с готовностью ответил я. — Заниматься либо медициной, либо электроникой, либо космической технологией. Я еще не решил.

— Ученым? — повторил он. — За это хорошо платят?

Я ответил, что да, что я уже получил предложения от двух колледжей и что, если открыть что-то действительно важное, можно стать мультимиллионером. Не знаю, почему я говорил ему это, правда, казалось, он искренне этим интересовался. По крайней мере у меня создалось такое впечатление.

— Мультимиллионером? — повторил он. Потом оглядел комнату — книги, рабочий стол, космические карты, которые я развесил на стенах. — Мне бы... — начал было он, но не договорил.

— Сэр? — сказал я.

— Мне бы никогда не понять всю эту муру, — сказал он и засмеялся. Потом добавил: — Веди себя по-прежнему тихо, слышишь? Мы скоро уйдем. Постарайся заснуть.

После этого повернулся и вышел. Я потом видел его еще раз, мельком. Мне казалось, что если б он... казалось, что я мог бы быть хорошим... казалось, что он и я могли бы... боюсь, я объясняю не очень понятно. Я и сам не знаю толком, что мне тогда казалось.

68

Продолжение фрагментов круглосуточной пленки НЙУПС—31/VIII—1/IX.

3.14.32.

О'НАСКА. Лейтенант, мы получили рапорт полицейского Мейера из машины Г—три. Он поднялся на крышу дома пятьсот тридцать шесть по Восточной Семьдесят четвертой стрит. Говорит, что в пятьсот тридцать пятом доме по Семьдесят третьей стрит все окна зашторены. В нескольких квартирах горит свет. Служебная лестница в задней части дома тоже освещена. На каждом этаже есть незавешенное окно, выходящее на служебную лестницу. Мейер говорит, что видел людей в масках, несущих вещи вниз по лестнице и складывающих их в грузовик, стоящий у служебного подъезда.

ФИНЕЛЛИ. Сколько человек он видел?

О'НАСКА. Говорит, что минимум пятерых разных людей, может, и больше.

ФИНЕЛЛИ. Пятерых? Господи, что ж это будет — перестрелка в загоне? Поднимай оперативную группу. Боевая тревога. Скажи, пусть остановятся на Восточной Семьдесят второй и ждут дальнейших указаний. Вызвал ты три другие машины?

О'НАСКА. Да, сэр. Стоят неподалеку оттуда, примерно в одном квартале.

ФИНЕЛЛИ. Перекрой Восточную Семьдесят третью. Поставь одну машину поперек Ист-Энд-авеню, другую на Йорк-авеню.

О'НАСКА. Понял.

ФИНЕЛЛИ. Передай Г—три, пусть стоят на месте. Пошли третью машину к ним.

О'НАСКА. Ладно.

ФИНЕЛЛИ. Теперь давай подумаем — в доме должны быть жильцы.

О'НАСКА. Да, сэр, сейчас выходной, и многие, наверно, уехали, но в доме должен кто-то быть — управляющий, швейцар, парень, который передал сообщение по рации. Может, и еще кое-кто.

ФИНЕЛЛИ. Соедини меня с дежурным сержантом в двести пятьдесят первом участке. Ты его знаешь?

О'НАСКА. Да, сэр. Это мой брат.

ФИНЕЛЛИ. Шутишь?

О'НАСКА. Нет, сэр. Действительно мой брат.

ФИНЕЛЛИ. Что это за участок?

О'НАСКА. Очень напряженный. Капитан Делэни живет рядом в перестроенном особняке. То и дело заявляется к ним даже в свободное время.

ФИНЕЛЛИ. Неужели «Ретивый» Делэни?

О'НАСКА. Он самый.

ФИНЕЛЛИ. Ну и ну! Прекратятся когда-нибудь чудеса? Соедини меня с ним, ладно? Нам нужен командир на месте происшествия.

О'НАСКА. Сейчас, лейтенант.

3.19.26.

ДЕЛЭНИ. Понятно... Как ваша фамилия?

ФИНЕЛЛИ. Лейтенант Джон К. Финелли, сэр.

ДЕЛЭНИ. Лейтенант Финелли, сейчас я повторю то, что вы сообщили. Если в чем-нибудь ошибусь, поправьте, когда договорю. Понятно?

ФИНЕЛЛИ. Да, сэр.

ДЕЛЭНИ. У вас есть основания полагать, что на Восточной Семьдесят третьей стрит в доме пятьсот тридцать пять происходит взлом и вооруженное ограбление. Замечено как минимум пять человек в масках, выносящих вещи из дома и складывающих их в кузов грузовика, стоящего в служебном проезде рядом с домом. В этом районе сейчас находятся четыре патрульные машины сектора Г. Одна блокирует Ист-Энд-авеню, одна Йорк-авеню. Две машины с полицейскими стоят на Восточной Семьдесят четвертой стрит позади этого дома. Дежурный сержант участка приказал двум патрульным не отходить от телефонов и ждать дальнейших указаний. Автобус оперативной патрульной группы с двадцатью людьми выехал по боевой тревоге с приказом остановиться на Восточной Семьдесят второй стрит и ждать дальнейших указаний. Инспектор Уолтер Абрахамсон поднят и направляется к месту происшествия. Я отправлюсь туда и приму командование над находящимися там силами до прибытия инспектора. Войду в дом с этими людьми и, с должной заботой о жизни и здоровье случайных прохожих, отрежу грабителям путь к бегству, возьму их под арест и возвращу похищенные вещи. Правильно во всех деталях?

ФИНЕЛЛИ. Вы все хорошо запомнили, сэр. Во всех деталях.

ДЕЛЭНИ. Разговор записывается на пленку, лейтенант?

ФИНЕЛЛИ. Да, сэр, записывается.

ДЕЛЭНИ. Капитан Эдвард К. Делэни завершает разговор. Я немедленно отправляюсь принять командование над полицейскими, находящимися на месте указанного преступления.

(Пауза шесть секунд).

ФИНЕЛЛИ. Черт возьми. Не верится. Я все слышал, но не могу поверить. Ты слушал, сержант?

О'НАСКА. Да, сэр.

ФИНЕЛЛИ. Я слышал рассказы об этом человеке, но не верил.

О'НАСКА. Они все правдивы. Благодарностей у него было больше, чем у меня похмелий.

ФИНЕЛЛИ. Мне все равно не верится. Черт знает что за человек.

О'НАСКА. Мой брат говорит то же самое.

69

Отпечатанная расшифровка (НЙОП № 146—121АР) с оригинальной записи (НЙОП № 146—121 А), сделанной 11 сентября 1968 года в больнице «Мать милосердия», Нью-Йорк. Свидетель Джералд Бингем-старший, жилец квартиры 5-а дома 535 по Восточной Семьдесят третьей стрит.

ДОЗНАВАТЕЛЬ. Рад видеть, что вы стали лучше выглядеть, мистер Бингем. Как вы себя чувствуете?

БИНГЕМ. О, гораздо лучше. Опухоль спадает, и сегодня утром я получил хорошие новости. Врачи говорят, что я не ослепну на правый глаз. Зрение может немного ухудшиться, но видеть я буду.

ДОЗНАВАТЕЛЬ. Мистер Бингем, я рад слышать это... очень рад. Могу понять ваши чувства.

БИНГЕМ. Да... ну... знаете.

ДОЗНАВАТЕЛЬ. Мистер Бингем, в ваших предыдущих показаниях есть несколько деталей, которые нам хотелось бы уточнить, если вы в состоянии.

БИНГЕМ. Да, конечно. Я чувствую себя хорошо. Собственно говоря, я рад вашему приходу. Лежать здесь очень скучно.

ДОЗНАВАТЕЛЬ. Могу представить. Так, нам хотелось бы прояснить период около половины четвертого ночи первого сентября. Судя по вашим предыдущим показаниям, в это время вы находились в квартире четыре-б с другими жильцами и швейцаром. Под присмотром того человека, что ударил вас по лицу и пинал ногами в вашей квартире. Это верно?

БИНГЕМ. Да, верно.

ДОЗНАВАТЕЛЬ. Вы разбираетесь в огнестрельном оружии, мистер Бингем?

БИНГЕМ. Немного. Я служил морским пехотинцем в Корее.

ДОЗНАВАТЕЛЬ. Можете сказать, какое оружие было у того человека?

БИНГЕМ. Похоже, кольт сорок пятого калибра образца семнадцатого года.

ДОЗНАВАТЕЛЬ. Вы уверены?

БИНГЕМ. Да, вполне. Я проходил стрелковую подготовку с таким оружием.

ДОЗНАВАТЕЛЬ. Каково было ваше физическое состояние в это время, то есть в половине четвертого?

БИНГЕМ. Вы имеете в виду, был ли я в полном сознании и сосредоточенным?

ДОЗНАВАТЕЛЬ. Мм... да. Были?

БИНГЕМ. Нет. Очень болел глаз, и там, куда он пинал меня, ощущалась пульсирующая боль. Меня положили на кушетку в гостиной миссис Хэтуэй — собственно, это было викторианское кресло, вмещающее двоих, покрытое красным бархатом. Жена прикладывала к моему глазу смоченное холодной водой полотенце, и доктор Рубикофф с первого этажа помогал тоже. Кажется, в это время голова у меня была несколько затуманена. Возможно, я был в легком шоке. Понимаете, это впервые в жизни меня били. То есть нанесли оскорбление действием. Это было очень неприятно.

ДОЗНАВАТЕЛЬ. Да, мистер Бингем, я понимаю.

БИНГЕМ. Мысль, что человек, которого я не знаю, ударил меня, нанес травму, а потом пинал... сказать по правде, я очень стыдился. Понимаю, возможно, это странная реакция, но такое было у меня чувство.

ДОЗНАВАТЕЛЬ. Стыдились?

БИНГЕМ. Да. Именно это чувство я ощущал.

ДОЗНАВАТЕЛЬ. Но с какой стати было вам стыдиться? Вы сделали все, что могли, — кстати, гораздо больше, чем сделали бы многие мужчины. Вы среагировали очень быстро. Вы пытались защитить свою семью. Никаких причин стыдиться себя у вас нет.

БИНГЕМ. Что ж, тем не менее я стыдился. Может, оттого, что этот человек относился ко мне — и к остальным — с крайним, зверским пренебрежением. Как он размахивал своим пистолетом. Как смеялся. Я видел, что это доставляет ему наслаждение. Он толкал нас. Он не сказал швейцару, чтобы тот отошел от окна, а так толкнул его, что бедняга Том О'Лири упал. И тут этот человек засмеялся снова. Пожалуй, я боялся его. Может, потому и ощущал стыд.

ДОЗНАВАТЕЛЬ. Этот человек угрожал вам заряженным пистолетом. Тут было чего бояться.

БИНГЕМ. Ну... не знаю. Я был в бою в Корее. В небольшой пехотной стычке. Тогда я тоже боялся, но стыдно мне не было. Здесь есть разница, только это трудно объяснить. Я знал, что этот человек очень злобен, очень жесток и очень опасен.

ДОЗНАВАТЕЛЬ. Давайте оставим эту тему и продолжим... Вы сказали, что около половины четвертого —

может, немного попозже — пришли остальные четверо и заставили вас всех перейти в квартиру четыре-а напротив.

БИНГЕМ. Да. Я мог передвигаться сам при поддержке жены и доктора Рубикоффа, и эти люди заставили нас перейти из квартиры четыре-б в четыре-а напротив.

ДОЗНАВАТЕЛЬ. Но не сказали зачем?

БИНГЕМ. Нет. Человек, который казался главарем, просто вошел и сказал: «Все в квартиру напротив. Живо». Или что-то в этом роде.

ДОЗНАВАТЕЛЬ. Он сказал «живо»?

БИНГЕМ. Да. Может, у меня разыгралось воображение, я еще неважно себя чувствовал, понимаете, но в его голосе мне послышалась напряженность. Нас подталкивали, чтобы мы шли быстрее. Казалось, грабители очень торопятся. Вечером, в моей квартире, они были более сдержанны, более неторопливы. А теперь спешили и подталкивали людей.

ДОЗНАВАТЕЛЬ. Как вы решили, почему?

БИНГЕМ. Мне показалось, они испуганы, я решил, им что-то угрожает, они хотят бросить все и побыстрее скрыться. Такое у меня сложилось впечатление.

ДОЗНАВАТЕЛЬ. Вы решили, что они испуганы. Не стало вам от этого легче на душе?

БИНГЕМ. Нет. Я все еще стыдился себя.

70

Данная главка (и несколько главок ниже) представляет собой отрывок из заключительного рапорта капитана Эдварда К. Делэни — документа, ставшего своего рода классикой в анналах нью-йоркского управления полиции и перепечатанного в журналах семи стран, включая СССР. Официальный его шифр НЙУП—ЭКД—1/IX/68.

Я прибыл на угол Восточной Семьдесят третьей стрит и Йорк-авеню ровно в 3.24. Ехал я от 251-го участка.

Вел машину полицейский Алоиз Макклер. Я сразу же увидел полицейский автомобиль, стоящий поперек Восточной Семьдесят третьей стрит, преграждая выезд. Однако выбор места оказался неудачным. Это был автомобиль Г—24 (см. приложение IV, там полный список всех задействованных полицейских). Представившись, я распорядился переставить автомобиль чуть поближе к середине квартала, где по обе стороны улицы стояли частные машины, и таким образом выезд блокировался более эффективно. На северо-западном углу Восточной Семьдесят третьей стрит и Йорк-авеню находится телефонная будка. Моя проверка показала, что телефон неисправен. (Примечание. Дальнейшая проверка показала, что все телефоны-автоматы в пределах десяти кварталов были умышленно выведены из строя, следовательно, это превосходно организованное преступление планировалось тщательно и детально).

Поэтому я приказал полицейскому Макклеру взломать дверь табачной лавки, расположенной на северо-западном углу Восточной Семьдесят третьей стрит и Йорк-авеню. Макклер взломал дверь, не разбив стекла, я вошел, включил свет и нашел телефон (я постарался не повредить имущество владельца, однако город должен выплатить ему компенсацию за взломанный замок).

Я позвонил в узел связи, и у меня состоялся разговор с лейтенантом Джоном К. Финелли. Я сообщил ему, где находится мой командный пункт, и попросил, чтобы линия, по которой я говорю, была не занята и чтобы кто-то постоянно находился у аппарата. Он согласился. Я также попросил, чтобы инспектор Уолтер Абрахамсон, едущий из Куинса, был направлен на мой командный пункт. Лейтенант Финелли согласился. Тогда я приказал своему водителю, полицейскому Макклеру, оставаться у телефона, пока его не сменят. Он повиновался.

Я был одет в штатское, поскольку официально находился не на службе. Сняв пиджак, я засучил рукава и перебросил его через руку. Соломенную шляпу я оставил в табачной лавке. У одного из полицейских, блокирующих Восточную Семьдесят третью стрит, я взял воскресную утреннюю газету и сунул под мышку. Потом неторопливо пошел по южной стороне улицы до Йорк-авеню и Ист-Энд-авеню. Проходя мимо дома 535, находящегося на противоположной стороне, я, не поворачивая головы, заметил грузовик, стоящий в служебном подъезде. Боковые двери кузова были открыты, однако никаких признаков человеческой деятельности не было.

Я сразу же понял, что тактическая обстановка для фронтальной атаки очень неблагоприятна. Дома, обращенные к осажденному зданию, почти не могли служить укрытием. Большинство из них — городские особняки той же высоты, что и пятьсот тридцать пятый. Фронтальная атака была бы возможна, но для этого пришлось бы нарушить директиву НЙУП—ССР № 64 от 19/I—1967 года, где говорится: «В любой стычке внимание командующего офицера должно быть направлено прежде всего на безопасность случайных прохожих и уже потом на безопасность и здоровье полицейских, находящихся под его руководством».

Подойдя к углу Восточной Семьдесят третьей стрит и Ист-Энд-авеню, я представился полицейским в автомобиле Г—19, блокирующем там выезд. Расположение машины вновь оказалось неудачным. Указав водителю, как нужно поставить машину, я велел ему обвезти меня вокруг квартала обратно к моему командному пункту на Йорк-авеню, а потом вернуться и блокировать улицу по моим указаниям. Затем я вернул газету тому полицейскому, у которого взял.

Во время недолгой поездки вокруг квартала к своему командному пункту я составил план атаки. Связался по свободной телефонной линии с лейтенантом Финелли в узле связи (хочу здесь отметить, что работа всего персонала узла в течение этого эпизода была образцовой, и единственное мое предложение по улучшению его работы — более формализированная система связи с большим количеством кодовых слов и цифр. Без них связь имеет тенденцию к превращению в личную, неофициальную, из-за чего расходуется драгоценное время).

Я приказал лейтенанту Финелли послать к моему командному пункту еще пять машин с двумя полицейскими в каждой. Попросил также экстренную команду с двумя, как минимум, портативными рациями, транспортер со слезоточивым газом и оружием для подавления массовых выступлений, две машины с прожекторами и одну санитарную. Лейтенант Финелли ответил, что сверится со списком и пришлет все, что есть, как можно скорее. В это время — было примерно 3.40 или 3.45 — я попросил лейтенанта Финелли поставить в известность о том, что происходит, Артура К. Битема, заместителя комиссара, и предоставить ему решать, докладывать ли об этом комиссару и мэру.

После этого я стал организовывать своих людей...

71

НЙУП № 146—83С.

ХЭСКИНС. Примерно в это время Герцог сказал...

ДОЗНАВАТЕЛЬ. Который был час?

ХЭСКИНС. Точно не знаю, Томми. Была уже поздняя ночь — или, вернее, раннее утро. Небо вроде бы начинало светлеть, или, может, это мне казалось. Так или иначе, я указал братьям Бродски, чтó брать из квартиры четыре-б. Она, как я и предполагал, оказалась настоящей сокровищницей. Технарь открыл огромный старомодный сундук, окантованный бронзой, с внутренним и навесным замками. Еще он открыл несколько вещичек; шкатулки с драгоценностями, шкафчики и армейский ящик из-под патронов, тоже с внутренним и навесным замками. Смех, да и только, чтó прятали там эти дамы. Они явно не доверяют банкам! Лишь бриллиантовый кулон и рубиновое колье — между прочим, все их драгоценности оказались очень грязными — на мой взгляд, могли бы принести около пятидесяти тысяч. В довершение всего там были наличные — даже несколько больших кредиток старого образца, которых я не видел уже много лет. Были облигации, которые можно продать, множество таких вещей, как викторианские тиары, браслеты, ожерелья, ленты для волос, булавки, броши, небольшая коллекция табакерок с драгоценными камнями, много жемчужных ожерелий, серьги, мужские булавки для галстука — и все это в хорошем состоянии. Господи, Томми, я словно бы хозяйничал в магазине Тиффани семьдесят лет назад. Там были и просто ласкающие взгляд оригинальные стеклянные, эмалевые клуазоновые вещицы, которые я никак не мог там оставить. Герцог велел нам поторапливаться, поэтому с коврами и мебелью мы не стали возиться, хотя я видел шератоновский столик — небольшой, — за который любой музей города выложил бы целое состояние, и маленький коврик, не больше чем три на пять футов, просто исключительный. Бросить его там былю выше моих сил, поэтому я велел Билли Бродски — полоумку — взять коврик под мышку и снести в грузовик.

ДОЗНАВАТЕЛЬ. Где находился все это время Андерсон?

ХЭСКИНС. Знаешь, он был повсюду. Проверял парнишку-калеку в квартире пять-а, потом вышел на балкон квартиры пять-б оглядеться. Потом проверил, как это чудовище из Детройта обращается с жильцами, которых провели в квартиру четыре-а, затем помог братьям Бродски снести несколько вещей в грузовик, потом обошел несколько пустых квартир. Просто для проверки, понимаешь. Он был очень толковым, очень внимательным. Потом, когда я закончил дела в квартире четыре-б, он велел мне спуститься в подвал, посмотреть, спит ли еще управляющий, и заодно проверить негра, поставленного в вестибюле. Я спустился, управляющий все еще храпел.

ДОЗНАВАТЕЛЬ. Вы ничего не брали из его квартиры?

ХЭСКИНС. Нет. Ее очистили раньше. Взяли только старинный триптих.

ДОЗНАВАТЕЛЬ. Управляющий заявляет, что он только что получил жалованье, в бумажнике у него было почти сто долларов и они исчезли. Вы не брали их?

ХЭСКИНС. Обижаешь, Томми! Я, может быть, и такой, и сякой, но только не мелкий воришка.

ДОЗНАВАТЕЛЬ. При обыске в полицейском участке у вас в бумажнике оказалось около сорока долларов. И еще почти сто долларов, сложенных пачкой, лежало во внутреннем кармане пиджака. То были не деньги управляющего?

ХЭСКИНС. Томми! Как ты можешь?

ДОЗНАВАТЕЛЬ. Хорошо. Что произошло дальше — после того, как вы заглянули к управляющему и убедились, что он спит?

ХЭСКИНС. Герцог велел проверить по пути наверх, как там Ловкач Джонсон. Он сидел в швейцарской будке, она в глубине вестибюля, так что с улицы его не было видно. Я спросил, все ли в порядке?

ДОЗНАВАТЕЛЬ. И что он ответил?

ХЭСКИНС. Сказал, что не видел ни пеших патрулей, ни патрульных машин. Видел только человека с газетой, шедшего по другой стороне улицы. Проходя мимо, тот человек не смотрел сюда, и Ловкач не придал этому значения. Но я чувствовал, его что-то беспокоит.

ДОЗНАВАТЕЛЬ. Почему вы так решили?

ХЭСКИНС. Ну, до сих пор он все говорил в рифму, зачастую очень ярко и смешно. Этот человек явно талантлив. А теперь говорил нормально, как мы с тобой, и казался не в таком благодушном настроении, как вечером. По пути к дому в грузовике он все время смешил нас, снимал напряжение. Но теперь я видел, что настроение у него упало, и спросил почему. Ловкач ответил, что не знает, но сказал — я в точности запомнил его слова — «запахло чем-то неладным». Я поднялся и доложил Герцогу, что Ловкач не видел ни патрулей, ни машин, однако встревожен. Герцог кивнул и поторопил братьев Бродски. Мы уже были почти готовы сматываться. Я считал, что в крайнем случае через полчаса нас там уже не будет. И не унывал, настроение у меня было прекрасное. Я думал, что это очень удачный вечер, превзошедший самые невероятные ожидания. Я хотел, чтобы все сошло хорошо, хотя и работал за определенную плату, потому что дело было очень волнующим — раньше я никогда не делал ничего подобного — и думал, что Герцог может дать мне еще какую-то работу. К тому же, сам понимаешь, я сунул в карман несколько вещиц — безделушки... не особенно ценные, но в общем вечер оказался бы для меня очень прибыльным.

72

Отрывки из заключительного рапорта капитана Эдварда К. Делэни, НЙУП—ЭКД—1/IX.

«Смотрите мою докладную записку от 21/XII—1966, где я убедительно настаивал, чтобы каждый офицер полиции в звании от лейтенанта и выше проходил курс тактики малых пехотных подразделений (до роты), предполагается он на нескольких базах армии США и в Куантико, штат Виргиния, там обучаются курсанты офицерской школы морских пехотинцев США.

В период моей службы патрульным (1946—1949 гг.) подавляющее большинство преступлений совершалось одиночками, поэтому стратегия и тактика НЙУП были главным образом направлены на пресечение деятельности одиночных преступников. Однако в последнее время характер преступлений в нашем городе (даже во всей стране — если не во всем мире) изменился коренным образом.

Теперь мы сталкиваемся не с одиночными преступниками, а с организованными шайками, бандами, национальными и межнациональными организациями. Большинство из них военизировано или создано по армейскому образцу, будь то боевые группы студентов или грабители в магазине одежды. А организация, широко известная как «Коза ностра», мафия, «Синдикат» и так далее, ввела даже военные звания для своих членов: дон — это генерал или полковник, капо — майор или капитан, солдат — рядовой и т. д.

Понимание организованного военного характера преступности в настоящее время привело меня к написанию докладной записки, где я призываю, чтобы полицейские офицеры проходили военную подготовку по тактике пехоты, кроме того, нужны ежегодные двухнедельные курсы повышения квалификации, чтобы идти в ногу с последними достижениями. Я сам добровольно проходил такие курсы после присвоения мне звания лейтенанта в 1953 году.

Итак, я рассматривал ситуацию в доме № 535 по Восточной Семьдесят третьей стрит как классическую военную проблему. Мои силы, подтянутые и подтягивающиеся (было примерно 3.45), занимали нижнюю позицию — на улице, а противник занимал верхнюю — в пятиэтажном доме («Война — это география»). Подобные ситуации рассматриваются в наставлениях армии Соединенных Штатов — США—45117990—416 («Уличный бой») и США—917835190 («Тактика уличных боев»).

Хотя прямая фронтальная атака была бы и возможна (такая атака возможна всегда, если не придавать значения потерям), я решил, что наилучшим образом действий будет высадка десанта. Эту тактику разработали немцы, сбрасывая парашютистов в тыл противника. Она была отшлифована во время корейской войны посредством использования вертолетов. До сих пор атака была двухмерной проблемой. Теперь она стала трехмерной.

Во время разведки на Восточной Семьдесят третьей стрит я обнаружил, что здание, находящееся в непосредственной близости к дому № 535, представляет собой шестнадцатиэтажный или восемнадцатиэтажный жилой дом. Стоит он с восточной стороны прямо напротив осажденного дома. Я сразу же понял, что высадка десанта возможна. То есть полицейские могли спуститься с крыши или при удаче (очень важное соображение в любой человеческой деятельности) спрыгнуть из окон шестого или седьмого этажа более высокого здания на балконы занятого противником дома.

Шумной демонстрацией силы на верхних этажах дома № 535 полицейские могли (я решил, что пятерых будет достаточно) напугать преступников и прогнать вниз, на улицу. Я не хотел, чтобы полицейские вступали в схватку с противником. Единственной их задачей я ставил изгнание преступников на улицу, не подвергая опасности никого из жильцов.

Таким образом, противник лишался преимущества более высокой позиции. Затем я решил, тщательно рассчитав время, поставить полукругом у подъезда дома № 534 двухместные полицейские машины и две машины с прожекторами, полицейским дать инструкцию укрываться по мере возможности за машинами и не открывать огня первыми. В довершение я собирался разместить шестерых людей позади дома № 535. Этого, я считал, будет вполне достаточно, чтобы блокировать отход противника. То, что один благодаря своим необычным способностям и везению скрылся (временно), не зачеркивает, на мой взгляд, достоинств моего плана операции.

К тому времени оперативная группа (оперативных патрульных сил) прибыла на мой командный пункт. Состояла она из двадцати человек, приехавших на автобусе, командовал ими сержант-негр. В группе было еще два негра.

Нижеследующие комментарии могут показаться кое-кому излишними, если не рискованными, при нынешних этнических и расовых волнениях в Нью-Йорке, тем не менее я полагаю, что мои суждения — основанные на двадцатидвухлетней службе с НЙУП — могут оказаться ценными для других офицеров, сталкивающихся с подобной ситуацией, и я намерен эти суждения изложить.

Говорят, что все люди равны, возможно, так оно и

есть в глазах Бога и зачастую — но не всегда — закона. Однако все люди не равны в том, что касается этнического и расового происхождения, разума, физической силы и нравственных качеств. Каждая этническая и расовая группа — негры, ирландцы, евреи, итальянцы и т. д. — обладает определенными врожденными качествами. Одни из этих качеств могут оказаться выгодными для командующего офицера, другие невыгодными. Но если командующий офицер не принимает этих качеств во внимание — из-за ложной веры во всеобщее равенство, — он, по-моему, повинен в нарушении служебного долга, поскольку единственным его долгом является решение стоящей перед ним проблемы, используя оборудование и людей, находящихся в его распоряжении, с должным вниманием к их возможностям.

На своем опыте я убедился, что негры очень ценны, когда ситуация требует сильного натиска и отчаянной храбрости. И особенно ценны, когда действуют подразделениями — то есть когда несколько негров-полицейских действуют вместе. Поэтому я приказал сержанту-негру, командующему оперативной группой, взять двух других негров, присоединить к ним двух белых полицейских и произвести высадку десанта. Это и было подразделение, которому предстояло спуститься на балкон дома № 535 и выгнать противника на улицу.

Сержант принял мой приказ, и после недолгого обсуждения мы решили, что его люди будут вооружены одним автоматом Томпсона, двумя винтовками, служебными револьверами, ручными и дымовыми гранатами. В дополнение его группа из пяти человек (включая самого сержанта) возьмет портативную рацию, и, едва они спустятся на балкон дома № 535, тут же сообщат мне. Сержанта зовут Джеймс Л. Эверсон, значок № 72897537, и я представляю его к награде (см. приложение: бланк НЙУП—ПН—ЭКД—10Б ФГТ—1968)».

73

Из служебного рапорта сержанта Джеймса Л. Эверсона, значок № 72897537. Рапорт закодирован НЙУП—ДЛЭ—1/IX—68.

«Я получил приказание от капитан Делэни на его командном пункте в табачной лавке на углу Восточной Семьдесят третьей стрит и Йорк-авеню. Отобрав из своей группы еще четверых полицейских, я проследовал на угол Восточной Семьдесят третьей стрит и Ист-Энд-авеню. Транспортным средством, как приказал капитан Делэни, был служебный автомобиль.

По прибытии на указанный угол я решил, что будет лучше всего, если мы войдем в здание, примыкающее к дому № 535, поодиночке. И приказал своим людям следовать за мной с минутным интервалом. Сам я пошел первым.

Я вошел в вестибюль примыкающего здания и обнаружил, что там дежурит не швейцар, а управляющий, подменяющий его по случаю праздника. Он спал. Я разбудил его и объяснил ситуацию. К тому времени ко мне присоединились остальные четверо из моего отряда; управляющий сказал мне, что, по его мнению, на балкон дома № 535 можно спрыгнуть из окон квартиры 6-б, они выходят на тот дом, где орудовали грабители. У нас были служебные револьверы, винтовки, гранаты и автомат. Управляющий проводил нас в квартиру 6-б.

Проживает в этой квартире Ирвинг К. Мандельбаум, холостяк. В то время там находилась незамужняя Гретхен К. Штробель. Полагаю, что при желании можно было б предъявить Ирвингу К. Мандельбауму обвинение в нарушении нравственности по гражданским законам штата Нью-Йорк. Но, учитывая сотрудничество, оказанное нам Мандельбаумом, я этого не предлагаю.

Мисс Штробель спряталась в ванной, а я и моя группа вылезли из окна спальни, которое выходит прямо на балкон дома № 535. Прыгать пришлось с высоты всего два-три фута. Как только мы все оказались на балконе, я связался по рации с капитаном Делэни. Прием был очень хорошим. Я доложил, что мы готовы, он велел выждать две минуты, потом действовать».

74

Из рапорта капитана Эдварда К. Делэни, НЙУП—ЭКД—1/IX.

«Примерно в 4.14 сержант Эверсон связался со мной. Должен отметить, что новые рации 415 К16С работали отлично. Эверсон доложил, что находится со своей группой на балконе дома № 535. Мы решили, что он выждет две минуты, а потом начнет операцию по изгнанию противника.

Затребованные мною люди и оборудование к тому времени прибыли не все. Тем не менее я считал, что лучше действовать тем, что есть, чем ждать оптимальных условий, которых почти никогда не добьешься. Поэтому приказал автомобилям Г—3 и Г—14 (в каждом по двое полицейских) ехать от Йорк-авеню к дому № 535, а Г—24 и Г—8 — от Ист-Энд-авеню. Освещать дорогу едущим от Ист-Энд-авеню должен был автомобиль с прожектором ПА—147 (единственный, прибывший к тому времени). Потом все пять автомобилей должны были встать полукругом у подъезда дома № 535. Автомобиль с прожектором должен был осветить дом после того, как все полицейские укроются за своими автомобилями. Прибытие дополнительных машин, обеспеченное расторопностью лейтенанта Джона К. Финелли, УС НЙУП, позволило мне поставить блокировку на выезде с Восточной Семьдесят третьей стрит на Йорк-авеню. Автомобиль Г—19 стоял на Ист-Энд-авеню, а Г—32 — на Йорк-авеню.

Я находился в первом автомобиле (Г—6), подъехавшем к дому от Йорк-авеню. Приказание не открывать огня без моей команды я повторил несколько раз».

75

Пленка НЙОП № 146—114А—114Г. Показания Джеральда Бингема-младшего.

ДОЗНАВАТЕЛЬ. Который тогда был час?

СВИДЕТЕЛЬ. Точно не знаю. Начало пятого.

ДОЗНАВАТЕЛЬ. Что произошло потом?

СВИДЕТЕЛЬ. Неожиданно ко мне в спальню ворвались пять полицейских. Они вошли через застекленную дверь, ведущую на балкон. Трое из них были негры. Передний был негром. Все с оружием в руках. Передний был вооружен автоматом, он спросил у меня:

— Кто ты?

— Джеральд Бингем-младший, — ответил я, — жилец этой квартиры.

Он посмотрел на меня и спросил:

— Тот парень, что послал сообщение?

— Да, — ответил я, — передачу на коротких волнах.

Он улыбнулся и сказал мне:

— Выйди на балкон.

Я ответил, что я калека и не могу передвигаться, так как у меня забрали кресло-каталку и костыли.

Он сказал:

— Ладно, оставайся здесь. Где они?

— На четвертом этаже, — ответил я. — Думаю, что они все там, в квартире под нами.

— Ладно, — сказал он, — мы позаботимся о них. Оставайся на месте и не шуми.

Полицейские вышли из квартиры, я крикнул им вслед: «Пожалуйста, не убивайте его», но, видимо, они не услышали.

76

НЙУП № 146—83С.

ХЭСКИНС. Мы заканчивали очищать квартиру четыре-б. Были близки к завершению. Господи, так близки!

И тут все пошло прахом. Крики сверху. Шум. Стрельба. Сильный взрыв. Дым вниз по лестнице. Возгласы: «Вы окружены! Руки вверх! Бросай оружие! Вам конец! Вы попались!» И прочие глупости. Я намочил в штаны. Да, Томми, добровольно признаюсь — я обмочился. Потом мы пустились наутек. Технарь затопал вниз по черной лестнице, следом братья Бродски, за ними я. Но перед выходом я видел, как тот хулиган из Детройта бросился к переднему окну квартиры четыре-а и выстрелил из пистолета через стекло.

ДОЗНАВАТЕЛЬ. Ответные выстрелы были?

ХЭСКИНС. Нет. Хотя... точно не знаю. Я выскочил с площадки между квартирами. Стал спускаться по черной лестнице. Я видел и слышал, как он стрелял из окна квартиры. Но не видел и не слышал ответной стрельбы с улицы.

ДОЗНАВАТЕЛЬ. Где находился в это время Андерсон?

ХЭСКИНС. Стоял на площадке между квартирами. Совершенно спокойно. Не шевелясь.

77

Из заключительного рапорта капитана Эдварда К. Делэни, НЙУП — 1/IX—68.

«Мои атакующие силы находились на исходной позиции. Когда поступило сообщение, что десантный отряд начинает выполнять свою задачу, автомобиль с прожектором — как я уже приказал — осветил подъезд дома. По нам почти сразу же открыли огонь из окна на четвертом этаже. Я крикнул своим людям, чтобы они не стреляли».

78

НЙОП—ЭГМ—108Б, продиктованные, подтвержденные под присягой и засвидетельствованные показания Эрнеста Генриха Манна.

«Как только поднялся шум, я понял, что все кончено. Поэтому медленно и тихо спустился по служебной лестнице, вошел в вестибюль, снял маску, перчатки и сел на мраморный пол подальше от парадной двери. Прижался спиной к стене, поднял руки над головой и ждал. Я терпеть не могу насилия».

79

Из заключительного рапорта капитана Эдварда К. Делэни, НЙУП — ЭКД — 1/IX—68.

«Мы еще не произвели ни одного выстрела. Потом вдруг человек в маске выскочил из парадной двери дома, стреляя из пистолета в стоящие машины. Тут я дал команду открыть огонь, и он тотчас же был убит».

80

Отрывок из записи НЙУП—ССР № 146—83С. Допрос Томаса Хэскинса ведет Томас К. Броди, детектив второй ступени.

ХЭСКИНС. Когда мы спустились на первый этаж, братья Бродски побежали к грузовику через служебный вход. Я вышел в вестибюль. Там у стены сидел без маски технарь, высоко задрав руки. Мне стало противно. Потом я увидел, что негр выхватил пистолет и бросился к парадной двери. Сказал: «Черт» — и тут же скрылся за дверью. Потом я услышал стрельбу и понял, что он убит. Честно говоря, я не знал, что делать. Наверно, слегка запаниковал. Ты понимаешь, не так ли, Томми?

ДОЗНАВАТЕЛЬ. Да. Но что же вы все-таки сделали?

ХЭСКИНС. Ну, как это ни глупо — я толком ничего не соображал, понимаешь, — повернулся, пошел к служебной лестнице и снова стал подниматься. И там, на площадке второго этажа, стоял Герцог Андерсон.

ДОЗНАВАТЕЛЬ. Что он делал?

ХЭСКИНС. Просто стоял. Совершенно спокойно. Я сказал: «Герцог, мы...» А он ответил, очень хладнокровно: «Да, знаю. Не суетись. Оставайся на месте. Стой тут, и все. Мне кое-что надо сделать, но я тут же спущусь, и мы выйдем вместе».

ДОЗНАВАТЕЛЬ. Это его подлинные слова?

ХЭСКИНС. Насколько я помню.

ДОЗНАВАТЕЛЬ. И что вы сделали?

ХЭСКИНС. Повел себя, как велел Герцог. Остался на месте.

ДОЗНАВАТЕЛЬ. А что сделал он?

ХЭСКИНС. Герцог? Повернулся и стал подниматься.

81

Из заключительного рапорта капитана Эдварда К. Дилэни, НЙУП — ЭКД — 1/IX—68.

«По нам по-прежнему вели огонь из окна четвертого этажа, и я пришел к выводу, что стреляет один человек. Своим людям я отдал приказ не открывать ответного огня. Должен отметить, что дисциплина в этих трудных, нервозных условиях была превосходной. Примерно через три минуты после начала операции из служебного входа выбежали двое, влезли в кабину грузовика и стали выезжать с проезда на большой скорости.

Это явно было бегство с отчаяния, обреченное на неудачу, потому что для предотвращения такого бегства я поставил кордон из служебных автомобилей. Когда грузовик отъезжал, один человек высунулся и стал стрелять в нас из пистолета, другой вел машину. Мы ответили огнем.

Грузовик врезался в автомобиль Г—14 и остановился. При столкновении у полицейского Саймона Легрейнджа, значок № 67935429, сломана нога, а полицейский Марвин Финкельштейн, значок № 45670985, легко ранен в верхнюю часть руки пулей, выпущенной из грузовика. Других потерь не было.

Когда я приказал: «Прекратить огонь!», мы установили, что стрелок в грузовике убит (впоследствии он опознан как Эдвард Дж. Бродски), а водитель (впоследствии опознанный как Уильям Дж. Бродски) при столкновении сломал плечо».

82

НЙУП—ССР № 146—92А

МИССИС ХЭТУЭЙ. Ну вот, мы все находились в квартире четыре-а, когда вдруг началась стрельба. Было примерно четверть пятого.

МИСС КЕЙЛЕР. Почти полпятого.

МИССИС ХЭТУЭЙ. При мне были мои часики-брошь, дура, и они показывали почти четверть пятого.

МИСС КЕЙЛЕР. Почти половину пятого.

ДОЗНАВАТЕЛЬ. Дамы, прошу вас. Что было потом?

МИССИС ХЭТУЭЙ. Ну, тот человек в маске, что был таким злобным и жестоким, бросился к окну и начал стрелять. Он разбил стекло — и все осколки посыпались на ковер. И стрелял из пистолета вниз, на улицу. А потом...

МИСС КЕЙЛЕР. А потом на лестнице раздались жуткие взрывы, послышались крики, все не могли понять, что происходит. И я сказала, что нам нужно сидеть на месте и не двигаться, так будет лучше всего, а тот негодяй палил из окна, и я была рада, что мы не в нашей квартире, боялась, что полицейские могут выстрелить в окно атомной ракетой и все уничтожить. И тут вошел другой человек в маске, выхватил из кармана пистолет, я подумала, он тоже начнет стрелять в окно, а он...

83

НЙОП № 146—121 АР.

БИНГЕМ. Когда началась стрельба, я предложил всем лечь на пол. И все мы легли, кроме старых дам из квартиры напротив — они отказались, может, и не могли. Во всяком случае, остались сидеть в креслах. Человек, который охранял нас, стал стрелять из пистолета в окно.

ДОЗНАВАТЕЛЬ. Ответные выстрелы были, мистер Бингем?

БИНГЕМ. Нет, сэр, по-моему, нет. Не замечал. Тот человек стрелял и ругался, я видел, как он по крайней мере один раз перезарядил пистолет, достав из кармана обойму. А несколько минут спустя в квартиру вошел другой человек в маске. Я узнал в нем второго из бывших в моей квартире.

ДОЗНАВАТЕЛЬ. Того, кто запретил первому пинать вас?

БИНГЕМ. Да, это был тот самый. Ну вот, он вошел в квартиру и выхватил из кармана пистолет.

ДОЗНАВАТЕЛЬ. Какой это был пистолет? Вы разобрали?

БИНГЕМ. Это был револьвер. Большой. По-моему, тридцать восьмого калибра. Я не разобрал, какой системы.

ДОЗНАВАТЕЛЬ. Что дальше?

БИНГЕМ. Второй, с револьвером, войдя, сказал: «Драчун».

ДОЗНАВАТЕЛЬ. «Драчун». И больше ничего?

БИНГЕМ. Ничего. Он сказал: «Драчун», и первый обернулся. А второй выстрелил в него.

ДОЗНАВАТЕЛЬ. Выстрелил? Сколько раз?

БИНГЕМ. Дважды. Я пристально следил за ним и уверен в этом. Он вошел, выхватил из кармана револьвер. Сказал: «Драчун», и человек у окна обернулся. Тогда вошедший шагнул к нему и дважды выстрелил в него. Я видел, как пули вошли в тело. Они дырявили пиджак. По-моему, он выстрелил ему в живот и в грудь. Мне показалось, что пули вошли в эти места. Человек у окна выронил пистолет и повалился. Падал он очень медленно. Собственно говоря, он хватался за шторы и сорвал одну с карниза. Кажется, он произнес «что?» или, может, что-то другое. Прозвучало это очень похоже на «шт». Потом упал на пол, темно-бордовая штора на него, он обливался кровью и корчился. Господи...

ДОЗНАВАТЕЛЬ. Может, сделать небольшой перерыв, мистер Бингем?

БИНГЕМ. Нет. Я чувствую себя хорошо. Тут моей жене стало плохо, ее вырвало. Потом одна из старых дам, живущих в квартире напротив, упала в обморок, другая закричала, два педика, которых я не знаю и до этого ни разу не видел, обнялись, а доктор Рубикофф выглядел так, будто кто-то ударил его по голове. Господи, что это была за минута!

ДОЗНАВАТЕЛЬ. И что потом сделал убийца?

БИНГЕМ. Бросил очень короткий взгляд на лежащего. Затем сунул револьвер обратно в карман, повернулся и вышел из квартиры. Больше я его не видел. Странно, что вы называете его убийцей.

ДОЗНАВАТЕЛЬ. Так ведь он и был убийцей — разве нет?

БИНГЕМ. Конечно. Но тогда мне казалось, что это карающий мститель. Такое у меня было ощущение — карающий мститель, делающий свое дело.

ДОЗНАВАТЕЛЬ. Что было дальше?

БИНГЕМ. После его ухода? Доктор Рубикофф подошел к лежащему, опустился на колени, осмотрел его раны и пощупал пульс. «Живой, — сказал он, — но долго не протянет. Раны очень опасные».

ДОЗНАВАТЕЛЬ. Спасибо, мистер Бингем.

БИНГЕМ. Пожалуйста.

84

НЙУП—ССР № 146—83С.

ХЭСКИНС. Это была целая жизнь, целая вечность. Весь этот шум, стрельба, неразбериха. Но я повиновался Герцогу и стоял, как он велел мне, на площадке второго этажа.

ДОЗНАВАТЕЛЬ. Вы полагались на него?

ХЭСКИНС. Конечно, глупыш. Кому ж доверять, если не такому человеку, как Герцог? И конечно, он, как я и знал, спустился с четвертого этажа и сказал мне: «Сними-ка ты маску, подними руки и выходи, не спеша, в парадную дверь».

ДОЗНАВАТЕЛЬ. Почему вы не поступили так? Это был хороший совет.

ХЭСКИНС. Знаю, что хороший. Знаю. И тогда знал. Но я не могу объяснить тебе, как действовал на меня этот Андерсон. Он заставил меня забыть об осторожности и пробудил желание рискнуть. Понимаешь?

ДОЗНАВАТЕЛЬ. Боюсь, что нет.

ХЭСКИНС. Эх, Томми, Томми, он придал мне мужества! Ну вот, видя, что я не двинулся с места, он улыбнулся и сказал: «Пошли к заднему выходу». Тут мы сняли маски и перчатки, быстро спустились по лестнице, вышли из служебного входа, стали перелезать через барьер... и вдруг тысячи фараонов с фонариками, светящими нам в лицо, стрельба, тут я задрал руки до отказа и заорал: «Сдаюсь! Сдаюсь!» Господи, Томми, это было так драматично!

ДОЗНАВАТЕЛЬ. А что случилось с Андерсоном?

ХЭСКИНС. Право, не знаю. Был рядом со мной и вдруг исчез. Скрылся, и все.

ДОЗНАВАТЕЛЬ. Но вы доверяли ему?

ХЭСКИНС. Конечно.

85

НЙОП № 146—113А—114Г, показания Джералда Бингема-младшего.

СВИДЕТЕЛЬ. Шум внезапно прекратился. Ни криков, ни стрельбы. Стало очень тихо. И я решил, что все кончено. Я по-прежнему лежал в постели. Весь мокрый, потный... Вдруг хлопнула дверь в квартиру. Он пробежал по квартире, через спальню, и выбежал на балкон. Ничего не сказал. Даже не взглянул на меня. Но я понял, что это он...

86

Показания Ирвинга К. Мандельбаума, жильца квартиры 6-б в доме 537 по Восточной Семьдесят третьей стрит. Расшифровка закодирована НЙУП—146—ИКМ—123ГР.

СВИДЕТЕЛЬ. Ну и ночь! Ну и ночь! Знаете, мы не стали уезжать на праздники. Я решил, что останемся в городе. У нас будет славный праздник. Без шума автомобилей. Без грабежей. Без толпы. Все будет тихо и славно. Мы лежали в постели. Понимаете? Пятеро вооруженных до зубов полицейских проходят через спальню и вылезают в окно. Ладно. Я добропорядочный, законопослушный гражданин. Я на их стороне. Мы поднимаемся. Гретхен прячется в ванной, пока полицейские вылезают из окна. По крайней мере один из этих шварцев[1] находит нужным сказать: «Извини, что помешали, приятель». Потом Гретхен выходит и говорит: «Ложимся снова». А тут начинается фейерверк. Стрельба, прожектора, крики, прямо как в фильмах студии «Уорнер бразерс» с Джоном Кэгни и Честером Моррисом. Мы вылезаем из постели. Смотрим на это из передних окон, понимаете. Очень волнующе. Ну и праздник! Потом все стихает. Ни стрельбы, ни криков. Гретхен и говорит: «Ложимся снова!». Ложимся. Минут через пять в окне спальни появляется какой-то тип, подтягивается и влезает. В руке у него пистолет. Мы с Гретхен поднимаемся. Он говорит: «Только пикните, и вам конец». Раз так, естественно, я даже не стал успокаивать его. Он тут же исчезает. Гретхен говорит: «Ложимся снова?» А я в ответ: «Нет, дорогая, сейчас, пожалуй, я выпью кварту шотландского». Ну и ну.

---

[1] Черных *(нем.)*.

87

Показания полицейского Джона Симилара, значок № 35674262, водителя машины Г—19. Документ НЙУП № 146—332С.

Я находился со своим напарником, полицейским Перси Х. Иллингемом, номер значка 45768392, в машине Г—19, мы перекрывали проезд на углу Восточной Семьдесят третьей стрит и Ист-Энд-авеню. Нам было приказано поставить нашу машину поперек Восточной Семьдесят третьей стрит, чтобы не допускать въезда или выезда. Мы были поставлены в известность о том, что происходит.

Примерно в половине пятого утра 1 сентября 1968 года к нам приблизился мужчина (белый, рост примерно шесть футов, вес около 180 фунтов, в черном пиджаке и в черных брюках), он шел по южному тротуару Восточной Семьдесят третьей стрит. Перси сказал: «Проверю-ка я его». Открыл дверцу со своей стороны. Едва он оказался на улице, как тот человек выхватил из кармана пистолет и выстрелил в полицейского Иллингема. Иллингем упал на мостовую. Впоследствии оказалось, что он убит.

Тут я выскочил из машины со своей стороны и выстрелил три раза в подозреваемого из служебного револьвера (серийный номер 17189635), а подозреваемый выстрелил один раз в меня и попал в бедро, отчего я упал на мостовую. Потом он побежал и, пока я целился в него, скрылся за углом Восточной Семьдесят третьей стрит и Ист-Энд-авеню.

Я сделал все, что мог.

88

Нижеприведенную рукопись я получил от автора, доктора Дмитри Рубикоффа, психиатра, ведущего прием на Восточной Семьдесят третьей стрит, 535. Это часть речи, которую доктор Рубикофф произнес вечером 13 декабря

1968 года перед Обществом психопатологов Нью-Йорка. Так именуется неофициальная организация психиатров и психопатологов города. Они собираются в одном из крупнейших отелей Манхеттена, чтобы поговорить на профессиональные темы и заслушать речь одного из членов, которая потом становится темой общего обсуждения. Во время заседаний устраиваются перерывы на обед.

Речь, откуда взяты нижеследующие высказывания (с разрешения доктора Рубикоффа), произнесена им на собрании Общества, состоявшемся в Охотничьем зале отеля «Президент Филмор». Она цитируется по машинописной рукописи, переданной автору доктором.

«Мадам председатель — хотя я давно считаю это звание чем-то вроде сексуальной аномалии!

(Пауза для смеха).

Собратья по профессии, леди и джентльмены. После такого обеда отрыжка будет в большем порядке, чем речь!

(Пауза для смеха).

Позвольте заметить, что, мне кажется, мы все должны принести благодарность Организационному комитету, устроившему такое лукуллово пиршество.

(Пауза для аплодисментов).

Право же, я уверен, что вы согласитесь со мной, если я спрошу, было ли их целью накормить меня хорошо или притупить ваше восприятие моих последующих высказываний!

(Пауза для смеха).

Во всяком случае, сейчас моя очередь предложить интеллектуальный десерт после такого восхитительного физического обеда, и я сделаю все, что в моих силах.

Как некоторым из вас, конечно же, известно, я недавно стал одной из жертв преступления, совершенного в Нью-Йорке в ночь с 31 августа на 1 сентября сего года. Сегодня в своем выступлении я изложу свои соображения об этом преступлении, о преступлениях вообще и о том, что мы можем сделать для снижения преступности в нашем обществе.

Могу заверить вас, что выступление мое будет кратким, весьма кратким.

(Возможно, пауза для аплодисментов).

Соображения, которые я изложу перед вами, — чистая теория. Я не проводил исследований по этой теме. Не консультировался с признанными авторитетами. Я лишь предлагаю их как идеи, представляющиеся мне оригинальными, — это реакция на пережитое мной, если угодно, — которые послужат предметом дальнейшей дискуссии. Нет необходимости говорить, что меня в высшей степени будет интересовать ваша реакция.

Во-первых, позвольте сказать, мысль, что сексуальные аномалии являются глубинными мотивами преступного поведения, не нова. В настоящее время я собираюсь высказать мысль о гораздо более тесной связи между сексом и преступлением. Собственно говоря, я предполагаю, что преступление — в современном обществе — превратилось в замену секса.

Что такое преступление? Что такое секс? Что между ними общего? Я предполагаю, что у них есть общий признак — главный признак — вторжение. Грабитель банков вторгается в сейф. Взломщик вторгается в дом или квартиру. Карманник вторгается в ваш бумажник или кошелек. Может, это стремление вторгнуться в ваше тело — в ваш тайник?

Даже более сложные преступления содержат мотив вторжения. Мошенник вторгается в богатство своей жертвы — будь то встроенный сейф или счет в сбербанке. Бухгалтер-преступник насилует фирму, в которой работает. Общественный деятель, решившийся на обман, вторгается в тело общества.

В самом деле, термин, используемый для наиболее

распространенного преступления, — взлом — представляет собой прекрасное описание нарушений девственности...

И сегодня я хочу высказать мысль, что преступление представляет собой замену полового акта, совершают его лица, которые сознательно, бессознательно или подсознательно получают высшее удовлетворение от этого квазисексуального процесса.

Преступление совершено — что дальше? Половой акт завершен — что дальше? В обоих случаях то, что следует за вторжением, аналогично. Бегство и изъятие. Уход. Неистовое удаление, иногда трудное в физическом и моральном смысле высвобождение.

Я хочу сказать, что совершение сексуального преступления — а я уверен, что все преступления сексуальны, — преступнику дается легче. Изъятие, бегство гораздо труднее.

Дело в том, что, учитывая пуританское наследие большинства американцев, изъятие или бегство включает в себя признание вины, эмоциональное желание кары, сильное неотвязное стремление быть пойманным и публично разоблаченным.

Секс и преступление. Вторжение и изъятие. Мне кажется, они неразрывно связаны. Теперь, с вашего разрешения, я хотел бы изложить подробнее...»

89

Из заключительного рапорта капитана Эдварда К. Делэни, НЙУП—ЭКД—1/IX—1968.

«Было уже примерно 4 часа 45 минут. Из окна на четвертом этаже по нам больше не стреляли. Внезапно мы услышали несколько выстрелов от перекрестка Восточной Семьдесят третьей стрит и Ист-Энд-авеню. Я немедленно отправил туда полицейских Оливера Д. Кронена (значок № 76308542) и Роберта Л. Брига (значок № 92356762) выяснить, в чем дело. Кронен вернулся через несколько минут и доложил, что один полицейский убит, второй ранен в бедро. Оба находились в автомобиле Г—19, блокирующем выезд с Восточной Семьдесят третьей стрит на этом перекрестке. Я немедленно связался со своим командным пунктом по портативной рации. Приказал своему шоферу, полицейскому Макклеру, отправить санитарную машину на угол Ист-Энд-авеню. Он подтвердил получение приказа. Я также приказал ему доложить о ситуации на узел связи и передать это известие инспектору Абрахамсону и заместителю комиссара Битему. Макклер подтвердил получение приказа.

Я немедленно повел свою группу из шести вооруженных людей в дом № 535 по Восточной Семьдесят третьей стрит. Мы прошли мимо трупа человека в маске, убитого при попытке к бегству. Последующее расследование показало, что это был Сэмюэл Джонсон, «Ловкач», негр. Затем вошли в вестибюль, где обнаружили сидящего на полу человека, он прижимался спиной к стене и держал руки поднятыми. Его арестовали. Последующее расследование показало, что это Эрнест Генрих Манн.

В это время моя группа соединилась с людьми из оперативной патрульной группы, проникшей в дом с балкона, и людьми, которые стояли позади здания. Эти люди арестовали еще одного подозреваемого, Томаса Д. Хэскинса.

Мы тщательно обыскали дом и обнаружили управляющего, спящего в своей подвальной квартире. Также обнаружили нескольких жильцов и швейцара в квартире 4-а. Один из жильцов, Джералд Бингем-старший, был ранен и, очевидно, находился в шоке. Правый глаз его сильно кровоточил. Кроме этих людей, содержащихся там пленниками, на полу лежал тяжелораненый человек в маске. Очевидцы сказали, что в него дважды выстрелил другой человек в маске.

Тогда я отдал приказ одному полицейскому выйти и вызвать еще три санитарные машины, чтобы увезти мертвых и раненых — полицейских, преступников и невинных жертв.

Как выяснилось из предварительного допроса свидетелей, там был еще один человек (позднее опознанный как Джон Андерсон, «Герцог»), который принимал участие в преступлении и, очевидно, скрылся. Я решил, что этот человек убил полицейского Иллингема и ранил полицейского Симилара с автомобиля Г—19 на углу Восточной Семьдесят третьей стрит и Ист-Энд-авеню. После этого я покинул здание и, пользуясь портативной рацией, продиктовал полицейскому Макклеру оповещение о тревоге для передачи в узел связи. Я описал подозреваемого так, как его описали мне свидетели. Полицейский Макклер подтвердил прием, и я ждал, пока он не доложил, что узел связи — там командовал лейтенант Финелли — подтвердил прием и объявил тревогу по всем участкам и секторам.

Когда прибыли санитарные машины, я первым делом отправил раненых, потом убитых. Получилось так, что Джералд Бингем-старший, раненый жилец дома, и раненый подозреваемый (позднее опознанный как Висент Парелли, «Драчун», из Детройта) ехали в одной машине в больницу «Мать милосердия».

Затем я вернулся в свой командный пункт на углу Йорк-авеню и Восточной Семьдесят третьей стрит. Через узел связи я передал сообщение о тревоге в отдел расследования убийств восточного сектора, полицейскую лабораторию, окружную прокуратуру Манхеттена и в отдел связи с общественностью. В это время — было начало шестого — не поступало никаких сообщений о местонахождении бежавшего подозреваемого Джона Андерсона».

90

Расшифровка личной записи, сделанной автором 6 ноября 1968 года. Насколько мне известно, показания, содержащиеся в ней, не дублируются в официальных документах, показаниях или несекретных расшифровках.

АВТОР. Это запись ГО—2Б. Представьтесь, пожалуйста, и назовите свой адрес.

СВИДЕТЕЛЬ. Меня зовут Айра П. Мейер, я живу в Нью-Йорке на Восточной Второй стрит, тысяча двести шестьдесят.

АВТОР. Спасибо, мистер Мейер. Как я вам уже объяснил, эта запись мне нужна только для подготовки рассказа о преступлении, совершенном в Нью-Йорке в ночь с тридцать первого августа на первое сентября тысяча девятьсот шестьдесят восьмого года. Я не состою на государственной службе. Я не стану просить вас подтвердить под присягой показания, которые вы дадите, они не будут фигурировать ни на суде, ни в другой юридической процедуре. Заявление, которое вы сделаете, будет служить только для моих личных целей и не будет опубликовано без вашего согласия, которым может служить лишь подписанное вами заявление, где вы даете разрешение на публикацию. В свою очередь я плачу вам пятьдесят долларов независимо от того, согласитесь вы на публикацию или нет. Вам все понятно?

СВИДЕТЕЛЬ. Да.

АВТОР. Хорошо. Итак, мистер Мейер, где вы находились примерно в пять часов утром первого сентября тысяча девятьсот шестьдесят восьмого года?

СВИДЕТЕЛЬ. Я ехал домой. По Ист-Энд-авеню.

АВТОР. Где вы находились до этого?

СВИДЕТЕЛЬ. Работал. Обычно я не работаю по праздникам, понимаете, но столько людей уехало на отдых по случаю Дня труда, понимаете, что босс попросил меня поработать в ночную смену. Я квалифицированный пекарь, работаю в пекарне на Ист-Энд-авеню, девятнадцать семьдесят четыре. Это на углу Сто пятнадцатой стрит. Моя жена ждет седьмого ребенка, а второй дочери пришел крупный счет от дантиста. Мне были нужны деньги, понимаете, вот я и согласился поработать. Профсоюз утверждает, что за работу в ночь по праздникам мы получаем втройне, да и босс обещал подкинуть еще двадцатку. Поэтому я и работал с четырех часов тридцать первого августа до четырех часов утра первого сентября.

АВТОР. Вы квалифицированный пекарь. Что выпекаете?

СВИДЕТЕЛЬ. Пончики, пирожки, булочки с луком. И тому подобное.

АВТОР. Что вы делали, закончив работу в четыре часа утра первого сентября?

СВИДЕТЕЛЬ. Вымылся, переоделся. Выпил с ребятами пивка в раздевалке. В это время бары закрыты, понимаете, но у нас есть холодильник, мы держим там пиво. В раздевалке. Скидываемся по доллару в неделю. Босс знает, но ему все равно, если никто не напьется. И никто ни разу не напивался. Выпиваем перед уходом по баночке-другой. Чтобы расслабиться. Понимаете? Словом, я выпил баночку пива, сел в машину и поехал в южную сторону по Ист-Энд-авеню. Обычно по пути на работу я езжу по Первой авеню, а с работы — по Ист-Энд.

АВТОР. И что произошло около пяти часов утра первого сентября?

СВИДЕТЕЛЬ. На углу Восточной Семьдесят третьей стрит я остановился на красный свет. Стал закуривать сигару. Вдруг дверца с пассажирской стороны распахнулась, около нее стоял какой-то человек. В руке у него был пистолет, наведенный на меня. Пистолет он держал в правой руке, а левая лежала поперек туловища, словно он держался за живот.

АВТОР. Можете вы описать этого человека?

СВИДЕТЕЛЬ. Ростом футов шесть. Худощавый. Без шляпы. Волосы короткие — вроде стрижки под ежик. Резкие черты лица. Вид злобный. Понимаете?

АВТОР. Как он был одет?

СВИДЕТЕЛЬ. Во все черное. Черный пиджак, черный свитер с глухим воротом, черные брюки, черные туфли. Но это был белый человек. Понимаете?

АВТОР. Он открыл дверцу с пассажирской стороны и навел на вас пистолет?

СВИДЕТЕЛЬ. Да. Я как раз закуривал сигару.

АВТОР. Какова была ваша реакция?

СВИДЕТЕЛЬ. Моя реакция? Ну, я подумал, что это грабеж. Чего ради кому-то распахивать дверцу моей машины и наводить на меня пистолет?

АВТОР. И как вы повели себя?

СВИДЕТЕЛЬ. Как повел? Испугался. Я только что получил деньги. Тройная плата с премией составили почти четыре сотни. Мне были очень нужны эти деньги. Я их задолжал. И подумал, что этот человек хочет их отобрать.

АВТОР. Отдали бы вы их ему? Если б он потребовал?

СВИДЕТЕЛЬ. Конечно, отдал бы. Что еще оставалось?

АВТОР. Но он не потребовал у вас денег?

СВИДЕТЕЛЬ. Нет. Он сел рядом со мной и упер ствол пистолета мне в бок. Левой рукой захлопнул дверцу, потом снова схватился за живот.

АВТОР. Что он сказал?

СВИДЕТЕЛЬ. Сказал: «Когда загорится зеленый, поезжай в южную сторону, куда и едешь. Не гони слишком быстро и не при на красный свет. Я скажу, где свернуть». Вот и все.

АВТОР. Что ответили вы?

СВИДЕТЕЛЬ. Я спросил: «Вам нужны мои деньги? Моя машина? Берите и отпустите меня». А он сказал: «Нет, вести придется тебе, я не в состоянии. Я ранен». — «Вам нужно в больницу? «Мать милосердия» в пяти кварталах. Я отвезу вас туда». А он сказал: «Нет, вези, куда скажу». Я спросил: «Вы не убьете меня?» И он ответил: «Нет, если будешь слушаться, не убью».

АВТОР. И вы ему поверили?

СВИДЕТЕЛЬ. Поверил, конечно. Что еще оставалось в такой ситуации? Понимаете? Конечно, поверил.

АВТОР. Что случилось потом?

СВИДЕТЕЛЬ. Я повиновался ему. Когда сменился огонь светофора, я поехал в южную сторону. Скорость я не превышал, и мы проскакивали все светофоры.

АВТОР. Этот человек говорил что-нибудь по пути?

СВИДЕТЕЛЬ. Один раз заговорил. Кажется, возле Шестидесятых стрит. Спросил, как меня зовут, я сказал. Потом спросил, женат ли я, и я ответил, что да, в семье шестеро детей и ждем седьмого. Думал, сжалится и не убьет меня. Понимаете?

АВТОР. Больше он ничего не говорил?

СВИДЕТЕЛЬ. Нет, больше ничего. Один раз вроде бы застонал. Я глянул на него, всего на секунду, и увидел, что между его пальцев сочится кровь. Из-под левой руки, прижатой к животу. Я понял, что он тяжело ранен, и мне стало жаль его.

АВТОР. Что было потом?

СВИДЕТЕЛЬ. У Пятьдесят седьмой стрит он велел свернуть направо и ехать в западную сторону. Я так и сделал.

АВТОР. Голос его был твердым?

СВИДЕТЕЛЬ. Твердым? Конечно, твердым. Пожалуй, негромким, но твердым. И пистолет, упертый мне в бок, он держал твердо. Итак, мы ехали по Пятьдесят седьмой стрит. Возле Девятой авеню он велел свернуть налево и ехать к центру. Я повиновался.

АВТОР. Который был час?

СВИДЕТЕЛЬ. Который час? Полпятого. Что-то вроде этого. Примерно. Уже светало.

АВТОР. Что потом?

СВИДЕТЕЛЬ. Я ехал очень, очень осторожно, и мы проскакивали все светофоры. Он велел остановиться на Двадцать четвертой стрит.

АВТОР. На какой стороне?

СВИДЕТЕЛЬ. На западной. Справа. Я подъехал к тротуару. С его стороны. Он открыл дверцу правой рукой, не выпуская пистолета.

АВТОР. Вам не пришло в голову броситься тут на него?

СВИДЕТЕЛЬ. Вы в своем уме? Нет, конечно. Он вылез, захлопнул дверцу. Потом сунул голову в окошко. Сказал: «Поезжай без остановок. Я буду стоять здесь и следить».

АВТОР. Что вы сделали потом?

СВИДЕТЕЛЬ. Что мне было делать? Поехал, не останавливаясь. Доехал до Шестнадцатой стрит и решил, что он уже не видит меня. Остановился и зашел в телефонную будку. Там написано, что для срочного вызова полиции нужно набрать номер девятьсот одиннадцать, не опуская монеты. Я позвонил полицейским. Когда ответили, рассказал, что случилось. Они спросили мою фамилию и адрес. Я сказал. Спросили, где нахожусь, я тоже сказал. Они попросили подождать, сказали, что сейчас подойдет машина.

АВТОР. Что дальше?

СВИДЕТЕЛЬ. Я вернулся к своей машине. Решил посидеть, слегка успокоиться, пока приедут полицейские. Меня трясло — понимаете? Снова попытался зажечь сигару — там я так ее и не зажег, — но потом взглянул на место, где он сидел. Там была целая лужа крови, и капало на коврик. Я вылез из машины и стал ждать на тротуаре. Сигару выбросил.

91

Висент Парелли, «Драчун», был доставлен в отделение неотложной помощи при больнице «Мать милосердия», угол Восточной Семьдесят девятой стрит и Ист-Энд-авеню, в 5.23 1 сентября 1968 года. Сперва его признали уже мертвым, но при осмотре врач Сэмюэл Нейтан обнаружил слабый пульс. Немедленно были доставлены стимуляторы и плазма, и Парелли отправили в палату максимальной безопасности на втором этаже. После дальнейшего обследования доктор Нейтан объявил, что прогноз отрицательный. Парелли был ранен двумя пулями, одна, очевидно, попала в легкое, другая пробила селезенку.

В 5.45 койка Парелли была обнесена ширмами. Внутри этой ограды кроме доктора Нейтана находились доктор Эверетт Брислинг (интерн) и медсестра Сара Пейджент, оба из штата больницы «Мать милосердия», помощник окружного прокурора Ральф Гимбл, детектив первой ступени Роберт К. Леффертс из отдела расследования убийств восточного сектора, детектив второй ступени Стенли Браун из 251-го участка, полицейский Эфраим Сэндерс (однофамилец автора) из 251-го участка и охранник Бартон Макклири из штата больницы «Мать милосердия».

Ниже приводится расшифровка записи, сделанной нью-йоркской окружной прокуратурой, запись закодирована НЙОП—АП—ДеБеСт, дата 1/IX—68. 6.00.

ГИМБЛ. Что происходит?

НЕЙТАН. Умирает. По всем данным он должен быть уже мертв.

ЛЕФФЕРТС. Вы можете что-нибудь сделать?

НЕЙТАН. Нет. Мы сделали все, что могли.

ГИМБЛ. Он придет в сознание?

НЕЙТАН. Брислинг?

БРИСЛИНГ. Может быть. Сомневаюсь.

ГИМБЛ. Нам нужно его допросить.

НЕЙТАН. Что вы от меня хотите? Я не Бог.

БРИСЛИНГ. Дайте человеку спокойно умереть.

БРАУН. Нет, черт возьми. Убит полицейский. Поднимите его. Приведите в чувство. Мы должны узнать, в чем тут дело, почему в него стреляли. Это очень важно.

БРИСЛИНГ. Доктор?

(Пауза семь секунд).

НЕЙТАН. Хорошо. Сестра.

ПЕЙДЖЕНТ. Да, доктор?

НЕЙТАН. Пятьдесят кубиков. Понятно?

ПЕЙДЖЕНТ. Да, доктор.

НЕЙТАН. Делайте укол.

(Пауза двадцать три секунды).

НЕЙТАН. Пульс?

БРИСЛИНГ. Кажется, чуть усилился. Сердце по-прежнему бьется неровно.

ГИМБЛ. Дрогнули веки. Я видел.

ЛЕФФЕРТС. Парелли? Парелли?

НЕЙТАН. Не тормошите его.

БРАУН. Все равно ж умирает.

НЕЙТАН. Не смейте прикасаться к нему. Это пациент нашей больницы под моим попечением.

ПАРЕЛЛИ. Гых... гых...

ГИМБЛ. Что-то произнес. Я слышал.

ЛЕФФЕРТС. Невнятно. Сэндерс, поднеси микрофон к его губам.

ПАРЕЛЛИ. Ахх... ахх...

БРАУН. Глаза открылись.

ГИМБЛ. Парелли. Парелли, кто стрелял в вас? Кто, Парелли? Почему?

ПАРЕЛЛИ. Гых... гых...

БРИСЛИНГ. Черт знает что.

ЛЕФФЕРТС. Кто задумал это, Парелли? Кто вложил деньги? Кто стоит за этим, Парелли? Вы слышите меня?

ПАРЕЛЛИ. Полез наверх. Взрослый не сможет это здание. Я сказал велосипед никому из ребят можно матери.

ГИМБЛ. Что? Что?

ПАРЕЛЛИ. Или вина сказала она. Тогда сегодня гад буду не получим.

ЛЕФФЕРТС. Можно сделать еще укол, доктор?

НЕЙТАН. Нет.

ПАРЕЛЛИ. Гых... гых...

БРИСЛИНГ. Сердце бьется неровно.

ПЕЙДЖЕНТ. Пульс слабеет и становится прерывистым.

НЕЙТАН. Он умирает.

БРАУН. Парелли, слушай. Парелли, слышишь меня? Кто стрелял в тебя, Парелли? Кто вложил деньги? Кто вызвал тебя из Детройта? Парелли?

ПАРЕЛЛИ. Никак не думал. А потом оказался на улице где. Луиза? Мы видели машину на небо. Маму. На небо. Лежала там. Когтистой лапе не дотянуться. Когда-нибудь она. Проклятый гад. Надо было.

ГИМБЛ. Кто, Парелли? Кто стрелял в вас?

ПАРЕЛЛИ. Если певчая пташка вспорхнет, то и девочка не запоет.

НЕЙТАН. Сестра?

ПЕЙДЖЕНТ. Пульса нет.

НЕЙТАН. Брислинг?

(Пауза девять секунд).

НЕЙТАН. Он умер.

ЛЕФФЕРТС. Тьфу, черт.

92

Докладная записка (секретная) ЭДК—794 от 11/XII—68 капитана Эдварда К. Делэни, НЙУП, комиссару НЙУП с секретными копиями заместителю комиссара Артуру С. Битему и главному инспектору Дэвиду Л. Уичкоту.

«Этот документ является приложением к моему заключительному рапорту НЙУП—ЭКД—1/IX—68. До моего сведения довели, что неудавшееся вооруженное ограбление в Нью-Йорке на Восточной Семьдесят третьей стрит, 535, в ночь с 31 августа на 1 сентября можно было б предотвратить, будь сотрудничество между агентствами города, штата, федеральными и частными более тесным. Перечень имеющих отношение к делу агентств прилагается (см. ЭКД—794А).

Поскольку на сей раз я не в состоянии установить

личность моего осведомителя, то могу утверждать, не боясь серьезных опровержений, что за несколько месяцев до преступления указанные агентства располагали данными (на магнитофонных пленках и в расшифровках), относящимися к планируемому преступлению, полученными с помощью подслушивающих устройств.

Разумеется, ни одно агентство не располагало всеми сведениями относительно намечаемого преступления — такими, как адрес, время, участники и т. д. Однако, если б существовал центральный фонд или организация по сбору, классификации и распространению информации (возможно, с компьютерами?), то у меня почти нет сомнений, что преступление, о котором идет речь, можно было б предотвратить.

Я твердо настаиваю, чтобы срочно было созвано собрание представителей правоохранительных агентств города, штата и федерального правительства, чтобы решить, как можно создать организацию по сбору информации, получаемой с помощью электронного подслушивания. Я готов оказать любую посильную помощь для создания этого проекта, поскольку у меня есть по данному поводу ряд конструктивных соображений».

93

Примерно 5.45. Квартира Ингрид Махт на Западной Двадцать четвертой стрит, 627. Расшифровка пленки КЦББ–1/IX–68 – ИМ–5054–1961.

(Звонок в дверь).
(Пауза одиннадцать секунд).
(Звонок в дверь).
(Пауза восемь секунд).

ИНГРИД. Да?
АНДЕРСОН. Герцог.

ИНГРИД. Герцог, я сплю. Очень устала. Пожалуйста, приди попозже.

АНДЕРСОН. Хочешь, чтобы я выстрелил в замок?

ИНГРИД. Что? Что ты говоришь, Герцог?

(Пауза шесть секунд).

ИНГРИД. О Господи.

АНДЕРСОН. Да. Закрой и запри дверь. Набрось цепочку. Шторы опущены?

ИНГРИД. Да.

АНДЕРСОН. Принеси что-нибудь... полотенце. Не хочу капать кровью на твои белые ковры.

ИНГРИД. Ой, Шатци, Шатци...

(Пауза девять секунд).

ИНГРИД. Господи, ты весь в крови. Вот... давай я...

АНДЕРСОН. Здесь уже почти не льется. Теперь внутри.

ИНГРИД. Пистолет или нож?

АНДЕРСОН. Пистолет.

ИНГРИД. Сколько ран?

АНДЕРСОН. Две. Одна высоко, под ложечкой. Другая сбоку внизу живота.

ИНГРИД. Пули вышли?

АНДЕРСОН. Что? Не думаю. Бренди. Дай бренди.

ИНГРИД. Сейчас... давай помогу сесть. Ну вот. Не двигайся.

(Пауза четырнадцать секунд).

ИНГРИД. Несу. Подержать тебе?

АНДЕРСОН. Я сам. А, черт... теперь легче.

ИНГРИД. Больно?

АНДЕРСОН. Поначалу было больно. Я чуть не закричал. Теперь тупая боль. Внутри какая-то громадная чернота. Течет кровь. Я чувствую, как она вытекает.. струится...

ИНГРИД. Я знаю одного врача...

АНДЕРСОН. Не надо. Ни к чему. Я отключаюсь.

ИНГРИД. И ты решил явиться ко мне...

АНДЕРСОН. Да... Ухх... Господи! Да, как собака, ползущая к дому, чтобы сдохнуть там.

ИНГРИД. Ты решил явиться сюда. Зачем? В отместку за то, что я подвела тебя?

АНДЕРСОН. Подвела? А. Нет, об этом я давно забыл. Это пустяк.

ИНГРИД. И все же ты решил явиться...

АНДЕРСОН. Да. Я пришел убить тебя. Понимаешь? Вот... Смотри... Осталось два. Я сказал, что отключу тебя когда-нибудь. Дал обещание...

ИНГРИД. Герцог, брось эту чушь.

АНДЕРСОН. Нет. Нет. Раз я обещаю... А, черт... чернота... шумит ветер. Ты не хочешь завопить? Удрать в другую комнату, может, выпрыгнуть из окна?

ИНГРИД. Эх, Шатци, Шатци... ты же знаешь, я не такая.

АНДЕРСОН. Знаю... знаю, что не такая....

ИНГРИД. Стало хуже?

АНДЕРСОН. Находит волнами, черными. Как море. Я отключаюсь по-настоящему. Отключаюсь. А, черт...

ИНГРИД. Вышел полный провал?

АНДЕРСОН. Да. Мы ничем не засвечивались... ничем... Однако влипли. Не знаю почему... Но какое-то время добыча была в моих руках. Мне досталось все сполна.

ИНГРИД. Да. Тебе досталось сполна... Герцог, у меня есть наркотики. Героин. Хочешь укол? Станет легче.

АНДЕРСОН. Нет. Не надо. С этим я могу справиться. Не так уж и больно.

ИНГРИД. Дай мне пистолет, Шатци.

АНДЕРСОН. Я не шучу.

ИНГРИД. Ну и что это даст? Чему поможет?

АНДЕРСОН. Я обещал. Дал слово. Обещал тебе...

(Пауза семь секунд).

ИНГРИД. Ну и хорошо. Раз ты видишь в этом свой

долг. Все равно моя песенка уже спета. Даже если ты умрешь в этот миг, моя песенка спета.

АНДЕРСОН. Умру? Значит, это мой конец? И больше ничего?

ИНГРИД. Да. Конец Джона Андерсона. Больше ничего. И конец Ингрид Махт. И Гертруды Хеллер. И Берты Кнобель. И всех других женщин, которыми я была в своей жизни. Всем нам конец. Больше ничего.

АНДЕРСОН. Тебе страшно?

ИНГРИД. Нет. Так будет лучше всего. Ты прав. Так лучше всего. Я устала и давно уже не могу спать. Это будет крепкий сон. Ты не причинишь мне боли, Шатци?

АНДЕРСОН. Я быстро.

ИНГРИД. Да. Быстро. Наверно, в голову. Сюда... видишь... я опущусь на колени. Рука у тебя не дрогнет?

АНДЕРСОН. Не дрогнет. Можешь на меня положиться.

ИНГРИД. Я всегда могла полагаться на тебя, Герцог. Помнишь тот день в парке? Наш пикник?

АНДЕРСОН. Помню.

ИНГРИД. Одно время там... одно время...

АНДЕРСОН. Я знаю... знаю...

ИНГРИД. Теперь я, наверно, повернусь, Шатци. Спиной. Оказывается, я не такая смелая, как мне казалось. Стану здесь на колени, спиной к тебе, и буду говорить. Все, что придет в голову. Буду говорить, а ты тем временем... понимаешь?

АНДЕРСОН. Понимаю.

ИНГРИД. Для чего все это было, Герцог? Когда-то я думала, что знаю. Но теперь не уверена. Знаешь, у венгров есть поговорка: «Не успеешь оглянуться, пикник окончен». Все прошло так быстро, Герцог. Как сон. Почему это дни ползут, а годы летят? Для меня жизнь была костью в горле. Таких минут, как тогда, в парке, было очень мало. Большей частью жизнь была болью...

болью... Герцог, пожалуйста... ну... не тяни дальше. Пожалуйста. Герцог? Шатци? Герцог, я...

(Пауза пять секунд).

ИНГРИД. Ах. Ах. Ты умер, Герцог? Наконец отключился? Я, я здесь. Я здесь...

(Пауза минута четырнадцать секунд).
(Звук вращаемого телефонного диска).

ГОЛОС. Нью-йоркское управление полиции. Могу я помочь вам?

94

Тело Джона Андерсона, «Герцога», было отправлено в нью-йоркский городской морг 1 сентября 1968 года в 7.00. Ингрид Махт препроводили в женскую тюрьму на Гринвич-авеню, 10. Дом № 627 по Западной Двадцать четвертой стрит был опечатан, и у входа выставили охрану.

Утром 2 сентября 1968 года в нью-йоркском управлении полиции на Сент-стрит, 240, состоялось собрание представителей заинтересованных ведомств, в том числе нью-йоркского управления полиции, нью-йоркской окружной прокуратуры, Федерального бюро расследований, Налогового управления, Федерального бюро по борьбе с наркобизнесом и Комиссии по ценным бумагам и биржам. Среди представителей НЙУП находились люди из 251-го участка и отдела по борьбе с наркобизнесом, отдела расследования убийств восточного сектора, отдела расследования убийств западного сектора, полицейской лаборатории и узла связи. Был также представитель Интерпола. Автору разрешили присутствовать в качестве наблюдателя.

В это время была собрана группа из десяти человек и отправлена произвести обыск в доме Ингрид Махт по адресу: Западная Двадцать четвертая, 627; обыск должен был начаться в 15.00 2 сентября 1968 года и завершиться по соглашению всех представителей. Автору было разрешено присутствовать как наблюдателю.

Обыск начался примерно в 15.20 и, к моему удовлетворению, был проведен с профессиональным мастерством, быстро и тщательно. Обнаружены улики, определенно связывающие Ингрид Махт с контрабандным ввозом наркотиков. Есть также несколько улик (предположительных), указывающих на то, что она имела отношение к проституции в Нью-Йорке. В довершение обнаружена улика (не являющаяся неоспоримой), что Ингрид Махт замешана в краже и сбыте ценных бумаг, в том числе акций, промышленных и государственных облигаций.

Обнаружено также несколько улик того, что Ингрид Махт занималась ростовщичеством, давая в долг тем, с кем встречалась на своей работе в танцзале, наркоманам и другим лицам, состоящим на учете в правоохранительных органах. В довершение обнаружена улика (недостаточная для привлечения к суду), доказывающая, что Ингрид Махт была пособницей у абортистов со штаб-квартирой в небольшом мотеле, штат Нью-Джерси.

Во время этого в высшей степени тщательного обыска детектив из 251-го участка обнаружил небольшую тетрадь, спрятанную под книжным ящиком комода в спальне. При первом осмотре она показалась просто дневником. Собственно говоря, это толстая тетрадь с обложкой из красной искусственной кожи (на обложке вытиснено: «Пятилетний дневник»). Более пристальное исследование показало, что это скорее гроссбух, где отмечены личные операции Ингрид Махт с акциями и другими ценными бумагами.

Беглое знакомство с записями, включающими покупку (суммы и даты) и продажу (суммы, даты и доходы), наглядно показало, что Ингрид Махт была удачлива в финансовых операциях. (В заявлении для прессы один из ее адвокатов оценил личное состояние Ингрид Махт «порядка ста тысяч долларов»).

Автор присутствовал, когда был обнаружен дневник, и получил возможность бегло пролистать его.

На внутренней стороне обложки тем же почерком, что и прочие записи, выведено: «Преступление — искренность, закон — лицемерие».

ГРЭМ ГРИН

Третий

1

Никогда не знаешь, что за пилюлю готовит тебе судьба. После первой встречи с Ролло Мартинсом я сделал о нем для своей полицейской картотеки такую заметку: «В обычной обстановке — беззаботный шалопай. Пьет, не зная меры, и способен причинить легкие неприятности. Пялится на всех проходящих женщин и дает им оценку, но, похоже, он их побаивается. По-настоящему взрослым так и не стал, видимо, этим и объясняется его преклонение перед Лаймом». Я отметил «в обычной обстановке», потому что впервые увидел Мартинса на похоронах Гарри Лайма. Стоял февраль, почва промерзла, и могильщикам на Центральном кладбище Вены пришлось пустить в ход электробуры. Казалось, даже земля никак не хочет принимать Лайма, но в конце концов его опустили в могилу и закопали. Над ним вырос холмик, и Ролло Мартинс быстро пошел прочь, казалось, он вот-вот пустится бегом на своих длинных, неуклюжих ногах, по его лицу тридцатипятилетнего мужчины текли детские слезы. Мартинс верил в дружбу, и потом дальнейшее потрясло его сильнее, чем могло бы потрясти меня или вас, вы сочли бы это галлюцинацией, а мне сразу же пришло бы на ум рациональное — пусть даже совершенно неверное — объяснение. Расскажи он мне все сразу, скольких осложнений можно было б избежать.

Если хотите разобраться в этой странной, довольно печальной истории, вам нужно представить себе место действия — разрушенную сумрачную Вену, разделенную на оккупационные зоны четырьмя державами; границы советской, английской, американской и французской зон обозначены только щитами с надписью, а Иннер-штадт, окруженный Рингом центр города с массивными общественными зданиями и горделивыми статуями, находится под контролем всех четырех держав. В этом некогда очаровательном Старом городе каждая держава по очереди, как мы выражаемся, «председательствует» в течение месяца и отвечает за безопасность; по ночам тех, у кого хватало глупости истратить австрийские шиллинги в каком-то из ночных клубов, почти наверняка останавливал международный патруль — четыре человека, по одному от каждой державы, общавшихся между собой, если только они общались, на языке общего врага. Я не бывал в Вене между войнами и слишком молод, чтобы помнить старую Вену с музыкой Штрауса и деланно-непринужденным очарованием; для меня это просто город уродливых развалин, в прошлом феврале заснеженных и обледенелых. Дунай представлял собой серую мелкую грязную реку, протекает он по окраине города во второй, советской зоне, Пратер[1] лежал разрушенным, пустынным, заросшим бурьяном, лишь колесо обозрения вращалось над напоминающими брошенные жернова фундаментами каруселей, ржавыми подбитыми танками, которые никто не убирал, и торчащей кое-где из-под неглубокого снега мерзлой травой. У меня не хватает воображения представить, каким этот парк был раньше, точно так же мне трудно вообразить отель Захера не транзитной гостиницей для английских офицеров или увидеть фешенебельные магазины на Кертнерштрассе, почти сплошь тянущуюся на уровне взгляда, отстроенную лишь до вторых этажей. Промелькнет с винтовкой на ремне русский солдат в меховой шапке, да одетые в пальто люди потягивают за окнами «Старой Вены» суррогатный

---

[1] Остров и парк на нем.

кофе. Такой в общих чертах была Вена, куда Ролло Мартинс приехал седьмого февраля прошлого года. Я, как мог, восстановил эту историю по своим досье и рассказам Мартинса. Насколько от меня зависело, в ней все соответствует истине — я не выдумал ни строчки диалога, однако за память Мартинса ручаться не могу; история неприятная, если исключить из нее женщину; жестокая, печальная — и унылая, не будь нелепого эпизода с лектором Британского общества культурных связей.

2

Британский подданный и сейчас может путешествовать — при условии, что возьмет с собой не больше пяти английских фунтов, тратить которые за границей запрещено, но без приглашения Лайма Ролло не пустили бы в Австрию, которая все еще является оккупированной территорией. Лайм предложил Мартинсу «расписать» заботу о международных беженцах, и Мартинс согласился, хотя это было не по его части. Поездка давала возможность отдохнуть, а он остро нуждался в отдыхе после инцидентов в Дублине и Амстердаме: свои романы с женщинами Мартинс неизменно завершал как «инциденты» — случайности, произошедшие помимо его воли, именуемые у страховых агентов «стихийными бедствиями». По приезде в Вену у него был изможденный вид и привычка оглядываться, поначалу вызвавшая у меня подозрения; потом я понял, что его страшит, как бы внезапно не появился кто-то из, допустим, шести бывших любовниц. Он уклончиво сказал мне, что осложнял себе жизнь, — то есть выразил то же самое другими словами.

По части Ролло Мартинса были вестерны, дешевые книжицы в бумажных обложках, издаваемые под псевдонимом «Бак *Декстер*». Читателей у него было много, а денег мало. Он не смог бы позволить себе путешествие в Вену, если б Лайм не предложил ему возместить расходы из какого-то безымянного фонда пропаганды. Кроме того, Лайм обещал снабдить его бонами — единственной валютой, имевшей хождение в английских отелях и клубах. Итак, ровно с пятью бесполезными фунтовыми банкнотами Мартинс прибыл в Вену.

Во Франкфурте, где самолет из Лондона совершил посадку на час, произошел странный случай. Мартинс ел булочку с котлетой в американской столовой (авиалиния любезно снабдила пассажиров шестидесятипятицентовыми талонами на питание), когда человек, в котором он за двадцать футов распознал журналиста, подошел к его столику.

— Мистер Декстер?

— Да, — ответил застигнутый врасплох Мартинс.

— На фото вы кажетесь старше, — заметил журналист. — Как насчет того, чтобы сделать заявление? Я представляю местную военную газету. Нам хотелось бы знать ваше мнение о Франкфурте.

— Я приземлился всего десять минут назад.

— Да, верно, — сказал журналист. — Каковы ваши взгляды на американский роман?

— Американских романов не читаю, — ответил Мартинс.

— Знаменитый едкий юмор, — сказал журналист. Потом указал на жующего хлеб маленького седого человека с двумя выпирающими зубами. — Вы, случайно, не знаете, это Кэри?

— Понятия не имею. Что за Кэри?

— Дж. Г. Кэри, разумеется.

— Никогда о таком не слышал.

— Вы, писатели, живете в каком-то другом мире. У меня задание встретиться с ним.

И Мартинс смотрел, как журналист идет к великому Кэри, а тот, отложив корочку хлеба, приветствует его деланной улыбкой. Журналист получил задание встретиться не с Декстером, однако Мартинс невольно ощутил гордость — до сих пор никто не обращался к нему как к писателю; это чувство гордости и значительности заглушило досаду, что Лайм не встретил его в аэропорту. Нам никогда не свыкнуться с тем, что другие значат больше для нас, чем мы для них, — Мартинс чувствовал себя задетым, стоя у дверей автобуса и глядя на снежинки, падающие так редко и мягко, что громадные сугробы среди разрушенных зданий, казалось, были не итогом этих скудных осадков, а вечно лежали над слоем вечного снега.

Лайм не встретил Мартинса и возле отеля «Астория», на конечной остановке автобуса, в отеле не было никакой записки — кроме загадочной, адресованной мистеру Декстеру от совершенно неизвестного человека по фамилии Крэббин: «Мы ждали, что вы прилетите завтра. Пожалуйста, оставайтесь на месте. Я в аэропорт и обратно. Номер в отеле заказан», но Ролло Мартинс был не из тех, кто остается на месте. В гостиной отеля рано или поздно произойдет инцидент, жизнь осложнится. Мне и сейчас слышатся его слова: «С инцидентами покончено. Хватит», сказанные перед тем, как с головой окунуться в самый серьезный из инцидентов. У Ролло Мартинса всегда был внутренний конфликт — между нелепым именем и доставшейся от прапрадеда голландской фамилией. Ролло пялился на всех проходящих женщин, а Мартинс открещивался от них. Трудно сказать, кто писал вестерны, Мартинс или Ролло.

Адрес Лайма у Мартинса имелся, а человек по фамилии Крэббин не вызвал у него ни малейшего любопытства; было ясно, что произошла ошибка, однако пока он не связывал ее с разговором во Франкфурте. Лайм писал Мартинсу, что разместит его у себя, в большой, реквизированной у нациста квартире на окраине Вены. По приезде Лайм мог бы расплатиться за такси, поэтому Мартинс поехал прямо к дому, расположенному в третьей, английской, зоне. Оставив машину ждать, он пошел на четвертый этаж.

Как быстро человек обращает внимание на тишину даже в таком тихом городе, как Вена, с медленным снегопадом. Еще не дойдя до третьего этажа, Мартинс понял, что Лайма не найдет, но тишина была настолько глубокой, что говорила не просто об отлучке — он стал догадываться, что Лайма не найти во всей Вене, а когда поднялся на четвертый этаж и увидел на ручке двери большой черный бант — то и во всем мире. Конечно, бант мог означать, что умерла кухарка, экономка, кто угодно, кроме Гарри Лайма, но Мартинс понял — осознал, что догадывался еще двадцатью ступенями ниже, — что Лайм, тот самый Лайм, который вот уже двадцать лет, с первой встречи в тусклом коридоре колледжа, когда надтреснутый колокол звонил к молитве, был его обожаемым кумиром, скончался. Мартинс не ошибся или ошибся не совсем. После того как он позвонил в квартиру полдюжины раз, из соседней двери выглянул низенький угрюмый человек и раздраженно сказал:

— Перестаньте звонить. Там никого нет. Он погиб.

— Герр Лайм?

— Конечно, герр Лайм.

Позднее Мартинс рассказывал: «До меня не сразу дошло. Это было просто сообщение, как строки в «Таймс», именуемые «Новости вкратце». Он спросил:

— Когда? Как?

— Попал под машину, — ответил тот человек. — В прошлый четверг. — И безучастно добавил, словно его это нисколько не трогало: — Погребение сегодня. Вы едва разминулись с ними.

— С ними?

— Покойного провожают несколько друзей.

— Был он в больнице?

— Везти его туда не имело смысла. Он был убит на месте, у крыльца — мгновенно. Его ударило правым крылом, и он растянулся, как заяц.

Мартинс рассказывал, что при слове «заяц» Гарри Лайм вдруг ожил, превратился в мальчишку, принесшего «одолженное» ружье; мальчишка вскочил среди длинных песчаных холмов бриквортской пустоши со словами: «Стреляй же, болван, стреляй. Вон он», и раненный выстрелом Мартинса русак, хромая, побежал прятаться.

— Где его хоронят? — спросил Мартинс незнакомца.

— На Центральном кладбище. Нелегко будет рыть могилу в такой мороз.

Мартинс не представлял, как расплатится за такси, как удастся найти жилье и жить на пять английских фунтов, но эту проблему приходилось отложить до тех пор, пока он не увидит покойного Гарри Лайма. Ехать пришлось через советскую зону, немного спрямив путь по американской, которую безошибочно можно было узнать по кафе-мороженым на каждой улице. Вдоль высокой стены Центрального кладбища ходили трамваи, по другую сторону рельсов чуть ли не на милю растянулись резчики по камню и цветочницы со своим товаром — бесконечная цепь надгробий, ждущих покойников, и венков, ждущих плакальщиков.

Мартинс не предполагал, что этот заснеженный парк, куда он явился на последнее свидание с Лаймом, так громаден. Все равно как если бы Гарри оставил записку: «Встретимся в Гайд-парке», не указав определенного места между статуей Ахиллеса и Ланкастерскими воротами; длинные, обозначенные буквами и цифрами ряды могил расходились в стороны, будто спицы огромного колеса; они с таксистом ехали с полмили на запад, потом полмили к северу, потом свернули к югу.

Снег придавал громадным помпезным фамильным памятникам комичный вид: снежный парик косо сползал на лицо ангела, у святого росли густые белые усы, а на голове у бюста высокопоставленного гражданского служащего Вольфганга Готтмана был пьяно заломлен снеговой кивер. Даже это кладбище делилось между державами на зоны: советская была отмечена громадными статуями вооруженных людей, французская — рядами безымянных крестов и старыми обвисшими трехцветными флагами. Потом Мартинс вспомнил, что Лайм был католиком, и вряд ли его станут хоронить в английской зоне, которую они тщательно обыскивали. Поэтому таксист повел машину обратно, через центр леса, где могилы залегали под деревьями, словно волки, сомкнувшие заиндевелые ресницы в тени елей и сосен. Однажды из-за деревьев появились с тележкой трое в странной, черной с серебром униформе восемнадцатого века и треугольных шляпах, перебрались через один из могильных холмиков и скрылись снова.

Это чистая случайность, что Мартинс с водителем вовремя отыскали место похорон — единственный в огромном парке клочок земли, где снег отгребли в сторону и где стояла небольшая группа людей, занятых, по всей видимости, очень частным делом. Священник, слова которого невнятно доносились сквозь редкую пелену снега, умолк, и гроб уже вот-вот должны были опустить в землю. У могилы стояли двое мужчин в выходных костюмах; один держал венок, который, видимо, забыл положить на гроб, потому что сосед толкнул его под локоть, тот вздрогнул, спохватился и положил цветы. Чуть поодаль стояла молодая женщина, закрывая лицо руками, а я держался ярдах в двадцати, у другой могилы, с облегчением взирая на похороны Лайма и старательно разглядывая присутствующих. Для Мартинса я был просто неизвестным человеком в макинтоше. Он подошел ко мне и спросил:

— Не скажете ли, кого это хоронят?

— Человека по фамилии Лайм, — ответил я и с изумлением увидел, что на глаза незнакомца навернулись слезы; он не походил на плаксу, а у Лайма, на мой взгляд, не могло быть плакальщиков — искренних плакальщиков с искренними слезами. Правда, там была молодая женщина, но при подобных умозаключениях женщины в расчет не берутся.

Мартинс до конца простоял там, неподалеку от меня. И впоследствии сказал мне, что как старый друг не хотел навязываться новым — смерть Гарри выпала на их долю, пусть они его и погребают. Он тешил себя сентиментальной иллюзией, что жизнь Лайма — по крайней мере двадцать лет из нее — принадлежала ему. Едва могилу засыпали — я не религиозен и всегда с легким нетерпением жду конца окружающей смерть суеты, — Мартинс зашагал к своему такси, его длинные ноги, казалось, вот-вот запутаются; он не сделал попытки заговорить ни с кем, и слезы, во всяком случае, несколько скудных капель, которые в нашем возрасте способен выжать из себя каждый, уже катились по его щекам.

Ничье досье не бывает полностью собрано, ни одно дело не является окончательно закрытым даже сто лет спустя, когда все его участники мертвы. Поэтому я последовал за Мартинсом: те трое были мне известны, меня интересовал этот незнакомец. Догнав его у такси, я сказал:

— У меня нет машины. Может, подвезете в город?

— Ну конечно, — ответил он. Я знал, что шофер моего джипа незаметно последует за нами. Когда мы отъезжали, я отметил, что Мартинс ни разу не оглянулся — те, что бросают последний взгляд, машут рукой на перроне вместо того, чтобы сразу уйти, не оглядываясь, почти всегда лицемерные плакальщики и любовники. Неужели они до того тщеславны, что им нужно рисоваться перед всеми, даже перед мертвыми?

— Моя фамилия Кэллоуэй, — представился я.

— Мартинс, — ответил он.

— Вы были другом Лайма?

— Да.

На прошлой неделе большинство людей заколебалось бы, прежде чем признаться в этом.

— Давно здесь?

— Только сегодня из Англии. Гарри пригласил меня в гости. Я и представить не мог...

— Очень расстроены?

— Послушайте, — сказал он, — мне просто необходимо выпить, но денег у меня нет — только пять фунтов стерлингов. Буду очень признателен, если угостите.

Настал мой черед сказать: «Ну конечно». Чуть поразмыслив, я назвал таксисту небольшой бар на Кертнерштрассе. Мне казалось, Мартинсу лучше пока не появляться в шумных английских барах, где толкутся проезжие офицеры с женами. А в этом баре — видимо, из-за непомерных цен — редко кто бывал, кроме какой-нибудь поглощенной друг другом парочки. Правда, там подавали только приторный шоколадный ликер, за который официант драл, как за коньяк, но Мартинсу, видимо, было все равно, что пить, лишь бы отвлечься от настоящего и прошлого. На двери висело объявление, что бар открыт с шести до десяти вечера, но мне нужно было лишь толкнуть дверь и пройти через зал. Маленькая комнатушка досталась нам на двоих, единственная парочка находилась в соседней, официант, знавший меня, удалился, принеся бутерброды с икрой. Хорошо, мы оба знали, что у меня есть счет на служебные расходы.

Торопливо выпив две рюмки, Мартинс сказал:

— Прошу прощенья, но лучшего друга у меня не бывало.

В сущности, я ничего не знал о Мартинсе и, решив вывести его из себя — таким образом можно выведать многое, — отпустил реплику:

— Фраза прямо-таки из дешевой повестушки.

— А я и пишу дешевые повестушки, — незамедлительно ответил он.

Все-таки я кое-что узнал. Пока Мартинс не выпил третью рюмку, казалось, из него слова не вытянешь, но я был уверен, что он из тех людей, которые после четвертой становятся несносными.

— Расскажите о себе — и о Лайме, — попросил я.

— Послушайте, — сказал он, — мне позарез нужно выпить еще, но нельзя же все время вводить в расход постороннего человека. Могли бы вы разменять один-два фунта на австрийские деньги?

— Пусть вас это не беспокоит, — ответил я и позвал официанта. — Можете угостить меня, когда возьму отпуск и приеду в Лондон. Вы хотели рассказать, как познакомились с Лаймом.

Мартинс вертел рюмку шоколадного ликера, не сводя с нее глаз, словно с магического кристалла.

— Это было давно, — сказал он. — Вряд ли кто знает Гарри так, как я.

Тут мне вспомнилась хранящаяся в моем кабинете толстая папка с рапортами сотрудников, все они утверждали одно и то же. Сотрудникам своим я верю: подбираю их очень тщательно.

— Как давно?

— Двадцать лет назад — даже немного побольше. Познакомился я с ним в колледже, на первом курсе. Мне и сейчас видится этот колледж. Видится доска объявлений с надписью. И слышится звон колокола. Гарри был курсом старше меня и знал все ходы и выходы. Я многое у него перенял.

Торопливо отхлебнув, Мартинс вновь завертел свой магический кристалл, словно хотел отчетливее разглядеть, что там виднелось.

— Даже странно. Так ясно не помню знакомства ни с одной из женщин.

— Добивался Лайм в колледже успехов?

— Не тех, что от него ждали. И каких только ухищрений не придумывал. Он прекрасно умел все распланировать. По истории, по английскому я успевал гораздо лучше Гарри, но оказывался полным балбесом, когда доходило до выполнения его планов. — Мартинс рассмеялся: под влиянием выпивки и разговора у него начало проходить потрясение. — Попадался всегда я.

— И Лайма это вполне устраивало.

— Что вы имеете в виду, черт возьми? — спросил он. Начиналась хмельная раздражительность.

— А разве не так?

— То была моя вина, а не его. При желании Гарри

мог бы подыскать кого-то и поумнее, но я ему нравился. Он упорно нянчился со мной.

«Да, — подумал я, — в ребенке с малых лет таится зрелый муж», — потому что тоже находил Лайма упорным.

— Давно виделись с ним последний раз?

— Полгода назад. Гарри приезжал в Лондон на конгресс медиков. Он ведь по образованию врач, хотя никогда не практиковал. Это в его духе. Убедиться, что способен достичь цели, а потом потерять к ней интерес. Но он говорил, что профессия врача часто оказывалась ему на руку.

И это тоже было правдой. Странно, как Лайм, которого знал он, походил на того, что знал я: только он видел Лайма под другим углом или в другом свете.

— Одно из качеств, которые мне нравились в Гарри, — сказал Мартинс, — это юмор. — И улыбнулся так, что показался на пять лет моложе. — Я фигляр. Люблю валять дурака, но Гарри был по-настоящему остроумен. Знаете, он мог бы писать прекрасную легкую музыку, если б как следует взялся за дело.

Мартинс просвистал мелодию — мне она показалась смутно знакомой.

— Гарри написал эту вещицу при мне. Минуты за две, на обложке тетради. И потом всегда насвистывал, что-то обдумывая. Она была его позывным. — Мартинс засвистал ее снова, и я вспомнил, кто автор — разумеется, не Гарри. Мне хотелось сказать об этом — но к чему? Досвистав, Мартинс глянул в свою рюмку, допил то, что там оставалось, и сказал: — Очень жаль, что он погиб таким образом.

— Ему посчастливилось, как никогда, — сказал я.

До Мартинса не сразу дошло: он слегка опьянел.

— Посчастливилось?

— Вот именно.

— Потому что не ощутил боли?

— Тут ему тоже повезло.

Тон мой задел Мартинса больше, чем слова. Он негромко спросил с угрозой — я видел, как его правая рука сжалась в кулак:

— К чему вы клоните?

Нет ни малейшего смысла выказывать физическую храбрость во всех ситуациях. Я отодвинулся со стулом назад — подальше от его кулака.

— Клоню к тому, что у меня в полицейском управлении его дело закончено. Не попади Лайм под машину, он получил бы срок — и очень большой.

— За что?

— Он был одним из гнуснейших мошенников в этом городе.

Мой собеседник прикинул расстояние между нами и понял, что меня не достать. Ролло хотелось пустить в ход кулаки, но Мартинс был сдержанным, осторожным. Я стал понимать, что Мартинс опасен. И усомнился в своей первоначальной оценке: Мартинс не казался таким простофилей, какого представлял Ролло.

— Вы служите в полиции? — спросил он.

— Да.

— Терпеть не могу полицейских. Все они либо продажные, либо тупые.

— Об этом и пишете в своих книгах?

Мартинс медленно передвигался вместе со стулом вокруг столика, чтобы загородить мне выход. Я переглянулся с официантом, и тот понял меня без слов. Есть смысл проводить беседы всегда в одном и том же баре.

Притворно улыбаясь, Мартинс ехидно сказал:

— В книгах мне приходится называть их шерифами.

— Бывали в Америке? — Разговор становился пустым.

— Нет. Это допрос?

— Просто любопытство.

— Если Гарри был преступником, значит, преступник и я. Мы всегда орудовали вместе.

— Мне кажется, Лайм собирался втянуть вас в свою организацию. И не удивлюсь, если вам была уготована роль козла отпущения. Таков был его метод в колледже — судя по вашим словам. Ведь директору кое-что становилось известно.

— Для вас главное — закрыть дело, не так ли? Очевидно, велась мелкая торговля бензином, пришить обвинение было некому, и вы свалили все на покойного. Вполне в полицейском духе. Вы, я полагаю, настоящий полицейский?

— Да, из Скотленд-Ярда, но мое военное звание — полковник.

Мартинс уже отрезал мне путь к двери, а я не люблю потасовок, кроме того, он был выше на целую голову.

— Торговля велась не бензином, — сказал я.

— Автопокрышками, сигаретами... почему бы вам не схватить для разнообразия нескольких убийц?

— Можно сказать, что Лайм в своих делах не чурался и убийств.

Мартинс одной рукой опрокинул столик, а другой попытался ударить меня, но спьяну промахнулся. Второй попытки сделать он не успел — мой шофер обхватил его сзади. Я предупредил:

— Полегче с ним. Это всего-навсего перепивший писатель.

— Прошу вас, успокойтесь, сэр, — сказал шофер. У него было чрезмерное чувство почтения к представителям того класса, из которого выходят офицеры. Чего доброго, он бы назвал «сэром» и Лайма.

— Слушайте, черт возьми, Каллаган, или как вас там...

— Кэллоуэй. Я англичанин, не ирландец.

— Я выставлю вас самым большим ослом в Вене. Уж на этого покойника свалить нераскрытые дела вам не удастся.

— Понятно. Хотите найти настоящего преступника? Такое случается только в ваших книжках.

— Пусть он отпустит меня, Каллаган, драться я не стану. Мне доставит больше удовольствия выставить вас ослом. Получив синяк, вы проваляетесь несколько дней в постели, и все. А когда я выведу вас на чистую воду, вам придется удирать из Вены.

Я достал фунта на два бонов и сунул ему в нагрудный карман.

— На сегодняшний вечер этого будет достаточно. А завтра я вам обеспечу место в самолете до Лондона.

— Вы не имеете права меня выдворять. Мои документы в порядке.

— Да, но в этом городе, как и в других, нужны деньги. Если обменяете фунты на черном рынке, я в течение суток арестую вас. Пусти его.

Ролло Мартинс демонстративно отряхнулся и сказал:

— Спасибо за угощение.

— Не стоит благодарности.

— Рад, что не стоит. Видимо, оно идет по графе служебных расходов.

— Да.

— Встретимся через недельку-другую, когда я соберу сведения.

Видя, что Мартинс разозлен, я не принял его всерьез. Мне казалось, он хорохорится, чтобы поддержать чувство самоуважения.

— Могу приехать завтра в аэропорт, проводить вас.

— Напрасно потратите время. Меня там не будет.

— Пейн покажет, как пройти в отель Захера. Вы получите там стол и постель. Я позабочусь об этом.

Мартинс шагнул в сторону, словно уступая дорогу официанту, и внезапно попытался ударить меня. Увернуться я все же успел, однако наткнулся на поваленный столик. Второй попытки Мартинс сделать не смог — Пейн ударил его в подбородок. Он грохнулся в проход между столиками и поднялся с рассеченной губой.

— Вы, кажется, обещали не драться, — заметил я.

Утерев кровь с губы, Мартинс сказал:

— О нет, я только сказал, что предпочту выставить

вас ослом. Но не говорил, что заодно не поставлю вам фонаря.

День у меня выдался тяжелый, и я устал от Ролло Мартинса. Сказав Пейну: «На всякий случай доведи его до отеля. Если будет вести себя тихо, больше не бей», я отвернулся от обоих и направился к внутреннему бару (потому что заслуживал еще рюмки). Пейн почтительно сказал человеку, которого только что сбил с ног:

— Пойдемте, сэр. Это здесь, за углом.

3

О дальнейших событиях я узнал не от Пейна, а от Мартинса, восстанавливая долгое время спустя цепь событий, которые действительно — хотя не в том смысле, как рассчитывал Мартинс, — подтвердили, что я дурак. Пейн лишь подвел его к столу портье и объяснил: «Этот джентльмен прилетел из Лондона. Полковник Кэллоуэй говорит, что он должен получить комнату». Потом сказал Мартинсу: «Всего доброго, сэр» — и ушел. Видимо, его смущала рассеченная губа подопечного.

— Вам забронирован номер, сэр? — спросил портье.

— Нет. Вряд ли, — приглушенно ответил Мартинс, прижимая к губе платок.

— Я подумал, что, возможно, вы мистер Декстер. У нас на неделю заказан номер для мистера Декстера.

Мартинс сказал: «Да, это я». Как он рассказывал впоследствии, ему пришло на ум, что Лайм сделал заказ на эту фамилию, поскольку для пропагандистских целей требовался Бак Декстер, а не Ролло Мартинс. Рядом кто-то почтительно произнес: «Простите, пожалуйста, мистер Декстер, что вас не встретили у самолета. Моя фамилия Крэббин».

Мистер Крэббин оказался моложавым человеком средних лет с лысиной на макушке и в массивных роговых очках. Извиняющимся тоном он продолжал:

— Один из наших звонил во Франкфурт и узнал, что вы летите сюда. В штабе, как всегда, напутали и телеграфировали, что вы не прибудете. Там говорилось что-то насчет Швеции, но телеграмма была сильно искажена. Получив известие из Франкфурта, я поехал в аэропорт, но разминулся с вами. Получили вы мою записку?

Прижимая платок к губе, Мартинс промямлил:

— Да. Что дальше?

— Можно сразу сказать, мистер Декстер, что я очень рад познакомиться с вами.

— Приятно слышать.

— Я с детства считаю вас величайшим романистом нашего века.

Мартинс скривился. Открыть рот для возражений оказалось больно. Он сердито глянул на Крэббина, однако этот моложавый человек и не думал его разыгрывать.

— Ваши книги, мистер Декстер, очень популярны у австрийцев, как в переводе, так и в оригинале. Особенно роман «Выгнутый челн», это и моя любимая книга.

Мартинс напряженно соображал.

— Вы сказали — на неделю?

— Да.

— Очень любезно с вашей стороны.

— Мистер Шмидт, портье, будет ежедневно снабжать вас талонами на питание. Но я думаю, вам потребуется и немного наличных денег. Мы это устроим. Завтра, видимо, вы захотите отдохнуть. Оглядеть достопримечательности.

— Да.

— Если нужен гид, любой из нас, конечно же, будет к вашим услугам. А послезавтра вечером в институте состоится небольшая дискуссия о современном романе. Мы надеемся, что вы откроете ее, произнесете несколько слов и в конце ответите на вопросы.

Мартинс был готов согласиться на что угодно, лишь бы отделаться от Крэббина да к тому же обеспечить себе на неделю стол и жилье, а Ролло, как мне предстояло узнать, всегда принимал любое предложение — выпить, пойти к женщинам, пошутить, найти новое развлечение.

— Конечно, конечно, — пробормотал он в платок.

— Простите, мистер Декстер, у вас болит зуб? Я знаю очень хорошего дантиста.

— Нет. Получил удар, вот и все.

— Господи. Кто же это вас, грабители?

— Солдат. Я хотел засветить под глаз его полковнику.

Убрав платок, Мартинс показал рассеченную губу. По его словам, Крэббин лишился дара речи. Мартинс не мог понять, почему, так как даже не слышал о своем знаменитом современнике Бенджамине Декстере. Мне Декстер очень нравится, и понять ошеломление Крэббина я могу. Как стилиста Декстера сравнивают с Генри Джеймсом, однако мелочам жизни героинь он уделяет больше внимания, чем его учитель, — враги иногда называют его изысканный, сложный, неровный стиль стародевичьим. Естественно, пристрастие человека, не достигшего пятидесяти, к описанию вышивок и манера успокаивать не особенно взволнованную душу плетением кружев — его последователи обожают этот прием — кажутся коекому несколько вычурными.

— Читали вы книгу «Одинокий всадник из Санта-Фе»?

— Нет, не припоминаю.

— Лучший друг этого одинокого всадника, — сказал Мартинс, — был застрелен шерифом в городке Лост-Клейм-Галч. Повествуется в книге о том, как всадник преследовал шерифа — оставаясь в рамках законности — и в конце концов отомстил ему сполна.

— Вот уж не думал, мистер Декстер, что вы читаете вестерны, — сказал Крэббин, и потребовалась вся решительность Мартинса, чтобы удержать Ролло от слов: «Я ведь их пишу».

— Точно так же и я преследую полковника Каллагана.

— Никогда о таком не слышал.

— А о Гарри Лайме слышали?

— Да, — сдержанно ответил Крэббин, — но близко его не знал.

— Это был мой лучший друг.

— Мне кажется, он... не особенно интересовался литературой.

— Как и все мои друзья.

Крэббин нервно захлопал глазами и сказал утешающе:

— Зато увлекался театром. Одна его приятельница — актриса — изучает в институте английский. Он несколько раз заезжал за ней.

— Молодая, старая?

— Молодая, очень молодая. Актриса, на мой взгляд, неважная.

Мартинс вспомнил, что на похоронах была молодая женщина, закрывавшая лицо руками.

— Мне хотелось бы познакомиться с любым другом Гарри, — сказал он.

— Возможно, она придет на вашу лекцию.

— Эта женщина австрийка?

— Называет себя австрийкой, но подозреваю, что венгерка. Работает в театре «Йозефштадт». Не удивлюсь, если Лайм помог ей выправить документы. Фамилию носит Шмидт. Анна Шмидт. Трудно представить себе молодую английскую актрису, называющую себя Смит, не так ли? И к тому же хорошенькую. Фамилия у нее, мне кажется, не настоящая.

Поняв, что больше ничего не добьется от Крэббина, Мартинс сослался на утомительный день, на усталость, пообещал позвонить утром, принял десять фунтов в бонах на неотложные нужды и отправился к себе в номер. Ему казалось, что деньги он зарабатывает быстро — двенадцать фунтов менее чем за час.

Мартинс устал: он понял это, едва прилег на кровать прямо в башмаках. Через минуту Вена осталась далеко позади, он шел густым лесом, проваливаясь в снег по щиколотку. Заухала сова, и внезапно ему стало одиноко и страшно. У него была назначена встреча с Гарри под определенным деревом, но как в таком густом лесу найти то, которое нужно? Потом он увидел какого-то человека и побежал к нему: тот насвистывал знакомую мелодию, и на душе у Мартинса полегчало от радости и сознания, что наконец он не один. Потом человек повернулся, и оказалось, что это вовсе не Гарри — в небольшом кругу талого снега стоял, усмехаясь, какой-то незнакомец, а сова все продолжала ухать. Внезапно Мартинс проснулся — у кровати звонил телефон.

Голос с легким — очень легким — иностранным акцентом спросил:

— Мистер Ролло Мартинс?

— Да. — Приятно было вновь стать собой, а не Декстером.

— Вы не знаете меня, — сообщил обладатель голоса без особой на то нужды, — но я был другом Гарри Лайма.

Услышать, что кто-то называет себя другом Гарри, тоже было приятно. Мартинс ощутил симпатию к незнакомцу.

— Рад буду познакомиться с вами, — ответил он.

— Я нахожусь за углом, в «Старой Вене».

— Может, встретимся завтра? У меня был очень напряженный день.

— Гарри просил позаботиться о вас. Когда он умирал, я был рядом.

— Я думал... — сказал Мартинс и осекся. Ему хотелось сказать: «Думал, он умер мгновенно», но что-то его удержало. Вместо этого он напомнил: — Вы не представились.

— Моя фамилия Курц, — произнес голос. — Я бы заглянул к вам, но австрийцев не пускают в отель Захера.

— Могли бы мы встретиться утром в «Старой Вене»?

— Конечно, — ответил голос, — если вы *совершенно* уверены, что протянете до утра.

— Как это понять?

— Гарри беспокоился, что у вас не будет ни гроша.

Не выпуская трубки, Ролло Мартинс снова прилег на кровать и подумал: «Приезжайте в Вену делать деньги». За четыре с небольшим часа в этом городе вот уж третий незнакомец предлагал ему финансовую помощь. Мартинс сдержанно ответил: «До встречи с вами продержусь». Вряд ли стоит, решил он, отвергать заманчивое предложение, не узнав, в чем оно заключается.

— Тогда, может, в одиннадцать в «Старой Вене» на Кертнерштрассе? Я буду в коричневом костюме, с одной из ваших книг.

— Отлично. А откуда у вас моя книга?

— Дал Гарри.

Голос звучал доброжелательно, убедительно, однако, пожелав доброй ночи и повесив трубку, Мартинс невольно подумал, что если Гарри перед смертью оставался в сознании, то почему не попросил предупредить телеграммой его приезд? А ведь Каллаган говорил, что Гарри умер мгновенно — или он выразился «безболезненно»? Или он сам вложил в уста Каллагану эти слова? И тут у Мартинса возникло твердое убеждение, что со смертью Лайма что-то неясно, что полиция по тупости не смогла чего-то раскрыть. Он попытался сделать это сам, выкурил в раздумье две сигареты, но в конце концов заснул, не поужинав и не раскрыв тайны. День был утомительным, и усталость взяла свое.

4

— Что мне сразу не понравилось в Курце, — рассказывал Мартинс, — так это парик. Он просто бросался в глаза — прилизанный, желтый, великоватый, волосы сзади подрезаны, как по линейке. Если человек прячет лысину, в нем непременно есть что-то фальшивое. Кроме того, все складки лица, морщинки в уголках глаз, придающие обаяние и причудливость, казалось, подведены гримировочным карандашом, чтобы производить впечатление на романтичных школьниц.

Разговор этот состоялся несколько дней спустя — Мартинс дал подробные показания, когда след уже почти простыл. При последних словах его рассеянный взгляд внезапно на чем-то сосредоточился. Оказалось, молодая женщина — ничем не примечательная, отметил я — торопливо шла сквозь метель мимо окон моего кабинета.

— Лакомый кусочек?

Мартинс отвернулся от окна и ответил:

— С этим покончено навсегда. Знаете, Кэллоуэй, в жизни мужчины наступает время, когда он ставит крест на таких делах...

— Понятно. А мне показалось, вы глазели на женщину.

— Глазел. Но только потому, что она напомнила мне Анну — Анну Шмидт.

— А что, Анна разве не женщина?

— В известном смысле.

— Как это понять?

— Она была подружкой Гарри.

— А теперь досталась вам?

— Анна не такая, Кэллоуэй. Вы же видели ее на похоронах. Я больше не хочу осложнений. Их мне хватит до конца жизни.

— Вы рассказывали про Курца, — напомнил я.

Курц старательно делал вид, будто поглощен «Одиноким всадником из Санта-Фе». И, когда Мартинс подсел к нему, сказал с плохо наигранным восторгом:

— Вам замечательно удается создавать напряжение.

— Напряжение?

— Подозрение. На это вы мастер. В конце каждой главы кажется...

— Значит, вы были другом Гарри, — перебил Мартинс.

— Полагаю, ближайшим. — Но тут же, спохватясь, добавил: — Если не считать вас.

— Расскажите, как он погиб.

— Это случилось у меня на глазах. Мы вместе вышли из дома, в котором он жил, и Гарри увидел на другой стороне улицы знакомого — американца по фамилии Кулер. Он помахал Кулеру рукой и направился к нему, но тут из-за угла вынесся джип и сбил его. По правде говоря, виноват был Гарри, а не водитель.

— Один человек сказал мне, что он умер мгновенно.

— К сожалению, нет. Однако смерть наступила до приезда «скорой помощи».

— Гарри был способен говорить?

— Да. Несмотря на мучительную боль, он беспокоился о вас.

— Что он говорил?

— Точных слов я не помню, Ролло, — мне можно звать вас по имени, правда? Гарри в разговоре с нами называл вас только так. Просил, чтобы я позаботился о вас, когда вы приедете, не оставил без присмотра. И приобрел обратный билет.

Сказав об этом, Мартинс заметил: «Видите, все предлагали мне обратный билет и деньги».

— Почему ж не известили меня телеграммой?

— Очевидно, вы не успели ее получить. Цензура, зоны, телеграмма может идти целых пять дней.

— Дознание проводилось?

— Конечно.

— Знали вы, что у полиции есть смехотворное убеждение, будто Гарри был замешан в какой-то махинации?

— Нет, не знал. Но в Вене все чем-то промышляют. Все мы продаем сигареты, вымениваем шиллинги на боны и все такое прочее.

— Полиция имеет в виду нечто более серьезное.

— У полицейских иногда бывают нелепые заблуждения, — сдержанно ответил человек в парике.

— Я пробуду здесь, пока не докажу, что они не правы.

Курц резко повернул голову, и парик едва заметно съехал на сторону.

— Какой в этом смысл? — спросил он. — Гарри уже ничем не вернешь.

— Я заставлю этого полицейского удрать из Вены.

— Не представляю, как вам удастся.

— Восстановлю обратную последовательность событий, начиная со смерти Гарри. Там находились вы, этот самый Кулер и водитель. Вы можете дать мне их адреса.

— Адреса водителя у меня нет.

— Найду в протоколе коронера. А потом еще подружка Гарри...

— Для нее это будет мучительно, — сказал Курц.

— Меня заботит мой друг, а не она.

— Известно вам, в чем его подозревала полиция?

— Нет, не успел выяснить. Слишком быстро вспылил.

— Вас не пугает, — вкрадчиво спросил Курц, — что вдруг обнаружится нечто... ну, порочащее Гарри?

— Пойду и на такой риск.

— Для этого потребуется время — и деньги.

— Время у меня есть, а денег вы, кажется, собирались мне одолжить.

— Я не богач, — сказал Курц. — Гарри я обещал позаботиться, чтобы вы ни в чем не терпели нужды, и заказать вам билет обратно...

— Не беспокойтесь ни о деньгах, ни о билете, — сказал Мартинс, — но я заключу с вами пари — в фунтах стерлингов — пять фунтов против двухсот шиллингов, — что в гибели Гарри есть что-то подозрительное.

Это был выстрел наугад, но у Мартинса уже появилось твердое интуитивное убеждение, что со смертью Лайма не все ясно, хотя к интуиции он еще не приложил слово «убийство». Курц в это время подносил ко рту чашку кофе, и Мартинс наблюдал за ним. Выстрел, очевидно, не попал в цель; Курц твердой рукой держал чашку у рта и, прихлебывая, пил большими глотками. Потом поставил ее на стол и сказал:

— Подозрительное? Что вы имеете в виду?

— Полиции было выгодно иметь труп, но ведь это могло быть также выгодно и настоящим преступникам?

Окончив фразу, Мартинс понял, что его необдуманное заявление оставило Курца равнодушным: не маскировался ли он сдержанностью и спокойствием? Руки преступника не обязательно дрожат: только в книгах выроненный стакан говорит о волнении. Напряжение гораздо чаще проявляется в нарочитых действиях. Курц допивал кофе с таким видом, будто ничего не слышал.

— Что ж, — он отпил еще глоток, — я, конечно, желаю вам удачи, хотя, по-моему, искать тут нечего. Если нужна какая-то помощь, скажите.

— Нужен адрес Кулера.

— Да-да. Сейчас напишу. Вот, пожалуйста. Это в американской зоне.

— А ваш?

— Написан пониже. Это в советской.

Курц поднялся с нарочитой венской улыбкой, изящные, словно бы подведенные тонкой кистью морщинки в уголках глаз и губ придавали ему обаяние.

— Держите со мной связь, и если понадобится помощь... но все же я думаю, что это совершенно напрасная затея. — Он взял со стола «Одинокого всадника». — Очень горжусь знакомством с вами. С мастером интриги. — И одной рукой поправил парик, а другой, легко проведя по губам, бесследно стер улыбку.

5

Мартинс сидел на жестком стуле за кулисами театра «Йозефштадт», у служебной двери. После утреннего спектакля он послал Анне Шмидт свою визитную карточку с припиской «друг Гарри». То в одном, то в другом из расположенных аркадой окошек с кружевными занавесками гаснул свет — актеры расходились по домам подкрепиться перед вечерним спектаклем кофе без сахара и булочкой без масла. Коридор казался кинодекорацией улочки в павильоне, но и на этой улочке было холодно даже в теплом пальто, поэтому Мартинс поднялся и стал расхаживать под окошками взад-вперед. По его словам, он чувствовал себя как Ромео, не знающий балкона Джульетты.

Время поразмыслить у него было: он уже угомонился, теперь в нем преобладал Мартинс, а не Ролло. Когда в одном из окошек погас свет и актриса спустилась в коридор, он даже не взглянул на нее. С инцидентами было покончено. Он думал: «Курц прав. В смерти Гарри никто не виноват. Я веду себя как романтичный болван. Вот только скажу Анне Шмидт несколько слов, выражу соболезнование, а потом уложу вещи и в аэропорт». О мистере Крэббине он забыл напрочь.

— Мистер Мартинс, — послышалось сверху.

Он поднял взгляд и в нескольких футах над головой увидел меж раздвинутых занавесок женское лицо. Оно не было красивым, твердо заявил он, когда я обвинил его в очередном инциденте. Просто открытое, обрамленное темными волосами лицо: карие при том освещении глаза, широкий лоб, большой рот, отнюдь не претендующий на обаяние. Ролло Мартинсу показалось, что тут не может быть тех внезапных, безрассудных мгновений, когда запах волос или прикосновение руки изменяют жизнь. Женщина сказала:

— Будьте добры, поднимитесь. Вторая дверь направо.

Есть люди, сдержанно объяснил мне Мартинс, в которых сразу же признаешь друзей. С ними можно держаться непринужденно, так как знаешь, что никогда, никогда не будет никаких осложнений.

— Анна была такой, — сказал он. Я не понял, умышленно или нет в прошедшем времени.

В отличие от большинства артистических уборных, эта

была почти пуста: ни набитого одеждой шкафа, ни наваленных на столе косметики и грима, — на двери висел пеньюар, на единственном кресле, лежал свитер, который Мартинс уже видел во втором акте, стояла неполная баночка с гримом. На газовой конфорке негромко шумел чайник.

— Хотите чаю? — предложила Анна. — Кто-то на прошлой неделе послал мне пачку. Знаете, иногда на премьерах американцы посылают чай вместо цветов.

— С удовольствием выпью чашку, — ответил Мартинс, хотя чая терпеть не мог. Он наблюдал, как Анна неумело заваривает напиток: вода не вскипела, чайник был не прогрет, заварки недостаточно.

— Не понимаю, почему англичане так любят чай, — сказала она.

Мартинс выпил свою чашку быстро, словно лекарство, и смотрел, как Анна осторожно, с изяществом пьет маленькими глотками.

— Мне очень хотелось повидать вас, — сказал он. — Поговорить о Гарри.

Это был ужасный миг: при этих словах губы ее плотно сжались.

— Да?

— Я знал Гарри двадцать лет. Был его другом. Мы вместе учились в колледже, а потом... редкий месяц не виделись.

— Получив вашу карточку, — сказала Анна, — я не смогла отказаться от встречи. Но, в сущности, говорить нам не о чем, согласитесь. Не о чем.

— Я хотел узнать...

— Он мертв. Его нет. Все кончено, все позади. Что проку в разговорах?

— Мы оба любили его.

— Я сама не пойму, любила или нет. В таких вещах невозможно разобраться... впоследствии. Сейчас я знаю только...

— Только?

— Что мне тоже хочется умереть.

— Тут я решил уйти, — рассказывал Мартинс. — Стоило ли мучить ее из-за моей сумасбродной идеи? Но вместо этого задал вопрос: «Знаком ли вам человек по фамилии Кулер?»

— Американец? — спросила Анна. — Кажется, это тот самый, кто принес мне денег, когда погиб Гарри. Я не хотела их брать, но он сказал, что Гарри беспокоился за меня... в последнюю минуту.

— Значит, умер он не мгновенно?

— Нет.

— Я стал удивляться, — продолжал Мартинс, — почему эта мысль так прочно засела у меня в голове, потом подумал, что о мгновенной смерти говорил мне только сосед Гарри... больше никто. И сказал Анне: «Должно быть, перед смертью у него была очень ясная голова — потому что обо мне он тоже помнил. Значит, видимо, не очень мучился».

— Вот это я все время и твержу себе.

— Видели вы того врача, который прибыл на место происшествия?

— Один раз. Гарри был его пациентом и послал меня за ним. Жили они по соседству.

Внезапно в той таинственной части мозга, что рисует подобные картины, у Мартинса ни с того ни с сего возникло пустынное место, тело на земле и стая слетевшихся птиц. Возможно, то складывалась у порога сознания сцена из будущей книги. Картина тут же исчезла, и Мартинс подумал — как странно, что в ту минуту там находились все друзья Гарри: Курц, врач, Кулер; недоставало, казалось, только двух людей, которые любили его. Спросил:

— А водитель? Слышали вы его объяснения?

— Водитель был расстроен, перепуган. Но Кулер, да и Курц своими показаниями оправдали его. Нет, бедняга не виноват. Гарри часто хвалил его осторожность за рулем.

— И он тоже знал Гарри?

Еще одна птица опустилась, хлопая крыльями, и присоединилась к остальным, сидящим возле безмолвного тела, лежащего ничком на песке. Теперь по одежде и позе мальчишки, спящего в траве на краю футбольного поля в жаркий летний день, Мартинс видел, что это Лайн.

Снизу кто-то окликнул:

— Фройляйн Шмидт.

— Нам не позволяют долго задерживаться, — сказала Анна. — Чтобы не жгли попусту *их* электричество.

Мартинс решил все-таки не щадить ее. И сказал:

— Полицейские говорят, что собирались арестовать Гарри. Пришили ему какое-то мошенничество.

Это сообщение она восприняла так же, как и Курц.

— Все чем-нибудь промышляют.

— Я не верю, что он был замешан в чем-то серьезном.

— Не был.

— Но его могли ложно обвинить. Знаете вы Курца?

— Не припоминаю.

— Он носит парик.

— Ах, этот.

Мартинс понял, что попал в цель. И спросил:

— Не кажется вам странным, что они все были там — при его гибели? Все знали Гарри. Даже водитель, врач...

— Я тоже об этом думала, — устало сказала Анна. — И задавала себе вопрос: может, они убили его, но что проку в подобных вопросах.

— Я доберусь до этих мерзавцев, — сказал Ролло Мартинс.

— Фройляйн Шмидт, — снова послышалось внизу.

— Мне пора, — сказала Анна.

— Я вас немного провожу.

Уже почти стемнело, снегопад утих, громадные статуи Ринга: орлы, колесницы и вставшие на дыбы кони — мрачно серели в угасающем вечернем свете. На неубранных тротуарах снег лежал по щиколотку.

— Дайте мне, пожалуйста, адрес врача, — попросил Мартинс.

Они укрылись от ветра у стены, и Анна написала адрес.

— Свой тоже.

— Зачем он вам?

— Вдруг у меня окажутся для вас новости.

— Никакие новости мне не помогут.

Мартинс смотрел издали, как она, втянув голову от ветра, садится в трамвай, и видел чернеющий на снегу маленький вопросительный знак.

6

Сыщик-любитель свободно распоряжается своим временем, в этом его преимущество перед профессионалом. Ролло Мартинс не ограничивался восемью часами работы в день, его расследование не прерывалось для приема пищи, за день он проделывал такой путь, какой моему человеку не одолеть и за два, к тому же у него имелся изначальный перевес над нами: он был другом Гарри. Можно сказать, Мартинс действовал изнутри, в то время как мы искали лазейку снаружи.

Доктор Винклер был дома. Для полиции, возможно, его бы не оказалось. Мартинс вновь сделал на визитной карточке приписку, открывающую все двери: «Друг Гарри Лайма».

Приемная доктора напомнила Мартинсу лавку с церковным антиквариатом. Там находились бессчетные распятия, изготовленные, видимо, не позднее семнадцатого века. Статуэтки из дерева и слоновой кости. Несколько ковчегов с мощами: обломки костей с именами святых лежали на фольге в овальных рамах. Мартинс подумал, что если они подлинные, то какая странная судьба обломку пальца святой Сюзанны покоиться в приемной доктора Винклера. Даже уродливые стулья с высокими спинками выглядели так, будто на них когда-то восседали кардиналы. Пахло затхлостью, хотя там был бы к месту запах ладана. В маленьком золотом ларчике хранился обломок истинного креста. Потревожило Мартинса чье-то чихание.

Доктор Винклер оказался самым опрятным врачом, какого только Мартинс видел, низеньким, хрупким, в черном фраке, с высоким накрахмаленным воротничком, черные усики его походили на галстук-бабочку. Он чихнул снова: возможно, чистоплотность и была причиной его простуды.

— Мистер Мартинс?

У Ролло Мартинса возникло неудержимое желание как-то замарать его. Он спросил:

— Доктор Винтик?

— Доктор Винклер.

— У вас тут любопытная коллекция.

— Да.

— Эти кости святых...

— Кости цыплят и кроликов. — Доктор Винклер извлек из рукава большой белый платок, словно фокусник флаг своей страны, и, поочередно зажимая ноздри, тщательно, аккуратно высморкался. Казалось, он выбросит платок после первого же употребления. — Попрошу вас, мистер Мартинс, назвать цель своего визита. Меня ждет пациент.

— Мы оба были друзьями Гарри Лайма.

— Я был его медицинским консультантом, — поправил доктор Винклер, стоя с непреклонным видом между двух распятий.

— Дознание завершилось до моего приезда. Гарри пригласил меня сюда для помощи в каком-то деле. В каком — совершенно не представляю. О его смерти я узнал только здесь.

— Весьма прискорбно, — сказал Винклер.

— Само собой, при данных обстоятельствах мне интересны любые подробности.

— Все, что я могу сказать, вам уже известно. Его сбила машина. Когда я прибыл на место происшествия, он был уже мертв.

— Мог ли он оставаться в сознании?

— Насколько мне известно, оставался очень непродолжительное время, пока его вносили в дом.

— Он сильно мучился?

— Не обязательно.

— Вы твердо уверены, что это несчастный случай?

Протянув руку, Винклер поправил одно из распятий.

— Меня там не было. В своем заключении я ограничиваюсь причиной смерти. Надеюсь, вы удовлетворены?

У любителя есть еще одно преимущество перед профессионалом: он может быть несдержанным. Может позволить себе излишнюю откровенность и строить нелепые догадки. Мартинс сказал:

— Полиция намекает, что Гарри оказался замешан в крупной махинации. Мне кажется, он мог быть убит — или даже покончить с собой.

— Подобные суждения вне моей компетенции, — ответил Винклер.

— Знаете вы человека по фамилии Кулер?

— Кажется, нет.

— Он был на месте происшествия.

— Тогда, разумеется, я его видел. Он носит парик.

— Это Курц.

Винклер оказался не только самым опрятным врачом, какого видел Мартинс, но и самым осторожным. Сдержанность его утверждений не позволяла усомниться в их истинности. Он сказал: «Там был еще один человек». Казалось, диагностируя заболевание скарлатиной, Винклер ограничился бы констатацией, что видна сыпь, а температура тела такая-то. На дознании он не мог бы запутаться.

— Долго вы были врачом Гарри? — Лайму нравились люди опрометчивые, способные совершать ошибки, и

Мартинса удивляло, что свой выбор он остановил на Винклере.

— Около года.

— Ну, спасибо, что приняли меня.

Доктор Винклер поклонился. При этом послышался хруст, словно рубашка его была целлулоидной.

— Не смею больше отрывать вас от пациентов.

Поворачиваясь, Мартинс оказался лицом еще к одному распятию, руки распятого находились над головой, вытянутое в духе Эль Греко лицо выражало страдание.

— Странное распятие, — заметил он.

— Янсенистское, — пояснил Винклер и резко закрыл рот, словно сболтнул лишнее.

— Никогда не слышал этого слова. Почему руки у него над головой?

Доктор Винклер неохотно ответил:

— Потому что, на взгляд янсенистов, он принял смерть только ради избранных.

7

Как я понимаю теперь, просматривая свои досье, записи разговоров, показания разных людей, тогда Ролло Мартинс еще мог благополучно покинуть Вену. Он проявлял нездоровое любопытство, но эта болезнь контролировалась на всех стадиях. Никто ничего не выдал. Пальцы его пока не коснулись трещины в гладкой стене обмана. Когда Мартинс вышел от доктора Винклера, ему ничто не угрожало. Он мог бы отправиться в отель Захера и уснуть с чистой совестью. Мог бы даже безо всяких осложнений нанести визит Кулеру. Никто не был серьезно встревожен. К своему несчастью — об этом у него будут периоды горького сожаления, — Мартинс решил съездить туда, где жил Гарри. Ему вздумалось поговорить с маленьким раздраженным человеком, который сказал — или дал понять, — что был очевидцем того не-

10 Заказ 2107

ного случая. На темной холодной улице у Мартинса возникла было мысль отправиться прямо к Кулеру, завершить свою картину тех зловещих птиц, что сидели у тела Гарри, однако Ролло, будучи Ролло, решил подбросить монету, и ему выпал другой маршрут, что повлекло за собой смерть двух людей.

Может, тот маленький человек по фамилии Кох выпил лишку вина, может, хорошо провел день в конторе, но на сей раз, когда Мартинс позвонил в дверь, оказался дружелюбным и разговорчивым. Он только что пообедал, и на усах его были крошки.

— А, я помню вас. Вы друг герра Лайма.

Кох пригласил Мартинса в квартиру и представил располневшей супруге, которую, видимо, держал под очень строгим контролем.

— Ах, в старое время я угостила бы вас кофе, но теперь...

Мартинс протянул им раскрытый портсигар, и атмосфера стала еще сердечнее.

— Вчера я был несколько резковат, — сказал Кох, — но у меня слегка разыгралась мигрень. Жена куда-то ушла, поэтому дверь пришлось отворить самому.

— Вы сказали, что видели тот несчастный случай.

Кох переглянулся с женой.

— Дознание окончено, Ильза. Опасаться нечего. Я знаю, что говорю. Этот джентльмен — друг. Да, видел, вернее, слышал, только никто, кроме вас, об этом не знает. Раздался визг тормозов, я подошел к окну и успел только увидеть, как тело вносили в дом.

— А показаний вы не давали?

— В такие дела лучше не вмешиваться. Отлучаться со службы мне нельзя, у нас не хватает сотрудников, и, собственно говоря, я не *видел*...

— Но вчера вы рассказывали, как все произошло.

— Так описывалось в газетах.

— Мучился он сильно?

— Он был мертв. Я смотрел вот из этого окна и видел

лицо. Мне с первого взгляда ясно, мертв человек или нет. Это, видите ли, в определенном смысле моя работа. Я служу управляющим в морге.

— А другие говорят, что он скончался не сразу.

— Видимо, они не знакомы со смертью так, как я.

— Правда, когда прибыл врач, он был мертв. Я разговаривал с врачом.

— Он скончался мгновенно. Можете поверить знающему человеку.

— Я думаю, герр Кох, вам следовало бы дать показания.

— Нужно помнить и о себе, герр Мартинс. Давать показания не стал еще кое-кто.

— То есть как?

— Вашего друга вносили в дом трое.

— Я знаю — двое друзей и водитель.

— Водитель оставался в машине. Он был сам не свой, бедняга.

— Трое... — Казалось, водя пальцами по голой стене, Мартинс обнаружил пусть даже не трещину, но по крайней мере шероховатость, не сглаженную заботливыми строителями. — Можете вы описать их?

Но Кох не привык приглядываться к живым: взгляд его привлек лишь человек в парике, остальные были просто обычные люди, не рослые, не низкие, не толстые, не тощие. Видел он их с большой высоты, склоненными над своей ношей: они не смотрели вверх, а он быстро отвернулся, сразу поняв, что не стоит попадаться на глаза.

— Собственно говоря, герр Мартинс, показывать мне было нечего.

Нечего, думал Мартинс, нечего! Он уже не сомневался, что совершено убийство. Иначе зачем же скрывать время смерти? Два единственных друга Гарри в Вене хотели успокоить его денежными подачками и билетом на самолет. А третий? Кто он?

— Видели вы, как герр Лайм выходил?

— Нет.

— Слышали вскрик?

— Только визг тормозов, герр Мартинс.

Мартинс подумал, что ничем — кроме слов Курца, Кулера и водителя — не подтверждается, что Гарри убит именно в тот миг. Медицинское свидетельство имелось, но время смерти в нем указывалось с точностью до получаса, и доверия оно внушало не больше, чем слова доктора Винклера, опрятного, сдержанного человека, хрустящего рубашкой среди распятий.

— Герр Мартинс, мне только что пришло в голову — вы остаетесь в Вене?

— Да.

— Если вам нужно пристанище, договоритесь с властями и занимайте квартиру герра Лайма. Это реквизированная собственность.

— Ключи у кого?

— У меня.

— Можно ее осмотреть?

— Ильза, ключи.

Кох повел Мартинса в квартиру, принадлежавшую Лайму. В темном маленьком коридоре все еще пахло дымом турецких сигарет, которые всегда курил Гарри. Казалось странным, что запах, оставленный человеком, держится в складках штор так долго после того, как человек стал мертвечиной, прахом, пищей для червей. Единственный просвет в усеянных бисером шторах почти не пропускал света, и дверные ручки приходилось искать на ощупь.

Гостиная выглядела нежилой — Мартинсу показалось, что даже слишком нежилой. Стулья стояли у стен, на столе, за которым Гарри, очевидно, писал, не было ни пыли, ни бумаг. Паркет блестел как зеркало. Кох отворил одну из дверей и показал спальню: кровать была аккуратно застелена свежим бельем. В ванной не оказалось хотя бы использованного лезвия, говорящего, что несколько дней назад эту квартиру занимал живой человек.

Ощущение жилья создавали только темный коридор и запах табачного дыма.

— Видите, — сказал Кох, — квартира вполне подготовлена для нового жильца. Ильза все убрала.

Да, квартира была убрана на совесть. После умершего должен оставаться какой-то мусор. Человек не может внезапно отправиться в самое долгое из путешествий, не оставив неоплаченного счета, неотправленного письма или фотографии девушки.

— Здесь не валялось никаких бумаг?

— Герр Лайм всегда был очень аккуратен. Бумаги лежали в корзине и в портфеле, но их унес его друг.

— Друг?

— Джентльмен в парике.

Конечно, Лайм мог отправиться в это путешествие не столь уж внезапно, и у Мартинса мелькнула мысль, что, может быть, Гарри ждал его на помощь.

— Я думаю, мой друг был убит, — сказал он Коху.

— Убит? — Сердечность Коха была уничтожена этим словом. — Я не пригласил бы вас, если бы мог подумать, что вы скажете такую нелепость.

— Тем не менее ваши показания могут оказаться очень ценными.

— Мне показывать нечего. Я ничего не видел. Это не моя забота. Прошу вас немедленно уйти. Ваше предложение совершенно необдуманно.

Он вытеснил Мартинса в коридор, где запах табачного дыма стал уже немного слабее. И захлопнул дверь в свою квартиру со словами: «Это не моя забота». Бедняга Кох! Мы не выбираем себе забот. Впоследствии, допрашивая Мартинса, я спросил:

— Видели вы хоть кого-нибудь на лестнице или на улице возле дома?

— Никого.

Мартинсу было б очень на руку вспомнить случайного прохожего, и я поверил ему. Он сказал:

— Помню, меня удивило, какой глухой, вымершей казалась вся улица. Часть домов, как вы знаете, разрушена бомбежкой, и луна освещала занесенные снегом развалины. Было очень тихо. Я слышал скрип своих шагов по снегу.

— Это еще ничего не доказывает. Там есть подвал, где мог спрятаться тот, кто следил за вами.

— Да.

— Или весь ваш рассказ может оказаться враньем.

— Да.

— Главное, я не вижу у вас мотивов для этого. Правда, вы уже виновны в получении денег обманным путем. Приехали вы сюда к Лайму, возможно, чтобы помогать ему...

— Что это за изощренные махинации, на которые вы постоянно намекаете? — спросил Мартинс.

— Я рассказал бы вам все при первой встрече, не выйди вы так быстро из себя. Теперь же считаю неразумным ставить вас в известность. Это будет разглашением служебных сведений, а ваши знакомые, знаете ли, доверия не внушают. Женщина с фальшивыми документами, полученными от Лайма, этот Курц...

— Доктор Винклер...

— У меня нет никаких улик против Винклера. И если вы обманщик, то сами знаете о делах Лайма, но хотите выведать, что нам известно. Видите ли, мы собрали не все факты.

— Еще бы. Я мог бы, лежа в ванне, выдумать лучший детектив, чем вы.

— Ваш литературный стиль компрометирует вашего однофамильца.

При напоминании о бедняге Крэббине, замотанном представителе Британского общества культурных связей, Ролло Мартинс покраснел от раздражения, стыда, неловкости. Это тоже расположило меня к доверию.

Мартинс действительно задал Крэббину несколько хлопотных часов. Возвратясь после разговора с Кохом в отель Захера, он обнаружил отчаянную записку.

«Я весь день пытался отыскать вас, — писал Крэббин. — Нам необходимо встретиться и разработать программу. Сегодня утром я договорился по телефону о лекциях в Инсбруке и Зальцбурге на будущей неделе, но требуется ваше согласие на темы лекций, чтобы программы можно было отпечатать. Я предлагаю две: «Кризис веры в западном мире» (вас здесь очень ценят как христианского писателя, но касаться политики в лекции не стоит) и «Техника современного романа». Те же самые лекции будут прочитаны в Вене. Кроме того, очень многие желают познакомиться с вами, и я хочу в начале будущей недели устроить вечеринку с коктейлями. Но для всего этого нам нужно будет поговорить». Кончалась записка на тревожной ноте: «Вы будете завтра вечером на дискуссии, так ведь? Мы ждем вас в 8.30 и, конечно же, с нетерпением. Я пришлю машину к отелю ровно в 8.15».

Ролло Мартинс прочел записку и, тут же забыв о Крэббине, лег спать.

8

После двух стаканов виски Ролло Мартинса неизменно тянуло к женщинам — это было смутное, сентиментальное, романтическое влечение к прекрасному полу вообще. После трех он, словно пикирующий на цель летчик, обращал помыслы к одной досягаемой женщине. Если б Кулер не предложил ему третьего стакана, он, возможно, не отправился бы так быстро к дому Анны Шмидт, и если... Я так злоупотребляю этим словом, потому что по роду занятий мне приходится сопоставлять вероятности тех или иных событий, поступков — хода судьбы по моей картотеке не установишь.

Ролло Мартинс в обеденное время читал материалы дознания, это лишний раз подчеркнуло преимущества любителя перед профессионалом и сделало его более податливым воздействию виски (от которого профессионал при исполнении обязанностей отказался бы). Около пяти часов он явился к Кулеру на квартиру, расположенную в американской зоне над кафе-мороженым; бар на первом этаже был полон солдат с девицами, стук десертных ложечек и бесцеремонный солдатский смех сопровождали Мартинса вверх по лестнице.

В воображении англичанина, недолюбливающего американцев в целом, обычно существует представляющий исключение образ, напоминающий Кулера: это взъерошенный седой человек с озабоченным добрым лицом и устремленным вдаль взглядом, гуманист той разновидности, что внезапно появляется во время эпидемии тифа или на мировой войне или в голодающем Китае задолго до того, как его соотечественники найдут это место в атласе. Карточка с припиской «друг Гарри» опять сыграла роль входного билета. Теплое, искреннее рукопожатие Кулера было наиболее дружественным актом по отношению к Мартинсу в Вене.

— Друг моего друга — мой друг, — сказал Кулер. — Фамилия ваша мне, конечно же, известна.

— От Гарри?

— Я большой любитель вестернов, — ответил Кулер, и Мартинс поверил ему, как не поверил Курцу.

— Мне хотелось бы услышать от вас — вы ведь были на месте происшествия? — как он погиб.

— Ужасная история, — сказал Кулер. — Я стал переходить к нему на другую сторону улицы. Они с Курцем стояли на тротуаре. Может, не пойди я через дорогу, Гарри остался бы на месте. Но он увидел меня и пошел навстречу, а тут джип — это было ужасно, ужасно. Водитель затормозил, но тщетно. Выпейте шотландского, мистер Мартинс. Глупо, конечно, но при этом воспоминании меня всего трясет. — Добавляя в стакан содовую, он сказал: До этого я ни разу не видел, как гибнут люди.

— А откуда взялся еще один, из машины?

Кулер отпил большой глоток и смерил оставшееся в стакане добрым, усталым взглядом.

— Кого вы имеете в виду, мистер Мартинс?

— Мне сказали, что там был еще один человек.

— Не знаю, кто мог вам это сказать. Все подробности можно найти в материалах дознания. — Он налил в оба стакана щедрую порцию виски. — Нас было там только трое — я, Курц и водитель. Да еще, конечно же, врач. Наверно, вы имеете в виду врача.

— Человек, с которым я разговаривал, оказывается, глядел в окно — он живет рядом с квартирой Гарри — и говорит, что там было три человека и водитель. Врач появился уже потом.

— Он не показывал этого на суде.

— Не хотел впутываться.

— Этих европейцев никогда не научишь быть хорошими гражданами. — Кулер задумался, хмуро уставясь в свой стакан. — Как ни странно, мистер Мартинс, два свидетельства о несчастном случае никогда полностью не совпадают. Да что там, даже мы с Курцем разошлись в некоторых деталях. Такие вещи происходят внезапно, никому до катастрофы не приходит в голову схватывать подробности, а потом приходится все вспоминать, восстанавливать. Наверно, тот человек слишком уж старался припомнить, что было до, что после, и перепутал нас четверых.

— Четверых?

— Я считаю и Гарри. Что он видел еще, мистер Мартинс?

— Ничего особенного — только утверждает, что Гарри был мертв, когда его вносили в дом.

— Умирал — разница не столь уж существенная. Выпьете еще, мистер Мартинс?

— Нет, пожалуй, довольно.

— Ну а мне еще глоток будет кстати. Я очень любил вашего друга, и рассказывать об этом тяжело.

— Давайте, я выпью тоже — за компанию, — сказал

Мартинс. И, пока виски еще пощипывало язык, спросил: — Знаете вы Анну Шмидт?

— Подружку Гарри? Встречался один раз, и все. Честно говоря, он выправил ей документы с моей помощью. Постороннему я бы в этом не признался, но иногда приходится нарушать правила. Гуманность — это тоже долг.

— Что у нее приключилось?

— Говорят, она венгерка, дочь нациста. Опасалась, что русские ее арестуют.

— Русские? С какой стати?

— Документы у нее были не в порядке.

— Вы передали ей какие-то деньги от Гарри, так ведь?

— Да, но говорить об этом я не хотел бы. Это она сказала вам?

Зазвонил телефон, и Кулер допил виски.

— Алло, — сказал он. — Да-да. Это я. — Потом, держа трубку возле уха, с безрадостной, терпеливой миной слушал чей-то голос издалека. — Да, — однажды произнес он. — Да.

Взгляд его был обращен на лицо Мартинса, но казалось, смотрит он куда-то вдаль; блеклые, усталые, добрые глаза глядели словно откуда-то из-за моря.

— Правильно сделали, — произнес он одобрительным тоном, а потом чуть раздраженно: — Конечно, их доставят. Даю вам слово. До свиданья.

Положив трубку, Кулер устало провел рукой по лбу. Казалось, он вспоминает, что нужно сделать. Мартинс спросил:

— Слышали вы что-нибудь про махинацию, о которой говорит полиция?

— Прошу прощенья. Вы о чем?

— Говорят, Гарри был замешан в какой-то грязной махинации.

— Нет, — сказал Кулер. — Это немыслимо. У Гарри было высокоразвитое чувство долга.

— Курц, похоже, думает, что мыслимо.

— Курцу не понять англосакса, — ответил Кулер.

9

Мартинс уже в сумерках шел вдоль канала: на другом берегу виднелись полуразрушенные купальни Дианы, а вдали, над развалинами, в парке Пратер, неподвижно чернело большое колесо обозрения. За серой водой находилась вторая, советская зона. Собор святого Стефана вздымал над Старым городом свой громадный поврежденный шпиль. Проходя по Кернерштрассе, Мартинс миновал освещенную дверь здания военной комендатуры. Четверо солдат международного патруля усаживались в джип; русский сел рядом с водителем, потому что им предстояло «председательствовать» до конца месяца, англичанин, американец и француз — сзади. Третий стакан неразбавленного виски кружил Мартинсу голову, и он вспоминал женщину из Амстердама, женщину из Парижа: одиночество шло рядом с ним по людному тротуару. Миновав улицу, на которой находился отель Захера, он пошел дальше. Ролло возобладал над Мартинсом и направлялся к единственной женщине, которую знал в Вене.

Я спросил, как ему удалось найти Анну.

— А, — ответил он, — перед сном я изучал карту Вены и отыскал тот дом по взятому накануне адресу.

Свои городские маршруты Ролло изучал по картам. Названия улиц и переулков запоминались ему легко, потому что в одну сторону он всегда ходил пешком.

— В одну сторону?

— К женщине — или к другу.

Ролло, конечно, не мог знать, застанет ли Анну, не занята ли она в вечернем спектакле, хотя, может, ему запомнилось и это — из афиш. Как бы то ни было, Анна оказалась дома, если можно так выразиться, сидела в нетопленой комнате, диван-кровать была сложена, на шатком экстравагантном столике лежала отпечатанная роль — с неперевернутой первой страницей, потому что мысли Анны блуждали далеко от дома. Мартинс робко сказал ей (ни он, ни даже Ролло толком не сознавали, насколько робость была наигранной):

— Решил зайти, проведать вас. Видите ли, я шел мимо...

— Мимо? Куда?

От Старого города до английской зоны добрых полчаса ходьбы, но у Ролло всегда бывал заготовлен ответ:

— Мы с Кулером выпили слишком много виски. Мне нужно было пройтись, и я случайно оказался здесь.

— Спиртного у меня нет. Могу предложить чаю. В той пачке кое-что осталось.

— Нет-нет, спасибо. Вы заняты, — сказал он, глядя на роль.

— Дальше первой реплики у меня дело не пошло.

Взяв роль, он прочел: «(Входит Луиза). *Луиза:* Я слышала детский плач».

— Можно, посижу у вас немного? — спросил он с любезностью, идущей скорее от Мартинса, чем от Ролло.

— Буду рада.

Он грузно опустился на диван и долгое время спустя рассказывал мне (потому что влюбленные, если удается найти слушателя, рассказывают все до последней мелочи), что только тут он толком разглядел Анну. Она стояла, чувствуя себя почти так же неловко, как и он, в старых фланелевых брюках, плохо заштопанных сзади: стояла твердо, широко расставив ноги, словно противилась кому-то и твердо решила не сдавать позиций, — невысокая, чуть приземистая, будто припрятала свое изящество для профессионального применения.

— Скверный выдался день? — спросил Мартинс.

— Сейчас все дни скверные, — ответила Анна. И пояснила: — Гарри часто приходил ко мне, и при вашем звонке у меня мелькнула мысль...

Потом, сев на жесткий стул напротив Мартинса, сказала:

— Не молчите, пожалуйста. Вы знали его. Расскажите что-нибудь.

И он стал рассказывать. Тем временем небо за окном потемнело. Некоторое время спустя он заметил, что руки их соприкасаются. Мне он сказал:

— Я вовсе не собирался влюбляться в подружку Гарри.

— Как же это произошло? — спросил я.

— Было очень холодно, и я решил задернуть шторы. Что моя рука лежала на руке Анны, я заметил, только когда снимал ее. Встав, поглядел сверху вниз на Анну, а она снизу вверх на меня. Лицо ее не было красивым — в том-то все и дело. Простое, обыденное лицо. У меня возникло чувство, будто я оказался в незнакомой стране, языка которой не знаю. Я всегда считал, что в женщинах любят красоту. Стоя у окна, я не спешил с задергиванием штор. Мне было видно только свое отражение, глядящее в комнату, на Анну. Она спросила: «А что тогда сделал Гарри?», и у меня чуть не сорвалось: «К черту Гарри. Его больше нет. Мы оба любили его, но он мертв. Мертвых нужно забывать». Разумеется, вместо этого я ответил: «Как бы вы думали? Просто насвистывал свою старую мелодию как ни в чем не бывало» — и насвистал ее, как только сумел. Я услышал, что Анна затаила дыхание, обернулся и, не успев подумать, верный ли это ход, верная ли это карта, сказал:

— Он мертв. Нельзя же вечно хранить о нем память.

Анна ответила:

— Да, но прежде, чем я забуду его, может многое произойти.

— Что вы имеете в виду?

— Может, начну другую жизнь, может, умру, мало ли что.

— Со временем забудете. И влюбитесь снова.

— Знаю, но мне этого не хочется. Неужели непонятно?

Тут Ролло Мартинс отошел от окна и снова сел на диван. Полминуты назад оттуда вставал друг Гарри, утешающий его подружку, теперь же это был мужчина, влюбленный в Анну Шмидт, любившую его покойного приятеля Гарри Лайма. В тот вечер Мартинс больше не вспоминал о прошлом, а стал рассказывать, с кем повидался в Вене.

— Про Винклера поверю чему угодно, — сказал он, — но Кулер мне понравился. Из всех друзей только он вступился за Гарри. Однако если Кулер прав, то Кох ошибается, а я был уверен, что напал на след.

— Кто такой Кох?

Мартинс рассказал Анне, как ездил туда, где жил Гарри, и передал разговор о третьем.

— Это очень важно, — сказала она, — если только правда.

— Из этого ничего не следует. Кох ведь уклонился от дознания, неизвестный тоже мог так поступить.

— Я не о том, — сказала Анна. — Выходит, *они* лгали. Курц и Кулер.

— Может, не хотели подводить человека — если тот их друг.

— Еще один друг — на месте катастрофы. Где же тогда честность вашего Кулера?

— Как же нам быть? Кох отказался продолжать разговор и выставил меня из квартиры.

— Меня не выставят, — сказала Анна, — ни Кох, ни его Ильза.

Путь к тому дому оказался долгим: снег липнул к ногам, и они шли медленно, словно каторжники в кандалах. Анна спросила:

— Далеко еще?

— Не очень. Видите толпу? Примерно там.

Толпа казалась кляксой на белом, она текла, меняла очертания, расплывалась. Когда они подошли поближе, Мартинс сказал:

— Кажется, это тот самый дом. А что перед ним, политическая демонстрация?

Анна Шмидт остановилась.

— Кому еще вы говорили о Кохе?

— Только вам и Кулеру. А что?

— Мне страшно. Вспоминается... — Анна неотрывно смотрела на скопище людей, так и не сказав Мартинсу, какой эпизод мрачного прошлого всплыл у нее в памяти. — Уйдемте, — взмолилась она.

— Да ну что вы. Мы ведь пришли по делу, немаловажному...

— Узнайте сперва, чего все эти люди... — И произнесла странные для актрисы слова: — Ненавижу толпы.

Мартинс неторопливо пошел по липкому снегу один. Люди собрались явно не на митинг, потому что никто не произносил речей. Мартинсу показалось, что все оборачиваются к нему и смотрят так, будто именно его и ждали. Подойдя к толпе, он убедился, что дом тот самый. Какой-то человек сурово глянул на него и спросил:

— Тоже из этих?

— Кого вы имеете в виду?

— Полицейских.

— Нет. Что они здесь делают?

— Шастают весь день туда-сюда.

— А чего все дожидаются?

— Хотят посмотреть, как его увезут.

— Кого?

— Герра Коха.

У Мартинса промелькнула мысль, что раскрылось уклонение от дачи показаний, хотя вряд ли это могло служить причиной ареста. Он спросил:

— А что случилось?

— Пока никто не знает. Полицейские никак не решат, то ли самоубийство, то ли убийство.

— Герра Коха?

— Ну да.

К собеседнику Мартинса подошел ребенок и подергал за руку.

— Папа, папа. — Мальчик в шерстяном колпаке походил на гнома, лицо его заострилось и посинело от холода.

— Да, мой милый, в чем дело?

— Я слышал через решетку, как они говорят.

— О, хитрый малыш. Что же ты слышал, Гансель?

— Как плачет фрау Кох, папа.

— И все, Гансель?

— Нет. Еще слышал, как говорил большой дядя.

— Ну и хитрец ты, маленький Гансель. Расскажи папе, что он говорил.

— Сказал: «Вы не сможете описать этого иностранца, фрау Кох?»

— Вот, вот, видите, они думают, что это убийство. Да и как же иначе? С какой стати герру Коху резать себе горло в подвале?

— Папа, папа.

— Да, Гансель?

— Я глянул в подвале сквозь решетку и увидел на коксе кровь.

— Ну и ребенок! С чего ты взял, что там кровь? Это талая вода, она всюду подтекает. — Мужчина повернулся к Мартинсу. — У ребенка такое живое воображение. Может, станет писателем, когда вырастет.

Ребенок угрюмо поднял заостренное личико на Мартинса.

— Папа, — сказал он.

— Да, Гансель?

— Это тоже иностранец.

Мужчина громко засмеялся, кое-кто из толпы обернулся к нему.

— Послушайте его, послушайте, — гордо сказал он. — Малыш считает вас убийцей, потому что вы иностранец. Да сейчас иностранцев здесь больше, чем венцев.

— Папа, папа.

— Что, Гансель?

— Они выходят.

Группа полицейских окружала прикрытые носилки, которые осторожно, чтобы не поскользнуться на утоптанном снегу, несли вниз по ступенькам. Мужчина сказал:

— Из-за развалин санитарной машине сюда не проехать. Придется нести за угол.

Фрау Кох, в холщовом пальто, с шалью на голове, вышла последней. На краю тротуара упала в сугроб и при своей полноте стала похожа на снежную бабу. Кто-то помог ей подняться, и она сиротливым, безнадежным взором обвела толпу незнакомых зевак. Если там и были знакомые, то она, скользя взглядом по лицам, не узнавала их. При ее приближении Мартинс нагнулся и стал возиться со шнурками ботинок, но, глянув вверх, увидел прямо перед собой недоверчивые, безжалостные глаза гнома — маленького Ганселя.

Возвращаясь к Анне, Мартинс один раз оглянулся. Ребенок дергал отца за руку, и было видно, как он шевелит губами, словно твердя рефрен мрачной баллады: «Папа, папа».

— Кох убит, — сказал Мартинс Анне. — Пошли отсюда.

Шел он так быстро, как только позволял снег, срезая где можно углы. Казалось, подозрительность ребенка расплывается над городом, как туча — они не успевали вырваться из-под ее тени. Анна сказала: «Значит, Кох говорил правду. Там *был* кто-то третий», и чуть погодя: «Выходит, им нужно скрыть убийство. Из-за пустяков не стали бы убивать человека», но Мартинс пропустил ее слова мимо ушей.

В конце улицы промелькнул обледенелый трамвай: Мартинс и Анна вышли опять к Рингу. Мартинс сказал:

— Возвращайтесь-ка домой одна. Нам лучше не показываться вместе, пока все не прояснится.

— Но вас никто не может заподозрить.

— Там расспрашивают об иностранце, заходившем вчера к Коху. Могут возникнуть осложнения.

— Почему бы вам не обратиться в полицию?

— Я не доверяю этим ослам. Видите, что они приписали Гарри. Да еще я хотел ударить Каллагана. Этого мне не простят. В лучшем случае вышлют из Вены. Но если буду вести себя тихо... выдать меня может лишь один человек. Кулер.

— Выдавать вас ему нет смысла.

— Если он причастен к убийству — конечно. Но в его причастность что-то не верится.

На прощанье Анна сказала:

— Будьте осторожны. Кох знал так мало, и его убили. А вы знаете все, что было известно ему.

Об этом предупреждении Мартинс помнил до самого отеля: после девяти часов улицы пустынны, и всякий раз, едва заслышав за спиной шаги, он оглядывался, ему мерещилось, что третий, которого так беспощадно оберегали, крадется за ним, будто палач. Русский часовой, неподвижно стынущий у Гранд-отеля, опасений не вызвал: у него имелось лицо, честное, крестьянское лицо. Третий не имел лица — лишь увиденную из окна макушку. В отеле портье встретил Мартинса словами:

— Сэр, вас спрашивал полковник Кэллоуэй. Очевидно, вы найдете его в баре.

— Минутку, — бросил Мартинс и пошел к выходу: нужно было подумать. Но едва он шагнул за дверь, к нему подошел солдат, козырнул и твердо сказал: «Прошу вас, сэр». Распахнул дверцу окрашенного в защитный цвет грузовика с английским флажком на ветровом стекле и твердой рукой подсадил Мартинса. Мартинс молча покорился; ему было ясно, что рано или поздно допроса не миновать; перед Анной Шмидт он просто разыгрывал оптимизм.

Водитель, не считаясь с опасностью, гнал грузовик по скользкой дороге, Мартинс запротестовал. В ответ он услышал недовольное ворчанье и неразборчивую фразу, в которой было слово «приказ».

— Вам что же, приказано угробить меня? — спросил Мартинс, но ответа не получил. Промелькнули титаны Хофбурга с громадными снежными шапками на головах, потом машина стала петлять по темным улицам, и он потерял ориентацию. — Далеко еще?

Но водитель и ухом не повел. По крайней мере, подумал Мартинс, я не арестован: охраны нет; меня пригласили — кажется, было употреблено это слово? — посетить управление полиции для дачи показаний.

Грузовик остановился у подъезда, водитель повел Мартинса за собой на второй этаж, нажал кнопку звонка у большой двустворчатой двери, и Мартинс услышал за ней множество голосов. Он резко повернулся к водителю и спросил: «Куда это, черт возьми...», однако тот уже спускался по лестнице, а дверь открывалась. Свет изнутри ударил Мартинсу в глаза: он слышал голос, но едва различал приближающегося Крэббина.

— О, мистер Декстер, мы так волновались, но лучше поздно, чем никогда. Позвольте представить вас мисс Уилбрехем и графине фон Мейерсдорф.

Буфет, уставленный кофейными чашками, окутанный паром кофейник, раскрасневшееся от утомления женское лицо, двое молодых людей с радостными, смышлеными лицами шестиклассников, а в глубине множество сгрудившихся, как на старых семейных фотографиях, тусклых, серьезных и веселых лиц постоянных читателей. Мартинс оглянулся, но дверь уже была закрыта. Он с отчаянием сказал Крэббину:

— Прошу прощенья, но...

— Забудьте об этом, — сказал Крэббин. — Чашечку кофе, и пойдемте на дискуссию. Вашей выдержке предстоит испытание, мистер Декстер.

Один из молодых людей сунул ему в руку чашку, другой насыпал туда сахару, прежде чем Мартинс успел сказать, что предпочитает несладкий кофе. Самый младший прошептал на ухо: «Мистер Декстер, не надпишете ли потом одну из ваших книг?» Крупная женщина в черном обрушилась на него: «Пусть графиня и слышит меня, но я все равно скажу, книги ваши, мистер Декстер, не нравятся мне, я от них не в восторге. По-моему, в романе должна рассказываться интересная история».

— По-моему, тоже, — обреченно сказал Мартинс.

— Оставьте, миссис Вэннок, для вопросов еще будет время.

— Я, конечно, прямолинейна, однако не сомневаюсь, что мистер Декстер оценит *честную* критику.

Пожилая дама, очевидно та самая графиня, сказала:

— Мистер Декстер, я читаю не так уж много английских книг, но мне сказали, что ваши...

— Допивайте кофе, прошу вас, — сказал Крэббин и повел Мартинса сквозь толпу во внутреннюю комнату, где пожилые люди сидели с понурым видом на расставленных полукругом стульях.

Рассказать мне толком об этом собрании Мартинс не мог: из головы у него не шла смерть Коха. Поднимая взгляд, он всякий раз готов был увидеть малыша Ганселя и услышать назойливый, многозначительный рефрен: «Папа, папа». Первым взял слово, очевидно, Крэббин, и, зная его, я не сомневаюсь, что он нарисовал очень ясную, верную и объективную картину современного английского романа. Я часто слышал его выступления на эту тему, различавшиеся только особым выделением трудов того или иного гостя из Англии. Он бегло касался различных проблем техники — точки зрения, развития темы, а потом объявлял собрание открытым для вопросов и дискуссий.

Мартинс пропустил первый вопрос мимо ушей, но, к счастью, Крэббин пришел на помощь и ответил удовлетворительно. Женщина в горжетке и коричневой шляпке спросила со жгучим любопытством:

— Можно поинтересоваться у мистера Декстера, занят ли он новой работой?

— А, да... да.

— Можно ли осведомиться, как она озаглавлена?

— «Третий», — ответил Мартинс и, взяв этот барьер, обрел ложное чувство уверенности.

— Мистер Декстер, не могли бы вы сказать, кто из писателей оказал на вас наибольшее влияние?

— Грей, — не задумываясь, ляпнул Мартинс. Несомненно, он имел в виду автора «Всадников из Перп-Сейдж» и был доволен, что его ответ удовлетворил всех — за исключением пожилого австрийца, который спросил:

— Грей? Что за Грей? Эта фамилия мне неизвестна.

Мартинс уже чувствовал себя в безопасности, поэтому ответил: «Зейн Грей[1] — другого я не знаю» — и был озадачен негромким, подобострастным смехом англичан.

Крэббин торопливо вмешался ради австрийцев:

— Мистер Декстер шутит. Он имел в виду поэта Грея — благородного, скромного, тонкого гения. У них много общего.

— Разве его имя Зейн?

— Мистер Декстер пошутил. Зейн Грей писал так называемые вестерны — дешевые популярные романы о бандитах и ковбоях.

— Это не великий писатель?

— Нет-нет, отнюдь, — сказал Крэббин. — Я вообще не назвал бы его писателем в строгом смысле слова.

Мартинс рассказывал, что при этом заявлении в нем взыграл дух противоречия. Писателем он себя никогда не мнил, но самоуверенность Крэббина раздражала его — даже блеск очков казался самоуверенным и усиливал раздражение.

А Креббин продолжал:

— Это просто популярный развлекатель.

— Ну и что, черт возьми? — запальчиво спросил Мартинс.

— Видите ли, я только хотел сказать...

— А Шекспир был кем?

---

[1] Зейн Грей (1875—1939) — американский писатель, автор многочисленных вестернов.

Кто-то отчаянно смелый ответил:

— Поэтом.

— Вы читали когда-нибудь Зейна Грея?

— Нет...

— Значит, сами не знаете, о чем говорите.

Один из молодых людей поспешил на выручку Крэббину:

— А Джеймс Джойс? Куда вы поставите Джойса, мистер Декстер?

— Как это — поставлю? Я не собираюсь никого никуда ставить, — ответил Мартинс. День у него выдался очень насыщенный: слишком много выпил с Кулером, потом влюбился, потом узнал об убийстве, — а теперь совершенно несправедливо заподозрил, что ему ставят шпильки. Зейн Грей был одним из его кумиров, и он не собирался, черт возьми, терпеть всякий вздор.

— Меня интересует, относите ли вы его к числу поистине великих?

— Если хотите знать, я даже не слышал о нем. Что он написал?

Сам того не сознавая, Мартинс производил огромное впечатление. Только великий писатель может так надменно вести такую оригинальную линию; несколько человек записали фамилию «Грей» на внутренней стороне суперобложек, и графиня хриплым шепотом спросила Крэббина:

— Как пишется по-английски «Зейн»?

— Честно говоря, не знаю.

В Мартинса тут же было пущено несколько имен — маленьких, остроконечных, вроде Стайн, и округлых, наподобие Вулф. Молодой австриец со жгучим, черным интеллигентным локоном на лбу выкрикнул: «Дафна дю Морье». Крэббин поморщился, покосился на Мартинса и вполголоса сказал:

— Не будьте к ним слишком взыскательны.

Женщина с добрым, мягким лицом, в джемпере ручной вязки томно спросила:

— Согласны ли вы, мистер Декстер, что никто, никто не писал о *чувствах* так поэтично, как Вирджиния Вулф? Я имею в виду, в прозе.

— Можете сказать что-нибудь о потоке сознания, — шепнул Крэббин.

— Потоке чего?

В голосе Крэббина появилась умоляющая нотка.

— Прошу вас, мистер Декстер, эти люди ваши искренние почитатели. Им хочется узнать о ваших взглядах. Если б вы знали, как они осаждали общество.

Пожилой австриец спросил:

— Есть ли сейчас в Англии писатели класса покойного Джона Голсуорси?

Раздался взрыв сердитого щебетанья, то тут, то там слышались имена дю Морье, Пристли и некоего Леймена. Мартинс уныло сел, и перед его взором снова возникли снег, носилки, отчаянное лицо фрау Кох. Мелькнула мысль: если б я не возвращался, не задавал вопросов, был бы сейчас жив этот маленький человек? Разве я отомстил за Гарри, подготовив еще одно убийство — жертву, чтобы унять чей-то страх — то ли Курца, то ли Кулера (Мартинс не мог в это поверить), то ли доктора Винклера? Казалось, никто из них не способен на убийство, однако в его ушах звучал голос ребенка: «Я увидел на коксе кровь», и вдруг кто-то обратил к Мартинсу пустое лицо без черт: серое пластилиновое яйцо, лицо третьего.

Мартинс не мог рассказать, как дотянул до конца дискуссии: возможно, Крэббин принял удар на себя, возможно, его выручил кто-то из присутствующих, заведя оживленный разговор об экранизации популярного американского романа. Из дальнейшего Мартинс почти ничего не помнил, кроме заключительного слова Крэббина в его честь. Потом один из молодых людей подвел Мартинса к столу, заваленному книгами, и попросил надписать их.

— Мы разрешили всем принести только по одному экземпляру.

— Что я должен делать?

— Просто поставить подпись. Только этого они и ждут. Вот мой экземпляр «Выгнутого челна». Буду очень признателен, если добавите еще несколько слов...

Вынув ручку, Мартинс написал: «От Б. Декстера, автора "Одинокого всадника из Санта-Фе"», молодой человек прочел надпись и с недоуменным выражением лица промокнул ее. Сев и начав подписывать титульные листы книг, Мартинс увидел в зеркале, что молодой человек показывает надпись Крэббину. Крэббин слабо улыбнулся и подергал пальцами подбородок вверх-вниз, вверх-вниз. «Б. Декстер, Б. Декстер, Б. Декстер». Мартинс писал быстро — в конце концов, это не было ложью. Владельцы один за другим разбирали свои книги: краткие бессвязные выражения восторга и комплименты звучали подобострастно — неужели это и значит быть писателем? Бенджамин Декстер стал вызывать у Мартинса нарастающее раздражение. Самодовольный, занудный, напыщенный осел, подумал он, подписывая двадцать седьмой экземпляр. Всякий раз, поднимая взгляд и беря очередную книгу, он видел обеспокоенный, задумчивый взгляд Крэббина. Члены института расходились по домам со своими трофеями, комната пустела. Неожиданно Мартинс увидел в зеркале военного полицейского. Казалось, он спорил с одним из прихвостней Крэббина. До ушей Мартинса донеслась его фамилия. Тут он потерял самообладание, а с ним и последние остатки здравого смысла. Оставалось подписать только одну книгу, он черкнул последнее «Б. Декстер» и направился к выходу. Молодой человек, Крэббин и полицейский стояли у двери.

— А этот джентльмен? — спросил полицейский.

— Это мистер Бенджамин Декстер, — ответил молодой человек.

— Туалет? Есть здесь туалет? — спросил Мартинс.

— Насколько я понял, некий мистер Ролло Мартинс приехал сюда на одной из ваших машин.

— Ошибка. Явная ошибка.

— Вторая дверь налево, — сказал молодой человек.

Проходя мимо раздевалки, Мартинс схватил свое пальто и торопливо стал спускаться по лестнице. На площадке второго этажа он услышал, что кто-то поднимается навстречу, и, глянув вниз, увидел Пейна — я послал его опознать Мартинса. Мартинс юркнул в первую попавшуюся дверь и закрыл ее за собой. Он слышал, как Пейн прошел мимо. Комната была темной, странный жалобный звук за спиной заставил его обернуться.

Мартинс ничего не мог разглядеть. Звук оборвался. Мартинс пошевелился, и тут же вновь послышался звук, похожий на затрудненное дыхание. Мартинс замер, и звук стих. Снаружи кто-то позвал: «Мистер Декстер, мистер Декстер». Потом послышался другой звук. Казалось, кто-то шепчет в темноте длинный, нескончаемый монолог. Мартинс спросил: «Есть здесь кто-нибудь?», и звук оборвался. Выносить это Мартинс больше не мог. Он достал зажигалку. Кто-то прошел мимо двери и стал спускаться по лестнице. Мартинс щелкал и щелкал зажигалкой, но она не вспыхивала. Кто-то шевельнулся в темноте, и что-то лязгнуло в воздухе, будто цепочка. Он еще раз спросил с гневом и страхом: «Есть здесь кто-нибудь?», но в ответ услышал лишь лязг металла.

В отчаянии Мартинс стал искать ощупью выключатель, сперва справа, потом слева. Сойти с места он не осмеливался, потому что не мог определить, где находится кто-то другой: шепот, стон, лязганье прекратились. Потом в страхе, что не найдет двери, лихорадочно стал нащупывать ручку. Полиции он боялся гораздо меньше, чем темноты, и даже не представлял, какой создает шум.

Пейн услышал его от подножья лестницы и вернулся. Он включил свет на лестничной площадке, и светлая полоска под дверью указала Мартинсу направление. Мартинс открыл дверь, слабо улыбнулся Пейну и повернулся осмотреть комнату. На него глянули похожие на бусинки глаза попугая, примкнутого цепочкой к своей жердочке. Пейн почтительно сказал:

— Мы приехали за вами, сэр. Полковник Кэллоуэй хочет вас видеть.

— Я заблудился, — промямлил Мартинс.

— Да, сэр. Мы так и подумали.

10

Узнав, что Мартинс не улетел в Англию, я установил за ним пристальное наблюдение. Его видели с Курцем и в театре «Йозефштадт», я знал о его визитах к Винклеру и Кулеру, о первом возвращении в дом, где проживал Лайм. Мой человек потерял его из виду по пути от Кулера к Анне Шмидт. Он доложил мне, что Мартинс много плутал, и нам обоим этот отрыв от «хвоста» представился неслучайным. Я поехал к нему в отель Захера и упустил из-под носа.

Дела принимали неприятный оборот, поэтому я решил, что настало время для новой беседы. Мартинсу следовало многое объяснить.

Мы с ним сели по разные стороны стола, и я предложил ему сигарету. Мартинс выглядел замкнутым, но готовым к откровенности в известных пределах. На вопрос о Курце он, как мне показалось, ответил удовлетворительно. Потом я спросил его об Анне Шмидт и выяснил, что он был у нее после визита к Кулеру: это заполнило один из пробелов. О докторе Винклере он рассказал довольно охотно.

— Где вас только не носило, — заметил я. — А о своем друге что-нибудь выяснили?

— Да, — ответил Мартинс. — Вы не заметили того, что находилось у вас под носом.

— Чего же?

— Он убит умышленно.

Это заявление удивило меня: я носился было с версией самоубийства, но отверг ее напрочь.

— Продолжайте.

Мартинс старался не упоминать о Кохе и говорил об очевидце несчастного случая. Рассказ из-за этого получился путаным, и сперва я не мог понять, почему он придает такое значение третьему.

— Да ведь он уклонился от дознания, а другие лгали, чтобы выгородить его.

— Ваш очевидец тоже уклонился — не вижу в этом ничего особенного. Если то был действительно несчастный случай, все необходимые сведения мы получили. Зачем же причинять неприятности еще одному человеку? Возможно, жена считала, что его нет в городе, может, он находился в самовольной отлучке — иногда люди совершают запрещенные поездки в Вену из мест вроде Клагенфурта. Соблазны большого города, чего бы они ни стоили.

— Это не все. Маленького человека, который сказал мне о третьем, убили. Очевидно, он мог видеть еще что-то.

— Теперь ясно, о ком речь, — сказал я. — О Кохе.

— Да.

— Насколько нам известно, вы последний видели его живым.

Тут я учинил ему описанный выше допрос, выясняя, не следил ли за ним по пути к Коху кто-то более ловкий, чем мой человек.

— Австрийская полиция хочет навесить это убийство на вас, — сказал я Мартинсу. — Фрау Кох показала, что ее муж был очень взволнован вашим визитом. Кто еще знал о нем?

— Я рассказывал Кулеру. — И заговорил взволнованно: — Видимо, едва я ушел, он позвонил кому-то... может быть, третьему. Им нужно было заткнуть Коху рот.

— Когда вы разговаривали с Кулером, Кох был уже

мертв. В тот вечер, услышав чей-то голос, он встал с постели, спустился...

— Что ж, это снимает с меня подозрения. Я находился в отеле Захера.

— Лег он очень рано — после вашего ухода у него снова разыгралась мигрень. Поднялся вскоре после девяти. Вы вернулись в отель в половине десятого. Где были до тех пор?

— Бродил по городу, пытался разобраться во всем, — угрюмо ответил Мартинс.

— Можете чем-нибудь это подтвердить?

— Нет.

Мне хотелось припугнуть его, поэтому говорить, что за ним все время следили, не имело смысла. Я знал, что горло Коху перерезал не Мартинс, однако сомневался, что он так уж невиновен, как старается показать. Не всегда настоящий убийца тот, кто пускает в ход нож.

— Можно взять сигарету?

— Возьмите.

— Откуда вы знаете, что я был у Коха? — спросил он. — Потому и привезли меня сюда?

— Австрийская полиция...

— Австрийцы не проводили опознания.

— Мне позвонил Кулер, едва вы ушли.

— В таком случае он непричастен. Иначе не стал бы сообщать о моем визите к нему... то есть к Коху.

— Он мог предположить, что вы человек разумный и, узнав о смерти Коха, сразу пойдете в полицию. Кстати, как вы о ней узнали?

Мартинс с готовностью рассказал, и я поверил. Тут я стал верить ему полностью.

— Все-таки мне кажется, Кулер здесь ни при чем, — сказал он. — Готов чем угодно ручаться за его честность. Этот американец обладает истинным чувством долга.

— Да, он говорил об этом чувстве по телефону. Извинялся за него. Сказал, что быть воспитанным в духе гражданственности — несчастье. Что чувствует себя из-за этого педантом. Честно говоря, Кулер мне противен. Разумеется, ему невдомек, что я знаю о его делах с автопокрышками.

— Значит, он тоже занимается махинациями?

— Не особенно серьезными. Думаю, прикарманил тысяч двадцать пять долларов. Но я не добропорядочный гражданин. Пусть американцы сами смотрят за своими людьми.

— Надо же.

Потом Мартинс осторожно спросил:

— Гарри тоже участвовал в чем-то подобном?

— Нет. Дела Гарри были не столь безобидны.

— Знаете, — сказал Мартинс, — я еще не пришел в себя после этой истории — убийства Коха. Возможно, Гарри впутался во что-то очень скверное. Потом решил выйти из игры, и его убили.

— Возможно также, — сказал я, — что всем захотелось большей доли в добыче, и воры перессорились.

На сей раз Мартинс ничуть не рассердился.

— Хоть мы и расходимся в трактовке мотивов, улики вы, должно быть, проверили тщательно. Прошу прощенья за тогдашнее.

— Ничего.

Есть минуты, когда нужно принимать мгновенные решения. Я чувствовал себя в долгу перед Мартинсом за откровенность. И сказал:

— Ознакомьтесь с фактами из дела Лайма, тогда все поймете. Только не теряйте головы. Оно вас потрясет.

Не потрясти оно не могло. Война и мир (если можно назвать его миром) породили множество способов наживы, однако гнуснее этого не было. Торговцы продуктами на черном рынке по крайней мере поставляли свой товар, то же самое и другие спекулянты, сбывающие дефицит втридорога. Но пенициллиновое дело — совершенно особая статья. В Австрии пенициллином снабжались только военные госпитали: законным путем его не могли приобрести ни гражданский врач, ни даже гражданская больница. Нажива на нем поначалу была сравнительно безобидной. Антибиотик крали и продавали по бешеным ценам — стоимость ампулы доходила до семидесяти фунтов. Можно сказать, это была форма распределения — несправедливая, поскольку лекарство доставалось лишь богатым, только и обычное распределение вряд ли оказалось бы справедливее.

Какое-то время расхитители чувствовали себя привольно. Правда, кое-кто попадался и получал по заслугам, но опасность лишь взвинчивала цену на пенициллин. Потом дело стало организованным: большие люди углядели в нем большие деньги, и теперь если тот, кто крал, стал иметь за свою добычу меньше, то взамен получал определенную безопасность. В случае чего вора брали под крылышко. Человек подчас находит для себя извращенные, эгоистические оправдания. Совесть многих мелких людишек облегчает мысль, что над ними кто-то стоит, и вскоре они становятся в собственных глазах едва ли менее достойными, чем честные труженики: каждый считает себя одним из многих, а вина если и существует, ложится на вышестоящих. Тут любители наживы очень схожи с тоталитарными партиями.

Это я называл второй стадией. Третья началась, когда барыши показались главарям слишком скромными. Пенициллин не всегда придется доставать обходным путем: пока сбыт был успешным, им хотелось загрести побольше и побыстрее. В жидкий пенициллин стали добавлять подкрашенную водичку, а в порошковый — песочек. У меня в одном из ящиков стола образовался маленький музей, и я показал Мартинсу экспонаты. Ему не нравилось то, о чем я рассказывал, но суть дела оставалась пока неясна.

— Видимо, — сказал он, — пенициллин от этого становится непригодным.

— Это бы еще полбеды, — ответил я, — но от применения такой смеси человек может стать невосприимчивым к пенициллину. Дело нешуточное, если у пациента венерическая болезнь. А присыпание ран вместо пенициллина песком — ну, скажем, не способствует их заживлению. Многие лишились рук, ног — и жизни. Однако больше всего меня ужаснуло посещение детской больницы. Там приобрели такую вот смесь для лечения менингита. Одни дети скончались, другие лишились разума. Сейчас они в психиатрическом отделении.

Мартинс хмуро глядел на свои руки.

— Жутко подумать, правда? — сказал я.

— Вы пока не предъявили доказательств, что Гарри...

— Сейчас приступим к этому. Сидите спокойно и слушайте.

Я открыл досье Лайма и стал читать. Поначалу шли косвенные улики, и Мартинс нетерпеливо ерзал. В сущности, они представляли собой случайные стечения обстоятельств — сотрудники докладывали о том, что в такое-то время Лайм находился в таком-то месте, о его знакомствах с определенными людьми, о возможностях злоупотреблений. Мартинс даже как-то запротестовал:

— Но сейчас эту улику можно обратить и против меня.

— Слушайте дальше.

Гарри Лайм вдруг стал осторожным: видимо, понял, что мы подозреваем его, и перепугался. Он занимал довольно видное положение, а такие люди легко поддаются страху. Пришлось определить денщиком в английский военный госпиталь одного из наших сотрудников. Посредника к тому времени мы знали, но выйти на главного не могли. Не буду докучать читателю всеми подробностями, как тогда Мартинсу, — потребовалось много усилий, чтобы войти в доверие к посреднику, человеку по фамилии Харбин. В конце концов мы взяли Харбина в оборот и давили, пока он не раскололся. Полиция в подобных случаях действует по методу секретной службы: подыскиваешь двойного агента, которого можешь полностью контролировать. Харбин подходил для этой цели больше, чем кто бы то ни было. Но даже он вывел нас только на Курца.

— На Курца? — воскликнул Мартинс. — Почему же вы не арестовали его?

— За этим дело не станет, — ответил я.

Выход на Курца оказался большим шагом вперед, потому что Лайм исполнял помимо основной небольшую должность, связанную с благотворительными работами, и находился с ним в прямом контакте. Иногда, если возникала необходимость, они переписывались. Я показал Мартинсу фотокопию одной записки.

— Вам знаком почерк?

— Это рука Гарри. — Он прочел записку до конца. — Не вижу тут ничего предосудительного.

— Да, но теперь прочтите эту от Харбина к Курцу — ее продиктовали мы. Обратите внимание на дату. Вот вам результат.

Мартинс дважды внимательно перечел обе записки.

— Понимаете, что я имею в виду?

Если человек видит, как рушится мир, как падает самолет, вряд ли его потянет на болтовню, а мир Мартинса определенно рушился, мир доброй дружбы, доверия к своему кумиру, сложившийся двадцать лет назад... в коридоре колледжа. Все воспоминания — лежание в высокой траве, незаконная охота на Бриквортской пустоши, мечты, прогулки, — все, что их связывало, мгновенно стало зараженным, как город после атомного взрыва. Углубляться туда было небезопасно. Пока Мартинс сидел молчком, глядя на руки, я достал из шкафа драгоценную бутылку виски и щедро налил два стакана.

— Выпейте, — сказал я, и он повиновался мне, словно лечащему врачу. Я налил ему еще.

— Вы уверены, что настоящим главарем был Гарри? — неторопливо спросил он.

— Покамест пришли к такому выводу.

— Знаете, он всегда был склонен к необдуманным поступкам.

Раньше Мартинс говорил о Лайме совсем другое, но я промолчал. Теперь ему хотелось как-то утешить себя.

— Видимо, — сказал он, — Гарри шантажировали, втянули в эту шайку, как вы Харбина в двойную игру...

— Возможно.

— И убили, чтобы не заговорил при аресте.

— Не исключено.

— Я рад его смерти, — сказал Мартинс. — Мне бы не хотелось услышать, как он раскалывается.

Он легонько хлопнул себя по колену, словно бы говоря: «Вот и все». Потом произнес:

— Я возвращаюсь в Англию.

— Советую повременить. Если попытаетесь покинуть Вену сейчас, австрийская полиция поднимет шум. Видите ли, чувство долга побудило Кулера позвонить и туда.

— Понятно, — с безнадежным видом сказал он.

— Когда мы найдем третьего... — начал было я.

— Мне бы хотелось услышать, как он раскалывается, — перебил Мартинс. — Гадина. Мерзкая гадина.

11

Выйдя от меня, Мартинс тут же отправился напиться до потери сознания. Для этой цели он избрал «Ориенталь», небольшой прокуренный мрачный ночной клуб с псевдовосточным фасадом. «Ориенталь» похож на все третьеразрядные притоны в любой из полуразрушенных столиц Западной Европы — те же самые фотографии полуголых девиц на лестнице, те же самые полупьяные американцы в баре, те же самые дрянное вино и отличный джин. Среди ночи туда заглянул с проверкой международный патруль. Мартинс пил рюмку за рюмкой, возможно, он взял бы и женщину, но танцовщицы каба-

11 Заказ 2107

ре давно разошлись по домам, в зале оставалась только французская журналистка с красивым хитрым лицом; отпустив какое-то замечание своему спутнику, она с презрением заснула.

Мартинс отправился дальше: в ресторане «Максим» невесело танцевало несколько парочек, а в заведении «Chez Victor»[1] испортилось отопление, и люди пили коктейли, сидя в пальто. К тому времени у Мартинса перед глазами плыли пятна, его угнетало чувство одиночества. Вспомнилась дублинская женщина, потом амстердамская. Это единственное, что не могло обмануть: неразбавленное виски, случайная близость — от подобных женщин верности не ждешь. Мысли его блуждали кругами — от сентиментальности к похоти, от веры к цинизму и обратно.

Трамваи уже не ходили, и Мартинс упрямо отправился пешком к подружке Гарри. Ему хотелось улечься с ней в постель, и только: никаких глупостей, никаких чувств. Настроен он был агрессивно, однако заснеженная дорога, мягко покачиваясь под ногами, направляла его мысли на иной курс — к печали, вечной любви, самоотверженности.

Постучался Мартинс к Анне, должно быть, около трех часов ночи. Он уже почти протрезвел и думал только о том, что ей тоже нужно узнать все о Гарри. Ему казалось, это знание искупит долг, налагаемый памятью, и у него появятся шансы на успех. Если человек влюблен, ему и в голову не приходит, что женщина об этом не догадывается: он считает, что ясно дал это понять интонациями голоса, касаниями руки. Когда Анна с изумлением увидела его, взъерошенного, на пороге, он и подумать не мог, что она открывает дверь едва знакомому человеку.

---

[1] У Виктора (*фр.*).

— Анна, — сказал Мартинс, — я узнал все.

— Входите, — ответила она, — незачем будить весь дом.

На ней был халат, диван превратился в кровать, измятая постель говорила о бессоннице.

— Ну, — спросила Анна, пока Мартинс подбирал слова, — в чем дело? Я думала, больше вы не придете. Вас ищет полиция?

— Нет.

— Того человека действительно убили не вы?

— Конечно, нет.

— Вы что, пьяны?

— Самую малость, — угрюмо ответил Мартинс. И, видя, что разговор принимает совсем не тот оборот, буркнул: — Прошу прощения.

— Ну что вы. Я сама не отказалась бы немного выпить.

— Я побывал в английской полиции, — сказал Мартинс. — В убийстве меня больше не подозревают. Но там я узнал все. Гарри вел махинации, жуткие махинации. — И безнадежным тоном добавил: — Он вовсе не был добрым. Мы оба ошибались.

— Расскажите, — попросила Анна. Она села на постель, а Мартинс, чуть покачиваясь, стоял у стола, где лежала роль все еще с неперевернутой первой страницей.

Мне кажется, рассказывал он очень сбивчиво, сосредоточившись на том, что сильнее всего засело в его мозгу, — на детях, умерших от менингита, и детях в психиатрическом отделении. Когда рассказ подошел к концу, оба они какое-то время молчали.

— Это все? — спросила Анна.

— Да.

— Вы были трезвы? Вам это доказали?

— Да. — И мрачно добавил: — Так вот каким, значит, был Гарри.

— Я рада его смерти, — сказала Анна. — Не хотелось бы, чтобы он долгие годы гнил в тюрьме.

— Но можете ли вы понять, как Гарри — ваш, мой Гарри — связался... — И тоскливо произнес: — Мне кажется, что его никогда не существовало, что он нам приснился. Небось он смеялся все время над такими дураками, как мы?

— Возможно. Что из того? — сказала она. — Сядьте. Успокойтесь.

Мартинсу представлялось, что это он будет утешать ее, а не наоборот.

Анна сказала:

— Живой он, возможно, сумел бы оправдаться, но теперь мы должны помнить его таким, каким он был для нас. Всегда очень многого не знаешь о человеке, даже которого любишь, — и хорошего, и плохого. Поэтому нужно быть готовыми принять и хорошее, и плохое.

— Те дети...

— О Господи, не переделывайте людей на свой лад. Гарри был самим собой. Не просто вашим кумиром и моим любовником. Он был Гарри. Занимался махинациями. Совершал преступления. Ну и что? Он был тем, кого мы знали.

— Бросьте эту проклятую философию, — выпалил Мартинс. — Неужели вам не ясно, что я вас люблю?

Анна в изумлении уставилась на него.

— Вы?

— Да. Я не убиваю людей негодными лекарствами. Не лицемерю, убеждая людей, что я лучший... Я просто скверный писатель, который пьет, не зная меры, и влюбляется в женщин...

— Но я даже не знаю цвета ваших глаз, — сказала Анна. — Если б вы сейчас позвонили, спросили б, блондин вы или брюнет и носите ли усы, я не сумела б ответить.

— Не можете забыть его?

— Не могу.

— Как только с убийством Коха будет все ясно, — сказал Мартинс, — я уеду из Вены. Меня больше не волнует, кто убил Гарри: Курц или третий. Тот ли, другой — поделом ему. При данных обстоятельствах я мог бы убить его сам. Но все-таки вы его любите. Обманщика, убийцу.

— Я любила человека, — ответила Анна. — И уже сказала — человек не меняется оттого, что вы узнали о нем что-то новое. Остается все тем же человеком.

— Перестаньте же, наконец. У меня голова трещит, а вы говорите, говорите...

— Я не приглашала вас приходить.

— Заставили помимо своей воли.

Анна внезапно рассмеялась.

— Какой вы смешной, — сказала она. — Едва знакомый человек, приходите в три часа ночи и говорите, что любите меня. Потом сердитесь и начинаете ссору. Как, по-вашему, я должна поступить — или ответить?

— Я впервые вижу, как вы смеетесь. Засмейтесь еще. Мне это нравится.

— Не смеяться же дважды по одному поводу.

Мартинс взял ее за плечи и слегка встряхнул.

— Я буду весь день корчить смешные рожи. Суну голову между ног и стану вам усмехаться. Выучу все шутки из книг о послеобеденных беседах.

— Отойдите от окна. Оно не зашторено.

— Внизу никого нет. — Однако, машинально глянув в окно, Мартинс в этом усомнился: шелохнулась какая-то длинная тень, возможно, из-за того, что мимо луны плыли тучки, и замерла. Сказал: — Значит, все еще любите Гарри?

— Да.

— Возможно, я тоже. Не знаю. — И, уронив руки, проговорил: — Пойду.

Уходил Мартинс быстро: даже не потрудился взглянуть, не идет ли за ним кто, не движется ли та тень. Но, дойдя до конца улицы, случайно оглянулся, и там, на углу, прижавшись к стене, чтобы не быть замеченным, стоял кто-то коренастый, массивный. Мартинс остановился и стал присматриваться. Фигура казалась смутно знакомой. Может, подумал он, этот человек примелькался мне за последние сутки, может, это тот самый, кто неустанно следит за мной. Мартинс стоял, глядя на молчащего, неподвижного человека в двадцати ярдах на темной улочке, который отвечал ему взглядом. Возможно, то был полицейский шпик или агент тех людей, что сперва растлили, а затем прикончили Гарри. Может быть, даже тот самый третий?

Знакомым было не лицо, потому что Мартинс не мог разглядеть ни одной черты, ни движения, потому что человек был совершенно неподвижен, и Мартинсу даже стало казаться, что это мираж, созданный тенью. Он резко крикнул: «Вам что-нибудь нужно?», но ответа не получил. Крикнул снова с хмельным вызовом: «Отвечайте», и на сей раз ответ пришел сам собой, потому что кто-то разбуженный в сердцах отдернул штору, и свет, упав на противоположную сторону неширокой улочки, выхватил из темноты лицо Гарри Лайма.

12

— Верите вы в привидения? — спросил меня Мартинс.

— А вы?

— Теперь верю.

— Я верю, что пьяным иногда кое-что мерещится — когда крысы, когда кое-что похуже.

Мартинс пришел со своей новостью не сразу — лишь опасность, угрожающая Анне Шмидт, занесла его ко мне в кабинет, взъерошенного, небритого, измученного тем, что видел и не мог понять.

— Из-за одного только лица, — сказал он, — я бы не стал волноваться. Гарри не шел у меня из головы и вполне мог почудиться в незнакомце. Видел я лицо только мельком, свет тут же погас, и этот человек — если то был человек — пошел прочь. До перекрестка там далеко, но я был так ошеломлен, что дал ему отойти ярдов на тридцать. Подойдя к газетному киоску, он скрылся. Я побежал за ним. Через десять секунд я был у киоска, и он должен был слышать, как я бегу, но, как ни странно, его и след простыл. Я подошел к киоску — никого. На улице ни души. Незаметно войти в какой-нибудь дом он не мог. Исчез — и все тут.

— Чего еще ждать от призрака — или галлюцинации.

— Не настолько же я был пьян!

— А что потом?

— Мне потребовалось выпить еще. Нервы совсем расшалились.

— Выпивка не вызвала призрака снова?

— Нет, но привела меня обратно к Анне.

Очевидно, Мартинс постыдился бы прийти ко мне с этой нелепой историей, если б не попытка арестовать Анну Шмидт. Когда он выложил мне все до конца, я решил, что там находился какой-то наблюдатель — но хмель и нервозность Мартинса придали ему черты Гарри Лайма. Что наблюдатель засек его визит к Анне и по телефону известил об этом всех членов шайки. События в ту ночь разворачивались быстро. Курц, как вы помните, жил в советской зоне, на широкой пустынной улице, идущей до Пратер-плац. После смерти Лайма он, видимо, сохранил нужные контакты. Соглашение между союзниками в Вене ограничивало действия военной полиции (которой приходилось иметь дело с преступлениями, где замешаны представители союзников) только своей зоной; чтобы действовать в зоне другой державы, требовалось разрешение. Мне было б достаточно позвонить своим американским или французским коллегам, чтобы послать людей провести арест или проводить расследование. Прежде чем я получил бы разрешение от русских, прошло бы не меньше двух суток, однако на практике редки случаи, когда этот срок слишком велик. Даже дома не всегда возможно получить ордер на обыск или разрешение взять под стражу подозреваемого.

Следовательно, если б я решил арестовать Курца, его вполне можно было взять и в английской зоне.

Когда Ролло Мартинс, пошатываясь, вернулся к Анне с вестью, что видел призрака Гарри, испуганный, еще не уснувший вновь швейцар сказал ему, что Анну увез международный патруль.

Произошло вот что. Как вы помните, председательствовали в Старом городе русские, и к ним поступил донос, что Анна Шмидт — их соотечественница, живущая по фальшивым документам. Поэтому русский направил машину на улицу, где жила Анна.

У ее дома в игру включился американец и спросил, в чем, собственно, дело. Француз прислонился к капоту двигателя и закурил вонючую сигарету. Это дело Франции не касалось, а потому не имело для него особого значения. Русский потряс бумагами и произнес несколько слов по-немецки. Насколько остальные его поняли, в этом доме жила без надлежащих документов русская, разыскиваемая советскими органами. Все четверо поднялись и обнаружили Анну в постели, хотя я сомневаюсь, что она спала после визита Мартинса.

В подобных ситуациях немало комичного для тех, кого это не касается непосредственно. Чтобы страшное перевесило смешное, нужно иметь за спиной всеевропейский ужас, обыски и исчезновения людей, отца, принадлежащего к побежденной стороне. Русский отказался выйти из комнаты, американец не хотел оставлять женщину беззащитной, а француз — думаю, француз отнесся к происходящему юмористически. Можете представить себе эту сцену? Русский лишь исполнял свой долг и смотрел на женщину без малейшего нездорового интереса, американец рыцарственно повернулся к ней спиной, француз покуривал и со сдержанным любопытством наблюдал в зеркале гардероба, как женщина одевается, англичанин же встал в проходе, недоумевая, как быть дальше.

Только не подумайте, что англичанин оказался растяпой. Пока он стоял там, не заботясь о рыцарстве, у него было время подумать, и раздумья привели его к телефону в соседней квартире. Он сразу дозвонился ко мне — и разбудил во время самого глубокого сна. Вот почему через час, когда позвонил Мартинс, я уже знал, что его беспокоит, — и тут он проникся незаслуженным, но очень полезным убеждением в моей эффективности. После той ночи я уже не слышал от него шуток по адресу полицейских или шерифов.

Когда англичанин вернулся в комнату Анны, там шел горячий спор. Анна сказала американцу, что у нее австрийские документы (это было правдой) и что они в полном порядке (а это уже — с натяжкой). Американец на ломаном немецком языке заявил русскому, что они не имеют права арестовывать австрийскую гражданку. Потом попросил у Анны документы, но, когда та протянула их, ими завладел русский.

— Венгерка, — сказал он, указав на Анну, а затем помахал документами, — плохие, плохие.

Американец, фамилия его О'Брайен, сказал русскому по-английски: «Верните женщине документы», но русский не понял. Американец положил руку на кобуру, и капрал Старлинг мягко попросил:

— Оставь, Пэт.

— Раз документы не в порядке, мы имеем право заглянуть в них.

— Да брось ты. Заглянем в комендатуре.

— Беда с вами, англичанами, — вечно не знаете, когда нужно дать отпор.

Старлинг не стал возражать, потому что помнил эвакуацию войск из Дюнкерка. Зато он знал, когда нужно вести себя спокойно.

Водитель внезапно затормозил: впереди стояло дорожное заграждение. Я знал, что патруль будет проезжать мимо этого поста. Просунув голову в окошко, я спросил русского на его ломаном языке:

— Что вы делаете в британской зоне?

Русский недовольно ответил, что у него приказ.

— Чей? Покажите.

Я разглядел подпись — она оказалась мне знакома. И сказал:

— Вам предписано арестовать некую венгерку, военную преступницу, живущую в английской зоне по фальшивым документам. Покажите мне их.

Русский начал долгое объяснение. Я сказал:

— По-моему, документы в полном порядке, но я проверю их и сообщу о результатах вашему полковнику. Разумеется, он может в любое время потребовать выдачи этой дамы. Нужны будут только доказательства ее преступной деятельности.

Сказав Анне: «Выходите из машины», я пожал русскому руку, помахал остальным, и этот инцидент был исчерпан.

13

Когда Мартинс рассказал, что вернулся к Анне и не застал ее, я крепко задумался. Мне слабо верилось, что человек с лицом Гарри Лайма был призраком или алкогольной галлюцинацией. Я взял две карты Вены, сравнил их, потом, прервав излияния Мартинса стаканом виски, позвонил своему помощнику и спросил, нашел ли он

Харбина. Помощник ответил, что нет: насколько он понял, Харбин неделю назад уехал из Клагенфурта в соседнюю зону к семье. Нужно всегда делать все самому, а не сваливать вину на подчиненных. Я уверен, что не выпустил бы Харбина из наших тисков, но, с другой стороны, мог наделать всевозможных ошибок, которых мой помощник избежал бы.

— Ладно, — сказал я. — Продолжайте поиски.

— Прошу прощения, сэр.

— Ничего, бывает.

Его юношеский пылкий голос (жаль, что сам больше не испытываешь такого пыла в повседневной работе: сколько возможностей, сколько догадок осталось под спудом лишь потому, что работа уже приелась) звенел в трубке: «Знаете, сэр, мне кажется, что мы слишком легко исключаем возможность убийства. Есть несколько пунктов...»

— Изложите их письменно, Картер.

— Слушаюсь, сэр. Я считаю, сэр, если мне позволительно так выражаться — (Картер еще очень молод), — нам следует вскрыть могилу. Нет никаких подтверждений, что смерть наступила именно в то время, о котором говорят свидетели.

— Согласен, Картер. Обращайтесь к властям.

Мартинс был прав! Я оказался полнейшим ослом, но учтите, что работа в оккупированном городе совсем не похожа на работу дома. Здесь незнакомо все: методы иностранных коллег, порядок дознания, даже процедура расследования. Очевидно, я пришел в то состояние духа, когда слишком полагаешься на собственное суждение. При вести о смерти Лайма у меня словно камень с души свалился. Несчастный случай сошел за чистую монету. Я спросил Мартинса:

— Заглянули вы в тот газетный киоск или он был заперт?

— Да он вовсе не газетный, — ответил Мартинс. — Железный массивный киоск, оклеенный афишами, из тех, что стоят повсюду.

— Покажите мне его.

— А как там Анна?

— Полиция наблюдает за домом. Пока больше никто не предпринимал никаких попыток.

Появляться в том районе на полицейской машине не хотелось, так что мы ехали на трамвае — несколькими маршрутами, потом пошли к месту пешком. Одет я был в штатское, хотя и сомневался, что после неудачи с Анной сообщники Лайма рискнут выставить наблюдателя.

— Вот этот перекресток, — сказал Мартинс и повел меня в боковую улочку. Мы остановились у киоска. — Понимаете, он зашел сюда и вдруг исчез — словно под землю.

— Вот именно — под землю.

— Как это?

Проходя мимо, невозможно заметить, что у киоска есть дверь; к тому же, когда тот человек скрылся, было темно. Я распахнул ее и показал Мартинсу уходящую вниз винтовую лестницу.

— Господи, — сказал он, — я даже представить не мог...

— Это один из входов в главный канализационный коллектор.

— Значит, каждый может спуститься туда?

— Каждый.

— И далеко так можно уйти?

— На другой конец Вены. В этих ходах прятались люди во время воздушных налетов, некоторые из наших пленных скрывались там по два года. Пользовались этими ходами также дезертиры и взломщики. Если человек в них ориентируется, он может выйти наверх почти в любой части города через люк или такой же киоск. Австрийцы вынуждены содержать специальную полицию для патрулирования коллекторов.

Закрыв дверь, я сказал:

— Вот так и скрылся ваш друг Гарри.

— По-вашему, это в самом деле был он?

— Больше некому.

— Кого же тогда похоронили?

— Пока не знаю, но скоро выясним. Мы решили вскрыть могилу. Однако я убежден, что Кох — не единственный убитый свидетель.

— Ужасно, — сказал Мартинс.

— Да.

— Что же вы намерены предпринять?

— Не знаю. Лайм наверняка скрывается в другой зоне. Информировать нас о Курце теперь некому, потому что Харбин убит — это единственное объяснение инсценировки несчастного случая и похорон.

— Странно, однако, что Кох не узнал лица покойного.

— Окно высоко, и, видимо, лицо обезобразили заранее.

— Я хотел бы поговорить с Гарри, — сказал Мартинс. — Очень во многое мне просто не верится.

— Пожалуй, вы единственный, кто мог бы поговорить с ним. Только это рискованно, потому что вам известно слишком многое.

— Никак не верится... Я видел лицо всего лишь мельком. Что я должен делать?

— Сейчас Лайм не покинет своей зоны. Выманить его сюда удастся только вам — или Анне, если он верит, что вы до сих пор ему друг. Но сперва нужно поговорить с ним. Как это устроить — не представляю.

— Повидаюсь с Курцем. У меня есть его адрес.

— Имейте в виду, — предупредил я, — Лайм способен не выпустить вас живым из советской зоны, а дать вам туда охрану я не могу.

— Я хочу разобраться в этой проклятой истории, — сказал Мартинс,— но вовлекать Гарри в западню не стану. Поговорю с ним, вот и все.

14

Воскресенье распростерло над Веной свой обманчивый покой: ветер утих и вот уже сутки не было снега. Все утро битком набитые трамваи шли в Гринциг, где продавалось молодое вино, и к заснеженным холмам за городом. Во второй половине дня, переходя канал по временному военному мосту, Мартинс обратил внимание, что город опустел: молодежь каталась на санках и лыжах, а старики дремали после обеда. Щит с надписью оповестил его, что он входит в советскую зону, однако никаких признаков оккупации не было. Русских солдат чаще можно встретить в Старом городе, чем там.

Мартинс умышленно не предупредил Курца о своем визите. Лучше было не застать его, чем встретить подготовленный прием. На всякий случай он взял с собой все документы, в том числе и пропуск, разрешавший свободное передвижение во всех оккупационных зонах Вены. Здесь, на другой стороне канала, было необычайно тихо, и какой-то аффектированный журналист нарисовал картину безмолвного ужаса; но по правде тишина объяснялась шириной улиц, более сильными разрушениями, меньшей населенностью и воскресным днем. Бояться было нечего, но тем не менее на огромной безлюдной улице, где слышны только собственные шаги, трудно не оглядываться.

Мартинс легко нашел дом, на звонок быстро, словно ждал гостя, вышел сам Курц.

— А, — сказал он, — это вы, Ролло, — и растерянно почесал затылок. Мартинс не сразу понял, почему Курц выглядит совсем не таким. Парика на нем не было, однако голова его оказалась вовсе не лысой. Совершенно обычной, с коротко стриженными волосами. — Напрасно не позвонили, — сказал он Мартинсу. — Вы едва застали меня, я собирался уйти.

— Можно к вам на минутку?

— Конечно.

В коридоре стоял шкаф с открытой дверцей, внутри виднелись пальто Курца, плащ, несколько мягких шляп и парик, безмятежно висящий на крючке словно головной убор.

— Я рад, что у вас выросли волосы, — сказал Мартинс и с изумлением увидел в зеркале дверцы, как в глазах Курца вспыхнул гневный огонь, а на лице — румянец. Когда он обернулся, Курц состроил заговорщицкую улыбку и невразумительно ответил:

— В нем теплее голове.

— Чьей? — спросил Мартинс, его внезапно осенило, как мог пригодиться этот парик в день несчастного случая. — Не придавайте значения, — торопливо добавил он, потому что пришел не ради Курца. — Мне нужно видеть Гарри.

— Гарри?

— Я хочу поговорить с ним.

— Вы с ума сошли?

— Времени у меня мало, поэтому предположим, что да. Только обратите внимание на характер моего безумия. Если увидите Гарри — или его призрака, — то передайте, что мне нужно с ним поговорить. Призраки не боятся людей, так ведь? Это люди боятся их. В течение ближайших двух часов я буду ждать в Пратере у колеса обозрения. Если можете вступать в контакт с мертвецами, поторопитесь. — И прибавил: — Не забывайте, я был другом Гарри.

Курц промолчал, но в одной из комнат кто-то кашлянул. Мартинс распахнул дверь: у него появилась легкая надежда снова увидеть воскресшего из мертвых, однако там оказался доктор Винклер, он поднялся с кухонной табуретки перед плитой и с прежним целлулоидным скрипом очень чопорно, церемонно поклонился.

— Доктор Винтик, — вырвалось у Мартинса. На кухне Винклер выглядел в высшей степени неуместно. Весь стол был завален объедками, и немытая посуда очень плохо гармонировала с чистотой доктора.

— Винклер, — поправил он с твердокаменной терпеливостью.

— Расскажите доктору о моем безумии, — сказал Мартинс Курцу. — Возможно, он сумеет поставить диагноз. Не забудьте — у колеса. Или призраки являются только по ночам?

И ушел из квартиры.

Ждал Мартинс почти целый час, расхаживая для сугрева в ограде колеса обозрения. Разрушенный Пратер с грубо торчащими из-под снега обломками был почти пуст. Единственный ларек торговал блинами, и дети стояли в очереди, держа наготове талоны. В один вагончик набивалось по нескольку парочек, и он, вращаясь вместе с пустыми вагончиками, медленно поднимался над городом. Когда достигал высшей точки, колесо минуты на две останавливалось, и высоко вверху крошечные лица прижимались к стеклам. Мартинс размышлял, кто придет на встречу. Верен ли Гарри старой дружбе, явится ли сам, или сюда нагрянет полиция? Такого, судя по налету на квартиру Анны, от него можно было ждать. Взглянув на часы и увидев, что половина назначенного срока истекла, Мартинс подумал: «Может, у меня просто разыгралось воображение? И сейчас тело Гарри откапывают на Центральном кладбище?»

За ларьком кто-то стал насвистывать. Узнав знакомую мелодию, Мартинс повернулся и замер. Сердце его торопливо забилось то ли от страха, то ли от волнения —

или воспоминаний, пробужденных ею, потому что жизнь всегда становилась ярче с появлением Гарри. Появился он словно ни в чем не бывало, словно никого не зарывали в могилу, не находили в подвале с перерезанным горлом, как всегда самодовольно, вызывающе, словно бы говоря «принимайте меня таким, как есть», — и конечно, его всегда принимали.

— Гарри.

— Привет, Ролло.

Не подумайте, что Гарри Лайм был обаятельным негодяем. Вовсе нет. У меня в досье есть превосходный снимок: он стоит на улице, широко расставив толстые ноги, грузные плечи чуть ссутулены, выпирает брюшко от вкусной и обильной еды, на веселом лице плутовство, довольство, уверенность, что его счастью не будет конца. Подойдя, он не протянул руки из опасения, что Мартинс откажется ее пожать, а похлопал по локтю и спросил:

— Как дела?

— Гарри, нам нужно поговорить.

— Само собой.

— Наедине.

— Здесь это будет проще всего.

Лайм всегда знал все ходы и выходы, знал их даже там, в разрушенном парке, и дал на чай женщине, управлявшей колесом обозрения, чтобы она предоставила вагончик им на двоих.

— Раньше так поступали ухажеры, — сказал он, — но сейчас они стеснены в деньгах, бедняги, — и, казалось, с искренним сочувствием глянул из окна раскачивающегося вагончика на фигурки оставшихся внизу людей.

По одну сторону город очень медленно уходил вниз; по другую очень медленно появлялись большие скрещенные опоры колеса. Горизонт отступал, показался Дунай, и быки моста Кайзера Фридриха поднялись над домами.

— Ну что ж, — сказал Гарри, — рад видеть тебя, Ролло.

— Я был на твоих похоронах.

— Хорошо устроено, правда?

— Для твоей подружки не очень. Она тоже была у могилы — вся в слезах.

— Славная малышка, — сказал Гарри. — Я к ней очень привязан.

— Когда полицейский рассказал о тебе, я не поверил.

— Знать бы, как все сложится, — сказал Гарри, — то не пригласил бы тебя. Но вот уж не думал, что полиция интересуется мной.

— Ты хотел взять меня в долю?

— Я всегда брал тебя в дела, старина.

Лайм стоял спиной к дверце качающегося вагончика и улыбался Ролло Мартинсу, а тот вспоминал его в такой же позе в тихом углу внутреннего четырехугольного двора, говорящим: «Я нашел новый способ выбираться по ночам. Совершенно надежный. Открываю его только тебе». Впервые в жизни Ролло Мартинс оглядывался на прошлое без восхищения и думал: «Он так и не повзрослел». У Марло черти носят привязанные к хвостам шутихи; зло похоже на Питера Пэна[1]: оно обладает ужасным, потрясающим даром вечной юности.

— Бывал ты в детской больнице? — спросил Мартинс. — Видел хоть одну из своих жертв?

Глянув на миниатюрный ландшафт внизу, Гарри отошел от дверцы.

— Мне всегда страшновато в этих вагончиках. — И потрогал дверцу, словно боялся, что она распахнется и он упадет с высоты на усеянную железками землю. — Жертв? — переспросил он. — Не будь мелодраматичным, Ролло, погляди-ка сюда, — и указал на людей, ки-

---

[1] Персонаж одноименной пьесы английского драматурга Дж. Барри (1860—1937).

шащих внизу словно черные мухи. — Будет ли тебе искренне жаль, если одна из этих точек перестанет двигаться — навсегда? Если я скажу, что ты получишь двадцать тысяч фунтов за каждую остановленную точку, ответишь ли ты — не колеблясь: «Старина, оставь свои деньги при себе?» Или начнешь подсчитывать, сколько точек сможешь пощадить? Эти деньги не облагаются налогом, старина. — Лайм улыбнулся мальчишеской, заговорщицкой улыбкой. — В наше время это единственный способ разбогатеть.

— Ты не мог заняться автопокрышками?

— Как Кулер? Нет, я всегда был честолюбив. Но им не схватить меня, Ролло, вот увидишь. Я снова вынырну на поверхность. Умного человека утопить невозможно.

Вагончик, раскачиваясь, остановился на высшей точке орбиты, Гарри повернулся к Мартинсу спиной и стал смотреть в окно. Мартинс подумал: «Один хороший толчок, и стекло разобьется», потом представил себе тело, упавшее среди тех мух.

— Знаешь, — сказал он, — полицейские собирались вскрыть твою могилу. Кого они там обнаружат?

— Харбина, — простодушно ответил Гарри. Потом отвернулся от окна и сказал: — Погляди-ка на небо.

Вагончик висел неподвижно, за черными балками закатные лучи разбегались по хмурому облачному небу.

— Почему русские хотели забрать Анну Шмидт?

— У нее фальшивые документы, старина.

— Я думал, может, ты хотел переправить ее в эту зону, потому что она твоя подружка? Потому что любишь ее?

Гарри улыбнулся.

— У меня здесь нет никаких связей.

— Что сталось бы с ней?

— Ничего особенного. Выслали б обратно в Венгрию. Никаких обвинений против нее нет. Ей было б гораздо лучше жить на родине, чем терпеть грубость английской полиции.

— Анна ничего не рассказывала о тебе полицейским.

— Славная малышка, — повторил Гарри с самодовольной гордостью.

— Она любит тебя.

— Что ж, пока мы были вместе, ей не приходилось жаловаться.

— А я люблю ее.

— Прекрасно, старина. Будь к ней добр. Она того заслуживает. Я рад. — У Лайма был такой вид, будто он устраивал все к всеобщему удовольствию. — И позаботься, чтоб она помалкивала. Хотя ничего серьезного ей не известно.

— У меня руки чешутся вышибить тебя вместе со стеклом.

— Не вышибешь, старина. Наши ссоры всегда кончались быстро. Помнишь ту жуткую, в Монако, когда мы клялись, что между нами все кончено? Я всегда доверял тебе, Ролло. Курц уговаривал меня не приходить, но я тебя знаю. Потом советовал... ну, устроить несчастный случай. Сказал, что в таком вагончике это будет просто.

— Но ведь я сильнее тебя.

— А у меня пистолет. Думаешь, пулевая рана будет заметна после падения на *эту* землю?

Вагончик дернулся, поплыл вниз, и вскоре мухи превратились в карликов, стало видно, что это люди.

— Ну и болваны мы, Ролло, нашли о чем говорить, словно я поступил бы так с тобой — или ты со мной.

Лайм снова повернулся и приник лицом к стеклу. Один толчок...

— Старина, сколько ты зарабатываешь в год своими вестернами?

— Тысячу фунтов.

— Облагаемых налогом. А я тридцать тысяч чистыми. Такова жизнь. В наши дни, старина, об отдельных людях никто не думает. Раз не думают правительства, с какой стати думать нам? У русских на уме народ, пролетариат, а у меня простофили. В принципе одно и то же. У них свои пятилетние планы, у меня свои.

— Ты ведь был католиком.

— О, я и сейчас *верую*, старина. В Бога, милосердие и все прочее. Своими делами я не приношу вреда ничьей душе. Мертвым лучше быть мертвыми. Не много они потеряли, уйдя из этого мира, бедняги, — добавил он с неожиданным оттенком искренней жалости, когда вагончик спустился к платформе и те, кому отводилась роль жертв, усталые, ждущие воскресных развлечений люди, уставились на них. — Знаешь, я могу взять тебя в дело. Будет очень кстати. В Старом городе у меня никого не осталось.

— Кроме Кулера? И Винклера?

— Не превращайся в полицейского, старина.

Они вышли из вагончика, и Лайм снова положил руку Мартинсу на локоть.

— Это шутка, я знаю, ты откажешься. Слышал в последнее время что-нибудь о Брейсере?

— Он прислал мне открытку на Рождество.

— Славные то были дни, старина, славные. Здесь я должен с тобой расстаться. Мы еще увидимся... когда-нибудь. В случае чего найдешь меня через Курца.

Отойдя, он помахал рукой — у него хватило такта ее не протягивать. Казалось, все прошлое уплывает во мрак забвения. Мартинс внезапно крикнул вслед Лайму: «Гарри, не доверяй мне!», но расстояние между ними было уже таким, что эти слова не могли донестись.

15

— Анна была в театре, — рассказывал Мартинс, — на утреннем спектакле. Пришлось смотреть его с начала до конца во второй раз. Это пьеса о пианисте средних лет, влюбленной девушке и понимающей — очень понимающей — супруге. Играла Анна скверно — актриса она в лучшем случае посредственная. После спектакля я зашел к ней в уборную. Анна очень нервничала. Видимо, решила, что я собираюсь начать серьезные ухаживания, а ей было не до того. Я сказал, что Гарри жив, — думал, Анна обрадуется и мне будет неприятна ее радость, но она сидела перед гримировочным зеркалом, не утирая катящихся по гриму слез, и тут я пожалел, что она не радуется. Выглядела Анна ужасно, и я любил ее. Я передал ей разговор с Гарри, но Анна почти не слушала, потому что, когда я дошел до конца, она сказала:

— Жаль, что он не мертв.

— Он заслуживает смерти.

— Ведь тогда он стал бы недосягаем — для всех.

Я спросил Мартинса:

— Показали вы Анне взятые у меня снимки детей?

— Показал. Думал, они либо доконают ее, либо исцелят. Ей нужно было выбросить Гарри из головы. Фотографии я приставил к баночкам с гримом. Она не могла их не видеть. Я сказал:

— Полиция может арестовать Гарри только в этой зоне, и мы должны помочь!

— Я думала, он был вашим другом, — сказала Анна. — Мне другом он *был*. На мою помощь не рассчитывайте. Я больше не желаю видеть Гарри, не хочу слышать его голоса. Не хочу, чтобы он прикасался ко мне, но и не шевельну пальцем, чтобы причинить ему вред.

Мне стало горько — не знаю почему, в конце концов, я ничего для нее не сделал. Даже Гарри сделал для нее больше меня. Я сказал: «Вы до сих пор любите его», словно обвиняя в преступлении. Анна ответила: «Не люблю, но он живет во мне. Правда, не как друг. Даже в любовных снах я всегда вижу только его».

Мартинс замялся, и я подбодрил:

— Дальше.

— Тут я поднялся и ушел. Теперь слово за вами. Что от меня требуется?

— Действовать нужно быстро. В гробу оказалось тело Харбина, поэтому Винклера с Кулером можно брать сразу же. Курц пока вне досягаемости, водитель тоже. Мы официально запросим у русских разрешение на арест Курца и Лайма: материалов для этого в деле хватает. Если использовать вас как приманку, ваше сообщение Лайму должно отправиться немедленно — не после того, как вы проведете сутки в этой зоне. Я представляю себе это так: после возвращения в Старый город вас привели сюда на допрос. Здесь вы узнали о Харбине, поняли, что к чему, и пошли предупредить Кулера. Мы позволим Кулеру улизнуть ради более крупной дичи — у нас нет никаких доказательств, что он участвовал в махинациях с пенициллином. Кулер отправится во вторую зону, к Курцу, и Лайм узнает, что вы не сказали о нем ни слова. Три часа спустя вы пошлете сообщение, что полиция преследует вас: вы находитесь в убежище, и вам нужно его видеть.

— Он не придет.

— Может прийти. Убежище мы подберем старательно — чтобы риск казался минимальным. Попытаться стоит. Если он выручит вас, это даст ему возможность гордиться собой и потешаться над вами. И обеспечит ваше молчание.

— В колледже Гарри никогда не выручал меня, — сказал Мартинс. Было ясно, что он пересматривает прошлое и делает выводы.

— Неприятности там грозили пустяковые, и не было опасности, что вы заговорите.

— Я сказал Гарри: «Не доверяй мне», но он не расслышал.

— Вы согласны?

Мартинс вернул мне фотографии детей, они лежали на столе, и я заметил, что он долго не сводил с них взгляда.

— Да, — сказал он. — Согласен.

16

Все начальные приготовления шли по плану. Винклера, только что вернувшегося из второй зоны, мы решили не брать, пока Кулер не будет предупрежден. Мартинс говорил с Кулером недолго. Американец встретил его без тени смущения и очень покровительственно.

— А, мистер Мартинс, приятно вас видеть. Присаживайтесь. Я рад, что между вами и полковником Кэллоуэем все окончилось хорошо. Он очень честный человек.

— Радоваться нечему, — ответил Мартинс.

— Вы, конечно, не в претензии, что я сообщил ему о вашей встрече с Кохом. Я подумал: если вы неповинны, то немедленно оправдаетесь, а если виновны, мои симпатии к вам не должны мешать делу. У гражданина есть определенные обязанности.

— Например, давать ложные показания.

— А, это старая история, — сказал Кулер. — Я боялся, что вы сердитесь на меня, мистер Мартинс. Взгляните на дело так — добропорядочный гражданин...

— Полиция эксгумировала труп. Вас с Винклером будут искать. Предупредите Гарри...

— Не понимаю.

— Прекрасно понимаете.

Было ясно, что Кулер понял. Мартинс резко поднялся и ушел. Больше он видеть не мог этого любезного, озабоченного гуманиста.

Теперь оставалось только наживить ловушку. Изучив карту канализационной системы, я пришел к выводу, что кафе возле киоска, который Мартинс принял за газетный, будет самым подходящим местом. Лайму предстояло лишь подняться на поверхность, пройти пятьдесят ярдов, забрать Мартинса и снова уйти под землю. Он не знал, что его расчет нам ясен: ему, конечно же, было известно, что обход коллекторов специальной полицией кончается незадолго до полуночи, а следующий начинается только в два, и вот в полночь Мартинс сидел в маленьком холодном кафе с видом на киоск и пил кофе чашку за чашкой. Я дал ему пистолет, расставил людей как можно ближе к киоску, а специальная полиция была готова закрыть в полночь все выходы и начать прочесывание коллекторов от окраин к центру. Но я хотел не пустить Лайма снова под землю. Это избавило бы нас от трудов — а Мартинса от риска. Итак, Мартинс сидел в кафе.

Ветер поднялся снова, но снега не принес: он тянул ледяными порывами с Дуная и сдувал снежинки на маленькой, покрытой мерзлой травой площадке; словно пену с гребня волны. Отопления в кафе не было, и Мартинс поочередно грел руки о чашку кофе — о бесчисленные чашки. Почти все время с ним находился кто-нибудь из моих людей — я менял их минут через двадцать с неравными интервалами. Прошло больше часа: Мартинс давно потерял надежду, и я тоже. Я сидел у телефона в нескольких кварталах оттуда с отрядом специальной полиции, готовым при необходимости спуститься под землю. Нам было легче, чем Мартинсу, в сапогах до бедер и в бушлатах мы не мерзли. Один из полицейских пристегнул на грудь небольшой прожектор, раза в полтора больше автомобильной фары, другой запасся связкой римских свечей. Раздался телефонный звонок. Звонил Мартинс.

— Я умираю от холода, — сказал он. — Уже четверть второго. Есть ли смысл ждать еще?

— Вы напрасно звоните. Вам нужно быть на виду.

— Я выпил семь чашек этого дрянного кофе. Больше мой желудок не выдержит.

— Если Лайм придет, то уже скоро. Он не захочет наткнуться на двухчасовой патруль. Пробудьте там еще четверть часа, но к телефону не подходите.

Внезапно Мартинс сказал:

— Черт возьми, он здесь. Он...

Голос в трубке оборвался. Я сказал помощнику: «Дайте сигнал охранять все выходы», а отряду: «Спускаемся вниз».

Произошло вот что. Мартинс все еще говорил, когда Гарри Лайм вошел в кафе. Не знаю, что он услышал, может быть, ничего. Достаточно было увидеть, что человек, которого ищет полиция и у которого нет друзей в Вене, говорит по телефону. И прежде, чем Мартинс положил трубку, он вышел. Как раз в тот миг никого из полицейских в кафе не оказалось. Один только что ушел, а другой подходил к дверям. Гарри Лайм проскользнул мимо него и направился к киоску. Мартинс вышел из кафе и увидел моих людей. Крикни он сразу, все было б просто, но, мне кажется, то уходил не Лайм, мошенник и убийца; то был Гарри. Пока Мартинс колебался, Лайм вошел в киоск, потом Мартинс крикнул: «Это он», но Лайм уже спускался под землю.

Что за странный, неизвестный большинству мир лежит у нас под ногами: мы живем над пещерной страной водопадов и мчащихся рек, там есть приливы и отливы, как и в мире наверху. Если вы читали о приключениях Аллана Квотермейна[1] и рассказ о его путешествии по подземной реке в городе Милосис, то сможете представить себе последнее убежище Лайма. Главный поток шириной в половину Темзы мчится под громадным сводом и питается ручьями: эти ручьи спускаются водопадами с

[1] Герой романов Р. Хаггарда.

более высоких уровней и очищаются при падении, так что в этих роковых каналах грязен лишь воздух. Главный поток издает душистый, свежий запах с примесью озона, и повсюду в темноте слышен шум бегущей или падающей воды. Когда Мартинс и полицейский подошли к этой реке, только что кончился прилив: сперва они спустились по винтовой лестнице, потом миновали короткий проход, такой низкий, что им пришлось нагибаться, а потом у их ног заплескалась мелкая с краю река. Мой человек посветил фонариком на край потока и сказал: «Пошел туда», потому что как глубокая река прибивает к берегу всякий хлам, так и канализационный поток оставляет в стоячей воде у стены апельсиновые корки, пачки из-под сигарет и тому подобное, и Лайм в этих отбросах оставил свой след четко, будто на сырой земле. Полицейский держал фонарик над головой в левой руке, а пистолет в правой. Мартинсу он сказал:

— Держитесь позади меня, сэр, этот гад может выстрелить.

— Тогда почему, черт возьми, вы должны быть впереди?

— Это моя работа, сэр.

Они шли по колено в воде, полицейский направлял луч фонарика на взбаламученный след у края.

— Самое нелепое, — сказал он, — что этому гаду все равно никуда не деться. Все выходы охраняются, проход в русскую зону перекрыт. Нашим ребятам остается только прочесать боковые ходы от люков.

Полицейский достал свисток и свистнул, очень издалека стали доноситься ответные свистки.

— Все уже внизу, — сказал он. — Я говорю об отряде полиции специального назначения. Ребята знают это место так же, как я Тоттенхем-корт-роуд. Жаль, меня сейчас не видит моя старуха, — сказал он, приподняв фонарик повыше, чтобы посмотреть вперед, и в этот миг раздался выстрел. Фонарик выпал и шлепнулся в воду.

— Черт бы побрал этого гада, — ругнулся полицейский.

— Вы ранены?

— Слегка царапнуло, пустяки. Вот запасной фонарик, сэр, подержите, пока я перевяжу руку. Не светите. Он в одном из боковых ходов.

Звук выстрела еще долго перекатывался эхом; когда последний отзвук стих, впереди раздался свисток, и спутник Мартинса свистнул в ответ.

— Странное дело, — сказал Мартинс, — я даже не знаю вашей фамилии.

— Бейтс, сэр. — Он негромко засмеялся в темноте. — Это не мой постоянный участок. Вы знаете пивную «Подкова», сэр?

— Да.

— И «Герцог Графтон»?

— Знаю.

— Да, ничего не скажешь, мир тесен.

— Давайте я пойду впереди, — сказал Мартинс. — Вряд ли он станет стрелять в меня. Я хочу поговорить с ним.

— Мне приказано всемерно оберегать вас, сэр.

— Ничего.

Мартинс обошел Бейтса, погрузясь при этом на фут глубже. Выйдя вперед, он крикнул: «Гарри», вдоль потока понеслось эхо: «Гарри, Гарри, Гарри» — и вызвало в темноте целый хор свистков.

— Гарри, — крикнул он снова. — Выходи. Это бесполезно.

Неожиданно близкий голос заставил их прижаться к стене.

— Это ты, старина? Говори, что нужно делать.

— Выходи. И подними руки над головой.

— У меня нет фонарика, старина. Я ничего не вижу.

— Осторожнее, сэр, — предупредил Бейтс.

— Прижмитесь к стене. В меня он стрелять не станет, — ответил Мартинс. И крикнул: — Гарри, сейчас я включу фонарик. Играй по-честному и выходи. Все равно тебе не скрыться.

Он зажег фонарик, и футах в двадцати, на грани воды и света, появился Лайм.

— Подними руки, Гарри.

Гарри вскинул руку и выстрелил. Пуля срикошетила от стены возле головы Мартинса, и он услышал, как вскрикнул Бейтс. В этот миг луч прожектора с пятидесяти ярдов осветил весь канал и выхватил из темноты Лайма, Мартинса, широко открытые глаза Бейтса, лежащего по грудь в воде. Подмышку ему забилась пустая сигаретная пачка. Тут подоспел мой отряд.

Мартинс в смятении стоял над Бейтсом, Лайм находился между нами. Стрелять из опасения попасть в Мартинса мы не могли, а Лайма слепил свет прожектора. Мы медленно продвигались вперед, на всякий случай держа пистолеты наготове. Лайм метался туда-сюда, как ослепленный фарами заяц, потом внезапно бросился в поток, глубокий и быстрый. Когда мы повернули вслед ему прожектор, он был под водой, и течение стремительно несло его мимо тела Бейтса, за пределы луча, в темноту. Что заставляет человека в безвыходном положении цепляться за несколько минут жизни? Достоинство это или недостаток? Трудно сказать.

Мартинс стоял у кромки луча, глядя вниз по течению, теперь в руке у него был пистолет, и лишь он один мог стрелять без опаски. Я разглядел что-то движущееся и крикнул ему:

— Вон он. Вон он. Стреляйте.

Мартинс, подняв пистолет, выстрелил, как много лет назад по этой же команде на Бриквортской пустоши; выстрел, как и тогда, оказался неточным. Раздался похожий на звук рвущегося ситца крик боли, в нем звучали упрек и мольба.

— Молодчина, — крикнул я и остановился около Бейтса. Он был мертв. Когда на него навели прожектор, глаза остались безучастно открытыми, кто-то нагнулся, взял прилипшую сигаретную пачку, бросил в поток, и она понеслась по течению — это оказался обрывок желтой «Голд флейк»: да, Бейтс находился далеко от Тоттенхем-корт-роуд.

Когда я поднял взгляд, Мартинс уже скрылся в темноте. Я окликнул его, но мой голос утонул в гулких эхе, шуме и реве подземной реки. И тут раздался третий выстрел.

Мартинс потом рассказывал:

— Я пошел вниз по течению искать Гарри, но, должно быть, проглядел в темноте. А зажигать фонарик боялся: Гарри мог выстрелить снова. Очевидно, пуля настигла его у бокового хода. И он пополз к железной лестнице. Там наверху, в тридцати футах, был люк, но у Гарри не хватило бы сил его приподнять, и даже если б удалось, наверху стояли полицейские. Должно быть, он все это знал, но лишился от боли рассудка, и наверное, как животное инстинктивно ползет умирать в темноту, так человек стремится к свету. Его тянет умереть в привычном мире, а темнота мир для *нас* чуждый. Гарри стал карабкаться по ступеням, но тут боль усилилась и не дала двигаться дальше. Что заставило его насвистывать ту нелепую мелодию, которую, как я верил по глупости, написал якобы он сам? Старался ли он привлечь внимание, хотел ли, чтобы рядом был друг, хотя этот друг и устроил ему ловушку, или свистел в бреду безо всякой цели? Словом, я услышал его свист, пошел обратно вдоль стены, нащупал, где она кончается, и поднялся по темному ходу туда, где лежал он. — Гарри, — окликнул я, и свист оборвался прямо у меня над головой. Я все еще побаивался, что он может выстрелить. Нащупав железный поручень, я стал подниматься. И уже на третьей ступеньке наступил ему на руку, он лежал там. Я осветил его фонариком, пистолета не было, очевидно, выронил при ранении. Сперва мне показалось, что он мертв, но тут у него вырвался жалобный стон. Я позвал: — Гарри, — и он с большим усилием поднял на меня взгляд. Ему хотелось что-то сказать, я нагнулся и прислушался. — Проклятый болван, — произнес он, и все: не знаю, имел ли он в виду себя, совершая акт покаяния, пусть и слишком легкого (он был католиком), или меня — не способного подстрелить зайца, с моей тысячей фунтов в год, облагаемой налогом, и моими вымышленными скотокрадами. А потом застонал снова. Я больше не мог видеть, как он мучается, и прикончил его.

— Об этой подробности мы забудем, — сказал я.

— Мне никогда не забыть, — ответил Мартинс.

17

В ту ночь началась оттепель, снег в Вене таял, и безобразные развалины обнажились снова, прутья арматуры висели, как сталактиты, а ржавые балки торчали из серого талого снега, будто кости. Могильщикам было намного легче, чем неделю назад, когда пришлось бурить мерзлую землю. День вторых похорон Лайма выдался теплым, почти весенним. Я был доволен, что его снова зарывают, однако ради этого пришлось погибнуть двум людям. Группа у могилы на сей раз оказалась поменьше: не было ни Курца, ни Винклера — только Анна, Ролло Мартинс, я. И никто не пролил ни слезинки.

Когда все было кончено, Анна молча повернулась и, разбрызгивая талый снег, пошла по длинной аллее, ведущей к главному входу и трамвайной остановке. Я предложил Мартинсу:

— У меня машина. Может, подвезти?

— Нет, — ответил он. — Поеду трамваем.

— Вы выиграли. Доказали, что я безмозглый осел.

— Нет, — сказал он. — Я проиграл.

Я смотрел, как Мартинс широко шагает на своих длинных ногах за Анной. Он догнал ее, и они пошли рядом. Думаю, он не сказал ей ни слова: словно в концовке повести. Никудышный стрелок, никудышный психолог, Мартинс, однако, ухитрялся писать вестерны (создавая напряжение) и ладить с женщинами (не представляю как). А Крэббин? О, Крэббин все еще спорит с Британским обществом культурных связей о расходах на Декстера. Ему говорят, что нельзя оплачивать одновременные расходы в Стокгольме и в Вене. Бедняга... Да и все мы, если разобраться, бедняги.

УИЛЬЯМ ФОЛКНЕР

Рассказы

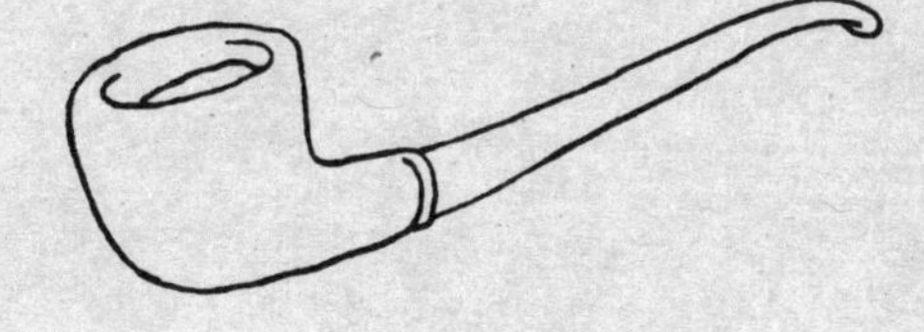

ХОД КОНЕМ

I

Кто-то из них постучал. Но не успел стук прекратиться, как дверь отворилась, подалась под костяшками пальцев, и когда Чарльз с дядей оторвали взгляд от шахматной доски, оба нежданных гостя были уже в комнате. Дядя узнал их сразу.

Это были Гариссы, брат и сестра. Принять их с первого взгляда за близнецов могли не только чужаки, но и большинство джефферсонцев. Потому что в округе Йокнапатофа вряд ли нашлось бы с полдюжины людей, знающих, кто из них старше. Жили они оба в шести милях от города; двадцать лет назад там была обыкновенная плантация, где сеяли хлопок для рынка и кукурузу с травой для мулов, работавших на хлопковых полях. Но теперь это была достопримечательность округа (и всего Северного Миссисипи) — квадратная миля белых панельных и жердевых оград, конюшни с электрическим освещением и некогда простой деревенский дом, затейливо преображенный в некое подобие довоенных голливудских декораций.

Брат и сестра стояли в элегантной дорогой одежде, цветущие, молодые, раскрасневшиеся от декабрьского вечернего холода. Дядя поднялся.

— Мисс Гарисс, мистер Гарисс, — сказал он. — Однако вы уже вошли, и я не могу...

Но парень перебил его. Тут Чарльз обратил внимание, что держит сестру он не под руку или за локоть, а у самого запястья, как на старых литографиях, изображающих полицейского со скорчившимся от страха пленником или победно раскрасневшегося солдата со сжавшейся от ужаса сабинянкой. И перевел взгляд на лицо девушки.

— Вы Стивенс, — сказал парень. Он даже не спрашивал. Он утверждал.

— Отчасти это верно, — сказал дядя. — Но оставим. Чем могу...

Парень снова перебил его.

— Это Стивенс, — обратился он к сестре. — Скажи ему.

Но девушка не произнесла ни слова. Она стояла в вечернем платье и меховой шубке, стóящей гораздо дороже, чем любая другая девушка (да и женщина) в Джефферсоне или округе Йокнапатофа могла бы потратить на подобную вещь, взирая на дядю с чем-то похожим на ужас, а суставы пальцев парня на ее запястье становились все белее.

— Говори, — сказал парень.

Тут она заговорила. Голос ее был еле слышен.

— Капитан Гуальдрес. У нас в доме...

Дядя подошел к ним поближе. Посреди комнаты он остановился и взглянул на нее.

— Да, — сказал дядя. — Говорите.

Но казалось, что этим иссякшим усилием все и кончилось. Она стояла, пытаясь что-то высказать дяде глазами, в сущности, высказать им обоим, поскольку Чарльз тоже находился здесь. И они довольно быстро выяснили, в чем тут дело, или по крайней мере что заставлял ее сказать брат, для чего он притащил ее за руку в город, или, во всяком случае, что, как Чарльзу показалось, хотела сказать она. Собственно, он мог бы догадаться, что дядя, возможно, уже знает больше, чем парень или девушка намерены были сказать; может быть, уже тогда он знал все. Но пройдет еще какое-то время, пока Чарльз это осознает. А причиной его недогадливости был сам дядя.

— Да, — сказал парень все тем же тоном, исключающим вежливые обороты в обращении к старшему или почтение к возрасту; он — Чарльз — видел, что парень смотрит на дядю: лицом он очень напоминал сестру, но в глазах не было и следа нежности. Глядели они — глаза — не сурово, а просто выжидающе. — Капитан Гуальдрес, так называемый гость нашего дома. Мы хотим спровадить его от нас и вообще из Джефферсона.

— Понятно, — сказал дядя. И прибавил: — Я член призывной комиссии. Не припоминаю, чтобы ваша фамилия была в списках.

Но взгляд парня ничуть не изменился. В нем не было даже презрения. Лишь выжидание.

Дядя посмотрел на сестру; голос его теперь стал совершенно иным.

— Значит, все дело в этом?

Но девушка не ответила. Она молча глядела на дядю с крайним отчаянием, рука бессильно свисала, суставы пальцев брата, сжимавших ее запястье, белели. Дядя обращался уже к брату, хотя продолжал смотреть на девушку, голос его был по-прежнему любезным или по крайней мере спокойным.

— Почему вы пришли ко мне? Почему решили, что я могу вам помочь? Что я стану вам помогать?

— Вы же представитель закона, разве нет? — сказал парень.

Дядя по-прежнему глядел на его сестру.

— Я окружной прокурор. Но даже если б я и мог вам помочь, с какой стати мне это делать?

Но ответил ему снова парень:

— Потому что я не хочу, чтобы какой-то охотящийся за приданым испашка женился на моей матери.

Тут Чарльзу показалось, что дядя впервые откровенно взглянул на парня.

— Понятно, — сказал дядя. Голос его изменился. Он не стал громче, но в нем уже не слышалось любезности, словно дяде впервые удалось (или пришлось) обратиться к парню. — Это ваше дело и ваше право. Спрашиваю еще раз: почему я должен вмешиваться, даже если и смогу?

Тут они оба — дядя и парень — заговорили решительно и быстро; казалось, будто они стоят, сдвинув носки, и толкают друг друга.

— Он был помолвлен с моей сестрой. А когда узнал, что деньги будут принадлежать матери до конца жизни, пошел на попятный.

— Понимаю. Вы хотите использовать федеральные законы о депортации для мести обманщику сестры.

На этот раз парень не ответил. Лишь глянул на старшего с такой холодной, сдержанной, взрослой злобой, что он — Чарльз — заметил, как дядя сделал краткую паузу, прежде чем обратиться к девушке, снова заговорив любезно, хотя ему пришлось повторять свой вопрос:

— Это правда?

— Помолвки не было, — прошептала она.

— Но вы любите его?

Тут парень опередил ее, опередил всех.

— Да что она знает о любви? — сказал он. — Беретесь вы за это дело или мне доложить о вас вашему начальству?

— Вы рискнете так долго не появляться дома? — сказал дядя снисходительным тоном, который Чарльз прекрасно понял, и, будь это адресовано ему, он тут же вскочил бы и схватился за шляпу. Но парень ничуть не смутился.

— Отвечайте, если можно, по-людски, — сказал он.

— За ваше дело я не возьмусь, — сказал дядя.

Парень неотрывно глядел на него, сжимая запястье сестры. Потом ему — Чарльзу — показалось, что парень вот-вот рванет ее за руку, вышвырнет за дверь. Но тот даже отпустил ее, сам (гость, вошедший, не дожидаясь разрешения, тем более приглашения) открыл дверь и посторонился, чтобы пропустить девушку, — это был жест, проявление любезности и вежливости, даже несмотря на машинальность, выработанную ранним воспитанием и привычкой: у него имелись и давняя привычка, и лучшее воспитание под руководством лучших учителей, репетиторов и наставников в лучшем, как сочли бы по крайней мере йокнапатофские дамы, обществе. Но сейчас его вежливость обернулась надменностью, развязной, оскорбительной не только для того, кому она преподносилась, но и для каждого, кто ее видел; он даже смотрел не на сестру, хотя уже распахнул перед ней дверь, а продолжал сверлить взглядом человека вдвое старше себя, чей кров оскорбил уже дважды.

— Ладно же, — сказал парень. — Не жалуйтесь потом, что я вас не предупреждал.

Они вышли. Дядя прикрыл за ними дверь. И замер на миг. На почти не поддающееся измерению мгновенье, столь быстрое и краткое, что, возможно, никто, кроме Чарльза, не заметил бы его. Да и он заметил лишь потому, что ни разу не видел дядю, этого бойкого и возбудимого человека, говорливого и подвижного, медлящим или запинающимся. Затем дядя повернулся и направился к шахматному столику, где сидел Чарльз, еще не успевший опомниться: все произошло так внезапно и быстро, что он не только не поднялся, но вряд ли успел бы подняться, даже если б это пришло ему в голову. И, возможно, он терялся в догадках (ему еще не исполнилось восемнадцати, а в этом возрасте, чего не смог бы отрицать даже столь проницательный человек, как его дядя, некоторых сцен еще невозможно понять по падению шляпы или хлопанью двери или по крайней мере в этом еще нет нужды), пока сидел за недоигранной партией, глядя, как дядя возвращается к своему месту, садится и одновременно тянется к курительному столику за глиняной трубкой.

— Предупреждал? — повторил Чарльз.

— Он выразился так, — ответил дядя, усаживаясь, поднося мундштук трубки ко рту и уже беря спички с курительного столика, так что раскуривание трубки было всего лишь продолжением возвращения от двери. — Я бы назвал это угрозой.

И Чарльз опять повторил последнее слово, видимо продолжая теряться в догадках.

— Хорошо, — сказал дядя. — А как бы в таком случае назвал это ты? — чиркнул спичкой, не останавливая руки, поднес пламя к холодному пеплу в трубке и продолжал говорить, делая пустые затяжки и выпуская клубы невидимого дыма, так что прошла секунда или две, прежде чем он понял, что табак весь докурен.

Бросив спичку в пепельницу, он другой рукой сделал ход, который планировал задолго до того, как раздался стук в дверь, на который он опоздал или же промедлил подняться или хотя бы сказать «войдите». Сделал даже не глядя, передвинул пешку, поставив тем самым его, Чарльза, ладью под удар своей, за которой, как дядя, видимо, был уверен еще до составления плана, Чарльз перестал следить, и замер в кресле с худощавым, умным лицом, копной рано поседевших волос, ключиком Фи-Бета-Каппа, с дешевой глиняной трубкой в зубах, в костюме, измятом так, будто он спал в нем каждую ночь со дня покупки, и сказал: «Ходи».

Но он, Чарльз, был не так уж туп, хоть и терялся в догадках. В сущности, удивление от этого визита, столь внезапного и бесцеремонного в такой поздний час и такой холод, почти прошло у него вместе с оторопью: парень явно потащил девушку в парадную дверь, даже не подумав позвонить или постучать, по чужому коридору, который если и видел, то младенцем на руках у няни семнадцать или восемнадцать лет назад, к чужой двери, в которую, правда, постучал, однако, не дожидаясь ответа, вошел в комнату, где, могло статься, его, Чарльза, мать раздевалась бы перед сном.

Удивлял его дядя. Этот речистый словоохотливый человек, говорящий так много и охотно, особенно о вещах, которые совершенно его не касались, существовал прямо-таки в двух ипостасях: первая — юрист, окружной прокурор, который ходил, дышал и занимал место в пространстве; вторая — голос, неумолчный и плавный, до того неумолчный и плавный, что, казалось, не имеет никакого отношения к действительности, и тем, кто его слушал, вскоре начинало казаться, что это не просто россказни, а изящная словесность.

Однако двое совершенно посторонних людей ворвались не только к нему в дом, но и в его личный кабинет, разразились сперва безапелляционными распоряжениями, затем угрозами, потом бесцеремонно удалились, а он спокойно вернулся к прерванной шахматной партии, к погасшей трубке и сделал ход с таким видом, будто не только не заметил перерыва, но даже и не был прерван. А ведь это происшествие предоставляло дяде возможность не умолкать до самого утра, поскольку из всего, что могло найти доступ к нему в кабинет даже из самых отдаленных уголков округа, ничто не касалось его так мало, как семейные неурядицы, затруднения или раздоры четверых обитателей поместья в шести милях от города, на дружеской ноге с которыми была от силы дюжина йокнапатофцев: богатой вдовы (по мнению округа, миллионерши), слегка увядшей, но еще миловидной женщины; двух близких к совершеннолетию избалованных детей-погодков и гостя дома, капитана аргентинской армии, напоминающих шаблонных персонажей из популярных романов с продолжениями, в том числе и авантюриста-иностранца.

Так что (может, тут и крылась причина, хотя невероятной дядиной молчаливости было недостаточно, чтобы убедить его, Чарльза, в этом) дяде, собственно, и не нужно было ничего говорить. Поскольку вот уже двадцать лет, еще с тех пор, когда не было детей, а тем более состояния, способного привлечь авантюриста-иностранца, округ наблюдал за этим поместьем с таким же интересом, как подписчики читают журналы, строят предположения и дожидаются очередных номеров.

Двадцать лет назад не было на свете и его, Чарльза.

Однако же эта легенда была известна ему: он ее унаследовал, получил в свой черед, как получит наследство отца и матери, получивших в свой черед библиотечные полки в комнате напротив той, где сидели он и дядя, хранившие не только те книги, что дед его выбрал или получил в наследство от своего отца, но и те, что его бабушка выбрала и приобрела во время редких поездок в Мемфис, — темные тома еще без ярких суперобложек, форзацы их хранили имя и адрес бабушки и адреса тех магазинов и лавок, где она покупала их, с датами девяностых и начала девятисотых годов, выведенными школьным почерком молодой женщины; книгами обменивались, они выдавались и возвращались, чтобы стать главным предметом обсуждения на ближайшем собрании литературного клуба, пожелтевшие страницы даже сорокпятьдесят лет спустя хранили отпечатки заложенных и засохших цветов, на страницах условно действовали бесплотные мужчины и женщины, давшие имена целому поколению: Клариссы, Юдифи и Маргариты, Сент-Эльмы, Роланды и Лотары; женщины неизменно бывали безупречны, а мужчины отважны, жили они в каком-то вечном лунном свете, без страданий и боли, с самого рождения без последа до смерти без трупа, так что можно было вместе с ними обливаться слезами, не испытывая страданий и горестей, и ликовать, не одерживая победы и не добиваясь успеха.

Словом, эта легенда была достоянием и Чарльза. Он даже получил кое-что из нее еще в детстве, непосредственно от бабушки, постоянно подслушивая и хитря с матерью, которая в определенном смысле играла там роль. И до сегодняшнего вечера легенда оставалась такой же неизменной и нереальной, как содержание этих пожелтевших томов: старая плантация в шести милях от города, бывшая старой еще во времена его бабушки, не очень большая, но с тщательно ухоженной и обработанной землей, на ней дом, тоже небольшой, обычный — жилье скорее спартанское, чем комфортабельное даже в те дни, когда людям нужен был комфорт, потому что они проводили в домах немало времени; владелец-вдовец, который постоянно жил дома, обрабатывал свои поля, долгие летние вечера просиживал в кресле домашней работы, с неизменным стаканом разбавленного виски под рукой, со старой сукой-сеттером, дремлющей у ног, читая в оригинале римских поэтов, и ребенок, дочка, полусирота, росшая почти в келейном уединении без подружек, без товарищей по играм, в сущности одинокая, если не считать нескольких слуг-негров и пожилого отца, который уделял ей (опять же по мнению города и округа) слишком мало внимания или не уделял вовсе и поэтому, не признаваясь в том никому, тем более ребенку и, может быть, даже себе, постоянно винил себя в такой жизни дочери, в смерти жены, которая, видимо, была его единственной неизменной любовью; и она (дочь) в семнадцать лет, не известив никого, во всяком случае, округ, вышла замуж за человека, о котором в этой части штата Миссисипи никто не слыхивал.

Но мало того, существовало еще приложение или по крайней мере придаток — легенда в дополнение или внутри или за настоящей или оригинальной легендой, апокриф в апокрифе. Чарльз не помнил даже, от матери или от бабушки слышал его, не помнил даже, действительно ли мать или бабушка были тому очевидцами, знали из первых уст или сами слышали от кого-то. Говорилось там о каком-то уговоре, заключенном до замужества: обручении, в сущности, официальной помолвке с официальным, как утверждала легенда, согласием отца, впоследствии нарушенной, разорванной, аннулированной — нечто в этом роде — еще до появления человека, за которого она вышла; помолвка официальная, если верить легенде, однако столь же таинственная даже двадцать лет спустя, и все эти двадцать лет сплетники с передних веранд, которых дядя именовал «старыми девами обоих полов», набрасывали эту романтическую мантию на плечи каждого мужчины моложе шестидесяти, кто хотя бы раз выпил с ее отцом или купил у него хотя бы тюк хлопка, второй ее персонаж не имел ни только имени, но и лица, которые, по крайней мере, были у чужака, хотя тот неожиданно возник невесть откуда и (как бы там ни было) женился на ней с налету, внезапно, не оставив времени для того, что можно было бы назвать помолвкой, тем более ухаживанием. Следовательно, она — первая, та, настоящая помолвка — заслуживала этого названия уже хотя бы потому, что из нее не вышло ничего, кроме апокрифических эфемерных примечаний, уже начинающих забываться: аромат, полумрак, шепот, трепетное «да» юной девушки в старом саду в сумерках, цветок, сохраненный или подмененный; и от нее не осталось ничего, кроме разве что цветка, розы, заложенной между страницами книги, как делали иногда наследники поколения бабушки Чарльза, — была, очевидно, непременно должна была быть последствием каких-то интимных дел в школьные годы. Потому что в то время девушка больше нигде не появлялась и ей было больше негде заключить с кем-то уговор или пообещать кому-то свои симпатии, а затем растерять их.

Но тот мужчина (или парень) не имел ни имени, ни лица. И вообще никакой субстанции. У него не было никакого прошлого, никакого вчера; герой мимолетной прихоти юной девушки: тень, призрак, непорочный, как неиспытанные страсти той одинокой, похожей на монахиню девы. И даже пять или шесть девушек (его, Чарльза, мать была одной из них), ближайших ее подруг, в течение трех или четырех лет, пока она училась в «Женской академии», не знали наверняка, совершалась ли та помолвка или нет, тем более — с кем. Потому что она сама никогда не говорила об этом, и даже этот слух, ни на чем не основанная легенда в легенде родилась, вероятно, из случайного замечания ее отца и теперь имела лишь тот смысл, что быть помолвленным с шестнадцатилетней — все равно, что слепому стать совладельцем подлинной рукописи Горация.

Но все же у дяди были причины не касаться этого слуха, потому что узнал он о той помолвке из вторых уст, два или три года спустя. Дело в том, что его — дяди — тогда не было здесь: шел 1919 год, Европа — Германия — вновь была открыта для студентов и туристов со студенческими визами, и он снова отправился в Гейдельберг за степенью доктора философии, а через пять лет, когда вернулся, она была замужем за другим, тем самым, у кого были имя и лицо, хотя никто в городе не слышал первого и не видел второго, пока жених с невестой не подошли к церковному приделу, она родила двух детей и отправилась потом с ними в Европу, а тот, прежний ее жених, в общем-то всегда бывший лишь призраком, не вспоминался больше даже в Джефферсоне, разве что по случайным поводам за чашкой чая или кофе на дамских вечеринках (а затем по еще более случайным над колыбельками) теми шестью единственными ее подругами.

Итак, она вышла за человека, неизвестного не только в Джефферсоне, но и в Северном Миссисипи, а может, и во всем штате. Город знал о нем только то, что он не материализовавшийся наконец безымянный призрак из романа, протекавшего так скрытно, что в нем нельзя было разглядеть двух подлинных людей. Потому что не существовало никакого обручения, продленного или отсроченного, пока она не станет на год старше, его — Чарльза — мать говорила, что на этого Гаррисса стоило взглянуть лишь раз, и становилось ясно, что он не отступит ни на йоту — и не приблизится ни на йоту к отступлению — от того, что считает своим.

Был он более чем вдвое старше ее, годился по возрасту ей в отцы — большой краснолицый человек, приветливо посмеивающийся, но было заметно, что глаза его не смеялись; это замечалось сразу, и лишь позднее становилось ясно, что смех редко шел дальше его губ; человек, обладавший тем, что дядя называл прикосновением Мидаса, живший, по словам дяди, в ореоле грабителя вдов и детей, как другие живут в ореоле неудачи или умирания.

Собственно, дядя говорил, что весь этот сюжет перевернут с ног на голову. Он — дядя — снова вернулся домой, теперь уже насовсем, и его сестра с матерью, мать и бабушка Чарльза (и все прочие женщины, которых он, видимо, был вынужден слушать), рассказывали ему об этом браке и той таинственной помолвке. Это должно было бы развязать дяде язык, раз его не развязало вторжение в дом, потому что не только совершенно его не касалось, но и было почти не связано с действительностью, следовательно, его ничто не могло смущать или сдерживать.

И конечно, он, Чарльз, в двухлетнем возрасте не бывал еще в гостиной бабушки, но мысленно представлял дядю, выглядевшим в точности как и теперь, и прежде, и как он будет выглядеть всегда, сидящим там рядом со скамеечкой для ног и креслом-качалкой бабушки, с душистым табаком в глиняной трубке, попивающим кофе (бабушка терпеть не могла чая; говорила, что это напиток для больных), приготовленный его (Чарльза) матерью, с худощавым, умным лицом и буйной копной волос, уже начавших седеть, когда он вернулся домой в 1919 году, пробыв три года санитаром-носильщиком во французской армии, и провел ту весну и лето, насколько всем было известно, ничем не занимаясь, пока не вернулся в Гейдельберг за степенью доктора философии, и с голосом, звучавшим без умолку не оттого, что его обладатель любил поговорить, а потому, что, пока он говорил, никто не мог сказать того, о чем он умалчивал.

Весь этот сюжет был вывернут шиворот-навыворот, говорил дядя; все роли перемешались и перепутались: дитя говорило и действовало так, как полагалось бы родителю — если, конечно, для загадочной отцовской фразы о рукописи Горация был хоть какой-то повод; не родитель, а дитя отвергло возлюбленного детства (сколь бы ни была тонка и эфемерна та связь, сказал дядя, по словам его, Чарльза, матери, вторично спрашивая, знал ли кто-нибудь имя этого возлюбленного или что с ним сталось потом), ради выкупа закладной на усадьбу дитя само выбрало мужа вдвое старше себя, но с прикосновением Мидаса, а по роли отцу следовало выбирать и при необходимости даже оказывать нажим, чтобы прежний роман (мать говорила, что дядя повторил еще раз: «Сколь бы ни был он легок и эфемерен») был выброшен из головы, предан забвению и заключен брак; более того: даже если бы супруга ей выбирал отец, сюжет все равно оказался бы вывернут, потому что деньги (мать говорила, что дядя спрашивал дважды, был ли тот человек, Гаррисс, уже богат или только производил впечатление, что со временем разбогатеет) у отца были, пусть и немного, а по словам дяди, человеку, который читает по-латыни ради удовольствия, не нужно больше того, что он уже имеет.

Но они поженились. И в течение пяти лет те, кого дядя именовал «поколением старых дев», кто, прожив семьдесят пять лет после Гражданской войны, является основой политического, социального и экономического единства Юга, следили за ними как за сюжетом романа с продолжением.

Супруги совершили свадебное путешествие в Новый Орлеан, как и все в этой местности, кто считал свой брак законным. Потом вернулись, и в течение двух недель город ежедневно видел их в старой, поизносившейся «виктории»[1] (у ее отца не было автомобиля, и он не хотел его заводить), влекомой упряжкой рабочих лошадей, правил ею негр-работник в комбинезоне с пятнами там, где на него усаживались цыплята, а может быть, и совы. Потом ее — «викторию» — изредка видели на Площади с одной новобрачной, и через месяц город выяснил, что супруг уехал в Новый Орлеан, к своему до-

[1] Легкий двухместный экипаж. (*Прим. пер.*).

ходному делу: только тут джефферсонцы узнали, что у него есть доходное дело и где. Но что это за дело, они не смогли узнать ни тогда, ни пять лет спустя.

Так что городу и округу оставалось следить лишь за новобрачной, приезжавшей в город за шесть миль, может, наведаться к матери Чарльза или к кому-нибудь из тех шестерых, что были ее подругами, а может, просто прокатиться по городу, по Площади и вернуться домой. На другой месяц она просто проезжала по Площади примерно раз в неделю, хотя раньше это происходило почти каждый день. Прошел еще месяц, и ее экипаж уже совсем не появлялся в городе. Казалось, она в конце концов поняла, до нее наконец дошло, что вот уже два месяца весь город и округ строят предположения и сплетничают; ей тогда было всего восемнадцать, а, по словам матери Чарльза, она выглядела даже младше: тонкая, черноглазая, темноволосая, сидящая на заднем сиденье напоминавшей пещеру «виктории» с откинутым верхом, она казалась совсем ребенком; еще в школе, как говорила мать Чарльза, она не блистала умом и никогда не пыталась казаться умной, ей, как говорил дядя, видимо, и не нужен был ум, потому что она была просто создана для любви и грусти, то есть должно быть для любви и грусти, так как явно не была создана для надменности и гордости, раз уж потерпела поражение (если только ощутила его) в твердости, даже не завершив бравады.

И теперь не только те, кого дядя именовал «старыми девами», полагали, что знают, каким делом занят Гаррисс и что оно задерживает его не в Новом Орлеане, а значительно — миль на четыреста-пятьсот — дальше, однако, хотя тогда, в двадцатые годы, преступники еще считали Мексику достаточно отдаленным и надежным убежищем, этот человек вряд ли мог найти столько денег в той семье, на той плантации, чтобы возникла необходимость подумывать о Мексике, тем более бежать туда — да и вообще необходимость скрываться, и, скорее всего, только собственные страхи заставили его уехать даже за триста миль, в Новый Орлеан.

Но они ошибались. На Рождество он вернулся. И как только показался на глаза — все такой же моложавый, приветливый, румяный, вежливый, не обладающий душевной тонкостью и воображением, — все успокоились. Собственно, никто и не волновался; даже те, кто раньше всех и с полной уверенностью стали утверждать, что он бросил жену, теперь были полностью убеждены, что по-настоящему никогда не верили в это; после Нового года, когда он уехал опять, как и все мужья, настолько невезучие, что работа, дело у них в одном месте, а семья в другом, никто даже не отметил дня отъезда. Их даже не занимал больше вопрос о его деле. Теперь им было ясно, что это за дело: незаконная торговля спиртным, и притом не мелкая, не пинтовыми бутылками в парикмахерских отелей, потому что теперь, когда жена его в одиночестве проезжала по Площади, на ней было меховое манто; благодаря ему — манто — этот человек сразу же возрос в мнении города и округа. Потому что не только был удачлив, но и в соответствии с лучшей традицией тратил плоды своей удачи на женский пол. И более того — следовал более давней и прочной американской традиции: был удачлив даже не обходя, а попирая закон, словно закон, а не банкротство был его поверженным противником; теперь, возвращаясь, он виделся жителям города и округа в ореоле не просто успеха, не только романтики и бравады, пахнущей бездымным порохом, но и учтивости, поскольку у него хватило такта вести свои дела в другом штате, в трехстах милях отсюда.

А дело было поставлено на широкую ногу. Летом он вернулся в самом большом и блестящем автомобиле, какой только появлялся в пределах округа, с неизвестным негром в ливрее, который только тем и занимался, что водил, мыл и чистил машину. Потом появился первый ребенок, а вслед за ним и няня: светлокожая негритянка, одетая гораздо наряднее или по крайней мере щеголеватее любой женщины Джефферсона, белой или черной. Затем Гаррисс уехал снова, и теперь ежедневно всех четверых — жену, ребенка, шофера в ливрее и няню — видели в большом сверкающем автомобиле на Площади и в городе по два-три раза на день, иногда они нигде не останавливались, и вскоре город и округ выяснили, что, куда, а может, и когда они поедут, решали негры. А Гаррисс опять вернулся на Рождество, потом еще летом, появился второй ребенок, затем первый начал ходить, и теперь наконец все в округе, а не только мать Чарльза и остальные пятеро подруг детства, знали, что это мальчик. Потом дед скончался, и в то Рождество Гаррисс взял в свои руки управление плантацией, заключив от имени жены — или, скорее, от своего, как владелец, проживающий вне поместья, — соглашение, сделку с неграми-арендаторами насчет обработки земли и в будущем году; земля, как понимал каждый, может ничего и не родить, но это, как полагал округ, не особенно беспокоило Гаррисса. Ему было все равно: денег он загребал достаточно, а вот бросить управление пусть даже скромной хлопковой плантацией хотя бы на год было для него тем же самым, что азартному наезднику бросить в разгар сезона бега и развозить молоко.

Он загребал деньги и ждал, и, конечно же, настал день, когда ожидание закончилось. Возвратясь летом домой, он провел там два месяца, а когда уезжал, в доме появились электрический свет и водопровод, стук и гул насоса и генератора день и ночь раздавались там, где раньше был слышен лишь скрип полустертого колодезного ворота и — по воскресеньям — холодильника для мороженого; теперь о старике, почти пятьдесят лет просидевшем на передней веранде с разбавленным виски и Овидием, Горацием и Катуллом, напоминали только самодельное ореховое кресло-качалка, отпечатки пальцев на кожаных переплетах его книг, серебряный стакан, из которого он пил, и старая сука-сеттер, дремлющая на ходу.

Дядя Чарльза говорил, что воздействие денег оказалось сильнее духа старого стоика, этого малоподвижного провинциального космополита. Может быть, он считал, что и сильнее способности его дочери горевать. Во всяком случае, весь остальной Джефферсон считал именно так. Потому что тот год прошел, и Гаррисс приезжал на Рождество, а потом летом на месяц, оба ребенка уже научились ходить, то есть должно быть научились, потому что никто в Джефферсоне не мог подтвердить этого, их видели только в проезжающем автомобиле, старая сука-сеттер издохла, и на следующий год Гаррисс сдал в аренду всю землю оптом человеку, который жил даже не в этом округе, а приезжал во время сева и уборки за семьдесят миль из Мемфиса каждую воскресную ночь, жил в одной из брошенных негритянских лачуг, а в субботний полдень уезжал обратно в Мемфис.

Наступил следующий год, и весной арендатор привез своих работников-негров, поэтому даже те негры, что жили там и орошали поля своим потом, когда хозяйки еще не было на свете, съехали, и о старом владельце уже не напоминало ничто, потому что самодельное кресло, серебряный стакан и ящик с зачитанными книгами в кожаных переплетах хранились на чердаке у матери Чарльза, а человек, арендовавший землю, жил в доме как смотритель.

Дело в том, что миссис Гаррисс тоже уехала. Она и об этом не известила Джефферсон заранее. Это был даже заговор молчания, потому что мать Чарльза знала, куда и когда она уезжает, а если знала его мать, то и остальные пятеро тоже.

Однажды она появилась там, в доме, из которого, как полагал Джефферсон, ей никогда не захочется бежать, невзирая на то, что сделал с ним Гаррисс, на то, что дом, где она родилась и прожила всю жизнь, за исключением двух недель медового месяца в Новом Орлеане, теперь походил на мавзолей электрических проводов, водопроводных труб, автоматических кухонных и моечных машин, аляповатых картин и мебели.

На другой же день, забрав детей, обоих негров, которые, прожив четыре года на ферме, оставались городскими неграми, и даже длинный, сверкающий, похожий на катафалк автомобиль, она уехала, как поговаривали, в Европу, ради здоровья детей, и никому не было известно, кто это сказал, потому что ни мать Чарльза, ни остальные пятеро, кому из всего города и округа было известно, куда она едет, не говорили этого, и, уж конечно, не говорила она сама. Но она уехала, бежала, и город, возможно, считал, что знает, от чего. Но чего она искала, да и искала ли чего-нибудь, даже дядя, у которого всегда было что сказать (и сказанное очень часто имело смысл) обо всем, что его, собственно, не касалось, не знал или по крайней мере не говорил.

И теперь не только Джефферсон, но и весь округ следил за поместьем, не только те, кого дядя именовал «старыми девами», кто вел слежку с передних веранд, ограничиваясь слухами, догадками (и, возможно, упованиями), но и мужчины, и не только те, которым нужно было добираться от города за шесть миль, но и фермеры, которым нужно было ехать через весь округ.

Они приезжали целыми семьями в старых запыленных автомобилях и фургонах или поодиночке на лошадях и мулах, выпряженных накануне вечером из плуга, останавливались у дороги и глазели, как бригады незнакомых людей, у которых достаточно механизмов, чтобы выстроить шоссе или отрыть водоем, дискуют и террасируют старые поля, где прежде росли кукуруза с хлопком, и засевают кормовой травой, фунт которой обходится дороже фунта сахара.

Они проезжали милю за милей вдоль забора из белых панелей, чтобы, сидя в машинах и фургонах или на лошадях и мулах, поглазеть на длинные ряды конюшен, выстроенных из лучшего материала, чем большинство их домов, с электрическим светом, освещенными часами, водопроводом и сетками на окнах, чего не было в большинстве их домов; они приезжали снова и снова на мулах, иногда даже не оседланных, с подвязанной к хомуту плужной упряжью, чтобы не волочилась по земле, и глазели, как грузовик за грузовиком подвозят великолепных племенных жеребцов, жеребят и кобыл, чьи предки в течение пятидесяти поколений (как мог бы сказать дядя Чарльза, но не говорил, потому что шел тот год, когда дядя, казалось, перестал говорить помногу о чем бы то ни было) избегали ссадин от постромок, как домохозяйка — волос в масленке.

Он (Гаррисс) полностью перестроил дом. (Теперь он еженедельно совершал воздушные путешествия в самолете; говорили, что это тот самый самолет, который доставляет виски с побережья Мексиканского залива в Новый Орлеан.) То есть новый дом размещался на том участке, что занимал бы старый, будь он в четыре раза больше. Раньше то был обыкновенный дом, одноэтажный, с верандой вдоль фасада, где старый хозяин сидел в самодельном кресле с виски и Катуллом; когда Гаррисс покончил с перестройкой, дом стал выглядеть как южный особняк в кинофильмах, только в пять раз покрупнее и в десять раз более южным.

После этого он стал привозить с собой друзей из Нового Орлеана на уик-энд и на больший срок уже не только на Рождество и летом, а четыре-пять раз в год, словно деньги поступали теперь так исправно и быстро, что в его присутствии там уже не было нужды. Иногда друзья являлись и без него. В доме постоянно жил смотритель: не прежний, первый арендатор, а новый, из Нового Орлеана, которого он называл дворецким, — толстый итальянец или грек, ходивший в белой шелковой рубашке без воротничка с короткими рукавами и с пистолетом, оттягивающим задний карман. Когда приезжали гости, он брился, надевал галстук-самовяз из нежноалого шелка и пиджак, если бывало слишком холодно; в Джефферсоне говорили, что он не расстается с пистолетом, даже подавая еду, хотя никто из города или округа не обедал там и видеть этого не мог.

Итак, Гаррисс присылал друзей, поручая их заботам дворецкого. То были мужчины и женщины с суровым, холеным, расточительно-холостым видом и взглядом, даже если некоторые из них и состояли в браке, возможно, друг с другом; незнакомые чужаки носились в больших сверкающих спортивных автомобилях через город и по дороге, все еще остающейся проселочной дорогой, потому что Гаррисс выстроил ее на окраине, где цыплята и собаки зарывались в пыль от жары, а телята, свиньи и мулы бродили по ней: взлетающие и кружащиеся перья, удар, визг или вопль (а если то оказывалась лошадь, мул или корова или самая вялая из них — свинья, то и погнутый бампер или крыло) ничуть не замедляли скорости автомобиля; и вскоре дворецкий стал держать в брезентовой сумке, висящей на ручке передней двери с внутренней стороны, множество монет, банкнот и несколько незаполненных чеков, подписанных Гаррисcом: фермер, его жена или ребенок подъезжали к передней двери и говорили «свинья» или «мул» или «курица», дворецкий тут же запускал руку в сумку, отсчитывал деньги или заполнял чек, вручал им, и они уезжали; для всех шести миль дороги это, наряду со сбором и продажей черники или яиц, стало дополнительным источником дохода.

Была там и площадка для поло. Находилась она рядом с дорогой: жители города — торговцы, адвокаты, помощники шерифа — могли подъезжать и глазеть на игру, даже не выходя из машины. И жители деревушек — фермеры, землевладельцы, арендаторы, издольщики — те, кто надевал сапоги, когда неизбежно приходилось месить грязь, и садился на лошадь только затем, чтобы не идти пешком, приезжали, не переодевшись после завтрака, на лошадях и мулах, выпряженных из плуга, и останавливались у изгороди поглазеть чуть-чуть на прекрасных лошадей, а главным образом на одежду: эти женщины и мужчины не могли ездить верхом иначе как в блестящих сапогах и специальных брюках, даже те, кто не садился в седло, тоже носили брюки, сапоги и шляпы дерби.

А вскоре — поглазеть и вовсе невесть на что. О поло они слышали и поверили, даже не видя игры. Но в другую потеху не могли поверить, даже наблюдая ее со всеми приготовлениями: бригады работников вырезали целые панели дорогих оград из жердей и досок и наружных, тоже недешевых, проволочных изгородей, затем в оставшиеся проемы ставили невысокие барьеры из прутьев и дранки, чуть потолще спички, не способные остановить крупную собаку, тем более теленка или мула; в одном месте ставили загородку из чего-то выделанного и раскрашенного под каменную стену (говорили, что это бумага, но округ, естественно, не верил — не тому, что бумага может так выглядеть, они относились с недоверием ко всей потехе, знали, что эта штука не из камня, хотя выглядела она каменной, и были готовы к тому, что им соврут, из чего она на самом деле), которую двое могли взять за оба конца и нести, словно горничные брезентовую койку; подальше, посреди луга в сорок акров, ровного и пустого, как бейсбольное поле, находился ряд живых кустов, растущих даже не в земле, а в деревянном, похожем на свиное корыто, ящике, а за ним — яма, наполненная водой, поступавшей по оцинкованной трубе из дома, почти за милю.

После двух-трех таких потех весть о них разошлась, и половина округа побывала там, чтобы поглазеть: двое мальчишек-негров прокладывают от барьера к барьеру дорожку из клочьев бумаги, а затем мужчины (один в красной тужурке и с медным горном) и женщины в сапогах и брюках скачут по ней на тысячедолларовых лошадях.

А через год там появилась целая псарня холеных собак, слишком уж холеных, чтобы быть просто собаками, под стать слишком уж холеным, чтобы быть просто лошадьми, лошадям, слишком уж опрятных, слишком уж (так или иначе) диковинных, жили они в утепленных вольерах с водопроводом, их, как и лошадей, обслуживали специально приставленные люди. И теперь вместо двух негров с большими, как у сборщиков хлопка, мешками бумажных обрезков лишь один ездил на муле, волоча по земле за веревку джутовый мешочек с чем-то внутри, подтаскивал его с нужной старательностью к каждому барьеру, спешивался, привязывал мула к тому, что оказывалось под рукой, старательно тянул мешочек вплотную к барьеру, потом через барьер посередке, вновь садился на мула, волок мешочек к следующему и таким образом, описав большой извилистый круг, возвращался к исходной точке, ближайшей к дороге и забору, где стояли на привязи мулы со следами упряжи, пахотные лошади и приехавшие на них неподвижные люди в комбинезонах.

Осадив мула, негр сидел на нем, слегка вращая белками глаз, а кто-нибудь из зрителей, видевший уже все это и приехавший с шестью, десятью или пятнадцатью еще не видевшими, перелезал через забор и, даже не глядя на негра, проходил мимо мула, поднимал мешочек и держал, пока эти шесть, десять или пятнадцать человек наклонялись и обнюхивали его. Потом опускал мешочек, и опять-таки без слова, без звука все уходили, перелезали через забор и снова располагались вдоль него, опершись локтями о белые панели, жуя табак и сплевывая, неподвижные, ироничные, сдержанные; потом, даже просидев на корточках целую ночь у тлеющего пня или ствола дерева за кувшином кукурузного виски, они безошибочно называли друг другу клички бегущих собак по высоте и тембру доносящегося за милю лая, их жадно интересовали не только лошади, которым не требовалась приманка, чтобы скакать за ней, но и заливистый лай собак, преследующих даже не призрак, а химеру.

А мать Чарльза и остальные пятеро, что были в девичестве подругами, неизменно получали поздравительные открытки к Рождеству и Новому году. На открытках стояли штемпели Рима, Лондона, Парижа, Вены, Каира, но куплены они были не там. И нигде за последние пять или десять лет; их выбрали, приобрели и сохранили с более спокойных времен, когда люди даже не подозревали, что домам, где они родились, недостает электричества и водопровода.

У открыток был даже запах тех времен. Почту из-за океана доставляли уже не только быстроходные суда, но и самолеты, и он, Чарльз, представлял себе мешки с письмами из всех столиц мира, проштемпелеванными в один день и чуть ли не на другой доставленными, прочитанными и забытыми, с которыми прибывают и старые открытки прежних времен, несущие легкий отзвук неподвластных чужим городам и странам старых чувств и старых мыслей, словно бы тоже увезенных за океан из ящика комода в старом доме, которого все эти пять и десять лет уже не существовало.

А ко дню рождения мать Чарльза и остальные пятеро подруг получали письма, неизменные в течение всех десяти лет: не менялись ни чувства, ни выражения, ни школьный почерк шестнадцатилетней девушки, говорилось в письмах не только о старых, обыденных вещах, но и в старых, неизменных провинциальных речевых оборотах, словно за десять лет среди блеска мира она видела только то, что увезла с собой: писала не о новых местах, а о здоровье и учебе детей, не о послах, миллионерах и изгнанных королях, а о семьях носильщиков и официантов, любезных или по крайней мере вежливых с нею и с детьми, о почтальонах, доставлявших ей почту из дома; иногда она забывала упоминать, тем более подчеркивать, в каких прекрасных фешенебельных школах учатся ее дети, словно ей было даже невдомек, что они прекрасны и фешенебельны. Так что дядина молчаливость была даже и не новой; Чарльз не раз видел, как дядя еще тогда сидел, держа одно из писем, получаемых его матерью, закоренелый холостяк, обращенный к единственному времени в своей жизни, когда ему, похоже, о чем-то нечего было сказать, и теперь, десять лет спустя, сидя за шахматным столиком, он был все таким же молчаливым или по крайней мере неразговорчивым.

Однако никто, кроме дяди, не мог назвать сюжет Гаррисса перевернутым вверх ногами. И он, Гаррисс, подтвердил это, притом довольно быстро: человек женится на девушке вдвое моложе себя и за десять лет удесятеряет приданое, а потом однажды утром секретарша адвоката звонит его жене в Европу и сообщает, что он только что скончался за письменным столом.

Может, Гаррисс действительно скончался за письменным столом; может, этот письменный стол даже находился в кабинете, как следовало из сообщения. Потому что застрелить человека за письменным столом в кабинете не труднее, чем в любом другом месте. А может, он действительно просто скончался там, поскольку «сухой закон» к тому времени не существовал даже официально, а Гаррисс уже успел разбогатеть, и гроб уже больше не открывали после того, как адвокат и восемь или десять кричаще разодетых дворецких доставили его домой полежать день в вестибюле принадлежавшей ему десять лет баронской усадьбы, в каждой комнате первого этажа находился дворецкий, как и прежде вооруженный, и теперь любой джефферсонец при желании мог пройти мимо обложенного цветами гроба с большим белым картонным ценником, где рукописным шрифтом было вытеснено $ 5500, и осмотреть дом изнутри, потом адвокат и дворецкие увезли его на кладбище в Новый Орлеан или куда-то еще.

Произошло это в тот год, когда в Европе назревала новая война или, вернее, вторая фаза старой, той, где был дядя: семья эта должна была вернуться домой в крайнем случае через три месяца.

Вернулась она меньше чем через два. И Чарльз, наконец, увидел их, то есть парня и девушку. Миссис Гаррисс он тогда не видел. Но ему и не нужно было ее видеть: он наслышался о ней от матери; он уже знал ее облик; казалось, он не только видел ее прежде, но и знал так же долго, как мать — хрупкую темноволосую женщину, даже в тридцать пять лет все еще похожую на девушку, казавшуюся ненамного старше своих детей, может, потому, что у нее была некая сила, способность или, может, дар, жребий провести десять лет среди, как говорила его двоюродная бабушка, коронованных голов Европы, толком даже не осознав, что она покинула округ Йокнапатофа; выглядела она немногим старше своих детей, но была помягче, более неизменной, более скромной, может, просто более спокойной.

Видел их Чарльз всего несколько раз — да и те, кого он знал, тоже. Парень ездил на лошадях, но только в загоне или на площадке для поло, и, видимо, не для развлечения, а чтобы отобрать лучших, потому что через месяц они устроили аукционную распродажу в одном из малых загонов и распродали всех, оставив примерно дюжину. Но, видимо, в лошадях он разбирался, потому что оставлены были действительно лучшие.

Видевшие говорили, что ездить верхом он умел, хотя и странным чужеземным способом, подняв колени, что было внове для штата Миссисипи, по крайней мере для округа Йокнапатофа; вскоре он — округ — прослышал, что парень еще более преуспел кое в чем еще более чужеземном: был лучшим учеником знаменитого итальянца-фехтовальщика. Время от времени в городе видели и его сестру, она приезжала на одном из автомобилей и носилась по магазинам, как это свойственно девушкам, кажется, они способны найти то, что им нужно или по крайней мере нравится в любом магазинчике, как бы он ни был мал, и где бы они ни росли: в Париже, Лондоне, Вене или где-нибудь в Джефферсоне, Моттстауне, Холлиноу, штат Миссисипи.

Но миссис Гаррисс он, Чарльз, в те дни ни разу не видел. И поэтому представлял себе ее ходящей по этому невероятному дому, который она, видимо, узнала лишь по месту расположения, не как призрак, потому что для него в ней не было совершенно ничего призрачного. Она была слишком... слишком — и наконец он подобрал слово: стойкой. Стойкость — это слово вбирало в себя ту неизменность, невосприимчивость, мягкую спокойную безмятежность, которой, пребывая десять лет в блестящих столицах Европы, не нужно было даже сознавать, что она всецело противится им; была мягкой, безмятежной и только, как аромат старого саше, словно один из ящиков старого комода или другая вещь из старого дома оставалась, наперекор всем переменам и переделкам, неподатливой и неизменной, не только невосприимчивой к переменам, чудовищным новшествам этого выскочки, но даже не ощущающей, что она им противится, и кто-то мимоходом приоткрыл этот ящик — и тут внезапно и неожиданно Чарльз увидел истинное соотношение, истинную перспективу: призраком была не она; призрачным был чудовищный дом Гаррисса: едва из приоткрытого ящика потянуло ароматом саше, все эти высоченные стены, чуткие громады портиков сразу же стали невидимыми, превратились в ничто.

Однако в те дни Чарльз ни разу ее не видел. Потому что два месяца спустя они уехали снова, на сей раз в Южную Америку, так как в Европу ехать было нельзя. И еще год открытки с письмами приходили к его матери и остальным пяти подругам, повествуя о чужих землях не больше, чем если б они были написаны из соседнего округа, говорилось в них теперь не только о детях, но и о доме: не о той чудовищности, что придал ему Гаррисс, а о том, каким он был прежде, словно увидев его местоположение в пространстве, она вспомнила его форму во времени; и в ее отсутствие, словно дождавшись ее отъезда, он вновь стал тем же самым; казалось, что к сорока годам она стала еще менее восприимчивой ко всему новому.

Потом они вернулись. Вчетвером: с ними был аргентинский капитан-кавалерист, он ринулся, устремился или по крайней мере увязался скорее за матерью, а не за дочерью, и таким образом этот сюжет тоже оказался перевернутым вверх ногами, поскольку капитан Гуальдрес превосходил возрастом девушку не больше, чем ее отец свою невесту; так что по крайней мере этот сюжет был последовательным.

И вот однажды утром Чарльз с дядей шли по Площади, думая (по крайней мере племянник) о чем угодно, кроме этого, но вдруг, подняв взгляд, Чарльз увидел ее. И действительно, выглядела она в точности так, какой он всегда ее себе представлял, а затем, не успели они остановиться, ощутил то самое благоухание: аромат старого саше, лаванды, тимьяна и чего-то еще, казалось бы, первое соприкосновение с блеском мира должно было его уничтожить, однако в следующий миг становилось понятно, что как раз оно — благоухание, аромат — оказалось несокрушимым и стойким, а тот непостоянный, изменчивый блеск сверкнул и исчез.

— Это Чарльз, — сказал дядя. — Парнишка Мэгги. Надеюсь, вы будете рады.

— Прошу прощенья? — сказала она.

Дядя повторил: «Надеюсь, вы будете очень рады». И он, Чарльз, понял, что разговор почему-то не клеится, еще до того, как она переспросила:

— Рада?

— Да, — ответил дядя. — Разве я не заметил этого по вашему лицу? Или мне не следовало замечать?

И тут Чарльз понял, из-за чего не клеится разговор. Из-за дяди: похоже было, что тот год, минувший десять лет назад, когда дядя стал неразговорчивым, до сих пор давал себя знать. Потому что, видимо, с говорливостью дело обстоит, как с гольфом или стрельбой по летящим мишеням: нельзя упускать ни единого дня, а если упустишь целый год, то уже никогда не обрести прежней формы или глаза.

И Чарльз стоял, не сводя с нее глаз, а она не сводила глаз с дяди. Потом покраснела. Чарльз видел, как краска смущения проступает на ее лице, расплывается и покрывает все лицо, как движущаяся тень тучи покрывает освещенный участок. Потом смущение отразилось и в ее глазах, будто тень тучи, коснувшаяся воды, когда видна не только тень, но и сама туча, а миссис Гаррисс все глядела на дядю. Потом она резко отвернулась, а дядя сделал шаг в сторону, чтобы дать ей пройти. Потом тоже повернулся, задев при этом Чарльза, они двинулись дальше, и даже когда отошли футов на сто, а то и больше, Чарльзу все еще чудился этот аромат.

— Сэр? — сказал он.

— Что «сэр»? — отозвался дядя.

— Вы кое-что сказали.

— Разве?

— «Пореже был бы мир».

— Будем надеяться, что нет, — ответил дядя. — Я имею в виду не мир, а цитирование. Но даже допустим, что я так сказал. Что пользы человеку от Гейдельберга или Кембриджа, или средней джефферсонской школы, или объединенной йокнапатофской, кроме придания бездумной бойкости его несметным речам?

Так что, видимо, Чарльз ошибался. Очевидно, дядя все же не упустил тот год, так старый игрок в гольф или стрелок, слегка распустившись или делая промах за промахом, еще может войти в форму не только под давлением обстоятельств, но и просто при желании. Потому что не успел он подумать об этом, как дядя, широко шагая дальше, бойкий, непринужденный, быстрый, неисправимо словоохотливый, неисправимо непоследовательный, всегда готовый сказать что-то необычайно правдивое и вместе с тем несколько странное почти обо всем, что его, в сущности, не касается, произнес:

— Нет, пусть мир держится. Самое малое, что можем мы пожелать капитану Гуальдресу, чужаку среди нас, это чтобы мир был не менее редким или, собственно, вовсе не редким.

Дело в том, что к тому времени весь округ знал капитана Гуальдреса, кое-кто понаслышке, а большинство и в лицо. Потом однажды увидел его и он, Чарльз. Капитан Гуальдрес ехал по Площади на одной из induced гаррисовских лошадей, и дядя сказал Чарльзу, что это такое. Не кто этот человек, даже не что он собой представляет, а кто они, человек и лошадь, вместе: не кентавр, а единорог. В капитане Гуальдресе была видна твердость, но не та, что у раскормленных дворецких Гаррисса, а твердость металла, чистой стали или бронзы, сухощавая, почти бесполая. И после слов дяди он, Чарльз, тоже увидел похожее на лошадь существо из поэзии древних, с единственным рогом не из кости, а из металла, столь странного, прочного и необычного, что даже мудрецы не сумели бы дать ему названия; металла, выкованного из первоначальных грез и желаний человека и его страхов, формула которого утеряна, а то и уничтожена самим Кузнецом; гораздо более древнего, чем сталь или бронза, и гораздо более несокрушимого, чем все силы страдания, ужаса и смерти в обыкновенных золоте и серебре. Вот почему, сказал дядя, человек кажется частью лошади, на которой скачет; благодаря этим качествам человека, ставшего живой частью живой лошади, составное существо может умереть и умрет, и должно умирать, но лишь от лошади останутся кости; со временем они превратятся в прах и смешаются с землей, а человек останется целым и невредимым там, где они оба упали.

Но сам по себе аргентинец был неплохим человеком. Говорил по-английски он резко, твердо и не всегда правильно, однако говорил со всеми, с каждым; вскоре он стал не только известен, но и хорошо известен, и не только в городе, но и во всем округе. За месяц-другой он, казалось, побывал везде, где только могла пройти лошадь; должно быть, он знал глухие дороги, тропы и тропинки, которых даже дядя Чарльза, ежегодно ведущий в округе политику сплочения своих избирателей, пожалуй, ни разу не видел.

Капитан Гуальдрес не только изучил округ, но и завел в нем друзей. Вскоре всевозможные люди стали наведываться в усадьбу не к Гаррисcам, а к чужаку; в гости не к той женщине, которой принадлежала усадьба и чью фамилию округ знал всю ее жизнь, всю жизнь ее отца и деда, а к чужаку, иностранцу, о котором полгода назад даже не слышали и год спустя не могли разобрать всего, что он говорил; те, кому не сиделось дома, большей частью холостяки: фермеры, механики, паровозный кочегар, инженер-строитель, двое парней из бригады техобслуживания шоссе, торговец лошадьми и мулами, являлись туда по его приглашению поездить на лошадях, принадлежащих женщине, гостеприимством которой он пользовался, любовником которой (весь округ, еще не видя его, был убежден, что его влечет к себе или по крайней мере интересует старшая, мать, уже владеющая деньгами, потому что на младшей, дочери, он мог бы жениться в любое время, задолго до отъезда из Южной Америки) уже, очевидно, стал и мужем которой мог стать как только пожелает, но женится на ней, лишь когда в конце концов будет вынужден, потому что, будучи не только чужеземцем, но и южноамериканцем, он явно принадлежал к древнему роду избегающих женитьбы донжуанов и был греховодником даже не по собственной воле, а по той же причине, что леопард пятнистый.

Правда, вскоре начали говорить, что, будь миссис Гаррисс не человеком, а лошадью, он давно бы женился на ней, не раздумывая. Потому что все быстро поняли, что его страсть — это лошади, как у других выпивка, наркотики или азартные игры. Ходили слухи, что и лунными, и темными ночами он в одиночестве отправляется на конюшню, седлает с полдюжины лошадей и ездит на них по очереди, пока не рассветет; в то лето он соорудил трассу для скачек с препятствиями, по сравнению с которой та, что построил Гаррисс, годилась разве что для гонок ползающих младенцев: жердевые секции уже не драночные, а из кровельных балок, и стенки не из папье-маше, а из настоящего камня, привезенного из Восточного Теннесси и Виргинии, стояли не в изгородях и были выше изгородей фута на два. Теперь уже и многие горожане приезжали туда, потому что там было на что посмотреть: человек и лошадь сливаются, срастаются, превращаются в единое существо, а затем даже минуют эту стадию, это сращение: не дерзание, а поиск чуть ли не ощупью той точки, где даже на пределе взаимного сращения они должны неистово раздвоиться снова, словно пилот ракеты со своей машиной: развив сверхзвуковую скорость, он удваивает ее, утраивает — и несется к (своему и машины) предельному рубежу, где стальной корабль взорвется, исчезнет, оставив без защиты его хрупкую плоть, мчащуюся быстрее звука.

Однако в этом случае — человек и лошадь — история была ясна. Человек, словно бы зная, что сам он неуязвим и нехрупок и пострадать может только лошадь, проложил трассу, расставил барьеры так, чтобы видеть, где лошадь в конце концов должна споткнуться. А по всем принципам этой земли фермеров и наездников именно так и следовало, именно так и нужно ездить на лошади; Рейф Маккалем, один из постоянных зрителей, который всю жизнь разводил, растил, тренировал и продавал лошадей и знал о них, наверно, больше всех в округе, говорил так: «Когда лошадь в стойле, обращайся с ней, будто она стоит тысячу долларов; но когда сел на нее для того, что ты или вы оба намерены сделать, обращайся с ней так, будто можешь купить десяток таких же за столько же центов».

А другая история случилась или, во всяком случае, началась три месяца назад, и весь округ должен был о ней знать или по крайней мере составить мнение, поскольку то была единственная фаза или сторона жизни капитана Гуальдреса, которую он, если не утаивал, то по крайней мере замалчивал.

Разумеется, в истории с капитаном Гуальдресом обойтись без лошади не могло. И округ прекрасно знал, что это за лошадь. На этих широких, ухоженных, огражден-

13 Заказ 2107

ных акрах то было единственное животное, не принадлежащее Гаррисам даже номинально.

Потому что лошадь принадлежала самому капитану Гуальдресу. Он купил ее по собственному выбору и за собственные деньги или за те, которыми распоряжался как собственными; и покупка лошади за деньги, принадлежащие его, как полагал весь округ, любовнице, была одним из лучших ходов, возможно, даже самым лучшим ходом, какой мог совершить капитан Гуальдрес. Купи он себе за деньги миссис Гаррисс девку помоложе, а все ждали, что рано или поздно этим и кончится, презрение и отвращение жителей округа к нему превышали бы лишь презрение к миссис Гаррисс и стыд за нее. Ну а пристойную трату денег любовницы на лошадь они оправдывали еще заранее, prima facie[1]; благородством в прелюбодеянии, постоянством и верностью в блуде капитан Гуальдрес снискал своеобразную мужскую респектабельность; прожив с миссис Гаррисс почти полтора месяца, он едет один в Сент-Луис, где немало публичных домов, покупает там лошадь и возвращается вместе с ней на грузовике.

Это была молоденькая кобыла, произведенная знаменитым привозным скакуном с препятствиями, слепнущая от травмы, купленная, как полагал округ, несомненно, на племя (для них это служило доказательством, что капитан Гуальдрес, как бы там ни было, ценит свою собственность в Северном Миссисипи никак не ниже годового дохода), потому что не имело смысла приобретать для другой цели кобылу, пусть даже породистую, раз через год она совершенно ослепнет. Округ продолжал так полагать еще полтора месяца, даже узнав, что капитан Гуальдрес как-то использует кобылу, а не просто дожидается приплода, узнал же это — не как использует, а

[1] По первому впечатлению (*лат.*).

что как-то использует — по той самой причине, что это было его первое дело с лошадьми, какое он замалчивал.

Дело в том, что на этот раз не было наблюдателей, зрителей не только оттого, что все это происходило ночью, обычно поздней, а потому, что капитан Гуальдрес сам просил зрителей не приезжать, уговаривая их с тем латинским пристрастием к учтивости и обходительности, ставшим второй натурой от общения со своими вспыльчивыми соотечественниками, которое просвечивало даже сквозь бедность его языка:

— Вы не станете приезжать и смотреть, потому что, клянусь честью, смотреть теперь нечего.

И зрители не приезжали. Они поверили, возможно, не его южноамериканской чести, но поверили. Возможно, смотреть и вправду было нечего; в такой поздний час там не могло быть зрелища, ради которого стоило ехать в такую даль; лишь изредка какой-нибудь сосед, проезжая домой в ночной тишине мимо усадьбы, слышал стук копыт в одном из загонов позади конюшен, отстоящем далеко от дороги: единственная лошадь скакала сперва рысью, затем галопом, затем после нескольких ударов копыт на всем скаку топот резко обрывался, наступала полная тишина, и, едва слушатель успел бы сосчитать до двух или трех, топот на всем скаку раздавался снова и замедлялся до галопа, потом до рыси, словно капитан Гуальдрес вдруг резко, внезапно приводил животное на всем скаку в неподвижность, а потом снова пускал в полный карьер — обучал невесть чему, разве что, как сказал в парикмахерской один остряк, коли оно слепнет, то как уклоняться от транспорта по пути в город за пенсией.

— Может, учит ее брать барьеры, — сказал парикмахер, аккуратный, щеголеватый человек с усталым, пресыщенным лицом и бледной кожей, солнце освещало его не чаще раза в день, когда он в полдень шел через улицу пообедать в закусочной с вывеской «Всю ночь», если ему и приходилось сидеть на лошади, то в беспомощном детстве, когда он еще не мог отбиваться.

— Ночью? — сказал клиент. — В темноте?

— Если лошадь слепнет, не все ли ей равно, что ночь, что день? — сказал парикмахер.

— Но зачем же по ночам устраивать скачки с барьерами? — сказал клиент.

— А зачем вообще скачки с барьерами? — сказал парикмахер, водя намыленной кисточкой по его лицу. — А зачем вообще лошадь?

И разговор оборвался. Предположение было бессмысленным. А по мнению округа, капитан Гуальдрес если чем и обладал, то здравым смыслом. И он — здравый смысл или по крайней мере практицизм — подтверждался тем самым поступком, который запятнал его образ в другой фазе отношения к нему округа. Потому что теперь они знали ответ насчет кобылы, слепой кобылы и ночи. Он, непревзойденный наездник, использовал лошадь как прикрытие; он, безнравственный соблазнитель стареющих вдов, обнаружил всю глубину своей безнравственности.

Осуждению подвергался не его нравственный облик — этика. Насчет его — чужеземца и южноамериканца — нравственных достоинств у них не было никаких иллюзий, поэтому жители округа примирились с их отсутствием заранее, не дожидаясь его просьб и даже требований. Но они сами придумали, приписали ему этику, нравственный кодекс, которого, как теперь обнаружилось, он вовсе не придерживался, и простить этого они не могли.

Он завел себе женщину, еще одну женщину; в конце концов они были вынуждены примириться с этим, поскольку, как им теперь стало ясно, они с самого начала не ждали ничего иного от чужеземца и южноамериканца, они теперь наконец поняли, для чего ему эта лошадь, такая лошадь, которая слепнет, причину топота которой по ночам никто, очевидно, не понимал, однако никто и не интересовался ею настолько, чтобы попытаться выяснить. Это был троянский конь; чужеземец, все еще еле говорящий по-английски, ездил в Сент-Луис, чтобы найти и купить за собственные деньги слепую лошадь и таким образом получить уважительную причину ночных отсутствий, лошадь, уже натренированную или которую он мог натренировать сам по сигналу — например, по электрическому звонку, производимому часами каждые десять-пятнадцать минут (тут уже воображение жителей округа воспарило к таким высотам, каких не достигали даже торговцы лошадьми, уже не говоря о тренерах) — пускаться галопом по пустому загону, пока он не вернется со свиданья, бросит хлыст, отведет ее в стойло и наградит сахаром или овсом.

Конечно же, он завел женщину помоложе, а то и юную девушку; даже почти наверняка юную девушку, потому что его грубая, неуемная прозаичная похотливость рядилась в южноамериканскую церемонность и становилась от этого обаятельной, так фрак и белый галстук придают молодому человеку обаяния и ставят в выигрышное положение безо всяких усилий с его стороны. Но кто она, было неважно. Собственно, только сластолюбцев интересовала личность его партнерши. А прочих, остальных, большинство, его новая жертва занимала не больше, чем миссис Гаррисс. Они обращали суровое лицо отвержения не к соблазнителю, а, так сказать, к тележке привозных дров, хотя своего, местного топлива вполне достаточно. О миссис Гаррисс они вспоминали как о ровне и даже с чувством превосходства, несмотря на ее миллионное состояние. И думали — не «бедная женщина», а «несчастная дура».

Поначалу, в течение первых месяцев того, первого, года после возвращения из Южной Америки, парень ездил верхом с капитаном Гуальдресом. Он, Чарльз, уже знал, что ездить верхом парень умеет, и парень ездил вовсю; при виде того, как он старался не отстать от капитана Гуальдреса на барьерной трассе, становилось понятно, что такое настоящая верховая езда. И он, Чарльз, думал, что, раз в доме находится гость с испанской кровью, парню есть с кем фехтовать. Но фехтовали они или нет, никто не знал, парень вскоре бросил даже ездить на лошадях с гостем, или любовником своей матери, или своим предполагаемым отчимом, или кто он там был, и теперь город видел парня лишь проносящимся через Площадь в спортивном автомобиле с откинутым верхом и заваленным багажом задним сиденьем, то едущим куда-то, то возвращающимся домой. И полгода спустя, когда Чарльз увидел парня настолько близко, чтобы взглянуть в его глаза, он подумал: *Даже если бы в мире существовало всего две лошади и обе принадлежали ему, мне понадобилось бы очень уж захотеть поездить верхом, прежде чем я поехал бы с ним, даже будучи капитаном Гуальдресом.*

II

И однако эти самые люди — марионетки, бумажные куколки; эпизод, казус, нравоучительная пьеска, ритуальное представление, называйте как угодно, — ни с того ни с сего свалились на голову дяде в десять часов холодного вечера, за месяц до Рождества, а все, что дядя захотел, счел уместным или даже необходимым сделать, — это вернуться к доске, передвинуть пешку и сказать «ходи» как ни в чем не бывало; он не просто махнул рукой на происшедшее, а отбросил, отверг.

Но Чарльз не стал делать хода. И упрямо повторил снова:

— Из-за денег.

И дядя снова возразил ему, все так же отрывисто, кратко, даже резко:

— Из-за денег? Что этому парню деньги? Возможно, он ненавидит их и всякий раз, беря с собой пачку лишь потому, что надо что-то купить или куда-то отправиться, приходит в ярость. Будь тут дело в деньгах, я бы никогда не услышал об этом. Не стоило б ехать сюда, вламываться ко мне в десять часов вечера и обращаться сперва скорее с королевским указом, чем с ложью, потом с угрозой только затем, чтобы не допустить брака матери с человеком, у которого нет денег. Даже если у этого человека их совершенно нет, а в случае с капитаном Гуальдресом дело, возможно, обстоит совсем не так.

— Ну, хорошо, — еще упрямее сказал Чарльз. — Он не хочет, чтобы его мать или сестра выходили замуж за этого иностранца. Для этого вполне достаточно просто недолюбливать капитана Гуальдреса.

Дядя не издал ни звука, он просто сидел за шахматным столиком и молчал. Затем Чарльз обнаружил, что дядя смотрит на него упорно, задумчиво и довольно строго.

— Так, так, — сказал дядя, — так, так, так, — и глядел на Чарльза, пока он не ощутил, что не разучился краснеть. Но, видимо, Чарльз уже свыкся с приступами смущения — во всяком случае, с тем, что дядя не забывает о них, даже если забудет он сам. Так или иначе, он стоял на своем, не опускал жарко покрасневшего лица и, отвечая дяде таким же упорным взглядом, сказал:

— Да еще притащил сюда сестру, чтобы заставить сказать эту ложь.

Теперь дядя смотрел на него не вопрошающе и даже не упорно.

— Почему это, — сказал дядя, — люди в семнадцать лет...

— Восемнадцать, — перебил Чарльз. — Или почти.

— Хорошо, — сказал дядя, — в восемнадцать или почти — так уверены, что старые развалины вроде меня не способны признавать или уважать или хотя бы помнить то, что у молодых считается страстью и любовью?

— Может, потому, что старики уже не видят разницы между этим и простой благопристойностью, не позволяющей тащить сестру в десять часов холодного декабрьского вечера, чтобы заставить ее солгать.

— Хорошо, — сказал дядя. — В таком случае touche[1]. Это тебя устроит? Дело в том, что я знаю одну пятидесятилетнюю развалину, которая считает человека в семнадцать, восемнадцать, девятнадцать — собственно говоря, и в шестнадцать лет — способным на все, особенно на любовь и страсть или благопристойность, или притащить вечером сестру за шесть или двадцать шесть миль, чтобы заставить ее сказать неправду, или взломать сейф, или совершить убийство — если только ее пришлось тащить. Она приехала по своей воле; во всяком случае, я не видел на ней кандалов.

— Но приехала, — сказал Чарльз. — И сказала неправду. Она отрицала, что помолвлена с капитаном Гуальдресом. Но когда ты спросил напрямик, любит ли она его, ответила «да».

— И за это была выпровожена из комнаты, — сказал дядя. — Потому что сказала правду — кстати, я считаю человека в семнадцать, восемнадцать и двадцать лет способным на это, если есть основательные причины. Она вошла сюда — вошли они оба — с тщательно продуманной ложью. Но у нее не хватило присутствия духа. Так что оба они использовали друг друга для достижения определенной цели. Только цель у каждого была своя.

— Однако, увидев, что их затея провалилась, оба перестали. Он перестал резко. Почти так же грубо, как и начал. Мне даже показалось, что он вышвырнет сестру в коридор, как тряпичную куклу.

— Да, — сказал дядя. — Очень резко. Он отказался от этого плана и стал искать другой ход, как только понял, что не может больше полагаться на нее. А она перестала еще раньше. Как только поняла, что он отбился от рук или что я не собираюсь им верить и точно так же могу

---

[1] *Здесь*: сдаюсь (*фр.*).

отбиться от рук. И теперь они оба решили испробовать что-то иное, и мне это не нравится. Потому что они опасны. Опасны не оттого, что глупы; глупости (прошу прощения, сэр) естественно ожидать в этом возрасте. А оттого, что им не от кого узнать, что они молоды и глупы. Тут нужен человек, которого они уважали или боялись бы настолько, чтобы поверить. Ходи.

Похоже было, что дядя выговорился полностью; во всяком случае, Чарльз не рассчитывал услышать от него продолжения.

Похоже было, что действительно полностью. Чарльз сделал ход. Запланировал он его давно, времени у него было больше, чем у дяди, если считать, как летчики, затраченное, а не истекшее время, потому что ему не пришлось, как дяде, совершать посадку, чтобы отбить вторгшийся отряд, а затем снова подниматься в воздух. Ходом коня он поставил под удар дядину королеву и ладью. Потом дядя скормил ему пешку, о которой, как, видимо, считал только Чарльз, никто не забыл, и он сделал еще ход, затем пошел дядя, и партия завершилась как обычно.

— Надо было б взять королеву двадцать минут назад, а ладью оставить в покое, — сказал Чарльз.

— Непременно, — сказал дядя. Он стал отделять белые фигуры от черных, а Чарльз потянулся к коробке на нижней полке курительного столика. — Нельзя взять две фигуры, не сделав двух ходов. Конь может ходить сразу через две клетки и сразу в двух направлениях. Но не может ходить дважды, — сказал дядя, придвигая к нему черные фигуры. — На этот раз я возьму белые, и ты можешь попытать счастья.

— Уже одиннадцатый час, — сказал Чарльз. — Почти пол-одиннадцатого.

— Да, почти, — сказал дядя, расставляя черные фигуры. — Ну и что?

— Я подумал, не пора ли мне спать?

— Может, и пора, — сказал дядя очень откровенно и снисходительно. — А я с твоего позволения еще посижу.

— Может, тогда игра у тебя будет более интересной, — ответил Чарльз. — Играя с собой, будешь для разнообразия удивляться грубым ошибкам своего противника.

— Ладно, ладно, — ответил дядя. — Я ведь уже сказал, touche. Если не собираешься играть, расставь по крайней мере фигуры.

Тогда Чарльз больше ничего не знал. Даже не предполагал. Но соображал — или догадывался — быстро. На этот раз они сперва услышали шаги — легкое, резкое, дробное, частое постукивание, какое издают девушки, идя по коридору. Проводя много времени у дяди, Чарльз знал, что звука шагов не замечаешь в доме или здании, имеющем по меньшей мере два более-менее обособленных хозяйства. И тут же понял (еще до того, как она постучала, еще до слов дяди «Теперь твоя очередь не успеть открыть дверь»), что не только дядя знал, что она вернется, но и он сам, должно быть, тоже. Только сначала он подумал, что ее вернул брат; но еще до этого удивился, что ей удалось уйти от него так быстро.

Выглядела она так, словно все время бежала, во всяком случае, замерев на миг в дверях, когда Чарльз открыл ей, одной рукой она придерживала у горла меховое манто, из-под него свисал подол длинного белого платья. И хотя ужас не совсем исчез с ее лица, взгляд ее уже не был застывшим. Она даже взглянула на Чарльза в упор, а на дядю, как ему показалось, даже не обратила внимания.

Затем, отведя взгляд от Чарльза, она вошла и быстрым шагом направилась к дяде, стоявшему (на сей раз) у шахматного столика.

— Мне нужно поговорить с вами наедине, — сказала она.

— Пожалуйста, — ответил дядя. — Это Чарльз Мэллисон, мой племянник. — И придвинул от шахматного столика кресло. — Присаживайтесь.

Но девушка не двинулась с места.

— Нет, — сказала она. — Наедине.

— Раз вы не можете сказать правды, когда мы втроем, то вряд ли скажете, если будем вдвоем, — ответил дядя. — Садитесь.

Она снова не двинулась. Чарльз не мог видеть ее лица, потому что она стояла к нему спиной. Но голос ее совершенно изменился.

— Да, — сказала она и направилась к креслу. Потом, уже собираясь сесть, замерла снова и повернулась к двери, словно не только ожидала услышать шаги брата по коридору, но даже собиралась снова выбежать к парадной двери и осмотреть всю улицу, нет ли его там.

Но то была еле заметная пауза, потому что она села, плюхнулась в кресло, быстро прокружив ногами и подолом, как все девушки, словно их суставы расположены иначе и в других местах, чем у мужчин.

— Можно я закурю? — спросила она.

Но не успел дядя потянуться за коробкой сигарет, которых сам не курил, как она извлекла откуда-то одну — не платиновый портсигар с драгоценными камнями, как можно было ожидать, а единственную сигарету, согнутую, помятую, из которой уже сыпался табак, словно она валялась в кармане несколько дней, — и, поддерживая запястье другой рукой, словно унимая дрожь, прикурила от спички, которую зажег дядя. Затем сделала одну затяжку, сунула сигарету в пепельницу и положила на колени не стиснутые, а просто собранные в кулачок руки; маленькие, изящные, они неподвижно лежали на темном меху.

— Ему грозит опасность, — сказала она. — Я боюсь.

— Так, — сказал дядя. — Вашему брату грозит опасность.

— Нет, нет, — ответила она с легким раздражением. — Не Максу — Себас... капитану Гуальдресу.

— Понятно, — сказал дядя. — Капитану Гуальдресу грозит опасность. Я слышал, что он ездит верхом сломя голову, однако сам ни разу этого не видел.

Девушка схватила сигарету, два раза торопливо затянулась, размяла ее в пепельнице, снова положила руки на колени и взглянула на дядю.

— Ну, ладно, — сказала она. — Я люблю его. Я уже говорила вам. Но дело не в этом. Тут есть одно обстоятельство. Которому вы не в силах помочь. Мать заметила его первая, или он заметил ее первую. Во всяком случае они принадлежат к одному поколению. А я нет, потому что Себ... капитан Гуальдрес старше меня на целых восемь-десять лет, а то и больше. Но неважно. Дело не в этом. Ему грозит опасность. И хотя он заговаривал мне зубы насчет матери, я не хочу, чтобы он пострадал. По крайней мере не хочу, чтобы моего брата посадили за это в тюрьму.

— Тем более, что, посадив его, ничего не исправишь, — сказал дядя. — Я согласен с вами: гораздо лучше посадить его под запор прежде.

Девушка взглянула на дядю.

— Прежде? — сказала она. — Прежде чего?

— Прежде чем он совершит то, за что его могут посадить, — сказал дядя откровенным, снисходительным, резким, странным голосом, придающим весьма странному заявлению не только прозорливость, но и твердую обоснованность.

— О, — сказала она, глядя на дядю. — Как его посадишь? Настолько я и сама разбираюсь в законах: нельзя посадить человека только за то, что он готовится сделать. А потом, он сунет какому-нибудь мемфисскому адвокату две-три сотни и выйдет на другой же день. Разве не так?

— Неужели? — сказал дядя. — Здорово же придется адвокату трудиться за триста долларов.

— Значит, никакого проку от этого не будет? — сказала она. — Тогда вышлите его.

— Вашего брата? — сказал дядя. — Куда? За что?

— Перестаньте, — сказала она. — Перестаньте. Вы же знаете, что если б я могла обратиться еще к кому-нибудь, то не находилась бы здесь. Вышлите Себ... капитана Гуальдреса.

— А, — сказал дядя. — Капитана Гуальдреса. Боюсь, что иммиграционным властям недостает не только стремления преуспеть, но и возможностей мемфисских трехсотдолларовых адвокатов. Чтобы выслать его, потребуются недели, возможно, месяцы, а у вас есть основания опасаться, что и двух дней может оказаться слишком много. Ваш брат не будет сидеть все это время сложа руки.

— Значит, вы, юрист, не можете подержать его взаперти, пока Себастьян не выедет?

— Кого подержать? — сказал дядя. — Где взаперти?

Девушка перестала глядеть на дядю, хотя даже не шевельнулась.

— Дайте мне сигарету, — сказала она.

Дядя дал ей сигарету из коробки на столе, затем поднес спичку, и она снова откинулась на спинку кресла, делая быстрые затяжки и говоря в промежутках между ними, она по-прежнему не глядела на дядю.

— Ну, ладно, — сказала она. — Когда у них с Максом отношения совсем испортились, когда я наконец поняла, что Макс люто ненавидит его и может произойти что-то страшное, то уговорила Макса согласиться...

— ...сохранить жениха вашей матери, — сказал дядя. — Вашего будущего отчима.

— Ну, ладно, — сказала она, быстро затягиваясь сигаретой, которую держала между пальцев с острыми раскрашенными ногтями. — Дело в том, что у них с матерью ничего, в сущности, не решено, если только им есть, что решать. И во всяком случае, не мать стремится к какому-то решению, потому что... А у него будут лошади или по крайней мере деньги, чтобы купить новых, кто бы из нас... — Она быстро затянулась, не глядя на дядю, не глядя ни на что. — И когда я поняла, что, если ничего не предпринять, Макс рано или поздно убьет его, то заключила с Максом договор, по которому, если он подождет двадцать четыре часа, я вместе с ним поеду к вам и уговорю вас добиться высылки Себастьяна назад в Аргентину...

— ...где у него будет только капитанское жалованье, — сказал дядя. — А потом вы последуете за ним.

— Ну, ладно, — сказала она. — Да. Мы приехали к вам, и я увидела, что вы нам не верите и не станете ничего предпринимать, поэтому единственное, что мне пришло на ум, — показать Максу в вашем присутствии, что я люблю Себастьяна, чтобы Макс сделал что-нибудь, способное убедить вас в серьезности его намерений. И добилась своего. Он просто вне себя, он опасен, и вы должны помочь мне. Должны.

— Вы тоже должны сделать кое-что, — сказал дядя. — Сказать наконец правду.

— Я говорила правду. И говорю.

— Но не всю. Что произошло между вашим братом и капитаном Гуальдресом? На сей раз, как говорится, не переливая из пустого в порожнее.

В промежутке между быстрыми затяжками девушка бросила взгляд на дядю. Сигарета уже догорела почти до ее раскрашенных ногтей.

— Вы правы, — сказала девушка. — Деньги тут ни при чем. О деньгах он и не думает. Их достаточно для Се... для всех нас. Дело даже не в матери. Дело в том, что Себастьян постоянно одерживает над ним верх. Во всем. Себастьян ведь приехал без лошадей, и хотя Макс тоже хорошо ездит, Себастьян превосходит его, превосходит на собственных лошадях Макса, тех самых, которыми, как Макс понимает, Себастьян завладеет, едва мать решится и скажет «да». Кроме того, Макс в течение нескольких лет был лучшим учеником Паоли, а Себастьян однажды взял кочергу и дважды парировал его выпады, тут Макс сорвал шишечку с острия рапиры и бросился на него, и Себастьян кочергой отражал удары, пока кто-то не схватил Макса...

Девушка дышала не столь тяжело, как быстро, часто, ловя ртом воздух и пытаясь дрожащей рукой поднести окурок сигареты к губам, облаченная в белый тюль, атлас и дорогое темное тяжелое одеяние из шкурок маленьких умерщвленных животных, она, съежась в кресле, выглядела не столько изнуренной, сколько нежной, хрупкой, и не столько хрупкой, как замерзшей, недолговечной, словно весенний цветок, расцветший до срока среди снега и льда и уже гибнущий, даже не сознавая, что гибнет, даже не ощущая ни малейшей боли.

— Это произошло впоследствии, — сказал дядя.

— Что? После чего?

— *Это* произошло, — повторил дядя. — Но уже впоследствии. Не станешь ведь желать человеку смерти только потому, что он превзошел тебя с рапирой или в седле. По крайней мере не станешь ничего предпринимать, чтобы сделать желаемое фактом.

— Вы не правы, — сказала она.

— Прав, — возразил дядя.

— Нет.

— Да.

Девушка приподнялась, осторожно, словно яйцо или капсулу нитроглицерина, опустила окурок в пепельницу и села снова, руки на сей раз она положила на колени плашмя.

— Ну, ладно, — сказала она. — Я боялась этого. Я говорила... знала, что вы не поверите. Тут дело в женщине.

— А, — сказал дядя.

— Я не хотела говорить вам, — сказала она, и голос ее изменился снова, в третий раз, меньше чем за десять минут. — Живет она милях в двух от нас. Дочь фермера. Да, да, — сказала она, — знаю, знаю: Скотт или Гарди или кто-то еще, живший триста лет назад: юный владелец поместья и крепостные, право первой ночи и все такое. Только на сей раз ничего подобного не было. Дело в том, что Макс дал ей кольцо. — Теперь руки ее, снова сжатые в кулак, лежали на подлокотниках, и она опять не глядела на дядю. — На этот раз тут совсем другое. Лучше, чем это представлялось Гарди или Шекспиру. Два городских парня: не только богатый молодой граф, но чужеземный друг молодого графа или по крайней мере гость дома: смуглый романтичный чужеземный рыцарь, который взял верх над молодым графом, скача на его лошади, а затем отразил шпагу молодого графа кочергой. И наконец, ему стало достаточно подъехать к окну подруги молодого графа и свистнуть... Подождите.

Девушка вскочила. Она уже неслась, не успев толком встать на ноги. Не успел Чарльз шевельнуться, как она оказалась у двери и рывком распахнула ее, каблучки твердо и быстро простучали по коридору. Затем хлопнула парадная дверь. А дядя так и стоял на месте, глядя в дверной проем.

— В чем дело? — спросил Чарльз. — В чем дело?

Но дядя не ответил; он не сводил глаз с распахнутой двери, и прежде, чем он успел бы ответить, парадная дверь хлопнула снова, в коридоре раздался твердый дробный стук уже двух пар каблучков, Гаррисс вошла быстрым шагом и, небрежно указав рукой назад, сказала:

— Вот она, — подошла к креслу и, провертясь, села снова, а Чарльз с дядей устремили взгляд на другую девушку — деревенскую, потому что Чарльз видел ее в городе только по субботам, это была единственная возможность отличить деревенских от городских, потому что деревенские теперь тоже пользовались косметикой, губной помадой, а иногда и лаком для ногтей, одежда их фирмы «Сирс и Робак», выписанная по почте, уже не выглядела сирс-робаковской, а иногда она была даже не сирс-робаковской, правда, без тысячедолларовых норковых оторочек; девушка была примерно того же возраста, что и Гаррисс, чуть пониже ее, стройная, но крепкая, как многие девушки, выросшие в деревне, темноволосая, черноглазая, она мельком глянула на Чарльза, а потом посмотрела на дядю.

— Входите, — сказал дядя. — Я мистер Стивенс. А ваша фамилия Моссоп.

— Я знаю вас, — сказала девушка. — Нет, сэр. Это моя мать из Моссопов. Мой отец Хенс Кейли.

— Кольцо у нее при себе, — сказала Гаррисс. — Взяла по моей просьбе, я знала, что иначе вы не поверите. Я, услышав, тоже не поверила. Мне понятно, почему она его не носит. Я бы тоже не носила кольца того, кто сказал бы мне то, что ей Макс.

Кейли с минуту глядела на Гаррисс, взгляд ее был твердым, мрачным, немигающим и совершенно спокойным, а та тем временем достала из коробки еще одну сигарету, однако на сей раз никто не подошел к ней и не поднес спички.

Затем Кейли снова посмотрела на дядю. Взгляд ее пока что был спокойным. Только пристальным.

— Я никогда его не носила, — сказала она. — Из-за отца. Он считает, что в Максе ничего хорошего нет. И, как только встречу Макса, я верну ему кольцо. Потому что теперь тоже считаю...

Гаррисс что-то произнесла. Чарльзу показалось, что этому вряд ли можно научиться в швейцарском монастыре. Кейли снова бросила на нее суровый, зловещий, презрительный взгляд. Но глаза ее пока что были попрежнему спокойны. Потом вновь посмотрела на дядю.

— Дело не в том, что он сказал. Мне не понравилось, как это было сказано. Может, он тогда не мог говорить по-другому. Однако надо было постараться. Но я не обиделась, потому что он это сгоряча.

— Понимаю, — сказал дядя.

— Да и в любом случае не обиделась бы.

— Понимаю, — повторил дядя.

— Но он был не прав. Не прав с самого начала. Сам тут же заговорил, что мне лучше не носить кольцо на людях. Я даже не успела сказать, что не собираюсь показывать его папе...

Гаррисс опять произнесла то же самое. На этот раз Кейли примолкла, медленно повернула голову и пять-шесть секунд смотрела на нее, сидящую с незажженной сигаретой между пальцами. Потом снова посмотрела на дядю.

— Словом, он сам же сказал, что нам не нужно считаться помолвленными, разве что тайно. Ну, а раз мне не нужно считаться помолвленной, разве что тайно, то почему капитан Голдез...

— Гуальдрес, — поправила Гаррисс.

— Голдез... — повторила Кейли, — или кто еще не может заехать, посидеть на веранде, поговорить с нами. И я была не прочь поездить верхом на лошадях, у которых нет следов от постромок, так что когда он приводил лошадь для меня...

— Как ты разбирала, есть следы от постромок или нет, в темноте-то? — сказала Гаррисс.

Тут Кейли, по-прежнему неторопливо, повернулась всем телом и взглянула на нее.

— Что? — спросила она. — Что ты сказала?

— Будет вам, — сказал дядя. — Перестаньте.

— Старый дурак, — сказала Гаррисс, даже не глянув на дядю. — Думаете, какой-нибудь мужчина, кроме такого, как вы, стоящего одной ногой в могиле, станет до полуночи разъезжать в одиночестве по пустой площадке для поло?

Тут Кейли сорвалась с места. На ходу нагнулась, приподняла подол юбки, что-то вынула из чулка и остановилась перед креслом — будь то нож, Чарльз и дядя опоздали бы снова.

— Встань, — сказала она.

Теперь Гаррисс, подняв взгляд и держа у губ незажженную сигарету, сказала: «Что?» Кейли ничего не ответила. Стройная, крепкая, она лишь качнулась на каблуках назад и занесла руку. Дядя ринулся к ним с криком: «Перестаньте! Перестаньте!», но Кейли уже с размаху ударила Гаррисс по лицу, по сигарете и по руке, державшей ее, та отшатнулась, потом выпрямилась со сломанной сигаретой, свисавшей между пальцами, и с длинной тонкой царапиной на щеке, а затем то самое кольцо с большим бриллиантом, мерцая, скатилось по ее манто на пол.

Гаррисс бросила взгляд на сигарету. Потом поглядела на дядю.

— Она ударила меня!

— Видел, — сказал дядя. — Я сам чуть было... — и бросился к ним; это было необходимо: Гаррисс вскочила с кресла, а Кейли снова качнулась на каблуках. Но дядя успел вклиниться между ними, одной рукой он отшвырнул Гаррисс, другой — Кейли, тут же поднялись плач и вопли, совсем как у передравшихся трехлетних детей; дядя с минуту смотрел на них, потом нагнулся и поднял кольцо. — Хватит, — сказал он. — Прекратите. И та, и другая. Идите в ванную, умойтесь. В ту дверь, — и быстро прибавил: — Не вместе, — когда они обе направились туда. — По одной. Вы первая, — сказал он Гаррисс. — В шафчике есть кровоостанавливающее средство, если вы боитесь гидрофобии, даже не веря в ее возможность. Проводи ее, Чик.

Но она уже скрылась в ванной. Кейли стояла, утирая нос тыльной стороной ладони, пока дядя не протянул ей платок.

— Извините, — сказала она, шмыгая носом. — Но ей не надо было вынуждать меня к этому.

— Ей не надо было иметь такой возможности, — сказал дядя. — Очевидно, вы находились все это время у нее в машине. Она поехала к вам и привезла вас.

Кейли высморкалась в платок.

— Да, сэр.

— Тогда тебе придется отвезти ее домой, — не оборачиваясь, сказал дядя Чарльзу. — Вдвоем им нельзя.

Но Кейли уже успокоилась. Она с силой утерла нос

сперва справа, потом слева и протянула было платок дяде, но тут же опустила руку.

— Доеду с ней, — сказала она. — Я ее не боюсь. Если даже она подвезет меня только к своим воротам, до дома идти всего две мили.

— Хорошо, — сказал дядя. — Возьмите, — и протянул ей кольцо. В нем был большой бриллиант, и неплохой. Кейли глянула на кольцо и тут же отвела взгляд.

— Не хочу я его брать, — сказала она.

— Я бы тоже не захотел, — сказал дядя. — Но из уважения к себе вы должны вернуть его собственноручно.

Она взяла кольцо, тут Гаррисс вышла из ванной, и Кейли, по-прежнему с платком в руке, пошла умываться. Гаррисс снова выглядела нормально, на царапине блестел мазок кровоостанавливающего средства; теперь в руках она держала платиновую с драгоценными камнями коробку, но там находилась пудра и прочее. Она не смотрела ни на дядю, ни на Чарльза. Глядясь в зеркальце на крышке коробки, она заканчивала приводить в порядок свое лицо.

— Наверно, я должна извиниться, — сказала она. — Но мне кажется, что юристы насмотрелись такого в своей работе.

— Мы стараемся избегать кровопролития, — сказал дядя.

— Кровопролития, — повторила она. И позабыла о своем лице, о платиновой с драгоценными камнями коробке, наглость и твердость ее исчезли, когда она взглянула на дядю, в глазах ее снова появились ужас и страх; и Чарльз понял, что, как бы они с дядей ни думали о том, что мог, хотел или собирался сделать ее брат, у нее не было никаких сомнений.

— Вы должны что-то предпринять, — сказала она. — Должны. Если б я могла обратиться еще к кому-то, то не стала бы беспокоить вас. Но мне...

— Вы сказали, что он заключил с вами пакт ничего не совершать в течение суток, — сказал дядя. — Как думаете, выполнит он это условие или поступит, как и вы: попытается что-то сделать за вашей спиной?

— Не знаю, — ответила она. — Если б только вы могли засадить его под замок, пока я...

— Этого я не могу, как и выслать другого еще до завтрака. Почему вы сами не вышлете его? Вы говорили, что...

Теперь к ужасу на ее лице прибавилось отчаяние.

— Не могу. Я пыталась. Наверно, мать все же лучший человек, чем я. Я даже предостерегала его. Только он вроде вас: тоже не верит, что Макс опасен. Говорит, это было бы бегством от ребенка.

— Он совершенно прав, — сказал дядя. — Тут-то и зарыта собака.

— Какая собака?

— Никакая, — ответил дядя и отвел от нее взгляд; он стоял, поглаживая большим пальцем глиняную чашечку трубки, не глядя, как казалось Чарльзу, ни на кого и ни на что. Потом Гаррисс спросила:

— Можно взять еще сигарету?

— Почему же нет? — ответил дядя. Она взяла сигарету из коробки, и на сей раз Чарльз поднес ей огонь, за спичками ему пришлось пройти мимо дяди к курительному столику, осторожно ступая между рассыпанными шахматными фигурами; потом вошла Кейли, тоже не глядя ни на кого, и сказала дяде:

— Он на зеркале.

— Что? — спросил дядя.

— Ваш платок, — ответила Кейли. — Я его выстирала.

— А, — произнес дядя, а Гаррисс сказала:

— Разговорами Макса не проймешь. Вы уже пробовали, знаете.

— Не припоминаю, — сказал дядя. — Помнится, я слышал только его голос. Однако насчет разговоров вы правы. Мне кажется, вся каша заварилась из-за того, что кто-то говорил слишком много.

Но Гаррисс его даже не слушала.

— Кроме того, сюда он больше не приедет. Так что вам придется съездить туда...

— Доброй ночи, — сказал дядя.

Она и не думала его слушать.

— ...утром, пока он еще не встал с постели и никуда не укатил. Утром я позвоню вам, скажу, когда будет лучше всего...

— Доброй ночи, — повторил дядя.

После этого девушки ушли: вышли в дверь гостиной, разумеется, не закрыв ее за собой; собственно говоря, открытой ее оставила Гаррисс, однако, когда Чарльз пошел ее закрывать, Кейли уже возвращалась, чтобы сделать это самой, но потом увидела его. Но дядя не дал ему закрыть дверь, сказав «Подожди», и Чарльз застыл, держась за дверную ручку; каблучки твердо, дробно простучали по коридору, потом, конечно же, хлопнула парадная дверь.

— Так мы думали и в прошлый раз, — сказал дядя. — Сходи убедись.

Но девушек не было. Стоя в проеме парадной двери, в ясной, холодной, безветренной декабрьской темноте, Чарльз услышал, как взревел мотор, увидел, как «родстер» на полном газу с воем, с визгом шин рванул с места и свернул за ближайший угол, хвостовые огни быстро удалялись, и, когда машина уже, наверно, неслась через Площадь, ему казалось, что в воздухе все еще стоит запах стертой резины.

Затем Чарльз вернулся в гостиную, где дядя сидел среди разбросанных шахмат, набивая трубку. Не останавливаясь, подошел, поднял доску и поставил на столик. К счастью, драка происходила поодаль, и ни на одну из фигур не наступили. Он собрал их из-под ног дяди и вновь расставил на доске, даже заранее выдвинул пешку белой королевы в обычное начало, какого придерживался дядя. А дядя продолжал набивать трубку.

— Значит, они все же правы насчет капитана Гуальдреса, — сказал Чарльз. — Все дело в девушке.

— Какой? — сказал дядя. — Разве одна из них не проехала сегодня дважды по шесть миль, только чтобы убедиться, понятно ли нам, что она всеми силами стремится связать свое имя с фамилией капитана Гуальдреса; другая же не только затеяла кулачный бой для опровержения клеветы, но и даже не способна правильно выговорить его фамилию?

— О, — сказал Чарльз. И умолк. Придвинув кресло к столику, он сел снова. Дядя пристально смотрел на него.

— Хорошо тебе спалось? — спросил дядя.

До Чарльза и на сей раз не совсем дошло. Но ему нужно было лишь чуть подождать, так как дядя наотрез отказывался от разъяснения лишь действительно блестящих острот, но отнюдь не простых колкостей.

— Полчаса назад ты стремился в постель. Я даже не мог удержать тебя.

— И едва не упустил кое-что, — ответил Чарльз. — Больше не хочу.

— Сегодня уже нечего будет упускать.

— Я тоже так думал, — сказал Чарльз. — Эта Кейли...

— ...уже наверняка дома, — сказал дядя. — Где, надеюсь, и останется. Другая тоже. Ну ходи.

— Уже пошел, — сказал Чарльз.

— Тогда ходи снова, — сказал дядя, передвигая белую пешку. — И на сей раз будь внимательным.

Чарльзу казалось, что внимательным он бывал всегда, всякий раз. Однако все его внимание, казалось, лишь немного быстрее, чем обычно, привело к выводу, что эта партия закончится, как и предыдущая, но дядя вдруг очистил доску и расставил комбинацию с конями, ладьями и двумя пешками.

— Это уже не игра, — сказал Чарльз.

— Все то, чем людские страсти, надежда и безрассудство могут быть отображены и подвергнуты испытанию, не бывает простой игрой, — ответил дядя. — Ходи.

На сей раз зазвонил телефон, и Чарльз на сей раз знал, что будет звонок, знал даже, что будет сказано по телефону, ему даже незачем было слушать, что говорит дядя, а дядя говорил очень недолго:

— Да? Говорит... Давно?.. Ясно. Когда вы приехали домой, вам сказали только, что он собрал вещи, взял машину и сказал, что едет в Мемфис... Нет, нет, никогда не прописывайте лекарства врачу и не приглашайте почтальона погулять, — и, положив трубку, замер в кресле, не снимая руки с аппарата, не двигаясь, казалось, даже не дыша и даже не потирая большим пальцем трубки; Чарльз наконец хотел было заговорить, но тут дядя снова поднял трубку и так же кратко назвал телефонный номер мистера Роберта Марки, мемфисского юриста и политического деятеля, учившегося вместе с дядей в Гейдельберге. — Нет, нет, не полицию, оснований для его задержания нет. Да и задержанный он мне ни к чему, просто нужно, чтобы за ним следили, чтобы он не мог уехать из Мемфиса без моего ведома. Хорошего частного детектива, пусть незаметно следит за ним — если он не попытается уехать... Что? Я никогда не допущу настоящего кровопролития, во всяком случае при свидетелях... Да, пока я не приеду и не возьмусь за него сам, завтра или послезавтра... В отеле... Только в «Гринбери». Слышал ты хоть раз о миссисипце, который бы знал, что есть еще другие? — (Это было правдой: в Северном Миссисипи существовало выражение, что штат начинается в вестибюле отеля «Гринбери».) — Вымышленная фамилия? У него? Скандальной известности он и не думает избегать. Небось, обзвонит редакции всех газет, выяснит, правильно ли записаны его фамилия и местожительство. Нет, нет, только телеграфируй мне утром, что он взят под надежное наблюдение, и не теряй его из виду, пока я не свяжусь с тобой, — положил трубку, встал, но пошел не к шахматной доске, а к двери, распахнул ее и стоял, придерживая за ручку, пока Чарльз наконец не понял, встал и взял книгу, которую начал читать наверху три часа назад. Однако на сей раз он заговорил, и на сей раз дядя ответил ему.

— Но зачем он тебе нужен?

— Он мне не нужен, — сказал дядя. — Мне только нужно знать, что он приехал в Мемфис и находится там. А он там; ему нужно, чтобы и я, и весь мир были уверены, что он тихо-мирно сидит в Мемфисе или где угодно, кроме Джефферсона, штат Миссисипи; ему это нужно в десять раз больше, чем мне.

До Чарльза не дошло снова; пришлось спрашивать.

— Алиби, — сказал дядя.

И опять не дошло.

— Из-за того, что он намерен выкинуть, — из-за фокуса, которым хочет так припугнуть жениха своей матери, чтобы тот уехал из США.

— Фокуса? — сказал Чарльз. — Какого фокуса?

— Откуда мне знать, — ответил дядя. — Задай этот вопрос себе; тебе уже, можно сказать, восемнадцать лет; ты знаешь, как поступит девятнадцатилетнее дитя: может, это будет угрожающее письмо или даже благоразумно рассчитанный выстрел в окно спальни. Мне пятьдесят; я знаю лишь, что девятнадцатилетние способны на все и единственное, что может обезопасить от них взрослых, — это наивная уверенность в успехе, воля и желание кажутся уже достигнутой целью, и они не придают значения скучным техническим деталям.

— Ну, а раз этот фокус не сработает, тебе не о чем беспокоиться.

— Я не беспокоюсь, — сказал дядя. — Меня беспокоят. Более того: раздражают. Мне только нужно держать его под своим — вернее, мистера Марки — наблюдением, пока завтра я не смогу позвонить его сестре и она или их мать, или некто еще из этого семейства, кто сумеет или надеется, что сумеет, сладить с ним, или они оба, смогут поехать туда, забрать его и поступить, как найдут нужным; я бы советовал привязать его в стойле, и пусть его будущий отчим (может, после этого капитан

Гуальдрес даже отбросит свою девичью нерешительность и согласится на немедленный брак) поработает над ним хлыстом.

— О, — сказал Чарльз. — А ведь в этой Кейли нет ничего дурного. Может, если б он был сегодня здесь и видел ее, когда сестра...

— Никто и не считал, что есть, кроме его сестры, — сказал дядя. — Она-то все и затеяла, наговорив на нее брату. Чтобы заполучить своего мужчину. Наверно, думала, что, едва ее брат снова потянется за рапирой, капитан Гуальдрес уедет. Или надеялась, что его подтолкнут к отъезду осторожность и здравый смысл; в любом случае ей достаточно было б поехать за ним в то или другое место Соединенных Штатов или даже в Аргентину (где, разумеется, нет других женщин) и внезапным приступом или, может, просто компрометацией одержать победу, по крайней мере лишить возможности выбора. Но она недооценила его, да еще совсем по-взрослому очернила его репутацию.

Придерживая распахнутую дверь, дядя глядел на Чарльза.

— Собственно, в них обоих нет ничего дурного, кроме юности. Только — кажется, я уже говорил это минуту назад — обладание юностью во многом похоже на обладание оспой или бубонной чумой.

— О, — снова сказал Чарльз. — Может, у капитана Гуальдреса тоже все дело в возрасте. Мы заблуждались на его счет. Я думал, ему около сорока. Но она сказала, что он старше ее всего на восемь-десять лет.

— Значит, она полагает, что он старше ее лет на пятнадцать. Следовательно, он старше ее лет на двадцать пять.

— На двадцать пять? — сказал Чарльз. — Это ставит его на то место, где он и был.

— Разве он когда-нибудь его покидал? — сказал дядя. Он продолжал придерживать дверь. — Ну? Чего ждешь?

— Ничего, — ответил Чарльз.

— В таком случае доброй ночи и тебе, — сказал дядя. — Отправляйся домой и ты. На сегодня этот детский сад закрыт.

III

Ну вот и все. Чарльз поднялся к себе в комнату. И лег в постель, сняв мундир, «скинув робу», как это называлось у курсантов. Дело в том, что был четверг, а учения в батальоне проводились по четвергам. В этом году он был не единственным старшим курсантом, но занятий не пропускал никто, потому что, хотя академия была лишь подготовительной школой, она считалась одной из лучших школ вневойсковой подготовки офицеров резерва, на последнем смотре сам генерал-инспектор сказал, что, когда начнется война, каждый, кто сможет подтвердить, что ему уже исполнилось восемнадцать лет, почти автоматически получит право поступить в офицерскую школу.

Это относилось и к нему, поскольку он был уже так близок к восемнадцати, что на эту разницу можно было не обращать внимания. Только уже не имело значения, восемнадцать ему, восемь или восемьдесят; он уже опоздал, даже если б завтра утром проснулся восемнадцатилетним. Война будет окончена, и люди начнут уже забывать о ней, прежде чем он успеет поступить в офицерскую школу, а тем более окончить ее.

Война, насколько это касалось Соединенных Штатов, была уже окончена: британцы, горстка парней, многие не старше его, а некоторые даже моложе, летающие на истребителях Королевского Воздушного Флота, остановили немцев на западе, и теперь этому неудержимому потоку побед и разрушений осталось лишь растечься по бескрайним просторам России, словно грязная вода со швабры по кухонному полу: поэтому в течение пятнадцати месяцев с осени 1940 года, всякий раз, когда он снимал или вешал в шкаф свой мундир — саржевый костюм цвета хаки, такой же, как у настоящих офицеров, но даже не с честными сержантскими нашивками, а со светло-голубыми петлицами и значками службы офицеров резерва, напоминающими значки на лацканах у членов студенческого общества, и нелепыми нововведенными жестяными ромбиками, вроде тех, что можно увидеть на плечах щеголеватого швейцара в отеле или руководителя циркового оркестра, лишь подчеркивающими отдаленность от сферы доблести и риска, славы и знаменитости, которых он втайне жаждал; — всякий раз при взгляде на мундир в нем пробуждались эта тайная жажда (если то было не другое чувство) и, конечно же, неизбывное сожаление, которое не оставляло его все эти последние месяцы с тех пор, как он понял, что уже слишком поздно, что слишком долго оттягивал, медлил, не имея в достатке не только мужества, но и воли, желания, стремления, и цвет хаки странно менялся, преображался, исчезал, словно кадр в кино, превращаясь в голубой цвет британского мундира, изогнутые крылышки пикирующего сокола и скромные галуны рядового; однако прежде всех, еще прошлой весной, эту голубизну, этот цвет, оттенок, который горстка молодых англосаксов утвердила как символ славы, переняла ассоциация американских галантерейщиков и торговцев мужской одеждой, так что каждый удачливый житель Соединенных Штатов, располагающий деньгами, мог отправиться пасхальным утром в церковь в подлинном ореоле доблести и вместе с тем свободным от значков ответственности и нашивок риска.

Кстати, Чарльз предпринял кое-что, слегка похожее на попытку (и был слегка более высокого мнения о своем поступке по той простой причине, что воспоминание о нем не приносило утешения). В нескольких милях от города жил капитан Уоррен, фермер, бывший командиром звена в старом Королевском Воздушном Корпусе еще до его превращения в Королевский Воздушный

Флот; Чарльз побывал у него почти два года назад, едва достигнув шестнадцатилетия.

— Если б я сумел как-то добраться до Англии, меня бы взяли, правда? — спросил он.

— Шестнадцати лет маловато. И к тому же сейчас добраться до Англии не так уж легко.

— Но взяли бы, если б я смог добраться, правда?

— Да, — ответил капитан Уоррен. Потом сказал: — Послушай. Времени еще хватит. До конца войны времени нам всем хватит с избытком. Почему не подождать?

Чарльз послушался. И ждал слишком долго. Он мог говорить себе, что поступил так по совету героя, а для тайной жажды это было все-таки немаловажно: он не забывал, что получил совет от героя и последовал ему, и если не проявил мужества, то все-таки не стыдился этого.

Потому что было уже слишком поздно. Собственно, для Соединенных Штатов война вовсе не начиналась, и потому все, что им требовалось для войны, — это деньги: самое недорогое, как говорил дядя, что можно истратить или потерять, вот почему цивилизация изобрела их: чтобы они были единственным достоянием, за которое человек мог бы с выгодой совершать покупки, что бы он ни покупал.

Так что, похоже, вся цель призыва в армию заключалась лишь в том, чтобы предоставить дяде возможность установить личность Макса Гаррисса, а поскольку установление его личности повлекло за собой лишь перерыв в шахматной партии да шестидесятицентовый звонок в Мемфис, то даже и оно обошлось дешево.

Итак, Чарльз лег спать; четверг прошел, и теперь целую неделю не нужно было надевать псевдомундир, чтобы «сбрасывать робу» и разжигать тайную жажду, если то было не другое чувство. Встав, он позавтракал; дядя уже поел и ушел, по пути в школу Чарльз заглянул к нему в контору, чтобы взять записную книжку, оставленную там накануне, и узнал, что Макса Гаррисса в Мемфисе не оказалось; телеграмму от мистера Марки принесли при нем:

Отсутствующий принц отсутствует и здесь что дальше

И дядя при нем, велев рассыльному подождать, написал ответ:

Ничего спасибо

Вот и все, и больше Чарльз не думал о Максе Гариссе; в полдень, подходя к углу, где дядя ждал его, чтобы пойти обедать, Чарльз даже не подумал спросить о нем; дядя сам, не дожидаясь расспросов, сказал, что звонил мистер Марки, по его словам, Гаррисс, кажется, хорошо известен не только всем администраторам, телефонистам, швейцарам-неграм, посыльным и официантам «Гринбери», но и всем кабатчикам и таксистам этой части города и что он, мистер Марки, даже искал его в других отелях — на тот невероятный случай, что один миссисипец слышал о существовании в Мемфисе других отелей.

И Чарльз спросил, как мистер Марки:

— Что дальше?

— Не знаю, — ответил дядя. — Хотелось бы верить, что он отряхнул прах всех этих отелей со своих ног, находится теперь за добрых пятьсот миль отсюда и держит путь дальше, но только не хочется порочить его за глаза обвинением в здравомыслии.

— А может, он мыслит здраво, — сказал Чарльз.

Дядя остановился.

— Что?

— Ты же сам говорил вчера вечером, что девятнадцатилетние способны на все.

— О, — сказал дядя. — Да, конечно, — и снова зашагал. — Может, он мыслит здраво.

И больше Чарльз не думал о Максе Гаррисе. Он пообедал, снова дошел с дядей до угла конторы: ему нужно было в школу на урок истории, которую мисс Мелисса Хогганбек именовала «Мировые События» — оба слова с большой буквы, занятия проводились два раза в неделю и, казалось, должны были разжигать тайную жажду сильнее, чем неизбежные очередные четверги, когда снова придется таскать робу — саблю и погоны с нововведенными ромбиками — и с серьезным лицом играть в солдатики, однако ничего подобного: слащавый, манерный «дамский» голос неустанно твердил с каким-то неистовым фанатизмом о мире и безопасности, о том, что нам ничего не грозит, так как старые, отсталые страны Европы получили в 1918 году хороший урок; они не только не смели, но и не могли себе позволить посягнуть на нас, и в конце концов потрясенные и неистовые массы всего мира низводились к этому бессмысленному нескончаемому журчанью, не находящему отклика даже в изолированных, обособленных, пыльных стенах подготовительной школы, связанному с реальностью в сто раз меньше, чем сабля и ромбики. Они по крайней мере были порождением того, что пародировали, тогда как для мисс Хогганбек вся система национальной вневойсковой подготовки офицеров резерва была ошибочным, необъяснимым явлением системы образования, как необходимость обучать детей на подготовительных курсах.

Чарльз по-прежнему не думал больше о Максе Гариссе, даже увидев по пути из школы того самого коня. Находился он в грязном фургоне, стоящем на улочке за Площадью, около полудюжины людей разглядывали его, стоя вокруг на весьма почтительном расстоянии, и Чарльз не сразу разглядел, что конь спутан не веревками, а цепями, словно лев или слон. Потому что сперва он толком и не взглянул на фургон. Даже не подошел к фургону настолько, чтобы увериться, убедиться, что там конь, так как увидел идущего к нему самого мистера Рейфа Маккалема и перешел улочку, чтобы поговорить с ним; Чарльз с дядей ездили на ферму Маккалема в пятнадцати милях от города поохотиться в сезон на куропаток, и нередко он отправлялся туда сам, чтобы провести ночь в низине ручья или в лесу, преследуя лисицу или енота, с племянниками-близнецами Маккалема, прошлым летом ушедшими в армию.

Так что узнал Чарльз коня, которого ни разу не видел, увидев не его, а мистера Маккалема. Дело в том, что все жители округа слышали об этом коне или видели его — это был жеребец чистых кровей, с родословной, но совершенно никчемный; весь округ говорил, что мистер Маккалем первый раз в жизни прогадал в торговле лошадьми, даже если купил этого коня за табачные или мыльные купоны.

Конь был испорчен еще жеребенком или жеребчиком. Видимо, хозяин пытался сломить его норов страхом или побоями. Однако норов не сломился, а конь вынес из того, что пришлось испытать, только ненависть ко всем, ходящим вертикально на двух ногах, нечто вроде злобы, отвращения и стремления уничтожать, какое некоторые люди испытывают даже к безобидным змеям.

Ездить на нем было невозможно, приближаться к нему было опасно, даже чтобы накормить. Говорили, что он убил двух человек, невзначай оказавшихся с ним по одну сторону ограды. Только вряд ли это было так, иначе бы его пристрелили. Однако полагали, что мистер Маккалем купил коня потому, что владелец собирался его уничтожить. Или, может, надеялся его приручить. Так или иначе, он всегда отрицал, что конь убил кого-то, и, стало быть, видимо, рассчитывал его продать, потому что ни одна лошадь не бывает столь плохой, как заявляет покупатель, или столь хорошей, как утверждает продавец.

Однако мистер Маккалем знал, что конь мог бы убить человека, и округ считал, что он в этом не сомневается. Потому что сам заходил туда, где находился конь (только ни в коем случае не в загон или стойло), но больше никому не позволял этого; поговаривали также, что как-то один человек предлагал ему продать коня, но он отказался. Этот слух был тоже апокрифическим, так как мистер Маккалем сам говорил, что продаст любую тварь, если она не может стоять на задних ногах и произносить своего имени, потому что это его хлеб.

Итак, этот конь был здесь, в пятнадцати милях от своего загона, связанный, скованный, помещенный в клеть, и Чарльз сказал мистеру Маккалему:

— Наконец-то вы продали его.

— Надеюсь, что так, — ответил мистер Маккалем. — Конь еще не продан, пока за ним не закрылась дверь новой конюшни. А в иных случаях даже и тогда.

— Но по крайней мере он уже в пути, — сказал Чарльз.

— По крайней мере в пути, — сказал мистер Маккалем.

Это, в сущности, ничего не означало, разве только что мистеру Маккалему придется здорово поспешить, дабы убедиться, что конь так и не продан. К тому времени уже давно стемнеет: было четыре часа, а человек, вздумавший купить этого коня, должен жить далеко, если не слышал о нем.

Потом Чарльз подумал, что покупатель должен жить слишком уж далеко, чтобы добраться туда засветло даже двадцать второго июня, тем более пятого декабря, так что, видимо, мистеру Маккалему было все равно, когда выезжать, и пошел к дяде в контору; о Максе Гарриссе он не думал, однако напоминание о нем не заставило себя долго ждать; дядя приготовил ему для практики резюме дела, список примечаний, и Чарльз принялся за работу, стало темнеть, он включил настольную лампу, и тут же зазвонил телефон. Когда он поднял трубку, девичий голос уже говорил совершенно без умолку, так что Чарльз не сразу узнал его:

— Алло! Алло! Мистер Стивенс! Он был здесь! Никто и не знал об этом! Он только что отъехал! Мне позвонили из гаража, я прибежала туда, а он уже сидел в машине с заведенным мотором и сказал, что, если вы хотите его видеть, будьте на своем углу через пять минут; сказал, что не сможет заехать к вам в контору, так что будьте на углу через пять минут, если хотите видеть его, в противном случае можете завтра позвонить и, может, договориться о встрече завтра в отеле «Гринбери»... — продолжал говорить голос, когда дядя вошел, взял трубку, послушал, и, возможно, все еще говорил после того, как дядя повесил трубку.

— Пять минут? — сказал дядя. — Шесть миль?

— Ты не видел, как он гоняет машину, — ответил Чарльз. — Возможно, он сейчас уже на Площади.

Но это было бы слишком уж быстро даже для Гаррисса. Чарльз с дядей вышли и стояли на углу в холодных сумерках, как показалось Чарльзу, минут десять, наконец он решил, что это продолжение тех самых шума, вранья и суматохи, в гуще или по крайней мере в сфере которых они пребывали с прошлого вечера, и самым невероятным здесь будет то, чего они не только ждали, но и были приглашены посмотреть.

Но все же они увидели его. До них донесся автомобильный гудок: Гаррисс не снимал руки с клаксона или, может, просто соединил провода под приборной доской или капотом, и, возможно, если он в это время о чем-то и думал, то жалел, что не снял устаревший глушитель. И Чарльз подумал о Хэмптоне Киллгрю, ночном полицейском, выбегающем из бильярдной или закусочной «Всю ночь» или откуда-то еще и уже опаздывающем; автомобиль с воем, с ревом несся к Площади, выхватывая из темноты ярким светом фар деревья и нескошенную траву на обочинах, потом с блеяньем, с грохотом промчался между кирпичных стен и оказался на Площади; впоследствии Чарльзу вспомнилась кошка, мелькнувшая тенью в свете фар, в первую секунду она казалась десяти футов длиной, а в следующую — высокой и тонкой, как промелькнувший столб ограды.

По счастью, на перекрестке не было никого, кроме Чарльза и дяди; Гаррисс увидел их, огни фар понеслись прямо к ним, словно он собирался въехать на тротуар. Затем в последний миг свернули в сторону, и Чарльз мог бы коснуться лица парня с блестящими на нем зубами, когда автомобиль пулей проносился мимо них на Площадь, потом он пересек ее, притормозил, взвизгнув шинами, и свернул на мемфисское шоссе; гудок, шелест шин и гул мотора постепенно утихали, и наконец Чарльз с дядей даже услышали Хэмптона Киллгрю, бегущего к углу с воплями и руганью.

— Дверь захлопнул? — спросил дядя.

— Да, сэр, — ответил Чарльз.

— Тогда пошли домой ужинать. По пути зайдешь на телеграф.

Чарльз зашел, отправил телеграмму мистеру Марки, слово в слово как сказал дядя: *Сегодня ночью он в Гринбери если необходимо обратись в полицию по требованию начальника джефферсонской полиции,* вышел и догнал дядю у ближайшего угла.

— Зачем теперь полиция? — спросил он. — Помнится, ты говорил...

— Сопровождать его по Мемфису, куда бы он ни направился, — ответил дядя. — Если только не поедет обратно.

— Но зачем ему ехать куда-то? Вчера вечером ты сказал, что он не станет скрываться ни в коем случае, что меньше всего он захочет быть там, где его никто не видит, пока его фокус...

— Тогда я ошибался, — сказал дядя. — И возвел на него напраслину. Видимо, я приписал девятнадцатилетним не только больше изобретательности, чем можно от них ожидать, но и больше злобы. Пошли. Ты опаздываешь. Тебе нужно не только поужинать, но и вернуться в город.

— В контору? — сказал Чарльз. — К телефону? Разве нельзя позвонить тебе домой? Кроме того, если он останется в Мемфисе, чего им звонить из-за...

— Нет, — сказал дядя. — В кино. Чтобы избежать

еще одного вопроса, скажу: дело в том, что это единственное место, откуда ни Гаррисс девятнадцати лет или двадцати одного года, ни Мэллисон почти восемнадцати не смогут докучать мне. Я хочу поработать. Проведу этот вечер в обществе мерзавцев и злодеев, у которых нет не только смелости, чтобы грешить, но и способности.

Чарльз знал, что это означает: Перевод. И даже не подходил к гостиной дяди. А дядя первым поднялся из-за стола, и до ухода Чарльз его больше не видел.

И если б ему не пришлось идти в кино, он вообще не увидел бы дядю в тот вечер: ужинал он, в отличие от дяди, неторопливо, потому что до сеанса оставалось еще много времени, и только дядя, казалось, хотел поскорее уединиться, потом пошел, по-прежнему неторопливо, поскольку времени еще было много, через холодную ясную тьму к Площади, где находился кинотеатр, не зная, что там придется смотреть, и даже не думая об этом; возможно, он шел опять на военный фильм, но это было неважно, он вспоминал, что думал когда-то, будто военный фильм окажется для тайной жажды самой непереносимой вещью, но ошибся, потому что между военным фильмом и мировыми событиями мисс Хогганбек лежала в тысячу раз более непреодолимая дистанция, чем между ее мировыми событиями и ромбиками школы офицеров резерва; думал он о том, что если б человечество могло проводить все свое время, смотря фильмы, то не было бы войн и других страданий, созданных человеком, однако так долго человек не может смотреть на экран, потому что фильмы не способны совладать со скукой, не говоря о других страстях, а человеку пришлось бы проводить в кино не меньше восьми часов, потому что восемь часов нужны на сон, и дядя говорил, что помимо сна человек способен выносить в течение столь долгого времени только работу.

Итак, Чарльз пошел в кино. А если б не пошел, то не проходил бы мимо закусочной «Всю ночь», где увидел, узнал стоящий у тротуара пустой фургон с цепями и путами, свисавшими сквозь боковые планки, а глянув сквозь стекло в зал, и самого мистера Маккалема; тот ел, тяжелая дубинка из белого дуба, с которой он не расставался среди чужих лошадей и мулов, стояла рядом у стойки. И не будь у Чарльза еще четырнадцати минут до того часа, когда (не считая суббот и вечеринок) ему полагалось быть дома, он бы не зашел и не спросил мистера Маккалема, кто купил у него коня.

Луна уже взошла. Когда освещенная Площадь осталась позади, Чарльзу стало видно, как стригущие тени его ног стригут тени безлиственных ветвей, потом наконец и тени кольев забора, правда, это продолжалось недолго, потому что он перелез через забор на углу двора и тем сократил путь. Теперь ему стали видны затененный абажуром свет настольной лампы в окне дядиной гостиной и он сам, не идущий, спешащий, а, скорее, несомый еще не замутненной волной удивления, недоумения и (более всего, хотя он сам не понимал, почему) торопливости, ему инстинктивно хотелось остановиться, уйти, исчезнуть — только бы не нарушать это уединение, этот труд, этот ритуал Перевода, который вся семья именовала с большой буквы, — перевода Ветхого Завета вновь на древнегреческий, он был переведен на этот язык с древнееврейского вскоре после того, как был создан, дядя занимался переводом вот уже двадцать лет — на два года и несколько дней дольше, чем он, Чарльз, жил на свете, для чего неизменно раз в неделю (а иногда и два-три раза, в зависимости от многих неприятных или обидных для него случайностей) уединялся в гостиной и закрывал за собой дверь: ни мужчина, ни женщина, ни ребенок, клиент, доброжелатель или друг даже не прикасались к шаровидной ручке двери, пока дядя сам не поворачивал ее изнутри.

И Чарльз подумал, что, будь ему восемь лет, а не почти восемнадцать, он даже не обратил бы внимания на эту студенческую лампу и закрытую дверь; и что, будь ему не восемнадцать, а двадцать четыре, он вообще не появился бы здесь лишь из-за того, что другой девятнадцатилетний парень купил коня. Затем подумал, что, возможно, было бы наоборот: что в двадцать четыре года он бы спешил больше, чем теперь, а в восемь вообще не пошел бы туда, потому что в восемнадцать лет был способен лишь спешить, торопиться, удивляться, так как, вопреки мнению дяди, не мог предугадать, каким образом девятнадцатилетний Макс Гаррисс собирается перехитрить кого-то или отомстить кому-то с помощью этого коня.

Но в этом не было необходимости; этим займется дядя. От него требовались лишь поспешность, скорость. И он спешил, не замедляя торопливой ходьбы, почти бега, с первого шага за дверь закусочной, до угла, до двора и по двору, по лестнице в коридор и по коридору к закрытой двери, на ходу распахнул дверь и оказался в гостиной: дядя сидел за столом без пиджака, со светозащитным козырьком, с головой уйдя в работу, перед ним стояли на подставках раскрытая Библия и греческий словарь, чуть в стороне лежала глиняная трубка, большая часть стопы писчей бумаги валялась на полу у его ног.

— Гаррисс купил этого коня, — сказал Чарльз. — На что он ему?

Дядя не поднял глаз и даже не шевельнулся.

— Ездить, наверно, — ответил он, затем поднял взгляд и потянулся за трубкой. — Думаю, это само собой...

Слова замерли на устах дяди, замерла трубка, уже повернутая черенком ко рту, рука с трубкой неподвижно застыла над самым столом. Чарльз наблюдал такое и прежде, и ему показалось, что вновь наступил тот миг, когда глаза дяди больше не видят его, когда за ними складывается резкая, отрывистая, сжатая фраза, возможно, меньше чем из двух слов, которая вышвырнет его из комнаты.

— Так, — сказал дядя. — Что это за конь?

Чарльз ответил так же немногословно:

— Маккалема. Тот жеребец.

— Так, — повторил дядя.

И на сей раз Чарльз не терялся в догадках; никаких разъяснений ему не требовалось.

— Я только что оставил его в закусочной, за ужином. Коня он вывез сегодня днем. По пути из школы я видел фургон, но не...

Дядя не смотрел на Чарльза; глаза его были пусты, как у сестры Гаррисса, когда она впервые вошла в эту комнату прошлым вечером. Потом дядя что-то сказал. На греческом, древнегреческом, словно перенесся в те времена, когда Ветхий Завет впервые переводился или даже только писался. Дядя иногда поступал так: говорил по-английски Чарльзу что-нибудь такое, чего матери Чарльза слышать не полагалось, а потом повторял то же самое по-древнегречески, и даже для Чарльза, не понимающего древнегреческого языка, это звучало намного выразительней, намного более внятно даже для тех, кто не мог понять сказанного или по крайней мере не понимал до сих пор. Это было одно из таких выражений, и, судя по звучанию, его вряд ли можно было почерпнуть из Библии, по крайней мере с тех пор, как она попала в руки к англосаксонским пуританам. Дядя был уже на ногах; сорвав и отбросив светозащитный козырек, он отпихнул ногой кресло и схватил с другого кресла жилет и пиджак.

— Пальто и шляпу, — скомандовал он. — На кровати. Быстро.

И Чарльз быстро метнулся к кровати. Из комнаты они вынеслись, словно автомобиль и увлекаемый за ним листок бумаги, дядя шел по коридору уже в жилете и пиджаке, выставив руки назад, а Чарльз старался натянуть на них рукава пальто.

Затем через освещенный луной двор к машине, Чарльз все еще со шляпой в руке, в машину; дядя, не прогревая мотора, выехал задом на полном газу со скоростью тридцать миль в час, притормозил, развернулся и на полном же газу понесся по улице, на перекрестке сделал запрещенный поворот, пересек Площадь почти так же стремительно, как Макс Гаррисс, резко остановился у фургона Маккалема и выскочил.

— Сиди здесь, — бросил дядя и вбежал в закусочную; Чарльз видел сквозь окно мистера Маккалема: он все еще сидел у стойки, пил кофе, пока дядя не подбежал, схватил приставленную к стойке дубинку и, даже не останавливаясь, повернул, увлекая за собой мистера Маккалема, как две минуты назад Чарльза; подбежав к машине, он распахнул дверцу, велел Чарльзу передвинуться и вести машину, бросил дубинку на сиденье, втолкнул мистера Маккалема, сел сам и хлопнул дверцей.

Чарльз был этим доволен, потому что за рулем дядя оказывался еще хлеще Макса Гаррисса, даже если никуда не спешил и не уезжал. Правда, показания спидометра у дяди были примерно вдвое меньше, но Макс Гаррисс считал, что ездит быстро, а дядя знал, что нет.

— Поднажми, — сказал дядя. — Сейчас без десяти десять. Но богатые ужинают поздно, так что, может, еще успеем.

Чарльз поднажал. Вскоре они оказались за городом, здесь можно было еще немного увеличить скорость, хотя дорога была покрыта лишь гравием; единственное, что барон Гаррисс забыл или не успел сделать до преждевременной смерти, — это бетонное шоссе в шесть миль до города. Но ехали они довольно быстро, дядя сидел на краю сиденья, подавшись вперед, и не сводил глаз со стрелки спидометра, словно, едва она дрогнет, собирался выскочить и бежать.

— «Привет, Гэвин», черт побери, — напустился дядя на мистера Маккалема. — Посмотрим, что ты скажешь, когда я предъявлю тебе обвинение как сообщнику.

— Он знал, что это за конь, — сказал мистер Маккалем. — Приехал и заявил, что хочет его купить. На рассвете он уже был у передних ворот, спал в машине, и долларов четыреста-пятьсот валялись у него в кармане пальто, будто горсть листьев. А что? Он объявляет себя несовершеннолетним?

— Он не объявляет ничего, — ответил дядя. — Похоже, он запрещает касаться вопроса о своем возрасте всем — даже дядюшке из Вашингтона. Но это неважно. Что ты сделал с конем?

— Поставил в конюшню, — сказал мистер Маккалем. — Но тут все в порядке. Это маленькая пустая конюшня с одним стойлом. Он сказал, что беспокоиться не стоит, потому что других лошадей там не будет. Все было уже вычищено, подготовлено. Однако я сам осмотрел и двери, и забор. Конюшня в полном порядке. Иначе я не оставил бы там этого коня ни за какие деньги.

— Знаю, — сказал дядя. — Что за маленькая конюшня?

— Он построил ее прошлым летом на отшибе. За деревьями, в стороне от других конюшен и выгулов. Там есть свой выгул, в конюшне одно большое стойло и кладовка, я заглянул туда: там только седло, уздечка, попоны, скребница и немного корма. Он сказал, что каждый, кто притронется к седлу, уздечке или корму, будет знать, что это за конь; я сказал, что так, конечно, будет лучше, потому что, если кто зайдет и откроет дверь стойла, надеясь обнаружить там обыкновенную лошадь, возникнут серьезные неприятности, притом не только у того, кто это сделает, но и у владельца конюшни. Тут он заявил, что меня это уже не касается, потому что коня я продал. Но конюшня в полном порядке. Там есть даже лаз, откуда человек может взбираться на чердак и сбрасывать корм вниз, пока жеребец не привыкнет к нему.

— Когда ж теперь накормят коня? — спросил дядя.

— Я это умею, — ответил мистер Маккалем.

— Тогда через минутку поглядим на тебя, — сказал дядя.

Потому что они были почти на месте. Выезжали они из города не так быстро, как въезжал Макс Гаррисс, однако уже неслись между белыми оградами, казавшимися в лунном свете не прочнее ледяного сала, за оградами простирались широкие, залитые лунным светом пастбища, дядя мог помнить их еще засеянными хлопком или по крайней мере утверждать, что помнит, когда старый владелец, сидя на веранде в качалке, время от времени окидывал их взглядом и снова возвращался к своей книге и виски.

Потом свернули в ворота, теперь уже и мистер Маккалем сидел на краю сиденья, понеслись по въездной аллее между причесанными и выровненными газонами, кустами, кустарниками и деревьями, напоминающими прямизной рядов неубранный хлопчатник, и наконец увидели то, что когда-то было домом прежнего владельца: чудовищный размах колонн, флигелей и балконов, занимавший, должно быть, пол-акра.

И они успели. Должно быть, капитан Гуальдрес, выйдя из боковой двери, увидел огни фар на въездной аллее. Так или иначе, они увидели его там, стоящего в лунном свете с непокрытой головой, в короткой кожаной куртке и сапогах, с запястья его свисал легкий хлыст, он не двигался с места; все трое вышли из машины и подошли к нему.

Разговор начался по-испански. Три года назад Чарльз стал посещать в школе факультативные занятия испанским языком и уже не помнил, да, в сущности, никогда и не понимал, как и почему за него взялся; просто этим языком занялся дядя, и в результате Чарльз обнаружил, что изучает испанский язык, которым сам никогда и не думал заниматься. Для этого не потребовалось ни уговоров, ни поощрений; дядя сказал, что нужно поощрять занятия тем, чем человек хочет заниматься, считает нужным, пусть даже неизвестно, пригодится ему это или нет. Возможно, Чарльз прогадал, имея дело с юристом; однако он продолжал заниматься испанским, прочел «Дон Кихота», справлялся с большинством южноамериканских и мексиканских газет, взялся было за «Сида» и бросил; было это в прошлом году, а прошлый год был 1940-

м, дядя даже удивился: «А почему? Его, наверно, было б легче читать, чем «Дон Кихота», ведь «Сид» о героях». Но Чарльз не мог объяснить никому, тем более пятидесятилетнему человеку, даже своему дяде, каково утолять тайную жажду сердца пыльной хроникой прошлого, когда меньше чем за полторы тысячи миль, в Англии, люди немногим постарше ежедневно пишут своими жизнями бессмертные примечания настоящего.

Так что Чарльз понимал почти все, что говорилось, лишь не успевал разбирать кое-какие слова. Но с другой стороны, капитан Гуальдрес не все успевал разбирать по-английски, и Чарльзу показалось было, что они оба не справляются с испанским языком дяди.

— Вы собрались поездить верхом, — сказал дядя. — При луне.

— Ну, конечно, — сказал капитан Гуальдрес, пока что любезный, пока что лишь слегка настороженный, его черные брови были приподняты лишь слегка — до того любезный, что в голосе его совершенно не слышалось удивления, даже в тоне его не звучало, каким бы образом испанец ни выразил это, *Ну и что?*

— Я Стивенс, — сказал дядя так же торопливо, и Чарльз понял, что капитан Гуальдрес недоволен не только торопливостью — для испанца торопливость и резкость, очевидно, высшее проявление бестактности; понял, что он недоволен и испанским языком дяди, но времени не было, и дяде ничего больше не оставалось, как продолжать по-испански: — Это мистер Маккалем. А это сын моей сестры Чарльз Мэллисон.

— Мистера Маккалема я знаю хорошо, — сказал по-английски капитан Гуальдрес, поворачиваясь к нему; зубы его сверкнули в лунном свете. — У него есть одна лишняя лошадь. Жаль. — Он обменялся с мистером Маккалемом рукопожатием, резким, кратким и сильным. Но даже при этом по-прежнему казался бронзовым из-за мягкой, потертой, отливающей под луной кожи и набриолиненных волос, отлитым из металла вместе с волосами, сапогами, курткой, одной цельной фигурой. — Юного джентльмена не так хорошо. — Он обменялся таким же быстрым, кратким, сильным рукопожатием и с Чарльзом. Затем шагнул назад. И на сей раз не протянул руки. — Мистера Стивенса тоже не так хорошо. Возможно, тоже жаль. — И пока что даже в тоне его не слышалось: *Теперь можете принести извинения.* Не слышалось даже: *В чем дело, джентльмены?* Слышен был только голос, вполне любезный, совершенно бесстрастный, безо всякой интонации: — Вы приехали покататься верхом? Лошадей сейчас нет, но в маленьком загоне есть много.

— Подождите, — сказал дядя по-испански. — Мистер Маккалем ежедневно видит слишком много лошадей и не захочет сейчас кататься, а мой племянник и я видим слишком мало, чтобы захотеть. Мы приехали оказать вам любезность.

— А, — сказал капитан Гуальдрес тоже по-испански. — И вы называете это любезностью?

— Ну, хорошо, — сказал дядя так же торопливо, скороговоркой, на родном языке капитана Гуальдреса, звучном, не очень музыкальном, словно недозакаленный металл. — Видимо, я ехал так быстро, что мои манеры не могли угнаться за мной.

— Та вежливость, которую человек может обогнать, — сказал капитан Гуальдрес, — не заслуживает этого названия. — И почтительно спросил: — Что за любезность?

И Чарльз тоже подумал: *Что за любезность?* Капитан Гуальдрес был неподвижен. В голосе его и раньше не слышалось сомнения, недоверия; теперь в нем не было даже удивления, недоумения. И Чарльз готов был согласиться с ним: возможно, дяде или кому-то еще нужно было предостеречь его от чего-то или спасти, он (Чарльз) вообразил себе не только жеребца мистера Маккалема, а целый табун таких же, гремящих о него подковами, может быть, катая его в пыли, в навозе, даже, возможно, откалывая осколки, даже оставляя вмятины, но и только.

— Пари, — сказал дядя.

Капитан Гуальдрес не шевельнулся.

— Тогда просьба, — сказал дядя.

Капитан Гуальдрес не шевельнулся.

— Тогда любезность мне, — сказал дядя.

— А, — сказал капитан Гуальдрес. Он не шевельнулся даже теперь, лишь произнес это слово, даже не испанское и не английское, потому что оно одно и то же во всех языках, о которых Чарльз слышал.

— Вы ездите верхом по ночам, — сказал дядя.

— Правда, — сказал капитан Гуальдрес.

— Позвольте нам пойти с вами в конюшню, где вы держите свою ночную лошадь, — сказал дядя.

На сей раз капитан Гуальдрес лишь повел глазами, он — Чарльз — и мистер Маккалем видели блеск белков, когда капитан взглянул на него, затем на мистера Маккалема, затем снова на дядю, и потом стал совершенно неподвижен, казалось, даже не слышал, пока он, Чарльз, мог бы сосчитать почти до шестидесяти. Затем направился к конюшне.

— Правда, — сказал он уже на ходу; все трое пошли за ним в обход дома, что был слишком громадным, через лужайку, где было слишком много кустов и кустарников, мимо гаражей, где машин было больше, чем нужно четверым, мимо оранжерей и теплиц, где цветов и винограда было слишком много для четверых, пересекли в лунной тишине, лунном серебре, лунном покое всю усадьбу; впереди шел капитан Гуальдрес на твердых, скошенных каблуках блестящих сапог, затем дядя, за ним Чарльз, последним — мистер Маккалем с дубинкой из белого дуба, — все они трое шли гуськом за капитаном Гуальдресом, словно gauchos[1] его семьи, если только у него была семья, и члены ее были не gaucho, а кем-то еще с окончанием на *онес*.

Но не к большим конюшням с электрическими часа-

---

[1] Наемные пастухи (*исп.*).

ми и освещением, с позолоченными поилками и кормушками, даже не по дорожке, ведущей к ним. Вместо этого они пересекли дорожку, перелезли через белую изгородь и пошли по освещенному луной пастбищу, дошли до небольшой рощицы, обогнули ее и увидели конюшню; Чарльзу явственно вспомнился рассказ мистера Маккалема: небольшой выгул, окруженный белой изгородью, и единственная конюшня величиной с гараж для двух автомобилей, новенькая, только что выстроенная в сентябре, чистая, свежеокрашенная, верхняя половина единственной двери была открыта; черный квадрат зиял на безупречной белизне; и внезапно за спиной у него мистер Маккалем издал какой-то звук.

И тут разговор стал для Чарльза слишком быстрым. Капитан Гуальдрес сам заговорил по-испански, встав спиной к изгороди, стройный, крепкий, даже почему-то казавшийся выше, он стал говорить дяде то, чего до сих пор не выражал даже тон его голоса; они глядели друг на друга и скороговоркой на родном языке капитана Гуальдреса напоминали перебранку плотников, забивающих друг другу под пилу гвозди. Однако дядя вскоре перешел на английский, и капитан Гуальдрес последовал его примеру, очевидно, дядя считал, что мистер Маккалем должен все же понимать, о чем идет речь:

— Ну, мистер Стивенс? Вы объясните?

— С вашего позволения, — сказал дядя.

— Правда, — сказал капитан Гуальдрес.

— Здесь вы и держите свою ночную лошадь, слепую.

— Да, — сказал капитан Гуальдрес. — Ни одной лошади здесь, кроме этой маленькой кобылы. Ночной. Негрито ставит ее вечером в эту конюшню.

— А после ужина — обеда — полуночи, когда уже стемнеет, вы приходите сюда, заходите в выгул, идете к двери и открываете ее в такой же темноте, как сейчас.

Сперва Чарльз думал, что здесь слишком много людей, по крайней мере один лишний. А тут понял, что не хватает одного — парикмахера, потому что капитан Гуальдрес сказал:

— Я сперва устанавливаю барьеры.

— Барьеры? — переспросил дядя.

— Маленькая кобыла не видит. Скоро она навсегда перестанет видеть. Но она еще может прыгать, не видя, по прикосновению, по голосу. Я учу ее — как это? — доверию.

— Лучше бы сказать — неуязвимости, — заметил дядя. И разговор снова пошел по-испански, быстро, не будь собеседники неподвижны, они походили бы на боксеров. Чарльзу, хоть он и читал в оригинале Сервантеса, не удавалось понимать Бэтчелора Сэмпсона и вождя янгезийцев, ведущих конский торг у него перед носом, и когда (как показалось Чарльзу) все было наконец позади, дядя объяснил ему, о чем шла речь, или настолько приблизился к объяснению, насколько он, Чарльз, и ожидал.

— А что было дальше? — спросил он. — Что ты говорил потом?

— Ничего особенного, — ответил дядя. — Я сказал только: «Это любезность». Гуальдрес ответил: «За которую, само собой, я заранее вас благодарю». А я сказал: «Но в которую, само собой, не верите. И которой, само собой, хотите знать цену». В цене мы сошлись, и я оказал эту любезность, вот и все.

— Что же это была за цена? — спросил Чарльз.

— Ставка в пари, — сказал дядя.

— Ставка на что?

— На его судьбу, — сказал дядя. — Он сам это предложил. Потому что такой человек верит лишь в свою звезду. В судьбу он не верит. Даже не принимает ее.

— Ну, ладно, — сказал Чарльз. — А что ставил ты?

Но на этот вопрос дядя не стал даже отвечать, лишь посмотрел на племянника насмешливо, загадочно и в то же время привычно, хотя Чарльз уже успел понять, что совершенно не знает своего дядю. Затем дядя сказал:

— Конь внезапно появляется ниоткуда — с запада, если угодно, — и одним ходом ставит под удар королеву и ладью. Что делать?

Ответ по крайней мере на этот вопрос Чарльз уже знал.

— Спасти королеву и потерять ладью.

Ответил он и на другой вопрос:

— Из западной Аргентины. — Сказал: — Это та девушка. Гаррисс. Ты ставил ее. Что он не захочет подойти к конюшне и открыть дверь. И он проиграл.

— Проиграл? — сказал дядя. — Принцесса и полза́мка против его костей и, возможно, мозгов? Проиграл?

— Проиграл королеву, — сказал Чарльз.

— Королеву? — переспросил дядя. — Какую? О, ты имеешь в виду миссис Гаррисс. Может, он понял, что эта королева недоступна, понял, что он должен заключить это пари. Может, понял, что и королева, и ладья ушли, когда он кочергой обезоружил принца. Если только она вообще была ему нужна.

— Тогда что же он здесь делал? — сказал Чарльз.

— Чего же он медлил? — сказал дядя.

— Может, это было приятное поле, — сказал Чарльз. — Ради удовольствия ходить не только сразу через две клетки, но и в двух направлениях.

— Или нерешительность, раз у него была такая возможность, — сказал дядя. — И в данном случае почти роковая, потому что был обязан сделать ход. Во всяком случае, так было б лучше для него. Его положение и обаяние позволяли ему сделать ход. Он забыл, что от этого хода зависит и его безопасность.

Но этот разговор состоялся на другой день. А тут Чарльз не мог разобраться в том, что видел. Он и мистер Маккалем смотрели и слушали, а дядя с капитаном Гуальдресом глядели друг на друга, выпаливая трескучие невнятные слоги, потом капитан Гуальдрес сделал какой-то жест: не то пожал плечами, не то поклонился, а дядя обернулся к мистеру Маккалему.

— Ну как, Рейф? — спросил дядя. — Можешь ты открыть дверь конюшни?

— Могу, конечно, — ответил мистер Маккалем. — Только непонятно...

— Я заключил пари с капитаном Гуальдресом, — сказал дядя. — Если откажешься, придется мне.

— Постойте, — сказал капитан Гуальдрес. — Я считаю, что мне...

— Это вы постойте, мистер капитан, — сказал Маккалем. Он переложил дубинку из руки в руку и с полминуты глядел через белую изгородь на пустой, залитый лунным светом выгул, на мертвенно-белую стену конюшни с чернеющим квадратом верхней части двери. Затем снова переложил дубинку из руки в руку, взобрался на изгородь, свесил ногу, оглянулся и посмотрел на капитана Гуальдреса.

— Я только сообразил, в чем тут дело, — сказал он. — Сейчас и вы поймете.

Все трое смотрели, как он, крепко сбитый, сдержанный, решительный человек, в котором, как и в капитане Гуальдресе, сразу было видно лошадника, по-прежнему неторопливо спускался в выгул, как уверенно шел к совершенно белой конюшне и черному квадрату пустоты в абсолютной, полной тишине, словно бы окутанный ею, наконец, подойдя, поднял массивную кованую задвижку, запиравшую нижнюю половину двери; лишь после этого его движения стали неимоверно быстрыми, он рывком распахнул полудверь, отпрянув вместе с ней, и застыл между нею и стеной, держа в руке массивную дубинку; в следующий миг жеребец того же цвета, что и кромешная тьма внутри, вырвался на лунный свет, словно был привязан прямо к двери веревкой не длиннее часовой цепочки.

Вынесся конь с пронзительным ржаньем. Он казался чудовищем, летящим по воздуху: беснующаяся масса цвета рока или полуночи, грива и хвост взвивались языками черного пламени, выглядел он не просто смертью, потому что смерть — это стаз, а дьявольским наваждением: загубленное животное, вовеки невозродимое, вырвавшись на лунный свет, со злобным ржаньем носилось стремительным галопом по тесному кругу, поводя головой по сторонам в поисках человека, потом увидело наконец мистера Маккалема, умолкло и бросилось к нему, не узнавая его, пока он не отошел от стены и не прикрикнул.

Тут жеребец остановился, ноги его замерли как вкопанные, тело неподвижно покоилось на них, а мистер Маккалем с той же неимоверной быстротой подошел к нему и с размаху ударил дубинкой по морде, тут он снова пронзительно заржал, завертелся, закружился и пустился в галоп, а мистер Маккалем повернулся и пошел к изгороди. Он не бежал, шел шагом, пока дошел до изгороди и перелез через нее, конь проскакал вокруг него два полных круга, но больше не угрожал ему.

А капитан Гуальдрес все это время стоял, не шелохнувшись, твердо, незыблемо, даже не побледнев. Потом обратился к дяде, снова по-испански, но на сей раз Чарльз разобрал все.

— Я проиграл, — сказал капитан Гуальдрес.

— Не проиграли, — ответил дядя.

— Правда, — сказал капитан Гуальдрес. — Не проиграл. — И добавил: — Спасибо.

IV

Наступила суббота, идти в школу Чарльзу было не нужно, он мог провести весь день в конторе дяди и быть очевидцем конца, завершения дела, оставшихся мелочей, как представлялось ему, еще даже не знавшему в тот поздний час декабрьского дня своей способности удивляться и поражаться.

Ему даже не верилось, что Макс Гаррисс вернется из Мемфиса. Мистеру Марки, очевидно, тоже.

— Мемфисская полиция не может доставить арестанта обратно в Миссисипи, — сказал мистер Марки. — Ты это знаешь. Пусть ваш шериф пришлет кого-нибудь...

— Он не арестант, — сказал дядя. — Так и передай ему. Скажи, пусть вернется, нам надо поговорить.

В трубке с полминуты слышалось гудение, сто́ящее тех же денег, что и разговор. Потом мистер Марки сказал:

— Ты и вправду надеешься увидеть его, если я передам ему это и отпущу?

— Передай, — ответил дядя. — Пусть вернется, нам надо поговорить.

И Макс Гаррисс вернулся. Подъехал чуть раньше остальных, миновал переднюю и вошел в кабинет, пока двое других еще поднимались по лестнице; Чарльз затворил за ним дверь, и Макс остановился возле нее, уставясь на дядю, хрупкий, молодой и все еще элегантный, выглядел он немного усталым, изнуренным, словно мало спал ночью. Однако глаза его не выглядели ни молодыми, ни усталыми, они глядели на дядю так же, как позавчера вечером; и взгляд их был отнюдь не радостным. Но что бы ни таилось в этих глазах, там не было отнюдь ничего раболепного.

— Присаживайтесь, — сказал дядя.

— Благодарю, — ответил Макс незамедлительно и грубо, не презрительно: просто бесповоротно, безотлагательно, неприязненно. Но тут же сорвался с места. Подошел к столу и принялся с комической нарочитостью оглядывать кабинет. — Ищу Хэмпа Киллгрю, — сказал он. — Или, может, это даже сам шериф. Где вы его прячете? В водоохладителе? Если вы запихнули кого-то из них туда, сейчас они уже возмущены до смерти.

Но дядя не отвечал, и в конце концов Чарльз тоже поглядел на дядю. А дядя и не смотрел на Макса. Он даже повернулся вместе с вращающимся сиденьем и глядел в окно, не двигаясь, лишь незаметно поглаживая большим пальцем холодную глиняную трубку.

Затем Макс бросил паясничать и поглядел сверху вниз на профиль дяди суровыми безрадостными глазами, в которых было мало юности или покоя или чего-то такого, что должно было быть в них.

— Ну, ладно, — сказал Макс. — Вы не сможете доказать намерения, умысла. А то, что сможете доказать, даже и не стоит доказывать. Я это признаю. Подтверждаю. Я купил лошадь и поставил ее в частную конюшню во владениях своей матери. Видите ли, я немного разбираюсь в законах. Может быть, знаю их как раз настолько мало и неточно, чтобы стать первоклассным юристом в миссисипском городишке. А то даже членом законодательного собрания штата, хотя, возможно, слишком много, чтобы попасть в губернаторы.

Дядя по-прежнему не двигался, лишь поглаживал большим пальцем трубку.

— На вашем месте я бы сел, — сказал он.

— Сейчас на моем месте вы бы сделали не только это, — сказал Макс. — Так ведь?

Теперь дядя, упершись коленом в стол, развернулся вместе с сиденьем и оказался лицом к лицу с Максом.

— Мне ничего не нужно доказывать, — сказал дядя. — Потому что вы не собираетесь ничего отрицать.

— Да, — сказал Макс. Произнес это он незамедлительно, с презрением. — Я не отрицаю ничего. Ну и что? Где ваш шериф?

Дядя поглядел на Макса. Затем взял в рот мундштук холодной трубки, сделал затяжку, словно там был зажженный табак, и заговорил мягким, даже почти неуместным тоном:

— Я полагаю, что, когда мистер Маккалем привез коня, вы поставили его в частную конюшню капитана Гуальдреса, сказав всем конюхам и прочим неграм, что капитан Гуальдрес купил его сам и хочет, чтобы к нему никто не подходил. Им нетрудно было поверить, потому что капитан Гуальдрес уже купил одну лошадь и никому не позволял прикасаться к ней.

Но Макс не ответил, как и в тот вечер, когда дядя спросил, взят ли он на призывной учет. В лице его не было даже презрения, пока он ждал, когда дядя заговорит снова.

— Ну, хорошо, — сказал дядя. — Когда ваша сестра и капитан Гуальдрес должны пожениться?

И тут Чарльз понял, что таилось в этих суровых безрадостных глазах. Отчаяние и горе. Потому что видел, как ярость вспыхнула и жгла, палила, сжигала их, пока в них не осталось ничего, кроме ярости и ненависти, и подумал, что, возможно, дядя прав и существует много более низменных вещей, чем ненависть, и что если действительно ненавидишь кого-то, то, несомненно, это тот, кого тебе не удалось убить, даже если он не знает об этом.

— Я тут заключил несколько соглашений, — сказал дядя. — Вскоре узнаю, удачных или нет. И заключу еще одно, с вами. Вам не девятнадцать, а двадцать один, но вы еще даже не встали на военный учет. Идите в армию.

— В армию? — переспросил Гаррисс.

— В армию, — повторил дядя.

— Ясно, — сказал Гаррисс. — Пойти в армию или...

И рассмеялся. Он стоял перед столом, глядя сверху вниз на дядю и смеясь. Но глаза его не смеялись, смех исчезал лишь с его лица, постепенно преображая и глаза, хотя смеха в них вовсе не было, пока наконец они не стали походить на глаза его сестры позавчера: в них были горе и отчаяние, но без ужаса и страха, а дядя все это время попыхивал холодной трубкой.

— Нет, — сказал дядя. — Никаких «или». Только в армию. Вот смотрите. Возьмем покер (я полагаю, вы умеете играть в эту игру или по крайней мере — как многие люди — все-таки играете в нее). Вы берете карты. При этом оказывается, что у вас либо есть надежда на выигрыш, либо надо смириться с проигрышем. Взяв карты на руки, уже нельзя выйти из игры, потому что они не те, что вы ждали, хотели, надеялись; и дело здесь не в вашем азарте или бумажнике, а в других игроках, которые точно так же взяли на себя это невысказанное обязательство.

Они оба притихли, дядя даже перестал попыхивать трубкой. Потом Гаррисс издал глубокий вздох. Он был хорошо слышен: вдох и выдох.

— Прямо сейчас?

— Да, — ответил дядя. — Прямо сейчас. Поезжайте снова в Мемфис и записывайтесь добровольцем.

— Я... — заговорил Гаррисс. — Тут есть кой-какие...

— Знаю, — сказал дядя. — Но сейчас я бы не ездил туда. Когда будете зачислены, вам дадут несколько дней, чтобы вернуться домой и, скажем, привести свои дела в порядок. Поезжайте. Машина ваша внизу, так ведь? Езжайте прямо в Мемфис и записывайтесь.

— Да, — сказал Гаррисс. И снова глубоко вздохнул. — Я сам, один, спущусь, сяду в машину и поеду. А вы не боитесь, что я навсегда скроюсь от вас, и от армии, и от кого бы то ни было?

— Мне это даже в голову не приходило, — сказал дядя. — Будет вам легче, если вы дадите мне слово?

И все. Гаррисс еще секунду стоял у стола, потом подошел к двери и остановился, чуть склонив голову. Затем поднял ее, и Чарльз подумал, что на его месте сделал бы то же самое: вышел бы в переднюю, где находились остальные. Но дядя вовремя подсказал.

— В окно, — сказал он, поднялся, выпустил Макса из окна на веранду, откуда вела на улицу лестница, закрыл окно, и все: по ступеням прозвучали быстрые шаги, однако ни визга шин, ни удаляющегося гудка теперь не было, и если Хэмптон Киллгрю или кто-то еще побежал вслед за ним с криком, то Чарльз с дядей не слышали этого. Затем Чарльз подошел к двери и пригласил сестру Макса и капитана Гуальдреса.

Капитан Гуальдрес даже в темном двубортном костюме, какой можно увидеть на любом человеке и какой есть у большинства людей, по-прежнему выглядел отлитым из бронзы или другого металла. И даже по-прежнему наводил на мысль о лошадях. Как не сразу догадался Чарльз — оттого, что ему недоставало лошади; и лишь после этого заметил, что жена немного повыше капитана Гуальдреса. Казалось, без лошади капитан Гуальдрес ущербен не только в отношении подвижности, но и в росте, а ноги его, когда он стоит на них, не предназначаются для разглядывания и сравнивания с другими.

Жена его была тоже в темном платье, в темно-синем, в каких новобрачные «уходят», путешествуют, в изящном роскошном меховом манто с цветами (орхидеями, разумеется. Чарльз слышал об орхидеях с детства, так что понял, что прежде ни разу их не видел. Но сразу догадался, что это они; на этом манто у этой новобрачной не могло быть ничего иного), приколотыми к воротнику, и с еще видневшейся на щеке тонкой царапиной от ногтя Кейли.

Капитан Гуальдрес не садился, поэтому Чарльз и дядя тоже оставались на ногах.

— Я приехал сказать «до свиданья», — сказал капитан Гуальдрес по-английски. — И принять ваши... как это сказать...

— Пожелания счастья, — сказал дядя. — И поздравления. Тысячу поздравлений. Могу я спросить, давно ли?

— Вот уже, — капитан Гуальдрес взглянул на свои часы, — уже час. Мы только что от падре. Наша мама тут же вернулась домой. Мы решили не ждать. И пришли сказать «до свиданья». Я говорю.

— Не «до свиданья», — сказал дядя.

— Да. Сейчас. Через, — капитан Гуальдрес снова взглянул на часы, — пять минут нас здесь уже не будет. — (Дело в том, как говорил дядя, что капитан Гуальдрес не только твердо знал, что ему нужно делать, но нередко и делал это.) — Назад в мою страну. Campo. Очевидно, мне и не стоило ее покидать. Эта страна прекрасна, но тут очень тяжело простому gaucho, paysano[1]. Но теперь

---

[1] Крестьянин (*исп.*).

уже неважно. Теперь все позади. Поэтому я пришел сказать «до свидания» и еще сто раз gracias[1]. Затем он заговорил по-испански. Но Чарльз успевал все понимать. — Вы знаете испанский.. Моя жена обучалась только в лучших европейских монастырях для богатых американок и совсем не знает языков. В моей стране, Campo, есть поговорка: «Женатый — что мертвый». Но есть и другая: «Хочешь знать, где заночует всадник, — спроси коня». Так что и это тоже неважно; это все тоже позади. Поэтому я пришел сказать «до свиданья», «спасибо» и поздравить себя, что у вас нет приемных детей, в чью жизнь вы могли бы вмешиваться. Но, право же, я совсем не уверен в этом, потому что все возможно для человека ваших способностей и знаний, не говоря уж о вашей изобретательности. Так что мы поскорее возвращаемся в мою — нашу — страну, где вас нет. Потому что мне кажется, вы очень опасный человек, и не нравитесь мне. С Богом.

— С Богом, — сказал дядя тоже по-испански. — Я не стал бы торопить вас.

— Вы не можете, — сказал капитан Гуальдрес. — Вам и не нужно. Вам даже не нужно жалеть, что не можете.

После этого они ушли: через переднюю; Чарльз и дядя услышали, как хлопнула наружная дверь, потом увидели, как они прошли мимо окна веранды к лестнице, дядя вынул из жилетного кармана массивные часы на цепочке с болтающимся золотым ключиком и положил циферблатом вверх на стол.

— Пять минут, — сказал дядя. И Чарльзу бы тут в самый раз спросить напрямик у него, что было другой ставкой в пари с капитаном Гуальдресом, но теперь он знал, что задавать вопросы нет необходимости; собственно говоря, он понимал, что необходимость задавать вопросы кончилась в четверг вечером, когда он закрыл

---

[1] Спасибо (*исп.*).

дверь за Максом Гаррисcом и его сестрой, а вернувшись, обнаружил, что у дяди нет намерения идти спать.

Поэтому Чарльз молча смотрел, как дядя положил часы и по обе стороны их слегка разведенные руки. Он даже не садился.

— Ради приличия. Ради скромности, — сказал дядя, потом, уже зашевелясь, продолжал на том же дыхании: — Хотя, пожалуй, у меня было слишком много и того, и другого, — взял часы, сунул снова в жилетный карман, пошел в переднюю, взял шляпу и пальто и вышел, даже не бросив Чарльзу через плечо «запри», спустился по лестнице и, когда Чарльз подошел, уже стоял возле машины, держа дверцу распахнутой. — Садись за руль, — сказал дядя. — Только имей в виду, это не прошлая ночь.

Чарльз сел за руль и повел машину через переполненную субботнюю Площадь, ему приходилось лавировать между встречными легковушками, грузовиками и фургонами, даже когда центр города остался позади. Однако дорога была свободна, можно было развить небольшую скорость — большую, будь он Максом Гаррисcом, едущим домой, а не Чарльзом Мэллисоном, везущим дядю из дому.

— Ну? — сказал дядя. — Почему не прибавляешь газу? Нога отнялась?

— Сам же только сказал — это не прошлая ночь, — ответил Чарльз.

— Конечно, — сказал дядя. — Сейчас нет лошади, готовой растоптать капитана Гуальдреса, к тому же без нее вполне можно было обойтись. Теперь с ним нечто гораздо более действенное и неотвратимое, чем бешеный жеребец.

— Что же это? — спросил Чарльз.

— Голубка, — ответил дядя. — Ну, чего еле ползешь? Боишься?

И тут они лишь вдвое медленней Макса Гаррисса поехали по дороге, которую барон не успел покрыть бетоном, но, будь он заранее предупрежден, ради этого, пожалуй, забросил бы другие дела, и не ради собственного удобства, потому что не ездил по ней; он летал в Новый Орлеан и обратно на собственном самолете, так что джефферсонцам приходилось ездить туда, чтобы повидать его; а из прихоти истратить большие деньги на то, чем, как знал и он сам, и все знакомые, пользоваться он не будет, подобно Хью Лонгу[1] из Луизианы, который стал основателем, владельцем и издателем литературного журнала, в то время, как говорил дядя, одного из лучших, но ни разу не заглянул в него, возможно, он даже не интересовался, что думают о нем авторы и редакторы, как и барон не интересовался, что думают о нем те фермеры, чья живность с воплями гибла под колесами его гостей; теперь они ехали быстро, только что пошла вторая половина декабрьского дня — зимнего, шестого дня зимы, как говорили старики, ведущие отсчет с первого декабря.

Она (дорога) не всегда была покрыта и гравием, в прежние времена она краснела, извиваясь между холмами, потом выпрямлялась и чернела там, где простирались богатые аллювиальные плодородные земли; очень узкая, потому что земля слишком богата, слишком хорошо родила хлопок и кукурузу, чтобы люди оставляли пространство для разъезда друг с другом, на ней отпечатывались лишь полосы от колес экипажа и фургона и разомкнутые «О» от подков лошадей и мулов — два, три или четыре раза в год, когда прежний владелец, тесть барона, отрывался от Горация и виски и ехал в город проголосовать, продать хлопок, уплатить налоги, побывать на похоронах или свадьбе, а потом возвращался к разбавленному виски и латинским стихам по голой земле, где колеса и даже копыта, кроме как на скаку, не изда-

[1] Лонг, Хью (1893 — 1935) — американский политический деятель. Имеется в виду журнал «Сазерн ревью». (*Прим. пер.*)

вали ни звука, так что слышалось лишь поскрипывание упряжи; к полям, тогда разграниченным, можно сказать, лишь в его и соседей памяти, взглядах и убеждениях, почти без оград, не говоря уж о панелях и жердевых секциях, спроектированных в Виргинии и на Лонг-Айленде и сработанных на заводах в Грэнд-Рэпидсе; к газону, тогда бывшему рощицей чахлых дубков, не знающих садовых ножниц, секаторов, сучкорезов и садовых машин в легкой дымке выхлопных газов; к дому, служившему придатком к передней веранде, где он сиживал с серебряным стаканом и томиком в потертом переплете из телячьей кожи; к саду, бывшему просто садом, заросшему и тоже чахлому, с одними и теми же неизменными, постоянными цветами: кустами одичавших роз и сирени, маргаритками и флоксами, к скупому, долгому, неяркому цветению осени, гармонирующему с разбавленным виски и одами Горация: скромному, стойкому.

Это был покой, говорил дядя. Он сказал это единственный раз двенадцать лет назад, когда Чарльзу еще не исполнилось шести, едва он подрос настолько, чтобы слушать, о чем дядя даже упомянул: «Ты еще не достиг возраста, чтобы слушать об этом, но я еще не вышел из возраста, чтобы сказать это. Через десять лет я этого уже не скажу». И Чарльз спросил:

— Значит, через десять лет это будет неправда?

А дядя ответил:

— Через десять лет я не стану говорить этого, потому что буду на десять лет старше, а единственное, чему учит возраст, — это не страх и тем более не правдивость, а только стыд. — Та весна 1919 года казалась садом в конце тоннеля крови, экскрементов и страха, в котором целое поколение молодых людей всего мира жило, словно обезумевшие муравьи, каждый сам по себе в предвиденье той минуты, когда и он должен слиться с безликой под слоем крови и грязи массой, каждый сам по себе (это подтверждало по меньшей мере один из пунктов дядиной теории, по крайней мере насчет правдивости) с неотвязной мыслью, ясен ли другим его страх, как ему самому. Потому что пехотинец в свои тянущиеся минуты или летчик в свои сжатые секунды не имеют ни друзей, ни товарищей, как свинья у корыта или волк в стае. А когда тоннель наконец кончается и они выходят из него — если только выходят, — то у них по-прежнему никого нет. Потому что (но по крайней мере Чарльз надеялся, что дядя прав насчет стыда) они утратили нечто личное, дорогое и незаменимое, оно распылилось, рассеялось, стало общим для всех уцелевших: я уже не только Джон Доу из Джефферсона, штат Миссисипи, я еще и Джо Джиннота из Ист-Ориндже, Нью Джерси, и Чарли Лонгфезер из Шошоуна, Айдахо, и Гарри Уонг из Сан-Франциско; а Гарри, Чарли и Джо тоже Джон Доу из Джефферсона, штат Миссисипи. Но эта смесь все равно по-прежнему мы, так что нам невозможно ее отвергнуть. Вот почему и существуют Американские легионы. И хотя мы можем спокойно смотреть, как Джон Доу проявляется в Гарри, Джо и Чарли, смириться с тем, как Чарли, Гарри и Джо проявляются в Джоне Доу, невозможно. Вот почему, пока мы были молоды и верили в жизнь, в Американских легионах устраивались массовые попойки.

Однако справедлив был только пункт насчет стыда, потому что дядя сказал это двенадцать лет назад и больше не повторял. А все остальное было ошибочно даже двенадцать лет назад, когда дяде еще не было сорока, он уже тогда терял связь с тем, что было истинной правдой: что на войну идешь, как свойственно молодым людям, ради славы, потому что нет более славного способа заслужить ее, а риск и страх смерти не только единственная цена, за которую можно приобрести то, что приобретаешь, но и самая дешевая, какую могут с тебя запросить, и трагедия не в том, что ты гибнешь, а в том, что тебя уже нет, чтобы увидеть славу; тебе хочется не уничтожить тайную жажду — тебе хочется утолить ее.

Но это было двенадцать лет назад; теперь дядя сперва сказал лишь:

— Останови. Я сяду за руль.

— Нет, — ответил Чарльз. — Мы и так едем быстро.

Через милю должна была начаться белая изгородь; через две они должны были подъехать к воротам и даже увидеть дом.

— Это был покой, — сказал дядя. — Сперва я даже не мог спать ночами. Но мне и не хотелось спать; мне хотелось не упускать той тишины: просто лежать в темноте и вспоминать, завтра, послезавтра, всю яркую весну, апрель, май, июнь, утро, день и вечер проходили впустую, а потом снова наступали темнота и тишина, и я просто лежал, потому что мне было не нужно спать. А потом увидел ее. Она сидела в старой, заляпанной птичьим пометом «виктории», которую везли две непарные рабочие лошади, а правил ими даже не обувшийся негр-работник. И твоя мать была не права. Она вовсе не выглядела разряженной куклой. Она казалась маленькой девочкой, разыгрывающей в этом доме-экипаже взрослую, но разыгрывающей всерьез; скажем, как двенадцатилетний ребенок, осиротевший в результате неожиданной катастрофы, на плечи которого легла забота обо всех младших братишках и сестренках, может, даже и о дедушке или бабушке, ему приходится кормить малышей, стирать и менять им одежду; он еще слишком мал, чтобы жить интересами других, тем более иметь понятие, представление о той страсти и тайне, что произвели их на свет, а только оно могло бы сделать неустанные хлопоты терпимыми или хотя бы объяснимыми.

Но, конечно, от хлопот она была избавлена. У нее не было никого, кроме отца, и, скорее, все обстояло наоборот: отец обрабатывал землю и заведовал домашним хозяйством, но при этом в любое время мог отправить с поля лошадей и погонщика в шестимильный путь до города и обратно, сидя на огромном сиденье старого экипажа, она напоминала старую миниатюру: скромная, спокойная, сдержанная, словно бы отставшая на десять лет от своего возраста и на пятьдесят от своего времени.

Но у меня складывалось вот какое впечатление: ребенок играет в домик в глухом, вечном саду на выходе из красного, зловонного тоннеля, и вот я однажды, неожиданно и окончательно, понял, что тишина — это еще не покой. Произошло это, когда я увидел ее в третий или в десятый или в тридцатый раз, не помню в который, но однажды утром я остановился у стоящего экипажа с босым негром на козлах, и она показалась мне на линялом, грязном огромном сиденье сошедшей со старой открытки или с конфетной коробки девятьсот четвертого года (когда экипаж проезжал мимо, видно было лишь ее руку, а сзади не было видно и руки, хотя упряжка и работник снимались с поля явно не для того, чтобы работнику прокатиться в город и обратно); однажды утром я остановился у стоящего экипажа, а со всех сторон неслись и громко гудели яркие, шумные, блестящие, новые автомобили, потому что война была выиграна и теперь каждый будет навеки богат и спокоен.

— Я Гэвин Стивенс, — сказал я. — И мне почти тридцать.

— Знаю, — ответила она.

Но я чувствовал себя тридцатилетним, хотя тридцати мне еще не исполнилось. Ей было шестнадцать. А разве скажешь ребенку (как мы тогда выражались) «Давай встретимся»? И как (в тридцать-то лет) вести себя с ребенком? Кроме того, просто так пригласить ребенка нельзя, нужно еще спросить согласия родителей. И вот, едва сгустились сумерки, я остановил у ворот машину твоей бабушки и вышел. Тогда там был сад, отнюдь не мечта цветовода. Места он занимал куда больше, чем пять или шесть сложенных вместе ковров, там были старые кусты роз, калликанты, покосившиеся некращеные беседки, обвитые зеленью решетки и клумбы многолетних цветов, которые пересевались сами, без постороннего вмешательства, помощи или поддержки, и посреди сада стояла она, глядела, как я вхожу в ворота и иду по дорожке, пока я не скрылся из ее глаз. Я знал, что она не двинется с места, поднялся по ступенькам туда, где старый джентльмен сидел в ореховом кресле с щенком-сеттером у ног, перед ним стоял серебряный стакан, лежала книга с закладкой, и я сказал:

— Позвольте мне обручиться с ней. (Заметь, как я выразился: мне с ней.) Знаю, — сказал я. — Знаю: не теперь. Не сейчас. Только позвольте нам считаться обрученными, и мы больше не будем даже думать об этом.

А она не двинулась с места, даже чтобы послушать. Потому что нас было не услышать, а кроме того, ей это было и не нужно: она просто стояла в полумраке, в сумерках, не двигаясь, не шевелясь; мне даже пришлось запрокинуть ей лицо, это оказалось не труднее, чем приподнять гроздь жимолости. И словно бы отведал шербета.

— Я не умею, — сказала она. — Ты должен будешь меня научить.

— Тогда не учись, — сказал я. — Ничего. Это совсем неважно. Не надо учиться.

Это походило на шербет: конец весны, лето и долгий конец лета; темнота и тишина, в которых лежишь, вспоминая о шербете, не пробуя его снова, потому что шербет пробовать снова не нужно; шербета не нужно много, потому что его не забудешь. Потом настало время возвращаться в Германию, и я привез ей кольцо. Я уже сам надел его на ленту.

— Ты хочешь, чтобы я пока не носила его? — спросила она.

— Да, — сказал я. — Не хочу. Вот что. Если хочешь, повесь его тут, на кусте. Это всего-навсего кусочек стекла и цветного металла; ему, очевидно, не просуществовать и тысячи лет.

Я вернулся в Гейдельберг и ежемесячно получал письма, говорившие ни о чем. Да и что они могли сказать? Ей было всего шестнадцать; о чем в шестнадцать лет можно писать или хотя бы говорить? И ежемесячно я отвечал, тоже говоря ни о чем, как в шестнадцать лет перевести это, если и мне приходилось переводить? И вот этого я так и не понял, так и не выяснил, — сказал дядя.

Они почти доехали; Чарльз уже замедлял ход перед въездом в ворота.

— Не как ей перевели немецкий, — сказал дядя. — А как, кто бы там ни перевел ей немецкий, переводил и английский.

— Немецкий? — переспросил Чарльз. — Ты писал ей по-немецки?

— Было два письма, — сказал дядя. — Я написал их в один присест, запечатал и отправил, перепутав конверты. Осторожно! — вдруг крикнул он и даже потянулся к рулю. Но Чарльз вовремя выровнял машину.

— Другое тоже было адресовано женщине, — догадался Чарльз.

— Да. Так что... Она была русская, — сказал дядя после паузы. — Бежала из Москвы. За что долго расплачивалась. Ей тоже пришлось пережить войну. О, моя филистимлянка! Познакомился я с ней в Париже в восемнадцатом году. Осенью девятнадцатого, уезжая из Америки в Гейдельберг, я полагал, считал, что забыл ее. Но однажды, посреди океана, мне пришло в голову, что я не думал о ней с весны. И тут я понял, что не забыл. Я изменил маршрут и отправился сперва в Париж; она должна была поехать за мной в Гейдельберг, как только кто-нибудь поставит ей визу на те документы, что были у нее. Я писал и ей каждый месяц, пока мы ждали. Возможно, пока ждал я. Не забывай о моем возрасте. Тогда я был европейцем. Тогда мне, как и всем впечатлительным американцам, казалось, что необходимое будущим поколениям даже не для человеческого духа, а просто для цивилизации находится в Европе. Или, может, дело было вовсе не в этом, а просто в шербете, я не испытывал аллергии к шербету, не был даже равнодушен к нему, а просто был лишен его; те два письма я писал в один присест, потому что над одним не приходилось даже думать, оно истекало откуда-то изнутри к кончикам пальцев, к острию пера, к чернилам, минуя мозг: поэтому я даже не мог припомнить, что могло быть в одном из них, ушедших не к тем адресатам, хотя особенно сомневаться не приходилось; мне даже в голову не приходило быть повнимательней с ними, потому что они существовали в разных мирах, хотя их писала одна и та же рука за тем же самым столом, на листах из той же самой стопки, тем же непрерывным движением пера, под тем же двухпфенниговым электрическим светом, пока минутная стрелка отсчитывала те же минуты.

Они приехали. Дяде не пришлось говорить «стой»; Чарльз уже разместил машину на пустой подъездной аллее, слишком широкой, слишком манерной, слишком тщательно покрытой гравием и выровненной даже для микроавтобуса, лимузина, одной-двух машин с откидным верхом и какой-нибудь машины для слуг; дядя, не медля, вылез и зашагал к дому, пока Чарльз еще договаривал:

— Мне туда незачем идти, так ведь?

— Не слишком ли ты далеко зашел, чтобы теперь отступать? — ответил дядя.

Чарльз тоже вылез и последовал за дядей по мощеной дорожке, слишком широкой, слишком щедро вымощенной плитами, к боковому крыльцу, которое президент с кабинетом министров или верховный суд сочли бы вполне подходящим, хотя и слишком уютным для конгресса, а сам дом походил на нечто среднее между гигантским свадебным пирогом и недавно побеленным тентом цирка; дядя шел быстро и говорил на ходу:

— Мы удивительно равнодушны к некоторым очень разумным иностранным обычаям. Представь себе, какое было бы пламя с его гробом на штабеле облитых бензином шпал посреди крыши: амортизация дома заодно с погребением его создателя.

Они вошли; негр-дворецкий, открыв дверь, тут же исчез, и дядя с племянником остались вдвоем в комнате, где капитан Гуальдрес (поскольку он был кавалеристом) мог бы выстроить весь свой эскадрон вместе с лошадьми, однако Чарльз почти ничего в ней не разглядел, по-

15 Заказ 2107

тому что в глаза ему бросилась орхидея: он узнал ее сразу, мгновенно, без удивления, даже без любопытства. Потом исчезли даже приподнятость, взбудораженность от этой громадности, потому что вошла она: шаги ее доносились из коридора, потом из-за двери, однако Чарльз еще раньше уловил тот самый аромат, словно кто-то по бестактности, неловкости, ошибке открыл ящик старого комода и сорок слуг на резиновых подметках неистово мчались по длинным коридорам и роскошным комнатам, спеша закрыть его; она вошла, остановилась и вскинула руки ладонями вперед, не успев даже взглянуть на Чарльза, потому что дядя, в сущности, даже не останавливавшийся, уже шел к ней.

— Я Гэвин Стивенс, и теперь мне почти пятьдесят, — сказал дядя, приближаясь к ней, даже когда она начала отходить, отступать, поднимая руки все выше, ладонями навстречу дяде, а дядя шел и шел прямо к этим рукам, хотя она пыталась удержать его на расстоянии, чтобы по крайней мере дать себе время подавить желание повернуться и убежать: было уже поздно, даже если она хотела этого или по крайней мере считала, что ей следует поступить так, но было уже поздно, дядя остановился и обернулся к Чарльзу.

— Ну? — сказал дядя. — Можешь сказать хоть что-нибудь? Миссис Гаррисс устроит даже «рад видеть вас».

Чарльз начал было говорить «прошу прощения». Но тут его осенило:

— Благословляю вас, дети мои, — сказал он.

V

Происходило это в субботу. Следующий день был седьмое декабря[1]. Однако еще до отъезда Чарльза витри-

---

[1] День нападения Японии на Перл-Харбор — военно-морскую базу США на Гавайских островах. (*Прим. пер.*)

ны засверкали елочными игрушками, блестками, искусственным снегом, как и во всяком декабре, во всяком году, предрождественская атмосфера была оживленной, веселой, несмотря на далекую канонаду; эта канонада, свист пуль, стоны и проклятия раненых должны были отозваться эхом здесь, в Джефферсоне, еще много недель или месяцев спустя.

А когда Чарльз вновь увидел Джефферсон, уже наступила весна. Фургоны и пикапы фермеров с холмов, пяти- и десятитонные грузовики плантаторов и предпринимателей из низины подъезжали задом к грузовым платформам семенных хранилищ и складов удобрений, а трактора и запряженные попарно или по трое мулы двигались по полям, нарушая зимний сон земли: пахали, бороновали, чистили и дисковали; вскоре должен был зацвести кизил, появиться козодой, но шел только 1942 год, и пройдет еще некоторое время, прежде чем телеграммы Военного и Военно-Морского министерств будут передаваться по открытым телефонным каналам и утром по четвергам почтальон будет опускать в одиноко висящие на столбах почтовые ящики еженедельник «Йокнапатофа Кларион» с фотографией и кратким сообщением о смерти, уже привычными и вместе с тем непонятными, словно китайский язык или санскрит, — лицо парня на снимке еще почти детское, на мундире еще не разгладились складки от лежания на складских полках, географические названия, которых те, кто породил снятого на фотографии словно бы для того, чтобы он погиб там, ни разу не слышали и тем более не произносили.

Дело в том, что генерал-инспектор был прав. Действительно, Бенбоу Сарторис, бывший только девятнадцатым в классе, уже получил офицерское звание и находился в Англии при чем-то секретном. Куда и он, Чарльз, первый в батальонном списке и к тому же старший курсант, успел бы попасть, если б, как обычно, не променял кукушку на ястреба: теперь у него не было ни портупеи, ни сабли, ни причудливых ромбиков, был лишь голубой околыш, и хотя ему, как старшему курсанту, сократили срок наземной подготовки, пройдет около года, пока значок с крылышками на фуражке не окажется над левым карманом (со щитом летчика посередине, надеялся он, или хотя бы с глобусом штурмана-навигатора, или уж в крайнем случае с бомбой штурмана-бомбардира).

Собственно, Чарльз даже не возвращался в Джефферсон, а проезжал его по пути от предварительных занятий к основным, наконец-то к самолетам, и мог провести на станции лишь столько времени, чтобы мать могла сесть в вагон и доехать с ним до железнодорожного узла, где ему предстояло пересесть на техасский поезд, а ей вернуться на первом же местном; он уже приближался, подъезжал, уже проезжал знакомые места: перекрестки, поля и леса, где бродил мальчишкой, потом подростком, а когда наконец вырос и взял в руки ружье, то охотился сперва на зайцев, а потом и на перепелок влет.

Затем появились и убогие предместья, неизменные и недолговечные, знакомые, как собственное ненасытное, неукротимое, неуемное сердце или тело и конечности или рост ногтей и волос: сперва негритянские лачуги, некрашеные, обшарпанные и, если повнимательней приглядеться, слегка, самую малость, скособоченные: не по вертикали, а по отношению друг к другу, словно каждую строили разные архитекторы, в разной перспективе, с разными замыслами, по крайней мере в разное время, уцелевшие вопреки всем невзгодам, может, даже не ощутив, не заметив их, каждая с поросенком в таком маленьком хлеву, что, казалось, поросенку там не поместиться, почти каждая с привязанной коровой и несколькими цыплятами, все это — лачуга, навес для умывания и колодец — казалось непрочным, временным, чуждым и вместе с тем незыблемо стойким, словно пещера Робинзона; затем пошли дома белых, они были не крупнее негритянских, однако назвать лачугами их было нельзя, по крайней мере при хозяевах, иначе драки не миновать, крашеные или хотя бы некогда крашенные, главное отличие их состояло в том, что внутри они были не так чисты.

Затем начался город: промелькнул перекресток мощеных улиц, не столь уж далекий от дома, где родился Чарльз, над деревьями показались водонапорная башня и золоченый крест на шпиле епископальной церкви, и Чарльз больше ничего уже не мог разглядеть: он уткнулся лицом в грязное стекло, словно восьмилетний, поезд стал замедлять ход под стук и грохот стрелочных стыков среди товарных и конских вагонов, платформ и цистерн, и вот появились они, крохотные в масштабах громадной земли, по которой проезжал Чарльз, однако невероятно стойкие, он глядел на них с чем-то похожим на ужас, словно восьмилетний ребенок, — на мать, на дядю, на новую тетю: мать в течение двадцати лет была замужем за одним мужчиной и воспитала другого, и новая тетя примерно в течение того же времени была замужем за двумя и видела в своем доме еще двух, сражавшихся друг с другом на конях и на кочергах, так что он не удивился, даже толком не понял, как это произошло: мать была уже в вагоне, новая тетя возвращалась к ждущей машине, а он и дядя продолжали разговор с глазу на глаз.

— Что ж, сквайр, — сказал Чарльз. — Ты не только лишний раз спускался в колодец, ты бросил туда кувшин, а потом прыгнул за ним. У меня есть поручение от твоего сына.

— От кого? — переспросил дядя.

— Ну, ладно, — сказал Чарльз. — От зятя. Мужа твоей дочери. Которому ты не нравишься. Он приезжал в лагерь повидать меня. Он теперь кавалерист. То бишь солдат, американец. — И перешел к сжатому пересказу: — Видишь, в чем дело. Как-то ночью один знакомый американец пытался убить его с помощью лошади. На другой день он женился на сестре этого американца. Через день после этого японец бомбил другого американца на островке в двух тысячах миль отсюда. И он на третий день вступил в армию, не в свою, где был офицером запаса, а в иностранную, лишившись при этом не только своего звания, но и гражданства, ему наверняка приходилось прибегать к услугам переводчика, чтобы объяснить новобрачной и новому правительству свои намерения, — припоминая по ходу рассказа без удивления или с непреходящим, неуемным удивлением ребенка, неуемно смотрящего непреходящих, однообразных Панча и Джуди[1]: — тот день, внезапный вызов в канцелярию, там был капитан Гуальдрес, он наводил на мысль о лошадях больше, чем когда бы то ни было, может, оттого, что сам избрал для себя единственное место или условие на свете — кавалерийский полк армии США в тысяча девятьсот сорок втором году, — где до самого конца войны даже не увидит лошадей... — и его (Чарльза) рассказ был таким же однообразным: — У него был вид не храброго, а бесшабашного человека, который не собирается жертвовать никому, никакому правительству жизнь или часть тела в благодарность за что-то или в протест против чего-то, который в последний, решающий миг не придаст никакого значения бессмысленному, безобидному граду пуль, как не придавал безобидному топоту хрупких конских копыт; ненависти к немцам, японцам или хотя бы к Гаррисам он не испытывал, на войну пошел не потому, что немцы разорили весь континент и превращали целый народ в удобрение и смазочное масло, а из-за того, что по их вине кавалерийские части в цивилизованной армии стали кавалерийскими только по названию, когда я вошел, он поднялся со стула и сказал:

— Я приехал, чтобы вы могли увидеть меня. Вы меня увидели. Теперь вернетесь к своему дяде и скажете: «Возможно, теперь вы удовлетворены».

— Чем? — спросил дядя.

---

[1] Персонажи, муж и жена кукольного спектакля «Панч и Джуди», известны в Англии с XVII века.

— Понятия не имею, — отвечал Чарльз. — Он сказал только, что приехал из Канзаса, дабы я мог увидеть его в этой робе, а потом вернуться к тебе и сказать: «Возможно, теперь вы удовлетворены».

Чарльзу было пора возвращаться на место; от багажного вагона уже откатили тележку, начальник поезда даже высунулся из двери и глядел назад, а мистер Мак-Уильямс, проводник, стоял с часами в руке на подножке, но все же не орал на него, Чарльза, потому что он, Чарльз, был в мундире, а в 1942 году штатские еще не свыклись с войной. Поэтому Чарльз сказал:

— Да, вот еще что. Те письма. Два письма. Два перепутанных конверта.

Дядя взглянул на него.

— Тебе не нравятся совпадения?

— Я их обожаю, — ответил Чарльз. — Это одна из важнейших вещей в жизни. Как непорочность. Только, как и непорочность, они не повторяются. Свою я пока что намерен сохранить.

Дядя поглядел на него лукаво, насмешливо и вместе с тем серьезно.

— Ну, ладно, — сказал он. — Слушай. Улица. В Париже. Как мы, йокнапатофцы, выражаемся, на расстоянии плевка от Буа-де-Булонь, название свое она получила не раньше последних сражений восемнадцатого года и Версальского мира — тогда этому еще не было и пяти лет; столь непритязательная и тихая, что была известна только уборщикам мусора и бюро по найму старшей прислуги и младших секретарей посольств. Но это неважно; ее больше не существует, а кроме того, ты никогда не попадешь туда.

— А может, попаду, — сказал Чарльз. — Может, все же погляжу, где это происходило.

— Ты можешь сделать это здесь, — сказал дядя. — В библиотеке. Просто открыв Конрада на нужной странице: те же самые навощенные черно-красные полы, позолота, фаянс, мебель с инкрустациями; вплоть до длинного зеркала, казалось вбирающего в себя, словно серебряное блюдо, весь свет дня, и в глубинах его словно бы плыл, будто лилия по собственному отражению, чистый, не омрачаемый мыслями лоб, на который наложили свой отпечаток лишь горе и верность...

— Как ты узнал, что она там? — спросил Чарльз.

— Прочел в газете, — ответил дядя. — В парижском «Геральде». Правительство Соединенных Штатов (правда, не сразу) получало подробную информацию о своем первом Американском экспедиционном корпусе во Франции. Но это ничто по сравнению с тем, как парижский «Геральд» освещал дела второго, начавшего высадку в Европе в девятнадцатом году... Только этот лоб не омрачался совершенно ничем: она просто сидела там, по-прежнему похожая на девочку, которой теперь весь мир помогает разыгрывать из себя королеву; и на сей раз посетитель пришел не воздать справедливость мертвому, потому что человек, чье послание принес посетитель, был отнюдь не мертвым; он отправил послание из Гейдельберга не с посланием, а с вопросом: он хотел знать. И я задал этот вопрос: — Почему ты не подождала меня? — сказал я. — Почему не дала телеграмму?

— Она ответила? — спросил Чарльз.

— Я же сказал, что лицо ее не омрачалось ничем, даже нерешительностью. Ответила. «Я была не нужна тебе, — сказала она. — Была недостаточно умна для тебя».

— А что сказал ты?

— Я ответил весьма корректно, — сказал дядя. — «Рад был видеть вас, миссис Гаррисс». Такое совпадение тебя устроит?

— Да, — сказал Чарльз.

Уже настало время отправки. Машинист даже посигналил Чарльзу. Мистер Мак-Уильямс не крикнул ему: «Поживей, парень, если едешь с нами», как сделал бы пять лет (и даже пять месяцев) назад; раздалось лишь два отрывистых, громких, нетерпеливых гудка: только лишь из-за его пока что новенького мундира, а человек, привыкший говорить без умолку, который бы не заметил, не ощутил струи воздуха, прошедшей через голосовые связки, чтобы прикрикнуть на него, не издал ни звука; вместо этого, просто потому, что Чарльз был в мундире, опытный специалист в стотонной машине ценой сто тысяч долларов потратил на три-четыре доллара угля и несколько фунтов добытого тяжелым трудом пара, напоминая восемнадцатилетнему парню, что он провел уже достаточно времени, сплетничая со своим дядей: и Чарльз подумал, что, видимо, поистине непобедимы та страна, тот народ, тот образ жизни, что могут не только примириться с войной, но даже легко подладиться к войне, пойдя с ней на компромисс: левой рукой, если можно так выразиться, почти не сковывая, даже не отвлекая, не рассеивая, даже не задевая внимания правой, все так же занятой давним, главным, неизбывным делом этого образа жизни.

— Да, — сказал он. — Это совпадение получше. Я и сам чуть было не сказал этого. А ведь сказано было двадцать лет назад. И тогда было верно, или, во всяком случае, достаточно верно тогда, или по крайней мере для тебя тогда. Прошло двадцать лет — и это уже неверно, или не совсем верно теперь, или не совсем верно теперь для тебя. И как только годы делают все это?

— Они сделали меня старше, — ответил дядя. — Я изменился к лучшему.

МОНАХ

Попробую рассказать о Монахе. Именно попробую — это не что иное, как попытка связать воедино несообразности его краткой, жалкой и пустой жизни, не просто воспользоваться нечеткими методами предположений, догадок и вымысла, а применить эти нечеткие методы к тому нечеткому и необъяснимому, что известно о нем.

Потому что только в литературе столь парадоксальные, даже взаимоисключающие подробности истории человеческого сердца можно совместить и силой искусства придать им правдоподобие и достоверность.

Монах был слабоумным, может быть, даже кретином; совершенно незачем было сажать его в тюрьму. Но когда его судили, у нас был молодой окружной прокурор, метивший в конгресс, а Монах не имел ни близких, ни денег, ни даже адвоката, вряд ли он вообще понимал, зачем ему адвокат или хотя бы что такое адвокат.

Так что суд назначил ему защитника, тоже молодого человека, совсем недавно принятого в коллегию, который, видимо, знал о практическом применении уголовного права лишь чуть больше Монаха. И в ходе суда он, возможно, представил подзащитного виновным или попросту забыл, что можно сделать заявление о его умственной неполноценности, поскольку Монах ни на секунду не отрицал, что покойного убил он. Во всяком случае, никто не помешал Монаху это утверждать, вернее, просто повторять. Он не раскаивался, но и не хвастал. Казалось, он пытался обратиться с речью к людям, задержавшим его у трупа до прибытия помощника шерифа, к помощнику шерифа, надзирателю и сокамерникам (бесшабашным неграм, арестованным за бродяжничество, азартные игры и торговлю виски в закоулках), к мировому судье, который вел процесс, к адвокату, которого назначил суд, и присяжным. Через час после убийства он как будто уже и не помнил, где оно произошло; не мог даже вспомнить человека, которого, по собственному утверждению, убил; своей жертвой он называл (да и то по намеку, подсказке) нескольких людей, которые были живы-здоровы, и даже одного из тех, кто присутствовал на суде. Однако не отрицал, что вообще убил кого-то. Здесь не было настойчивости, была просто невозмутимая констатация факта; Монах ясным, искренним, благожелательным голосом пытался произнести свою речь, объяснить что-то такое, чего судьи не могли понять и не хотели слушать. Он не раскаивался, не искал оснований для снисхождения, чтобы избежать расплаты за содеянное. Казалось, он пытался что-то обосновать, используя такую возможность навести мост через бездну между собой и миром, миром живых людей, могучей и многострадальной землей; подтверждением этому может служить та странная речь, которую пять лет спустя он произнес под виселицей.

Но, с другой стороны, ему и незачем было жить на этой земле. Он появился на свет, точнее, возник; никто не знал, родился он там или нет — в холмистой, поросшей сосняком местности на востоке нашего округа; местности, где двадцать пять лет назад (Монаху было около двадцати пяти) почти не было дорог и куда не показывался даже окружной шериф; местности неприступной, почти дикой, населенной приверженными к своему клану людьми, не подчиняющимися никому и ничему. Посторонние в глаза их не видывали, пока несколько лет назад автомобили не пробились по хорошим дорогам сквозь зеленые твердыни в этот край, обитатели которого с искаженными шотландско-ирландскими фамилиями женились на родственницах, гнали самогон и стреляли во всех чужаков из-за бревенчатых сараев и живых изгородей. По этим же хорошим дорогам и переправам завезли в Джефферсон не только Монаха, но и легенду о его происхождении, состоящую наполовину из слухов.

Дело в том, что жители тех мест знали немногим лучше нас историю старухи, даже среди этих завзятых нелюдимов жившей отшельницей в бревенчатом домике, держа прямо за входной дверью заряженный дробовик, и ее сына, который даже при местных нравах ухитрился всех восстановить против себя, совершил убийство и скрылся — возможно, был изгнан. Десять лет о нем не было ни слуху ни духу, и вдруг он вернулся с женщиной; эту женщину с жесткими, блестящими, отливающими металлом городскими волосами и жестким белым городским лицом видели только издали, когда она проходила по двору или стояла в двери и оглядывала зеленую глушь с холодной, зловещей, заносчивой неприступностью: даже убийственно, но убийственно по-змеиному, в отличие от их почти светского ритуала сперва окликать, а потом уже пускать в ход оружие. Потом оба исчезли. Никто не знал ни когда и почему они скрылись, ни когда и зачем появились. Поговаривали, будто однажды ночью старуха, миссис Одлетроп, угрожая дробовиком, прогнала их из дома и из округи.

Так или иначе, они исчезли; и прошли месяцы, прежде чем соседи обнаружили, что в доме находится ребенок, младенец; привезли его туда или он там родился — опять-таки никто не знал. Это и был Монах. А дальше рассказывалось, что через пять или шесть лет из дома понесло трупным запахом; несколько человек вошли туда, где старая миссис Одлетроп уже с неделю лежала мертвой, и обнаружили маленькое существо в одной рубашке из наматрасника, малыш силился поднять дробовик, стоящий у двери. Они так и не смогли поймать Монаха. То есть им не удалось схватить его сразу, а другой возможности не представилось. Но он далеко не уходил.

Люди догадывались, что он откуда-то следит за ними, и когда тело готовили к погребению, и когда предавали земле. Некоторое время ребенок не попадался на глаза, хотя все знали, что он где-то поблизости, а в ближайшее воскресенье вдруг обнаружили, что он голыми руками и палкой раскапывает могилу. Яма была уже большая. Ее засыпали, и ночью несколько человек устроили в кустах засаду, чтобы поймать мальчика и хотя бы накормить. Но им снова не удалось схватить его — маленькое неистовое тельце (теперь оно было нагим) выскальзывало из рук, словно смазанное, и он скрылся без единого свойственного человеку звука.

После этого кое-кто из соседей стал приносить еду в пустой дом и оставлять там. Но ребенка никто ни разу не видел. Лишь через несколько месяцев прошел слух, что он живет у бездетного вдовца, старика по фамилии Фрейзер, известного самогонщика. Кажется, он прожил там десять лет, пока Фрейзер не помер. Очевидно, Фрейзер и дал ему кличку, с которой он приехал в город, потому что никто не знал, как называла его старая миссис Одлетроп. Вскоре он стал знаком или по крайней мере известен всей округе — невысокий, полноватый, словно ему было тридцать восемь, а не восемнадцать, парень с уродливым, хитровато-тупым наивным лицом, черты которого, очевидно, в большей степени, чем выражение, снискали ему прозвище Монах. Он платил человеку, который его подобрал и кормил, безграничной, безоглядной собачьей верностью и, по слухам, в восемнадцать лет гнал самогон не хуже самого Фрейзера.

Вот и все, чему он научился — гнать и продавать виски, что запрещалось законом, а потому делалось втайне. И это еще больше усиливает парадокс той памятной речи в день, когда за убийство начальника тюрьмы ему натянули на голову черный капюшон. Ведь он, кроме самогонного аппарата, знал только верность человеку, который кормил его и учил, что делать, как и когда; поэтому, когда Фрейзер умер и кто-то из проезжавших мимо на грузовике или в лимузине, сказал ему: «А ну, Монах, полезай сюда», он, словно бездомная собака, влез в машину и приехал в Джефферсон. С тех пор местом его жительства стала заправочная станция в двух-трех милях от города, там он спал на тюфяке в задней комнате, если тюфяк не был занят клиентом, слишком пьяным, чтобы вести машину или идти пешком; там он даже научился заливать бензин в бак и правильно давать сдачу, однако главной его обязанностью было помнить, в каком месте песчаной канавы, прорытой ярдах в пятистах от станции, спрятаны полупинтовые бутылки. Вскоре его знал и весь город, он носил яркую городскую одежду, на которую сменил комбинезон: цветные рубашки, линявшие после первой стирки, соломенные шляпы с лентами, расползавшиеся после первых капель дождя, и башмаки со шнурками, разваливающиеся прямо на ногах, был добродушным, необидчивым, разговорчивым, когда его кто-нибудь слушал, с хитровато-тупым лицом, лукавым и вместе с тем рассеянным, бледным даже под загаром, со странными признаками недостаточной связи между чувством и разумом.

Прожил он там семь лет, до той субботней ночи, когда на земле позади заправочной станции оказался мертвец (смерть его ни для кого не была утратой, но, как я уже говорил, у Монаха не было ни денег, ни друзей, ни адвоката), над которым стоял Монах с пистолетом в руке. Там были еще два человека, находившиеся с убитым весь вечер, и Монах все старался поведать задержавшим его, а затем и помощнику шерифа то, что потом пытался высказать воодушевленным, доброжелательным голосом на суде, словно звук выстрела разрушил тот барьер, за которым он жил двадцать пять лет, и теперь благодаря мертвому телу у своих ног он вдруг преодолел пропасть, отделявшую его от мира живых людей.

Дело в том, что представление о смерти у него было не шире, чем у животного, — и о смерти человека, над которым он стоял, и позднее о смерти начальника тюрьмы, и о своей собственной. Вещь эта у его ног была просто чем-то таким, что никогда больше не будет ходить, говорить или есть, поэтому никому не принесет ни добра, ни зла; и насчет добра он не ошибался. Он не обладал чувством утраты, непоправимого конца. Ему было жаль эту вещь, и только. Вряд ли он сознавал, что эта смерть повлечет за собой целую цепь, поток воздаяний, что за нее кому-то придется расплачиваться. Ибо не отрицал, что совершил убийство, хотя отрицание не принесло бы пользы, так как двое спутников убитого находились там, чтобы свидетельствовать против него. Но он и не отрицал, хотя не мог даже объяснить ни что произошло, ни из-за чего вышла ссора, ни даже, как я уже говорил, где это произошло, в кого он стрелял, и заявил было (я уже говорил и об этом), что жертвой его был человек, стоявший в ту минуту в толпе, хлынувшей вслед за ним в контору мирового судьи. Он все время просто пытался высказать то, что накопилось у него на душе за двадцать пять лет и от чего он лишь теперь нашел возможность (или, может, подходящие слова) освободиться. Но только через пять лет, под виселицей, ему удалось наконец сказать это (или что-то другое), чтобы в конце концов установить связь с древней, плодородной, могучей, многострадальной землей, сказать то, что стремился, но не мог, потому что его лишь теперь научили, как выразиться. Он пытался объяснить это помощнику шерифа, который арестовал его, и мировому судье, который его судил; в зале суда он стоял с таким выражением лица, какое бывает у человека, ждущего возможности заговорить. Когда читали обвинительный акт: «*...против порядка и достоинства суверенного штата Миссисипи, что вышеназванный Монах Одлетроп умышленно, злонамеренно и с заранее...*» — он вдруг перебил пронзительным, высоким голосом, который, замерев, оставил на его лице то же выражение изумления и оторопелости, какое появилось на всех лицах:

— Меня зовут не Монах; мое имя Стонуолл Джексон[1] Одлетроп.

Представляете? Если его и вправду так звали, то он не мог слышать этого имени уже почти двадцать лет, с тех пор, как умерла его бабушка (если та женщина была его бабушкой): а тут не мог припомнить даже обстоятельств убийства, совершенного месяц назад. И выдумать этого не мог. Он не мог знать, кто такой Стонуолл Джексон, чтобы назвать себя так. В школу он ходил всего один год. Несомненно, старик Фрейзер посылал его туда, но проучился он там недолго, учеба даже в первом

---

[1] Стонуолл (*англ.*) — Каменная Стена. Так был прозван Томас Джонатан Джексон (1824 — 1863), генерал армии южан в Гражданской войне между Севером и Югом США (1861 — 1865). (*Прим. пер.*)

классе сельской школы оказалась ему не по силам. Монах рассказывал об этом моему дяде, когда решался вопрос о его помиловании. Он не помнил, где была эта школа, когда и почему бросил ее. Но что ходил туда, помнил, потому что ему там нравилось. Запомнилось ему только, как ученики все вместе читали по книжке. Что читали, он не знал, потому что не понимал, о чем там говорилось; теперь он не мог написать даже своей фамилии. Но говорил, что было очень хорошо держать книжку и слышать все голоса вместе, а затем ощущать (он говорил, что не слышал собственного голоса) и свой среди остальных, потому что, как он выражался, в горле у него гудело. Так что о Стонуолле Джексоне он слышать не мог. И все же носил это имя, унаследованное у земли, у почвы, доставшейся ему от людей, избравших долю отверженных, — как символ горькой гордости и неукротимой стойкости земли и тех мужчин и женщин, что топтали ее и спали в ней.

Его осудили пожизненно. Это был один из самых коротких процессов, когда-либо проходивших в нашем округе, потому что, как я говорил, никто не жалел убитого и, казалось, никому не было дела до Монаха, кроме моего дяди Гэвина.

Монах до этого ни разу не ездил на поезде. В вагон он вошел, примкнутый наручниками к помощнику шерифа, в комбинезоне, которым кто-то, возможно суверенный штат, чей порядок и достоинство он оскорбил, снабдил его, и в новой, еще чистой шляпе наподобие панамской, купленной перед тем роковым вечером (было только первое июня, а он провел в тюрьме шесть недель). Ему досталось место у окна, он прижался пухлым тупым лицом к стеклу, сплюща нос, и помахивал пальцами свободной руки, пока поезд, огромный и закопченный, не тронулся, постепенно набирая скорость и лязгая буферами, увозя его, наглухо запертого, и оставляя всем ощущение безысходности, еще более неотвратимой, чем если бы люди видели, как тюремные ворота закрываются за ним, чтобы никогда больше не раскрыться.

Он оборачивался к стоящим на платформе, вытягивая шею, чтобы лучше видеть; лицо его за грязным стеклом было бледным и осунувшимся, однако хранило характерное для него недоуменное выражение и по-прежнему было спокойным, открытым, безмятежным и серьезным. Пять лет спустя один из спутников убитого в ту субботнюю ночь, умирая от пневмонии и пьянства, признался, что это он застрелил его и вложил пистолет в руку Монаха со словами: «Гляди, что ты натворил».

Дядя Гэвин добился помилования, он написал петицию, собрал подписи, побывал в законодательном собрании штата, где губернатор подписал и оформил документ, потом сам отвез его в тюрьму и сказал Монаху, что он свободен. Монах с минуту глядел на дядю Гэвина, пока не понял, а потом заплакал. Ему не хотелось на волю. Теперь Монах был привилегированным заключенным; он перенес на начальника тюрьмы ту собачью преданность, с которой относился к старому Фрейзеру.

Монах толком ничего не умел, разве что гнать и продавать виски, правда, с тех пор, как приехал в город, научился подметать заправочную станцию. Этим он занимался и здесь; жизнь его, должно быть, чем-то напоминала ему то время, когда он ходил в школу. Он подметал и не хуже женщины содержал в порядке дом, где жил начальник, а жена начальника научила его вязать; он с плачем показал дяде Гэвину свитер, который вязал начальнику ко дню рождения, — работы оставалось не на одну неделю.

С тем дядя Гэвин и вернулся. Помилование он привез назад, но не уничтожил, сказал, что оно зарегистрировано, и главное теперь — посмотреть в своде законов, можно ли исключить человека из тюрьмы, как из колледжа. Но по-моему, он все еще надеялся, что Монах передумает, вот почему, как мне кажется, и хранил документ.

Потом Монах освободился сам, безо всякой помощи. Случилось это через неделю после того, как дядя Гэвин говорил с ним; наверно, дядя еще не решил, где хранить помилование, когда до нас дошла эта новость. Она появилась в заголовках мемфисских газет на другой день, но нам ее сообщили в тот же вечер по телефону: Монах Одлетроп, очевидно возглавляя неудавшийся побег, безжалостно убил начальника тюрьмы из его же пистолета. На сей раз не оставалось никаких сомнений: пятьдесят человек видели это, а несколько заключенных схватили его и отняли пистолет. Да, монах, плакавший неделю назад, когда дядя Гэвин сообщил ему, что он свободен, возглавил побег и убил человека (которому вязал свитер и лил слезы, чтобы дали закончить) так безжалостно, что даже сообщники набросились на него.

Дядя Гэвин снова поехал к нему. Теперь Монах находился в одиночном заключении, в камере смертников. Он продолжал вязать. Вязал хорошо, говорил дядя Гэвин, и свитер был уже почти готов.

— У меня остается три дня, — сказал Монах. — Так что мне нельзя терять времени.

— Но почему же, Монах? — спросил дядя Гэвин. — Почему? Зачем ты это сделал?

Дядя говорил, что спицы ни на секунду не останавливались и не сбивались, даже когда Монах смотрел на него с обычным своим безмятежным, доброжелательным и почти восторженным выражением. У него не было представления о смерти. Мне не верится, что он связывал когда-либо труп, лежавший в ту ночь возле заправочной станции у его ног, с человеком, который только что ходил и разговаривал, или труп во дворе тюрьмы — с человеком, для которого вязал свитер.

— Я знал, что гнать и продавать виски нехорошо, — сказал он. — Знал, что это не то. Однако я...

Он взглянул на дядю Гэвина. Безмятежность не исчезла с его лица, однако на миг за ней что-то проступило: не разочарование, не сомнение, просто что-то ищущее, смутное.

— Однако что? — сказал дядя Гэвин. — Виски было не «то»? Что значит «то»?

— Да. Не то. — Монах глянул на дядю Гэвина. — Я вспомнил про тот день в поезде. Человек в фуражке заглядывал в дверь и кричал. Я спрашивал: «Это то? Это здесь нам сходить?», а помощник шерифа говорил — нет. Однако если б я ехал один и тот человек вошел бы и крикнул, я бы...

— Сошел не там? Так? А теперь ты знаешь, *что* хорошо и *где* нужно сходить?

— Да, — ответил Монах. — Теперь я знаю, что хорошо.

— Что? Что хорошо? Что ты знаешь теперь, чего тебе не говорили раньше?

И Монах сказал, что. Через три дня он взошел на помост, стал там, где ему велели, и покорно (даже без просьбы) склонил голову набок, чтобы завязать узел было удобнее, лицо его было по-прежнему безмятежным, по-прежнему восторженным, выражение, какое бывает у человека, ждущего возможности заговорить, не сходило с него, пока все не отошли назад. Видимо, он принял это за сигнал, потому что заговорил:

— Я согрешил против Бога и человека, но уже искупил это своим страданием. А теперь, — говорили, что эти слова Монах произнес громко, голос его был чист и безмятежен. Эти слова, вероятно, звучали для него торжественно и неопровержимо, возвышая его сердце, потому что говорил он уже из-под черного капюшона, — я выйду в вольный мир и начну обрабатывать землю.

Представляете? Это просто не увязывается. Даже если учесть, что Монах не сознавал, что смерть близка, то все равно его слова лишены всякого смысла. О земледелии он мог знать немногим больше, чем о Стонуолле Джексоне, ибо, конечно же, ничем подобным не занимался.

Он, понятно, видел все это — зерно и хлопок на полях, людей, работающих там. Но до сих пор не хотел заниматься этим, хотя, может, и захотел бы, окажись в других условиях. Однако он вдруг убивает человека, который хорошо отнесся к нему и, сознавал он это или нет, избавил от многих страданий; убивает человека, на которого перенес всю меру своей собачьей верности и преданности, из-за которого неделю назад отказался от помилования; мотивом послужило то, что ему захотелось вернуться в мир и обрабатывать землю — и эта перемена происходит с ним за одну неделю после того, как в течение пяти лет он был отторгнут и изолирован от мира надежней, чем любая монахиня. Если и допустить, что какая-то логическая мотивировка могла возникнуть в том разуме, которым он обладал, и оказаться достаточно сильной, чтобы толкнуть на убийство единственного друга (да, пистолет принадлежал начальнику тюрьмы; нам стало известно вот о чем: начальник хранил оружие дома, как-то оно исчезло, и он, держа пропажу в тайне, жестоко избил своего повара-негра, тоже привилегированного заключенного, заподозрить которого в краже было логично. Тогда Монах сам принялся искать пистолет, нашел там, куда начальник перепрятал его, а потом запамятовал, и вернул), если даже допустить все это, то каким образом там, где он находился, у него могло возникнуть желание обрабатывать землю? Эти соображения я изложил дяде Гэвину.

— Увязывается, — ответил дядя Гэвин. — Только у нас нет верного шифра. И у них тоже.

— У них? — переспросил я.

— Да. Убийцу Гэмбрелла они не повесили. Казнили только орудие убийства.

— Как это?

— Не знаю. И вряд ли удастся узнать. Скорее всего, не удастся. Но это увязывается, как ты выразился, где-то и как-то. В конце концов, не могла же судьба выкинуть такую шутку, тем более эта глупость в человеческом облике. Но последней шуткой судьбы, возможно, будет то, что мы никогда не узнаем об этом.

Однако мы все же узнали. Дядя Гэвин раскрыл это случайно и не рассказывал никому, кроме меня. Вы поймете, почему.

Тогда губернатором у нас был человек без роду и племени, с родословной лишь немного менее темной, чем у Монаха; политикан, хитрец, который (у нас многие опасались этого, и дядя Гэвин, и другие деятели штата) пошел бы далеко, будь он жив. Года через три после смерти Монаха он внезапно объявил что-то вроде юбилея. И назначил день заседания совета по амнистиям в тюрьме, где, как полагали, будет раздавать помилования так же, как английский король раздает рыцарские звания и ордена Подвязки в день своего рождения.

Вся оппозиция, конечно же, заговорила, будто он откровенно торгует помилованиями, но дядя Гэвин так не думал. Он сказал, что губернатор не так прост, — на будущий год намечены выборы, и он не только собирает голоса родичей тех, кто будет помилован, но и расставляет ловушку пуристам и моралистам, чтобы те обвинили его в продажности, а потом сели в лужу из-за отсутствия улик. Было известно, что он полностью держит в руках совет по амнистиям, так что единственным протестом, какой оппозиция могла выдвинуть, было требование создать присутственные комитеты, и губернатор (да, он был хитер) любезно одобрил эту инициативу и даже предоставил транспорт. Дядя Гэвин был одним из делегатов от нашего округа.

Всем этим неофициальным делегатам, говорил дядя Гэвин, были выданы копии списка заключенных, намеченных к помилованию (тех, у кого было достаточно родственников с правом голоса, что, как я понимаю, и служило основанием для амнистии). Там приводились состав преступления, приговор, характеристики, отбытый срок и прочее. Заседание проходило в помещении столовой; как рассказывал дядя, он и другие делегаты расселись на жестких скамьях без спинок, а губернатор и его совет сели за стол на приподнятой платформе, где размещались охранники, пока их подопечные ели. Потом строем вошли заключенные и остановились. Губернатор вызвал первого по списку и велел подойти к столу. Однако никто не двинулся с места. Заключенные стояли на месте в своих полосатых комбинезонах и негромко переговаривались, потом охранники крикнули тому человеку, чтобы он выходил, а губернатор оторвался от бумаг и взглянул на них, высоко подняв брови. Тут из толпы кто-то произнес: «Пусть Террел скажет за нас, губернатор. Мы избрали его говорить за всех».

Дядя Гэвин не сразу поднял взгляд. Он просматривал список, пока не нашел эту фамилию: *Террел, Билл. Непредумышленное убийство. Отбывает срок с 9 мая 19.. Подавал прошение о помиловании в январе 19.. Отклонено начальником тюрьмы К. Л. Гэмбреллом. Подавал прошение о помиловании в сентябре 19.. Отклонено начальником тюрьмы К. Л. Гэмбреллом. Характеристика — нарушитель режима.* Потом перевел взгляд и увидел, как Террел — громадный, рослый человек с темным орлиным лицом, напоминающим индейское, светлыми желтыми глазами и буйной копной черных волос — вышел из толпы. Он подошел к столу со странной смесью надменности и подобострастия, остановился и, не дожидаясь, пока ему дадут слово, начал высоким речитативом, пронизанным той же униженной надменностью: «Ваша честь и уважаемые джентльмены, мы согрешили против Бога и человека, но уже искупили это своим страданием. А теперь хотим выйти в вольный мир и обрабатывать землю».

Едва Террел успел договорить, как дядя Гэвин уже был на платформе, склонился над стулом губернатора, а губернатор, обернув хитрое пухлое личико, встретил настойчивость и взволнованность дяди загадочным и лицемерным взглядом.

— Отошлите этого человека на минутку, — попросил дядя Гэвин. — Мне нужно сказать вам кое-что наедине.

Губернатор с минуту смотрел на дядю Гэвина, весь марионеточный совет тоже смотрел на него, и лица их, говорил потом дядя Гэвин, ничего не выражали.

— Да, пожалуйста, мистер Стивенс, — сказал губернатор. Он поднялся и отошел с дядей Гэвином к зарешеченному окну, а этот человек, Террел, вздернув голову, замер перед столом, свет из окна отражался в его устремленных на дядю Гэвина глазах, и они пылали, словно две спички.

— Губернатор, этот человек — убийца, — сказал дядя Гэвин. На лице губернатора ничего не отразилось.

— То было непредумышленное убийство, мистер Стивенс, — сказал он. — Непредумышленное. И как обыкновенные честные граждане этого штата, и как скромные его слуги, мы с вами, несомненно, можем согласиться с решением миссисипских присяжных.

— Я не о старом, — сказал дядя Гэвин. Он произнес это так поспешно, как только мог, словно Террел исчез бы, если б он не спешил; и рассказал потом, что у него было жуткое ощущение, будто через секунду стоящий перед ним маленький, непроницаемо любезный человек силой своей холодной воли, властолюбия и аморальной беспощадности магически перенесет Террела за пределы всякого возмездия. — Я говорю о Гэмбрелле и том слабоумном, которого повесили. Этот человек убил их обоих, хотя не стрелял из пистолета и не опускал люк.

На лице губернатора опять ничего не отразилось.

— Обвинение любопытное, чтобы не сказать — серьезное, — заметил он. — У вас, несомненно, есть доказательства?

— Нет. Но я их добуду. Дайте мне провести с ним наедине десять минут. Я получу доказательства от него самого. Он у меня не отвертится.

— Так, — произнес губернатор. Теперь он не глядел на дядю Гэвина целую минуту. Когда же снова взглянул, выражение лица вроде не изменилось, но с него что-то стерлось, словно он сделал это физически, с помощью платка. (Понимаешь, он сделал мне комплимент, говорил потом дядя Гэвин. Комплимент моей сообразительности. Тут он заговорил начистоту. Сделал мне высший комплимент, какой только мог.) — И какую пользу, по-вашему, это даст?

— То есть... — сказал дядя Гэвин. Они глядели друг на друга. — Значит, все же вы хотите спустить его с цепи на граждан этого штата, этой страны, и всего ради нескольких голосов?

— А почему бы и нет? Если он опять совершит убийство, то вернется сюда.

Теперь уже дядя Гэвин размышлял с минуту, однако глаз не отводил.

— Допустим, я повторю где-нибудь то, что вы сейчас сказали. У меня не будет доказательств этому, но мне поверят. И это...

— Лишит меня голосов? Да. Но, видите ли, я и так лишен этих голосов, потому что никогда их не имел. Понимаете? Вы принуждаете меня делать то; что может противоречить моим принципам — или вы отказываете мне в принципах?

Теперь, рассказывал дядя Гэвин, губернатор глядел на него почти ласково, почти сочувственно — и с нескрываемым любопытством.

— Мистер Гэвин, мой дед обозвал бы вас джентльменом. Он прорычал бы это слово, ненавидя вас и таких, как вы; и вполне мог бы подстрелить под вами лошадь из-за забора — из принципа. А вы пытаетесь перенести взгляды восемьсот шестидесятого года в политику двадцатого столетия. В двадцатом столетии политика — грязная вещь. Собственно, иногда мне кажется, что и весь двадцатый век — довольно грязная штука, смердящая до небес в чей-то там нос. Но дело не в этом, — тут он снова повернулся к столу, все лица в помещении были обращены к ним. — Примите совет доброжелателя, даже если он не может назвать вас другом, — бросьте это дело. Как я уже сказал, если мы освободим его и он снова совершит убийство, что не исключено, то опять вернется сюда.

— И снова получит помилование, — сказал дядя Гэвин.

— Возможно. Обычаи меняются не так уж быстро — имейте это в виду.

— Но вы позволите все-таки побеседовать мне с ним наедине?

Губернатор помедлил.

— Ну конечно, мистер Стивенс. Мне приятно будет сделать вам одолжение.

Их проводили в камеру, чтобы охранник с ружьем мог подойти к решетчатой двери.

— Будьте начеку, — сказал охранник дяде Гэвину. — Это тот еще негодяй. Не шутите с ним.

— Я не боюсь, — ответил дядя Гэвин; он сказал, что теперь нет нужды даже быть осмотрительным, хотя охранник не понял, что он имел в виду. — У меня меньше оснований опасаться его, чем даже у мистера Гэмбрелла, поскольку Монах Одлетроп уже мертв.

И они остались в пустой камере, лицом к лицу — дядя Гэвин и похожий на индейца гигант со злыми желтыми глазами.

— Значит, на сей раз меня вычеркнули вы, — сказал Террел тем же странным, воющим речитативом.

Мы читали о его деле в миссисипском сборнике судебных решений; случилась эта история не так уж далеко, и Террел вовсе не был фермером. Дядя Гэвин говорил, что именно это насторожило его, лишь потом он понял, что Террел повторил слова Монаха под виселицей, хотя слышать их или даже узнать о них не мог; насторожило не совпадение слов, а то, что ни Террел, ни Монах никогда и нигде не обрабатывали землю.

Вблизи от железной дороги находилась заправочная станция, и тормозной кондуктор с ночного товарняка видел, как двое выскочили из кустов, когда поезд шел мимо нее, и бросили что-то под колеса, как оказалось впоследствии — человека. Был он жив или нет, кондуктор сказать не мог. Заправочная станция принадлежала Террелу, факт драки был установлен, и Террела арестовали. Сперва он утверждал, что драки не было, потом отрицал, что покойный участвовал в ней, потом заявил, что покойный соблазнил его (Террела) дочь, что его (Террела) сын убил этого человека и он лишь старался отвести от сына подозрения. Сын с дочерью отрицали это, и сын доказал свое алиби, а Террела, осыпающего бранью своих детей, выволокли из зала суда.

— Минутку, — сказал дядя Гэвин. — Сперва я хочу задать вам один вопрос. Что вы говорили Монаху Одлетропу?

— Ничего! — ответил Террел. — Ничего я ему не говорил!

— Ну что ж, — сказал дядя Гэвин. — Это и все, что я хотел узнать.

Он повернулся и позвал охранника.

— Мы закончили. Выпустите нас.

— Постойте, — сказал Террел. Дядя Гэвин обернулся. Террел все так же стоял, рослый, худощавый, сильный, в полосатом комбинезоне, со злыми, бездонными желтыми глазами, и говорил тем же завывающим речитативом. — За что вы хотите оставить меня здесь? Что я вам сделал? Вы богатый, свободный, можете идти, куда хотите, а я вынужден...

Потом закричал. Дядя Гэвин говорил, что кричал он, совершенно не повышая голоса, так что охранник в коридоре не мог услышать его:

— Ничего, говорю я вам! Ничего я ему не сказал!

Но на сей раз дядя Гэвин не успел сделать даже попытки повернуться. Террел, сделав два беззвучных шага, прошел мимо него в коридор. Потом повернулся и взглянул на дядю Гэвина.

— Послушайте, — сказал он. — Если я скажу, даете вы слово, что не подадите голоса против меня?

— Да, — ответил дядя Гэвин. — Голоса против вас, как вам угодно было выразиться, я не подам.

— Но откуда мне знать, что вы не лжете?

— А как это можно узнать, если не убедиться на опыте? — сказал дядя Гэвин.

Они поглядели друг на друга. Террел на сей раз опустил глаза. Дядя Гэвин говорил, что он держал одну руку перед собой и что он, дядя Гэвин, видел, как медленно белеют костяшки, по мере того, как Террел стискивал кулак.

— Похоже, никуда не денешься, — сказал он. — Да, никуда не денешься. — Потом поднял взгляд и закричал, не громче, чем прежде: — Но если обманете, и я когда-нибудь выйду отсюда, то берегитесь! Ясно? Берегитесь.

— Вы угрожаете мне? — сказал дядя Гэвин. — Хотя на вас этот полосатый комбинезон, хотя позади вас стена, а впереди — запертая дверь и охранник с ружьем? Хотите рассмешить меня?

— Ничего я не хочу, — ответил Террел. Теперь он говорил почти шепотом. — Одной только справедливости. Вот и все.

И снова начал кричать тем же сдавленным голосом, слишком явно глядя на побелевшие костяшки стиснутого кулака:

— Я дважды подавал прошение; дважды хотел добиться справедливости и свободы. Но все он. Все из-за него; и он знал, что я это знаю. Я его предупреждал...

Террел умолк так же внезапно, как и начал; дядя Гэвин говорил, что было слышно, как он дышит — тяжело, хрипло.

— Это вы о Гэмбрелле, — сказал дядя Гэвин. — Продолжайте.

— Да. Я говорил ему. Предупреждал. Потому что он насмехался надо мной. А это было уже ни к чему. Пусть бы подавал голос против меня, и все. Только насмехаться было не нужно. Он говорил, что я пробуду здесь столько же, сколько и он, или пока сможет задерживать меня, и что он пробудет здесь всю жизнь. Так и вышло. Он пробыл здесь всю жизнь. Всю до конца.

Но он не смеялся, говорил дядя Гэвин, то была не насмешка.

— Так. И вы, значит, сказали Монаху...

— Да. Сказал, что все мы здесь бедные темные сельчане, у которых не было пути в жизни. Что Бог создал нас жить за этими стенами в вольном мире и обрабатывать его землю; только мы были бедными и темными, не знали этого, а богатые скрывали от нас. Что мы, бедные, темные люди, впервые в жизни увидели поезд, сели в него, и никто не сказал нам, где сойти и обрабатывать землю в вольном мире, как того хотел Бог, и что начальник держит нас здесь под замком, не пускает в вольный мир, чтобы насмехаться над нами вопреки Божьей воле. Но я не поручал ему этого. Я только сказал: «И теперь мы никогда не выйдем отсюда, потому что у нас нет пистолета. Но будь у нас пистолет, мы вышли бы в вольный мир и обрабатывали землю, потому что Бог создал нас для этого, и мы этого хотим. Разве не так?» И он сказал: «Да. Это то. Это хорошо». Я сказал: «Только у нас нет пистолета». Он и говорит: «Я могу достать пистолет». А я сказал: «Тогда мы выйдем в вольный мир, потому что хоть и согрешили против Бога и человека, но это не наша вина, мы ведь не знали, для чего он нас предназначил. Но теперь знаем, потому что хотим выйти в вольный мир и обрабатывать землю для Бога». Вот и все. Я ничего ему не поручал. А теперь ступайте, расскажите им. Пусть повесят и меня. Гэмбрелл уже сгнил под землей, этот придурок тоже, а теперь и я буду гнить в земле, как гнию здесь. Ступайте, рассказывайте.

— Так, — сказал дядя Гэвин. — Ладно. Вы выйдете на свободу.

Услышав это, Террел, по словам дяди Гэвина, будто окаменел. Потом переспросил:

— Выйду?

— Да, — ответил дядя Гэвин. — Выйдете. Но запомните вот что. Вы только что угрожали мне. Теперь я буду угрожать вам. И что самое любопытное, я могу обосновать свою угрозу. Я буду следить за вами. И если еще раз случится что-то подобное, если еще раз кто-то попытается ложно обвинить вас в убийстве и никто не подтвердит, что вас там не было, никто из ваших родственников не возьмет вину на себя... Понимаете?

Когда дядя Гэвин произнес «на свободу», Террел поднял глаза, но теперь он снова глядел вниз.

— Ну? — спросил дядя Гэвин.

— Да, — ответил Террел. — Понимаю.

— Хорошо, — сказал дядя Гэвин. Повернулся и позвал охранника. — Можете выпустить нас.

Он вернулся в столовую, где губернатор вызывал заключенных одного за другим и вручал им помилования. И снова губернатор сделал паузу, обратив спокойное, непроницаемое лицо к дяде Гэвину. Дожидаться, пока дядя Гэвин заговорит, он не стал.

— У вас, как я вижу, удача, — сказал он.

— Да. Хотите узнать...

— Дорогой мой сэр, нет. Мне придется воздержаться. Даже выражусь резче: я должен ответить отказом. — Снова, говорил потом дядя Гэвин, он глядел на него с тем же выражением — ласковым, недоумевающим, почти сочувствующим, однако глубоко настороженным и пытливым. — Право же, я думаю, что вы не отказались от надежды изменить это дело, так ведь?

Помолчав, дядя Гэвин ответил:

— Нет. Не так. Стало быть, вы намерены освободить его? На самом деле?

И тут, говорил потом дядя Гэвин, ласковость и сочувствие исчезли, лицо губернатора было таким, как он увидел его, войдя: спокойным, совершенно непроницаемым, совершенно неискренним.

— Дорогой мой мистер Стивенс, — сказал губернатор. — Меня вы уже убедили. Однако здесь я лишь посредник: все решается голосованием. Так неужели вы думаете, что сможете убедить всех этих джентльменов?

И дядя Гэвин сказал, что оглядел этих семерых или восьмерых соратников губернатора с идентичными лицами марионеток, этих словно бы сошедших с конвейера его адъютантов.

— Нет, — ответил он. — Не смогу.

И вышел. Время шло к полудню, было жарко, но дядя Гэвин сразу отправился в Джефферсон. Он ехал по широкой, в жаркой дымке земле, среди посевов кукурузы и хлопка на неистощимых, безмятежных акрах Господа Бога, которые переживут любую продажность и несправедливость. И радовался зною, говорил он потом; радовался, что потел, изгонял из себя с потом запах и привкус того, что его только что окружало.

ЗАВТРА

Дядя Гэвин стал прокурором округа не сразу. Но с его назначения прошло уже более двадцати лет, и предшествовал ему столь краткий период, что помнят о том лишь старики, да и то не все. Потому что в те дни он выступил на процессе всего один раз.

Дяде Гэвину было двадцать восемь, всего год назад он окончил юридический факультет университета в нашем штате, куда по настоянию дедушки поступил после Гарварда и Гейдельберга; он сам вызвался быть адвокатом, упросил дедушку доверить ему это дело, и дедушка согласился, так как все считали, что суд будет пустой формальностью.

Словом, дядя Гэвин выступал на этом процессе. И много лет спустя говорил, что то дело было единственным, какое он проиграл в роли частного ли защитника, общественного ли обвинителя, твердо зная, что право и справедливость на его стороне. В сущности, он не проиграл его — на осенней сессии суда присяжные не пришли к единому решению, а на весенней подсудимого оправдали — это был крепкий, состоятельный фермер по фамилии Букрайт, добропорядочный семьянин, живший во Французовой Балке, поселке в отдаленном юго-восточном углу округа; жертвой был развязный забияка, называвший себя Бак Торп и прозванный Бык Торп другими молодыми людьми, которых все три года жизни во Французовой Балке он подчинял себе с помощью кулаков; человек без роду и племени, невесть откуда взявшийся, драчун, азартный игрок, он вел противозаконную торговлю самогонным виски и однажды был застигнут на мемфисской дороге с гуртом краденого скота, тут же опознанного владельцем. Купчая на этот скот у Торпа была, но фамилии, которой она была подписана, никто в округе не слыхивал.

Произошла обыденная, старая, как мир, история: воображение деревенской девчонки семнадцати лет разожгли удаль, развязность, дерзость и бойкий язык; отец пытался ее урезонить и преуспел не больше, чем удается родителям в подобных случаях; затем последовали запрет подходить к двери и неизбежный побег в полночь; а утром, часа в четыре, Букрайт разбудил Билла Варнера, мирового судью, главного блюстителя порядка в этом районе, и протянул револьвер со словами: «Арестуйте меня. Два часа назад я убил Торпа».

Сосед по фамилии Квик, первым оказавшийся на месте происшествия, обнаружил, что Торп успел вытащить свой револьвер лишь наполовину; а через неделю после того, как мемфисские газеты поместили краткое сообщение о случившемся, во Французову Балку явилась женщина, назвалась женой Торпа, предъявила брачное свидетельство и потребовала те деньги и имущество, что могли остаться после него.

Вопреки ожиданиям, большое жюри признало этот документ подлинным; когда секретарь зачитал обвинительный акт, ставки, что присяжные не будут совещаться и десяти минут, достигли двадцати к одному. Районный прокурор даже передал дело своему заместителю, и не прошло часа, как все показания были заслушаны.

Тогда поднялся дядя Гэвин, и я помню, как он оглядел присяжных — там было одиннадцать фермеров и лавочников, с ними двенадцатый, проваливший потом его дело, тоже фермер, тощий, низенький, седой, внешне типичный земледелец с холмов: хрупкий, изможденный трудом, но вместе с тем странно неувядаемый — в пятьдесят лет они там кажутся стариками, а потом кажется, что время не властно над ними. Голос дяди Гэвина был спокойным, почти монотонным, не напыщенным, как мы привыкли слышать на уголовных процессах; только манера изъясняться несколько отличалась от той, что появилась в последующие годы. Но и тогда он, хотя общался с местными жителями всего год, уже умел говорить так, чтобы все в нашем округе — негры, люди с холмов, владельцы богатых плантаций — понимали его.

— Каждый из нас здесь, на Юге, с рождения усваивает определенные заповеди, которые мы ценим превыше всего. И одна из первых — не лучшая, просто одна из первых, — что за отнятую жизнь можно поплатиться только жизнью; что одна смерть — это лишь полдела. Раз так, то мы могли бы спасти обе эти жизни, остановив подсудимого еще до того, как он вышел из дома в ту ночь; могли бы спасти по крайней мере одну, даже если бы пришлось лишить подсудимого жизни, чтоб удержать его руку. Но мы не узнали об этом своевременно. Вот об этом-то я и поведу речь — не о покойном, не о его характере и нравственной стороне его поступка, не о самозащите, не о том, вынужден ли был подсудимый лишить его жизни, а обо всех нас, живых, и о том, чего мы не знаем — все мы по своей натуре стремимся действовать справедливо, не причиняя вреда другим; при всей сложности наших страстей, убеждений и чувств, которые нельзя по своей воле принять или отвергнуть, мы стремимся, в соответствии с ними или вопреки им, поступать как можно лучше — подсудимый, человек с той же сложностью инстинктов, страстей и убеждений, столкнулся с проблемой — неизбежностью горя собственной дочери, которая из-за упрямого безрассудства юности — снова та сложность, которой она не просила себе в наследство — не могла уберечься от него сама; и разрешил он эту проблему, поступив в меру своих сил и убеждений как можно лучше, не прося помощи ни у кого, а потом готов был поплатиться жизнью за свое решение и свой поступок.

Дядя Гэвин сел. Заместитель районного прокурора лишь приподнялся, поклонился суду и опустился на место. Присяжные удалились, а мы все остались в зале. Даже судья не покидал своего места. И я помню долгий вздох, какой-то нестройный шум, пронесшиеся по залу, когда после того, как стрелка часов над судейской скамьей передвинулась на десять минут, а потом и на полчаса, судья кивком головы подозвал судебного пристава и что-то шепнул ему; пристав вышел, вернулся и что-то шепнул судье, судья поднялся, постучал молоточком и объявил перерыв.

Я понесся домой, пообедал и снова помчался в город. В конторе никого не было. Дедушка, легший вздремнуть после обеда, не дожидаясь решения присяжных, появился первым; шел уже четвертый час, и весь город знал, что присяжные не пришли к единому мнению, одиннадцать были за оправдание подсудимого, один против; потом быстрым шагом вошел дядя Гэвин, и дедушка сказал:

— Что ж, Гэвин, хорошо ты хоть вовремя умолк, и в беду попали присяжные, а не твой клиент.

— Да, сэр, — машинально ответил дядя Гэвин. Потому что он глядел на меня, глаза его ярко блестели на умном худощавом лице, в волосах уже пробивалась седина. — Иди сюда, Чик, — позвал он. — Ты мне нужен на минутку.

— Попроси судью Фрейзера, пусть позволит тебе взять

16 Заказ 2107

свою речь назад, а Чарли выступит вместо тебя перед присяжными, — сказал дедушка.

Но мы были уже на лестнице. На полпути вниз дядя Гэвин остановился и положил руку мне на плечо, глаза его блестели ярче и смотрели пристальнее, чем обычно.

— Это не по правилам, — сказал он. — Но зачастую справедливость приходится осуществлять не совсем пристойными способами. Присяжные перебрались в заднюю комнату пансиона миссис Раунсвелл. Там под окнами растет тутовник. Если ты можешь пробраться на задний двор, чтобы тебя никто не заметил, и потихоньку влезть на дерево...

Меня никто не заметил. А я смотрел в комнату сквозь дрожащую от ветерка листву и все видел и слышал — девять сердитых, раздраженных людей сидели в креслах в глубине комнаты; староста присяжных мистер Холленд и еще один человек стояли перед креслом, где сидел маленький, хрупкий, изнуренный человек с холмов.

Фамилия его была Фентри. Я запоминал все фамилии, так как дядя Гэвин говорил, что в нашей стране, дабы преуспеть на адвокатском и политическом поприще, не нужно быть ни красноречивым, ни даже умным, нужна лишь неизменная память на имена. Правда, имя этого человека я запомнил бы в любом случае, потому что его звали Стонуолл Джексон I — Стонуолл Джексон Фентри.

— Признаете вы, что он сбежал с семнадцатилетней дочерью Букрайта? — говорил мистер Холленд. — Признаете, что его нашли с револьвером в руке? Признаете, что едва его похоронили, как появилась та женщина и доказала, что состояла с ним в браке? Признаете, что человек он был не только плохой, но и опасный, и что если бы не Букрайт, то рано или поздно кто-нибудь другой сделал бы то же самое, и что Букрайту просто не повезло?

— Признаю, — ответил Фентри.

— Тогда в чем же дело? — спросил мистер Холленд. — Чего вам еще нужно?

— Ничем не могу помочь, — сказал Фентри. — За оправдание мистера Букрайта я голосовать не стану.

И не стал. А судья Фрейзер в тот день распустил присяжных и назначил рассмотрение дела на очередную сессию; наутро, когда я еще завтракал, дядя Гэвин подошел ко мне.

— Скажи матери, что мы, очевидно, не вернемся до вечера, — сказал он. — Передай: я ручаюсь, что тебя не подстрелят, не укусит змея и ты не обопьешься содовой водой... Я должен разобраться, — сказал он. Мы быстро ехали на северо-восток, глаза его блестели, взгляд был не озадаченным, а только пристальным, острым. — Фентри родился, вырос и прожил всю жизнь в другом конце округа, в тридцати милях от Французовой Балки. Он под присягой показал, что с Букрайтом не встречался ни разу, да и без присяги видно, что за тяжелым трудом ему некогда было учиться лгать. По-моему, до этого он и не слышал о Букрайте.

Наша поездка длилась почти до полудня. Мы были уже в холмах, далеко от тучной равнинной земли, среди сосен и папоротников, скудной почвы, крутых тощих участков с чахлыми кукурузой и хлопком, которым все же удавалось выстоять, как удавалось выстоять и тем, кого они кормили и одевали; дороги были хуже тропок, узкие, извилистые, ухабистые и пыльные, половину пути мы ехали на второй скорости. И наконец увидели почтовый ящик с корявой надписью «Г. А. Фентри»; чуть дальше от дороги стоял двухкомнатный бревенчатый дом с открытой верандой, и даже я, двенадцатилетний мальчишка, видел, что женская рука не касалась его уже много лет. Мы вошли в ворота.

И тут раздался крик: «Стойте! Ни шагу дальше!» А мы даже не заметили человека — босого старика с неистовой белой щетиной усов, в заплатанном комбинезоне, выгоревшем почти до цвета снятого молока, более низкого и тощего, чем даже его сын; он стоял в углу веранды, с дробовиком в руках, дрожа не то от ярости, не то от старческой немощи.

— Мистер Фентри... — начал дядя Гэвин.

— Хватит вам донимать его! — перебил старик. Дрожал он от ярости; казалось, внезапная, неудержимая вспышка ее нашла выход в крике: — Убирайтесь! Прочь с моей земли! Прочь!

— Пошли, — спокойно сказал мне дядя Гэвин. Взгляд его блестящих глаз по-прежнему был только острым, пристальным и серьезным.

Теперь мы ехали медленно. Следующий почтовый ящик оказался примерно в миле оттуда, на сей раз дом был окрашен, на клумбах у крыльца цвели петунии, земля здесь была получше, и на сей раз сидящий на веранде поднялся и подошел к воротам.

— Здоро́во, мистер Стивенс, — сказал он. — Стало быть, Джексон Фентри не поддержал мнения остальных присяжных.

— Здоро́во, мистер Прюитт, — ответил дядя Гэвин. — Стало быть, так. Расскажите мне.

И Прюитт стал рассказывать, хотя дядя Гэвин то и дело забывался и начинал говорить, как в Гарварде и Гейдельберге. Казалось, люди, взглянув ему в лицо, понимали, что расспрашивает он не просто ради любопытства или собственной выгоды.

— Мать знает обо всем этом больше моего, — сказал Прюитт. — Пойдемте на веранду.

Мы поднялись на веранду, там сидела в невысокой качалке полная седая женщина в опрятных клетчатой шляпке, клетчатом платье и белом переднике и лущила горох в деревянную миску.

— Это юрист Стивенс, — сказал ей Прюитт. — Сын капитана Стивенса, из города. Он хочет разузнать про Джексона Фентри.

Мы сели, и они, мать и сын, стали рассказывать попеременно.

— Взять вот их участок, — сказал Прюитт. — Кое-что вы разглядели с дороги. А чего не разглядели, выглядит не лучше. Но отец его и дед обрабатывали эту землю, кормились с нее, ставили на ноги детей, выплачивали налоги и никому не были должны. Как они ухитрялись, не знаю, но все же ухитрялись. А Джексон помогал им в работе, как только подрос, чтобы дотянуться до рукояток плуга. С тех пор он не особенно вырос. Они все низкорослые, порода, видно, такая. И Джексон работал, как отец и дед, лет до двадцати пяти, выглядел он уже на все сорок, ни с кем не водился, у него не было ни жены и вообще никого, жили они вдвоем с отцом, сами себе стирали и стряпали, куда тут было ему жениться, если на двоих одна пара башмаков, да и вообще, стоило ли, ведь тот участок свел уже в могилу его бабку и мать, когда им еще не было и сорока. И вот однажды вечером...

— Чепуха, — сказала миссис Прюитт. — Когда мы с твоим отцом поженились, у нас не было даже крыши над головой. Мы снимали домик на арендованной земле...

— Ладно тебе, — сказал Прюитт. — И вот однажды вечером заглянул он ко мне, сказал, что подыскал работу на лесопилке во Французовой Балке...

— Во Французовой Балке? — переспросил дядя Гэвин, и глаза его вспыхнули. — Так.

— Поденную работу, — продолжал Прюитт. — Не ради того, чтобы разбогатеть; просто сколотить немного деньжонок, пожертвовать год-другой, чтобы подзаработать и не жить так, как жил дед, пока не помер на пашне, как живет отец, пока тоже не свалится в борозду, потом наступит его черед, а у него нет даже сына, поднять с земли будет некому. Сказал, что нанял одного черномазого помогать отцу, пока он сам в отлучке, и попросил меня время от времени проведывать, не случилось ли чего с отцом.

— И ты уважил его просьбу, — сказала миссис Прюитт.

— Я подходил совсем близко, — сказал Прюитт. — Подбирался к самому полю, слышал, как он бранит черномазого, чтобы тот пошевеливался, видел, как черномазый силится поспевать за ним, и думал: хорошо, что Джексон не нанял двух черномазых. Потому что, если этому старику — тогда ему уже было под шестьдесят — сесть в тени и сидеть сложа руки, он бы до заката не дожил. Словом, Джексон подался во Французову Балку. Ушел пешком. У них был всего один мул. Никогда больше одного не бывало. Но ходьбы тут всего тридцать миль. Года два с половиной его не было видно. Потом однажды...

— В первый год он приходил домой на Рождество, — сказала миссис Прюитт.

— Да, верно, — согласился Прюитт. — Отмахал тридцать миль до дому, провел Рождество и снова вернулся на лесопилку.

— Чья это была лесопилка? — спросил дядя Гэвин.

— Квика, — ответил Прюитт. — Старого Бена Квика. А на другое Рождество Джексон уже не появлялся. Потом где-то в начале марта, когда низина во Французовой Балке начинает подсыхать и по ней уже можно перетаскивать бревна, я решил, что он останется и на третий год, а тут Джексон воротился домой, насовсем. Приехал в нанятой телеге. Потому что с ним были ребенок и коза.

— Постойте, — сказал дядя Гэвин.

— Мы не знаем, как он добирался, — сказала миссис Прюитт. — Он пробыл дома больше недели, пока мы не узнали, что с ним ребенок.

— Постойте, — повторил дядя Гэвин.

Они оба умолкли и поглядели на него. Прюитт сидел на барьере веранды, а миссис Прюитт продолжала вылущивать горошины из длинных ломких стручков, глядя на дядю Гэвина. Взгляд его теперь не был торжествующим, как не был прежде озадаченным или хотя бы задумчивым; только глаза заблестели ярче, словно то, что таилось в них, вспыхивало равномерно, неистово, но тем не менее спокойно, словно оно опережало рассказ.

— Так, — сказал он. — Продолжайте.

— А когда я наконец прослышала об этом и отправилась туда, — сказала миссис Прюитт, — ребенку еще не было двух недель. И как только он выкормил его, одним козьим молоком...

— Не знаю, известно ли вам, — сказал Прюитт. — Коза — это не корова. Доить ее нужно примерно каждые два часа. Это значит — всю ночь.

— Да, — сказала миссис Прюитт. — У него не оказалось даже пеленок. Было несколько распоротых холщовых мешков, повитуха ему показала, как пеленать младенца. Так что я нашила одежонки и отправилась туда; черномазого Джексон оставил помогать отцу в поле, а сам стирал, стряпал и нянчил малыша, доил козу и кормил его; я предложила: «Давай возьму его к себе. Хотя бы пока не бросит соску. И ты можешь пожить у нас, если хочешь», — а он только поглядел на меня — маленький, худющий, изможденный, в жизни ведь не ел досыта — и говорит: «Спасибо, мэм. Я сам управлюсь».

— И в самом деле, — сказал Прюитт. — Что он делал на лесопилке, не знаю, фермы у него никогда не было, так что нельзя сказать, что он за фермер. Но мальчонку выходить сумел.

— Да, — сказала миссис Прюитт. — А я не отставала от него. «Мы и не слыхали, что ты женился», — говорю. «Да, мэм, — говорит он. — Мы поженились в прошлом году. Когда родился ребенок, она умерла». «А кто она? — спрашиваю. — Какая-нибудь девушка из Французовой Балки?» «Нет, мэм, — отвечает. — Из Южного Миссисипи». — «А как была ее фамилия?» — «Мисс Смит».

— За тяжелым трудом ему некогда было учиться лгать, — сказал Прюитт. — Но мальчонку он выходил. А осенью, как собрали урожай, отпустил черномазого, и следующей весной они с отцом, как и раньше, делали всю работу сами. Смастерил какую-то сумку, говорят, индейцы в таких носят детей. Я то и дело приходил туда, пока земля была еще холодной, видел, как Джексон с отцом пашут и вырубают кустарник, а эта сумка висит на заборе, и мальчик спит в ней стоя, ни дать ни взять на пуховой перине. Той весной он начал ходить, я останавливался у забора и смотрел, как малыш ковыляет по борозде, стараясь изо всех сил не отстать от Джексона, в конце концов Джексон останавливал мула, подходил к малышу, сажал верхом на шею и снова брался пахать. К концу лета малыш ходил уже нормально. Джексон сделал ему мотыжку из фанерки и палки, и они вместе пропалывали хлопчатник, Джексону стебли доходили до бедра, а мальчик с головой в них скрывался, только и было видно, как они раскачиваются вокруг него.

— Джексон сшил ему одежонку, — сказала миссис Прюитт. — Сам, иголкой. Я пошила несколько вещичек и отнесла туда. Но больше этого не делала. Он взял их и поблагодарил. Но вы бы это видели. Казалось, он недоволен даже землей за то, чем приходится кормить ребенка. Я уговаривала Джексона понести ребенка в церковь, окрестить. Он ответил: «У него уже есть имя. Его зовут Джексон и Лонгстрит[1] Фентри. Папа воевал под командованием и того, и другого».

— Джексон никуда не выбирался, — сказал Прюитт. — Потому что мальчик не отставал от него ни на шаг. Он так прятал его, будто похитил во Французовой Балке. Старик даже сам ездил в Хейвен-Хилл за покупками, а Джексон ненадолго расставался с мальчиком лишь раз в году, уезжая в Джефферсон платить налоги; когда я впервые увидел его, он напомнил мне щенка сеттера, потом как-то я узнал, что Джексон уехал, и по-

---

[1] Джеймс Лонгстрит (1821 — 1904) — генерал армии южан. (*Прим. пер.*)

шел к ним. Мальчик сидел под кроватью, увидев меня, он только отполз задом в угол и глядел на меня оттуда. Даже не мигнул ни разу. Совсем как пойманный накануне лисенок или волчонок.

Прюитт достал из кармана жестянку с табаком, высыпал порцию в крышку, а с нее за нижнюю губу, аккуратно, неторопливо стряхнув последние крошки.

— Так, — сказал дядя Гэвин. — И что потом?

— Это и все, — ответил Прюитт. — На другое лето они с мальчиком куда-то исчезли.

— Исчезли?

— Вот именно. И не знаю, когда. Просто однажды утром оказалось, что их нет. Потом как-то мне стало невтерпеж, пошел я туда, дом был пуст, я отправился в поле, где пахал старик, поначалу мне показалось, что между рукоятками плуга у него привязана жердь вместо сломанной распорки, тут он заметил меня, сорвал эту жердь, оказалось, что это дробовик, и сказал мне, должно быть, примерно то же самое, что и вам сегодня. На другой год ему снова помогал тот же черномазый. Потом, лет через пять, Джексон вернулся. Я не знаю, когда. Просто однажды утром он оказался там. Черномазого снова не было, и они работали вдвоем с отцом, как и раньше. И вот как-то мне стало невтерпеж, я пошел туда и встал у забора; Джексон пахал, вскоре борозда, которую он вел, подошла к забору, но он даже не взглянул на меня; прошел совсем рядом со мной, ближе чем в десяти футах, и не посмотрел, потом снова вернулся к тому месту, я спросил: «Он что, умер, Джексон?» — и тут он взглянул на меня. «Мальчик», — сказал я. А он мне: «Какой мальчик?»

Прюитты оставляли нас пообедать. Дядя Гэвин поблагодарил и отказался.

— Мы взяли с собой кое-что перекусить, — сказал он. — К тому же до лавки Варнера тридцать миль, а оттуда двадцать две мили до Джефферсона. И наши дороги пока что не забиты машинами.

Когда уже начинался закат, мы подъехали к лавке Варнера во Французовой Балке; снова на пустой веранде появился человек и спустился к машине.

Это был Айшем Квик, тот свидетель, что первым оказался у тела Торпа, — высокий, нескладный мужчина лет сорока пяти с каким-то сонным лицом и близорукими глазами, но в них было что-то хитроватое, даже слегка насмешливое.

— Я жду вас, — сказал он. — Похоже, вы ничего не добились, — и подмигнул дяде Гэвину. — Фентри, он такой.

— Да, — сказал дядя Гэвин. — Почему вы ничего не сказали мне?

— Я и сам ни о чем не догадывался, — ответил Квик. — И только узнав, что один человек выступил против оправдания, я связал их фамилии.

— Фамилии? — переспросил дядя Гэвин. — Какие фа... Ничего. Продолжайте.

Мы сели на веранде безлюдной, запертой лавки, на деревьях пронзительно трещали цикады, светлячки, помигивая, кружились над пыльной дорогой, Квик расслабленно, словно боясь рассыпаться при первом же движении, развалился на скамье рядом с дядей Гэвином и рассказал нам эту историю; говорил он лениво, цедя слова, словно собирался не умолкать до рассвета.

Но рассказ оказался не столь уж длинным. Занял он ровно столько времени, сколько требовалось. Правда, дядя Гэвин говорит, что не нужно много слов, дабы изложить жизненный опыт человека; кому-то хватило на это пяти: он родился, страдал и умер.

— Это папа нанял его. Но когда я узнал, откуда он, то понял, что работать будет, потому что людям в тех местах недосуг узнавать что-нибудь, кроме тяжелой работы. Точно так же я знал, что он окажется честным: там нет ничего такого, что могло бы очень уж понадобиться человеку и толкнуть на мысль о краже. Что я недооценил, так это его сердце.

Словом, он стал работать, выполнял он ту же самую работу и получал те же самые деньги, что и черномазые. А поздней осенью, когда низина подмокла и мы приготовились свернуть дела на зиму, я узнал, что он договорился с папой остаться на лесопилке до весны смотрителем и сторожем, с трехдневным отпуском на Рождество.

Зиму он провел там, а на другой год, когда мы снова начали, он уже многому научился и так взялся за дело, что к середине лета уже заправлял всей лесопилкой, папа вообще туда носа не казал, а я выбирался по настроению, примерно раз в неделю; к осени папа завел разговор о том, чтобы построить ему хибарку, а то он обходился соломенным матрацем и разбитой печуркой в котельной. На вторую зиму он тоже остался там, мы и не знали, когда он ушел домой на Рождество, не знали, когда вернулся, потому что я не наведывался туда с осени.

Потом однажды в феврале — погода стояла теплая, и дома не сиделось — я поехал туда. И мне сразу же бросилась в глаза женщина, я в жизни таких не видел — молодая и, возможно, в полном здравии, была недурна собой; хотя кто знает. Потому что она была не просто тощей, а иссохшей. Похоже, больше от болезни, чем от голода. Ноги еще держали ее, но она уже не поднималась, потому что до родов оставалось ей меньше месяца. «Кто это?» — спрашиваю, а Фентри поглядел на меня и говорит: «Моя жена». «С каких это пор? — говорю. — Осенью никакой жены у тебя не было. А тут и месяца не пройдет, как народится ребенок». Он тут же: «Нам что, уйти?» «Нет, — говорю, — с какой стати». А теперь расскажу то, что узнал три года спустя, когда те братья появились здесь с бумагой из суда, Фентри мне ничего не рассказал, он вообще был очень скрытный.

— Да-да, — сказал дядя Гэвин. — Рассказывайте.

— Я не знаю, как они встретились. Не знаю, он ли нашел ее где-нибудь, или она забрела на лесопилку, а он поднял взгляд, увидел ее, и получилось по словам того человека: никто не знает, когда поразит молния или любовь, только они не поражают дважды, потому что в этом нет нужды. Не думаю, что она искала беглого мужа — наверно, тот сразу удрал, узнав, что она ждет ребенка, — и не думаю, что боялась или стыдилась возвращаться домой, потому что отец и братья пытались отговорить ее от этого брака. По-моему, в ней взыграла та же самая наследственная, не слишком разумная и очень уже свирепая гордость, что почти целый час перла из ее братьев в тот самый день.

Словом, она была там и, как я думаю, знала, что дни ее сочтены, он предложил ей: «Давай поженимся», она ответила: «Не могу. У меня уже есть муж». Потом время ее пришло, она слегла на тот соломенный матрац и, наверно, понимала, что уже не встанет с него, а Фентри, видимо, покормил ее с ложки и потом привел повитуху, ребенок родился, должно быть, они обе понимали, что ей уже не встать, и то ли убедили его в этом, то ли она понимала, что брак уже не имеет никакого значения, и сказала «да», только он взял мула, которого папа оставил ему на лесопилке, поехал за семь миль к священнику Уайтфилду и на рассвете вернулся с ним. Уайтфилд сочетал их, она померла, и они с Уайтфилдом ее похоронили. И в ту же ночь он приехал к нам, сказал, что уходит, оставил мула, через несколько дней я поехал туда, его там не было — только матрац, печурка и на полке тарелки со сковородкой, что мама дала ему, мытые, чистые. А на третье лето оба эти брата, Торпы...

— Торпы, — повторил дядя Гэвин. Голос его был негромким. Стемнело, как всегда, у нас, быстро, и лица его уже не было видно. — Продолжайте.

— Смуглолицые, как и она, — младший был очень похож на нее — прикатили в коляске с помощником шерифа или судебным исполнителем или кто он там был, при них бумага, вся исписанная, со штампом и печатью, по всем правилам, я и говорю: «Нельзя так. Она пришла сюда сама, больная, с пустыми руками, а он приютил ее, кормил и обхаживал, привез повитуху на роды и священника на похороны, они даже поженились перед ее смертью. Священник с повитухой могут подтвердить». А старший говорит: «Не мог он на ней жениться. У нее был муж. Мы уже побывали у него». «Пусть так, — говорю. — За мальчиком никто не приехал, и он его взял. Растил, кормил и одевал два с лишним года». Тут старший вынул из кармана кошелек, показал и сунул обратно. «Все будет по справедливости, как только увидим мальчика, — говорит. — Это наш родич. Мы хотим забрать его к себе и заберем». Тут в который уж раз я подумал, что в жизни очень многое происходит не так, как нужно, и говорю: «Туда тридцать миль. Думаю, вы не откажетесь заночевать здесь, дать лошадям отдых». Старший поглядел на меня и говорит: «Лошади не устали. Поедем». «Тогда, — говорю, — и я с вами». «Что ж, поехали», — говорит он.

В полночь мы остановились. И я думал, что успею дойти, предупредить его. Но когда мы распрягли лошадей и улеглись на земле, старший ложиться не стал. «Неохота мне спать, — говорит. — Посижу немного». Тут уж ничего поделать было нельзя, я уснул, потом встало солнце, и было уже поздно, еще до полудня мы подъехали к почтовому ящику с фамилией, которую нельзя не заметить, дом оказался пуст, никого не было видно или слышно, потом услыхали за домом стук топора и пошли туда, Фентри поднял взгляд от полена и увидел то, чего, наверно, ждал с каждым восходом солнца вот уже три года. Потому что даже не замер. Сказал малышу: «Беги. Беги в поле к дедушке. Скорей» — и пошел прямо на старшего, занеся топор, он уже намерился бить, но мне удалось перехватить топорище, старший сгреб Фентри, мы даже оторвали его от земли и все же с трудом удерживали. «Брось, Джексон! — говорю я. — Перестань! Это по закону!»

Тут что-то крошечное начало пинаться и царапать

мне ноги; это был малыш, он не издавал ни звука, лишь крутился и колотил нас поленом, которое отколол Фентри. «Хватай его и тащи в коляску», — говорит старший. Младший схватил ребенка; удержать его было почти так же трудно, как и Фентри, он вырывался и отбивался ногами, по-прежнему молча, даже когда младший поднял его, а Фентри сопротивлялся за двоих, пока младший с мальчиком не скрылись из виду. Тогда он раскис. Словно бы все кости растаяли. Мы со старшим опустили его возле колоды, он лежал, касаясь спиной нарубленных дров, и тяжело дышал, в уголках рта выступила пена.

«Это по закону, Джексон, — говорю я ему. — Муж ее жив». «Знаю, — отвечает. Голос чуть громче шепота. — Я ждал этого. Потому, наверно, так и захватило врасплох. Теперь отошло». «Извините, что так получилось, — говорит старший. — Мы узнали только на прошлой неделе. Он ведь наш родич. Мы хотим забрать его к себе. Вы о нем хорошо заботились. Спасибо вам от нас. И от его матери. Вот, возьмите».

Он достал из кармана кошелек и вложил Фентри в руку. После этого повернулся и ушел. Вскоре послышалось, как коляска едет вниз по склону обратно. «Это по закону, Джексон, — говорю я ему. — Но закон можно повернуть и так и сяк. Поехали в город к капитану Стивенсу. Я еду с тобой».

Тут он медленно, неуклюже сел на колоду. Дышал он уже не так тяжело и выглядел лучше, только глаза оставались прежними и глядели как-то недоуменно. Потом он поднял руку и стал утирать лицо кошельком, будто это платок; мне кажется, он и не знал, что в руке что-то есть, потому что, опустив ее, смотрел на кошелек секунд, наверное, пять, а потом бросил — не швырнул, просто бросил, словно комок земли, взятый посмотреть, что это такое, встал и пошел к лесу, шел он прямо, не торопясь, и казался лишь чуть побольше малыша. «Джексон», — позвал я. Но он не оглянулся и скрылся за деревьями.

В ту ночь я остался у Руфуса Прюитта и одолжил у

него мула; сказал я Руфусу, что просто прогуливался, потому что не хотелось ни с кем разговаривать, а наутро я привязал мула у ворот и пошел к дому, поначалу и не видя на веранде старика Фентри.

А когда увидел, он с неуловимой быстротой вскинул что-то, раздалось «бум!», я услышал треск дроби в листве, а потом увидел, что мул Руфуса Прюитта что есть сил старается разорвать повод или удавиться.

И однажды Бык Торп, месяцев через шесть после того, как поселился здесь и ударился в попойки, драки и фокусы с чужим скотом, сидел пьяный здесь на веранде и чесал язык, а с полдюжины тех, кого он по любому поводу избивал до полусмерти нечестными, а иногда и честными приемами, смеялись всякий раз, едва он умолкал, чтобы перевести дух. Случайно я поднял взгляд и увидел Фентри, сидящего верхом на муле вот там на дороге.

Он просто сидел там — пылища этих тридцати миль, пропитанная потом мула, запеклась коркой — и глядел на Торпа. Не знаю, сколько времени он провел там, молча глядя на него; потом повернул мула и поехал к холмам, которые ему не стоило покидать никогда. Хотя, может, как говорит тот человек, нигде не скроешься ни от молнии, ни от любви. Тогда я не понял, в чем дело. Не связал их фамилии.

Фамилия Торп мне смутно помнилась, но тот случай был двадцать лет назад, и я не вспоминал о нем, пока не узнал про историю с присяжными. Конечно, он не хотел голосовать за оправдание Букрайта... Поздно уже. Пойдемте ужинать.

Но до города теперь было всего двадцать две мили, и туда шло шоссе, щебенка; домой ехать оставалось часа полтора, потому что нам иногда удавалось выжимать тридцать, даже тридцать пять миль в час, дядя Гэвин говорил, что когда-нибудь все основные дороги в нашем штате будут вымощены, как улицы в Мемфисе, и у каждой американской семьи будет машина. Мы ехали быстро.

— Конечно, не хотел, — сказал дядя Гэвин. — Малый и неодолимый мира сего — выстоять, выстоять и опять выстоять, завтра, и снова завтра, и снова завтра. Конечно, он не желал оправдывать Букрайта.

— А я оправдал бы, — сказал я. — Я бы оправдал его. Потому что Бак Торп был плохим. Он...

— Нет, не оправдал бы, — сказал дядя Гэвин. Он сжал мне рукой колено, хотя мы ехали быстро, желтый свет фар стлался по желтой дороге, жучки залетали в лучи света и проносились мимо. — Дело не в Баке Торпе, взрослом мужчине. Окажись Фентри на месте Букрайта, он и сам застрелил бы такого, не задумываясь. Дело в том, что плоть этого развращенного, жестокого человека, убитого Букрайтом, все еще хранила где-то, возможно, не дух, но по крайней мере напоминание о том малыше, Джексоне и Лонгстрите Фентри, хотя мужчина, в которого превратился малыш, не знал об этом, знал только Фентри. И ты тоже не оправдал бы его убийцу. Никогда не забывай об этом. Никогда.

ДЫМ

Анселм Холленд приехал в Джефферсон много лет назад. Откуда — никто не знал. Чужак, однако, был молод, не лишен внутренних или в крайнем случае внешних достоинств, поскольку через два с лишним года женился на единственной дочери человека, владевшего двумя тысячами акров лучшей в округе земли, и перебрался в доме к тестю, в этом дом через два года жена принесла ему двух сыновей-близнецов, спустя еще несколько лет тесть умер, и Холленд стал полновластно распоряжаться его владениями, перешедшими по наследству к жене. Правда, еще при жизни тестя от него только и слышали громогласные разговоры о «моей земле, моем урожае»; те из нас, чьи отцы и деды родились тут, неприязненно косились на него, видя в нем человека нахрапистого и (по рассказам его белых и черных арендаторов, прочих людей, имевших с ним дело) свирепого. Однако, щадя чувства его жены и уважая тестя, держались с ним если и не приветливо, то любезно. А когда и жена умерла, оставив близнецов-малолеток, мы не сомневались, что по его вине, что этот невоспитанный чужак свел ее грубым обращением в могилу. Когда же сыновья повзрослели и сперва один, потом другой навсегда ушли из дома, никто из нас не удивился. А когда его полгода назад обнаружили мертвым, застрявшим ногой в стремени, со следами сильных ушибов, лошадь, видимо, протянула его через жердевую изгородь (на спине и боках лошади остались следы ударов, наносимых в очередном приступе ярости), никто из нас не пожалел о нем, потому что незадолго до гибели он совершил, по общему мнению горожан, вопиющее кощунство. В день его смерти стало известно, что он разрыл могилы на семейном кладбище, где покоились предки его жены, не обошел и той, где она лежала уже тридцать лет. Сумасбродного, снедаемого злобой старика погребли среди могил, которые он вздумал осквернить, а по прошествии должного срока завещание покойного поступило на утверждение в суд. Условиям завещания мы не удивились. Не увидели ничего странного в том, что даже из могилы старик нанес последний удар тем, кого только и мог обидеть, даже оскорбить: сыновьям, своей плоти и крови.

Близнецам уже исполнилось по сорок. Младший, тоже Анселм, был, по слухам, любимцем матери — может, потому, что больше удался в отца. Так после ее смерти, когда оба были, в сущности, детьми, до нас доходили слухи о неладах между старшим Ансом и младшим и о том, что Вирджиниус, другой близнец, пытается их урезонить, за что терпит ругань и от отца, и от брата; такой уж у него был нрав. У младшего Анса другой: на шестнадцатом году он ушел из дому и пропадал десять лет. А возвратясь, уже совершеннолетним, официально потребовал, чтобы отец, владевший землей, как он узнал, лишь на правах опекуна, разделил ее и он — младший Анс — получил свой надел. Старый Анс с яростью отказался. Нет никакого сомнения, что и требование предъявлялось с не меньшей яростью, потому что старый Анс и молодой были очень похожи. И мы узнали, что, как ни странно, Вирджиниус принял отцовскую сторону. Может, это были просто слухи. Так или иначе, земля осталась целиком во владении отца, а младший Анс после свирепой даже для них ссоры — до того свирепой, что слуги-негры разбежались из дома и прятались до утра, — забрал свою упряжку мулов и укатил; с тех пор он до самой смерти отца, даже когда и Вирджиниусу пришлось покинуть дом, не общался ни с отцом, ни с братом. Только на сей раз Анселм не поехал за пределы округа. Он поселился в холмах (откуда мог следить, что делают старик с Вирджиниусом, как говорили некоторые из нас, и как все думали); пятнадцать лет прожил в двухкомнатной хибарке с земляным полом, один, будто отшельник, стряпал себе сам и раза три в год приезжал в город на запряженной мулами повозке. Несколько лет назад его арестовали и отдали под суд за то, что гнал самогон. Анс отказался от адвоката, не стал ни признаваться, ни заявлять о невиновности, за несоблюдение закона и неуважение к суду на него наложили штраф, и он совершенно по-отцовски вспылил, когда Вирджиниус вызвался уплатить за него. Бросился на брата с кулаками прямо в зале суда, сам потребовал, чтобы вместо штрафа его подвергли тюремному заключению, восемь месяцев спустя за хорошее поведение он получил амнистию и вернулся в свою хибарку — угрюмый, замкнутый, горбоносый человек, которого опасались и соседи, и незнакомцы.

Другой близнец, Вирджиниус, остался, работал на земле, о которой отец никогда толком не заботился. (О старом Ансе сложилось мнение: «Нету в этом чужаке фермерской жилки». Поэтому все мы говорили, уверенные в своей правоте: «Потому-то младший Анс и разругался с отцом: видел, как старик портит землю, материнское наследство ему и Вирджиниусу»). Но Вирджиниус остался. Жизнь, конечно, была у него далеко не райской, и мы говорили: «Вирджиниусу надо бы понять, что долго так тянуться не может». А потом стали говорить: «Может, он и понимал». Потому что Вирджиниус был себе на уме. Никто не знал, что он думал в то время, да и в любое другое. Старый Анс и молодой — те были как вода. Пусть и темная; однако люди знали, чего от них ждать. Но что думал и делал Вирджиниус, люди узнавали только впоследствии. Мы не знали даже, с чего Вирджиниус, крепившийся десять лет, пока молодой Анс где-то пропадал, в конце концов тоже решил уйти; он никому не говорил об этом, даже, наверно, и Гренби Доджу. Но мы знали старого Анса, знали Вирджиниуса, и нам это представлялось примерно так:

Старый Анс копил злобу целый год после того, как молодой, забрав мулов, подался в холмы. А потом выплеснул ее, заявил, наверно, Вирджиниусу что-нибудь вроде:

— Небось думаешь, брата нет, так в конце концов завладеешь всей землей?

— Вся мне не нужна, — ответил Вирджиниус. — Возьму только свою часть.

— А, — сказал старый Анс. — Так ты тоже хочешь немедля разделить землю? Скажешь, как и он, что ее нужно было поделить между вами, как только вы стали совершеннолетними?

— Я бы лучше взял часть земли и обработал как следует, чем видеть ее всю в запустении, — сказал Вирджиниус. Кротко, рассудительно — никто в округе не видел, чтобы он вспылил или хотя бы рассердился, даже в тот день, когда Анселм бросился на него с кулаками в зале суда.

— Ах, вот как? — сказал старый Анс. — Хотя я трудился на этой земле не покладая рук, платил налоги, а вы с братцем все эти годы копили денежки?

— Сам знаешь, Анс и пяти центов не скопил за всю жизнь, — ответил Вирджиниус. — Уж кем-кем, а скрягой его не назовешь.

— Ты прав, черт возьми! У него хватило духу потребовать то, что он считал своим, а не получив ничего — уйти. Но ты... ты будешь торчать здесь, помалкивать и дожидаться моей смерти. Выплати мне свою долю налогов с того дня, как умерла твоя мать, и получай свой надел.

— Нет, — ответил Вирджиниус. — Не выплачу.

— Не выплатишь, — сказал старый Анс. — Конечно. Еще бы. Зачем выкупать половину земли, раз ее можно когда-нибудь получить всю, даром.

И тут мы вообразили, как старый Анс (нам представлялось, что тот разговор они вели сидя, разговаривали, как воспитанные люди) подскочил, взъерошенный, с кустистыми, насупленными бровями.

— Пошел вон из моего дома! — крикнул он.

Но Вирджиниус не встал, не шевельнулся, лишь уставился на отца. Старый Анс шагнул к нему и замахнулся.

— Проваливай. Вон из моего дома. А не то, черт возьми...

И после этого Вирджиниус ушел. Не сорвался с места, не ринулся прочь. Он собрал свои пожитки (их у него было явно побольше, чем у Анса, хотя ничего особо ценного быть не могло) и отправился за четыре-пять миль жить к сыну дальнего родственника матери. Жил этот его родственник бобылем, владел неплохой фермой, землю, правда, отдавал в залог, потому что фермером был никудышным, подторговывал скотом да подвизался в роли мирского проповедника — невысокий, рыжеватый, невзрачный, только исчезнет с глаз, и уже не вспомнишь, как он выглядит, — притом, видимо, и в этих делах преуспевал не особо. Уходил Вирджиниус тихо-мирно, не устраивая шумной сцены окончательного разрыва, как его брат; и, надо признаться, молодого Анса мы не осуждали. Наоборот, слегка косились на Вирджиниуса: слишком уж он держал себя в руках. Такова уж человеческая натура — доверять больше несдержанным, не умеющим владеть собой. А Вирджиниуса мы называли хитрым лисом и нисколько не удивились, узнав, что на свои сбережения он выкупил из заклада ферму того родственника. Не удивились и узнав год спустя, что старый Анс отказался платить налоги на свою землю, а за два дня до истечения срока шериф получил по почте неизвестно от кого всю сумму налога.

— Наверняка от Вирджиниуса, — говорили мы в полной уверенности, что послать деньги больше некому. Шериф загодя предупреждал старого Анса, что срок истекает.

— Объявляйте торги на эту землю, будь она проклята, — заявил старый Анс. — А то решили, им нужно только сидеть и выжидать, что один, что другой...

Шериф предупредил и младшего Анса. Тот ответил:

— Эта земля не моя.

Шериф предупредил Вирджиниуса. Вирджиниус приехал в город и просмотрел налоговые книги.

— Участок сейчас у меня — едва под силу обработать, — сказал он. — Так что, надеюсь, смогу купить землю, если отец махнет на нее рукой. Но не уверен. Такая хорошая ферма по дешевке не пойдет и не будет ждать покупателя.

Больше Вирджиниус не сказал ничего. Не злился, не поражался, не сокрушался. Но он был хитрым лисом; мы не удивились, узнав, что шериф получил деньги с запиской без подписи: «Налоги на ферму Анселма Холленда. Расписку отошлите Анселму Холленду-старшему».

— Наверняка от Вирджиниуса, — говорили мы. И весь тот год часто задумывались о нем: живет под чужим кровом, трудится на чужой земле, глядя, как гибнут родной дом и принадлежащая ему по праву ферма. Старик теперь окончательно махнул на землю рукой: год за годом широкие, тучные поля зарастали бурьяном и покрывались оврагами, однако шериф ежегодно получал в январе невесть от кого деньги и отсылал расписку старому Ансу, потому что старик уже совсем не выбирался в город, дом стал разваливаться, и никто, кроме Вирджиниуса, там не появлялся. Вирджиниус пять-шесть раз в год подъезжал верхом к переднему крыльцу, старик выходил и яростно честил его во все горло всеми словами. Вирджиниус и ухом не вел. Удостоверясь, что отец жив-здоров, он вел разговоры с несколькими оставшимися на ферме неграми, потом уезжал обратно. Но никто больше не появлялся там, правда, кое-кто видел издали, как старик разъезжает по заросшим, наводящим тоску полям на старой белой лошади, что впоследствии угробит его.

Ну а прошлым летом мы узнали, что старик раскапывает могилы в кедровой роще, где покоится пять поколений предков его жены. Сообщил об этом один негр, санитарный врач округа отправился туда и увидел привязанную в роще белую лошадь, а старик вышел ему навстречу с дробовиком в руках. Санитарный врач вернулся в город, два дня спустя туда поехал помощник шерифа и обнаружил старика лежащим рядом с лошадью, ступня его застряла в стремени, а на крестце лошади сохранились следы от ударов палкой — не хлыстом: палкой, — которой он колотил бедное животное долго и нещадно.

Старика погребли на кладбище, которое он осквернил. Вирджиниус и его родственник приехали на похороны. Собственно говоря, только они и шли за гробом. Младший Анс не явился. Даже не показался возле дома, хотя Вирджиниус, едва расплатился с неграми и запер дом, снова отправился к родственнику, и в положенный срок завещание старого Анса представили на утверждение судье Дюкинфилду. Суть завещания не представляла тайны; мы все ее знали. Составлено оно было по всем правилам, и нас не удивили ни правильность, ни суть, ни выражения: «*...всю мою собственность, помимо той, что указана в нижеследующих пунктах, завещаю... моему* *старшему сыну Вирджиниусу при условии, что к полному удовлетворению председателя суда будет доказано, что вышеупомянутый Вирджиниус платил налоги на мою землю... Оценивать доказательства председатель суда должен самолично, и его оценка никем не может быть оспорена».*

Нижеследующие пункты гласили:

«Завещаю моему младшему сыну Анселму... два полных комплекта упряжи для мулов, с условием, что эта упряжь будет использована... Анселмом, чтобы приехать один раз ко мне на могилу. В противном случае эта... упряжь становится и остается частью... моего имущества, указанного выше.

Завещаю моему свойственнику Гренби Доджу... один доллар наличными на приобретение сборника или сборников церковных гимнов в знак моей признательности за то, что приютил и кормил моего сына Вирджиниуса с тех пор, как... Вирджиниус покинул мой дом».

Такова была последняя воля старика. Нам не терпелось увидеть или услышать, что скажет или сделает младший Анс. Но мы ничего не увидели и не услышали. Не терпелось увидеть, что сделает Вирджиниус. Но он ничего не делал. Вернее, мы не знали, что он делает или думает. Но таким уж он был. Хотя сделать Вирджиниус ничего не мог. Ему оставалось только ждать, чтобы судья Дюкинфилд утвердил завещание, потом он мог отдать половину земли младшему Ансу — если только собирался отдавать. Тут мнения у нас разделились. Одни говорили: «Вирджиниус никогда не ссорился с Ансом». Другие возражали: «Вирджиниус никогда не ссорился ни с кем. Если так рассуждать, ему нужно делить ферму со всем округом». «Но Вирджиниус хотел уплатить за Анса штраф», — говорили первые. «Но Вирджиниус поддержал отца, когда Анс требовал поделить землю», — отвечали другие.

И мы с нетерпением ждали. Теперь общее внимание обратилось на судью Дюкинфилда; мы видели в нем вершителя этого дела; он вдруг словно бы вознесся и над мстительным, издевательским смехом старика, не успокоившегося даже в гробу, и над непримиримостью братьев, пятнадцать лет не желавших знать друг друга. Но мы считали, что этим последним ходом старый Анс перехитрил самого себя; что, отдав дело в руки Дюкинфилда, ослепленный яростью старик сам сорвал свои планы; мы считали, что судья Дюкинфилд самый неподкупный, честный, здравомыслящий среди нас — его неподкупность и честность не могла смутить и поколебать никакая буква закона. И то, что он слишком долго оттягивал утверждение такого простого документа, лишний раз подтверждало: судья Дюкинфилд искренне убежден, что правосудие состоит наполовину из знания законов, наполовину — из неспешности и уверенности в себе и в Боге.

Поскольку срок утверждения истекал, мы ежедневно провожали взглядами судью Дюкинфилда по пути от дома к зданию суда. Этот величественный, седовласый вдовец шестидесяти с лишним лет ходил неторопливо, размеренно, выпрямясь, по выражению негров, «будто по отвесу». Прошло семнадцать лет с тех пор, как он стал председателем суда, обладая скромными познаниями в юриспруденции и солидным багажом непоколебимого здравого смысла; и вот уже тринадцать лет никто не пытался соперничать с ним на перевыборах. Даже те, кого выводила из себя мягкая, приветливая снисходительность Дюкинфилда, голосовали за него с какой-то детской уверенностью и надеждой. Поэтому взглядами его провожали без нетерпеливости, зная, что когда он, наконец, вынесет решение, оно будет справедливым, не потому, что вынесет его судья, а потому, что Дюкинфилд не позволит никакой несправедливости ни себе, ни другим. И каждое утро мы смотрели, как он переходит Площадь ровно в десять минут девятого и направляется к зданию суда, куда ровно за десять минут до него, с точностью блокпоста, извещающего о прибытии поезда, приходил негр-швейцар и открывал двери. Судья шел к себе в кабинет, а негр занимал свое плетеное, стянутое проволокой кресло в украшенном флагами коридоре, где кабинет располагался особняком от прочих комнат, и, сидя там, по семнадцатилетнему обыкновению, дремал весь день. В пять часов негр просыпался, входил в кабинет и, возможно, будил судью, успевшего понять за долгую жизнь, что главная помеха во всяком деле — нетерпеливость праздных умов; потом мы провожали взглядами их обоих, идущих на расстоянии пятнадцати футов один вслед другому, они вновь пересекали Площадь и шли по улице домой, не глядя по сторонам, до того прямые, что оба сюртука, сшитые одним портным по мерке судьи, спадали отвесно, не облегая ни талии, ни бедер.

И вдруг однажды в начале шестого люди внезапно побежали через Площадь к зданию суда. Видя это, за ними пустились и другие, топот ног громко раздавался среди фургонов и легковых машин, голоса звучали возбужденно, встревоженно: «В чем дело? Что стряслось?» «Судья Дюкинфилд», — ответил кто-то; люди, не останавливаясь, вбежали в украшенный флагами коридор, где кабинет судьи располагался особняком от прочих комнат, старый негр в старом сюртуке судьи стоял там, потрясая руками. Миновав его, люди вбежали в кабинет. Судья восседал за столом, удобно откинувшись на спинку кресла. Глаза его были открыты, в переносицу вошла пуля, поэтому казалось, что у него появился третий глаз. Судью застрелили, однако ни люди на Площади, ни просидевший весь день в коридоре негр не слышали из кабинета ни единого звука.

В тот день Гэвин Стивенс надолго занял присяжных — он и маленькая бронзовая шкатулка. Присяжные сначала не могли взять в толк, к чему он клонит, — да и остальные, сидевшие в тот день в судейском кабинете: оба брата, их родственник, старый негр. В конце концов старшина присяжных спросил напрямик:

— Вы утверждаете, Гэвин, что между убийством судьи Дюкинфилда и завещанием мистера Холленда есть какая-то связь?

— Да, — ответил окружной прокурор. — И намерен утверждать не только это.

Присяжные и оба брата уставились на него. Только родственник братьев да старый негр смотрели в сторону. Негр за неделю, казалось, постарел на пятьдесят лет. Сколько большинство из нас помнило, он всегда был слугой в семье Дюкинфилдов и службу в суде начал вместе с судьей. Был старше его, хотя до того дня неделю назад выглядел значительно моложе — сухонький, в просторном, мешковато сидящем сюртуке, он приходил за десять минут до судьи, открывал кабинет, подметал, вытирал стол, ничего на нем не сдвигая, с выработавшейся за семнадцать лет небрежной умелостью, а потом отправлялся спать в своем стянутом проволокой кресле. Вернее, сидеть, закрыв глаза. (В кабинет еще можно попасть по узкой лесенке, ведущей из зала суда, ею пользовался только судья во время судебных сессий, но и в этом случае нужно пересечь коридор в восьми футах от негра или дойти до того места, где коридор сворачивает под прямым углом, и влезть в единственное окно.) Потому что всякий, проходя мимо негра, неизменно видел, как взлетают морщинистые веки над мутно-коричневыми старческими глазами. Иногда мы останавливались поговорить с ним, послушать, как он торжественным тоном коверкает высокопарную, бессмысленную в его устах юридическую терминологию, которой набрался, сам того не замечая, будто микробов, и которую изрекал с такой непререкаемой серьезностью, что потом многие из нас, слушая самого судью, добродушно усмехались. Правда, годы давали о себе знать: старый негр забывал наши фамилии, путал нас друг с другом, иногда, пробудясь от легкой дремоты, окликал посетителей, которых давно уже не было в живых. Однако никто ни разу не прошел мимо него незамеченным.

Но все остальные не сводили глаз со Стивенса — присяжные, сидящие за столом, и оба брата, сидящие на противоположных концах скамьи, одинаково загорелые, горбоносые, одинаково сложившие руки на груди.

— Вы утверждаете, что убийца судьи находится в этом кабинете? — спросил старшина присяжных.

Окружной прокурор оглядел обращенные к нему лица.

— Я намерен утверждать не только это.

— Утверждать? — переспросил Анселм, младший из братьев. Он сидел в одиночестве на конце скамьи, как можно дальше от брата, с которым не разговаривал пятнадцать лет, и впивался в Стивенса яростным, немигающим взглядом.

— Да, — ответил Стивенс, стоящий в конце стола.

И заговорил, ни на ком не останавливая взгляда, непринужденным, разговорным тоном, он вел рассказ, то и дело обращаясь за подтверждением к Вирджиниусу, о том, что нам давно уже было известно. Об Ансе-младшем и его отце. Говорил легко, добродушно. Казалось, он старается обратить дело в пользу братьев, рассказывая, как младший Анс в гневе ушел из дому, справедливо возмущенный отцовским небрежением к земле, принадлежавшей их матери, и половина которой по праву принадлежала ему. Говорил Стивенс все по правде, складно, откровенно; пожалуй, что с легким сочувствием к Ансу-младшему. Вот оно-то и бесило Анса. Потому что это кажущееся сочувствие, кажущаяся симпатия представляли младшего брата в невыгодном свете, будто он нуждался в оправдании из-за чего-то, непонятного нам, будто в оправдании нуждались стремление к справедливости, привязанность к покойной матери, искаженные свирепостью, унаследованной от того самого человека, который причинил ему зло. Братья сидели по разным концам отполированной задами скамьи, младший впивался в Стивенса горящим злобой взглядом, старший глядел также пристально, но глаза его ничего не выражали. Стивенс рассказал, как Анс-младший в гневе ушел из дому, как год спустя Вирджиниус, более тихий, спокойный, не раз пытавшийся примирить брата с отцом, тоже был вынужден уйти. И Стивенс вновь нарисовал правдоподобную, понятную картину: разрознил братьев не отец, а то, что каждый от него унаследовал, сближала же, связывала их земля, не только принадлежащая им по праву, но и хранящая в себе кости их матери.

— И вот, живущие порознь и неразрывно связанные, они смотрели издали, как приходит в негодность добрая земля, как дом, где родились и они сами, и их мать, рушится по вине сумасбродного старика, который выжил их из дому и, будучи уже не в силах причинить им зло, решил навсегда лишить их земли, пустив ее на торги за неуплату налогов. Но тут кто-то нарушил планы старика, кто-то предусмотрительный, сдержанный, тайком делающий свое дело, никого не волнующее, пока налог на землю уплачивался. И братьям оставалось только ждать отцовой смерти. Отец уже состарился, да и будь помоложе, ожидание для сдержанного человека оказалось бы не слишком уж тягостным, если даже он не знал, что сказано в завещании старика. Однако человеку горячему, вспыльчивому ждать было не так легко, особенно если этот горячий человек как-то узнал или догадался, что говорится в завещании, и вышел из себя, понимая, что ему причинено непоправимое зло; что тот, кто уже сгубил его лучшие годы, вынудив провести их отшельником в лачуге среди холмов, теперь лишал его земли и доброго имени. Ждать у этого горячего человека не было ни времени, ни желания.

Братья неотрывно глядели на Стивенса. Они казались высеченными из камня, только глаза Анса были живыми. Стивенс говорил негромко, ни на ком не задерживая взгляда. Должность окружного прокурора он занимал немногим меньше лет, чем Дюкинфилд судейскую. Этот нескладный человек с густой копной седеющих волос, выпускник Гарварда, способный вести спор с университетскими профессорами о теории Эйнштейна, просиживал по полдня на корточках, прислонясь спиной к стене сельской лавки, вместе с фермерами, разговаривая с ними в их манере. У него это называлось «каникулами».

— Потом отец, как и мог ожидать любой сдержанный, предусмотрительный человек, скончался. Завещание покойного подали на утверждение, и даже до жителей холмов дошел слух, что сказано в нем, что наконец-то запущенная земля станет принадлежать законному владельцу. Точнее, владельцам, так как и Анселм Холленд, и все мы знаем, что Вирдж возьмет лишь свою законную половину земли, что бы там ни говорилось в завещании, поскольку не взял всей земли, когда отец предоставил ему такую возможность. Анс это знает, потому что и сам поступил бы так же — отдал бы половину земли Вирджу. Потому что они сыновья не только Анселма Холленда, но и Корнелии Мардис. Но пусть даже Анс и не знал, не верил — он понимал, что земля, принадлежавшая его матери и в которой лежит его мать, обретет надежного хозяина. И может, узнав о смерти отца, Анс спокойно уснул, впервые с детских лет, с тех времен, когда мать поднималась заглянуть в комнату, где он спит. Потому что все отлегло, понимаете: гнев, несправедливость, утрата доброго имени, тюремное пятно на репутации, — все улетучилось, как сон. Навсегда, потому что все наладилось. Анс уже привык жить отшельником; ему не хотелось менять образ жизни. В одиночестве, в холмах казалось лучше. А теперь он еще и знал, что все прошло, будто дурной сон, что земля, принадлежавшая матери, ее наследие и мавзолей, теперь в руках единственного человека, которому он может доверять, хоть они и в ссоре. Понимаете?

Мы смотрели на него, сидя за столом, где после смерти судьи Дюкинфилда ничего не трогали, где оставались те вещи, которые он видел перед тем, как глянуть в дуло пистолета, знакомые нам не первый год, — бумаги, испачканная чернильница, короткая ручка, с которой судья не желал расставаться, и маленькая бронзовая шкатулка, служившая ненужным прессом для бумаг. Близнецы неподвижно сидели на концах скамьи и неотрывно смотрели на Стивенса.

— Нет, — ответил старшина присяжных. — Не понимаем. К чему вы клоните? Какая связь между всем этим и убийством судьи Дюкинфилда?

— Связь вот какая, — ответил Стивенс. — Судья Дюкинфилд перед смертью разбирался с завещанием. Странное это завещание, но мы чего-то подобного и ожидали от мистера Холленда. Однако составлено оно по всем правилам, наследники удовлетворены; мы все знаем, что Анс получит свою половину земли, как только пожелает. Таким образом, завещание справедливое. Утверждение его представляло бы собой пустую формальность. Однако судья откладывал его больше двух недель. Поэтому тот человек считал, что ему нужно только выждать...

— Какой человек? — спросил старшина присяжных.

— Погодите, — ответил Стивенс. — Этому человеку нужно было только выждать. Но беспокоило его не ожидание. Он ждал уже пятнадцать лет. Дело в другом. В том, что узнал (или вспомнил), когда уже было поздно, в том, чего забывать не стоило; человек этот — хитрый, терпеливый и предусмотрительный; ему хватило терпеливости ждать пятнадцать лет своей удачи, хватило предусмотрительности подготовиться ко всем неожиданностям, кроме одной: своей забывчивости. И когда уже было слишком поздно, он вспомнил, что еще один человек должен знать то, что вылетело у него из памяти. И человек этот — судья Дюкинфилд. А знал судья, что эта лошадь не могла убить мистера Холленда.

Стивенс умолк, и в комнате воцарилась полная тишина. Присяжные неподвижно сидели, не сводя со Стивенса глаз. Анселм с выражением сдерживаемой ярости на лице глянул на брата и, чуть подавшись вперед, вновь уставился на Стивенса. Вирджиниус не шелохнулся; выражение его серьезного, сосредоточенного лица не изменилось. Между ним и стеной сидел Гренби Додж. Он положил руки на колени и чуть склонил голову, будто в церкви. Мы знали о нем только, что он разъезжал с проповедями да время от времени собирал несколько голов лошадей или мулов и угонял куда-то менять или продавать. Он был неразговорчивым, общаясь с людьми, обнаруживал такую мучительную застенчивость и неуверенность, что у нас появлялась жалость к нему, жалостливая брезгливость, с какой смотришь на разрубленного червя; мы старались не обращаться к нему даже с таким вопросом, на который можно ответить «да» или «нет». Но, по рассказам, в воскресенье, на кафедрах сельских церквей, он совершенно преображался: тут его голос становился звучным, проникновенным, совершенно не соответствующим его росту и нраву.

— А теперь, — сказал Стивенс, — представьте, как ждал этот человек, зная, что должно произойти или, по крайней мере, почему ничего не происходит, почему завещание пошло в кабинет судьи Дюкинфилда, а потом будто в воду кануло, — все потому, что он забыл то, о чем забывать не стоило. А забыл он, что судья Дюкинфилд понимает — ту лошадь избил не мистер Холленд. Он знал, что судья Дюкинфилд понимает, что человек, оставивший следы побоев на спине лошади, сперва убил мистера Холленда, всунул его ногу в стремя, а потом стал бить лошадь палкой, чтобы она пошла вскачь. Но лошадь не поскакала. Этот человек давным-давно знал, что не поскачет, знал много лет — и забыл об этом. Еще жеребенком ее так жестоко избили, что с тех пор, едва завидя хлыст в руке наездника, она валилась на землю, знал это и мистер Холленд, и все, близкие его семье. Лошадь сразу же повалилась на тело мистера Холленда. Но поначалу этот человек не видел в этом для себя ничего страшного. Так он думал примерно с неделю, лежа ночами и выжидая, после того, как прождал пятнадцать лет. И даже слишком поздно осознав, что совершил ошибку, он не вспомнил всего, чего не стоило забывать. Потом вспомнил и об этом, когда было уже совсем поздно, когда обнаружили тело и увидели следы побоев на спине лошади, когда загладить их было уже невозможно. Да они к тому времени, наверно, уже и сошли. Но загладить их в памяти людей можно было только одним способом. Представьте себе этого человека в те минуты, его ужас, злобу, сознание, что попал впросак по своей вине, неистовое желание повернуть время вспять, хоть на минуту, чтобы не совершать того, что совершил, или сделать все по-другому. Но было уже поздно. Потому что последним он вспомнил то, что мистер Холленд купил эту лошадь у судьи Дюкинфилда, того самого человека, который, сидя здесь, за этим столом, проверял законность завещания, передающего две тысячи акров лучшей в округе земли. И этот человек ждал, потому что у него было только одно средство загладить те следы, ждал, и ничего не происходило. Ничего, и он знал, почему. И ждал до тех пор, пока хватало смелости, пока не решил, что на карту поставлено нечто большее, чем ферма. И что он мог сделать, кроме того, что сделал?

Едва Стивенс умолк, заговорил Анселм. Грубо, отрывисто:

— Ошибаетесь.

Мы все, как один, поглядели на него, он сидел, подавшись вперед, в грязных сапогах, в старом комбинезоне, и впивался глазами в Стивенса; даже Вирджиниус бросил быстрый взгляд на брата. Только Додж и старый негр не шевельнулись. Казалось, они ничего не слышали.

— Ошибаюсь? В чем? — спросил Стивенс.

Но Анселм не ответил. Он впивался глазами в Стивенса.

— Получит Вирджиниус землю, несмотря на... на...

— Несмотря на что? — спросил Стивенс.

— Если он... этот...

— Вы говорите об отце? Если он не случайно погиб, а убит?

— Да, — ответил Анселм.

— Получит. Вы с Вирджем получите землю, независимо от того, утвердят завещание или нет, — разумеется, при условии, что Вирджиниус разделит ее с вами. Но убийца вашего отца не был в этом уверен, а спрашивать не решился. Убийца не хотел дележа между вами. Он хотел, чтобы вся земля досталась Вирджиниусу. И поэтому хочет, чтобы завещание утвердили.

— Нет, — грубо, отрывисто сказал Анселм. — Отца убил я. Только не из-за этой проклятой фермы. Вызывайте шерифа.

Теперь уже Стивенс впился взглядом в разъяренное лицо Анса и спокойно сказал:

— Нет, Анс, отца убили не вы.

Какое-то время все мы, кто смотрел и слушал, сидели в апатии, в каком-то состоянии, похожем на сон, и, казалось, заранее знали, что должно произойти, притом понимая, что это не имеет значения, потому что скоро проснемся. Казалось, едва взглянув на Анселма так, словно видим его впервые, мы перенеслись за пределы времени и оттуда следим за тем, что происходит. Послышался легкий, неторопливый вздох, может быть — облегчения. Видимо, тут все мы подумали, что теперь-то уж кошмар Анса окончился действительно навсегда; казалось, мы все перенеслись в тот дом, где Анс ребенком лежал в постели, и мать, по слухам любившая его больше всех, мать, чье наследство он утратил, чей прах после давней, горестной кончины осквернен даже в могиле, входит бросить на него взгляд. Хоть и давнее это время, связь с ним была прямая. И хоть прям был путь оттуда в настоящее, спящий в той постели мальчик его не прошел, он перестал существовать, как это суждено всем нам; тот мальчик был мертв, как его родные, лежащие в той кедровой роще, а на сидящего перед нами человека

17 Заказ 2107

мы смотрели через неодолимую бездну, может, и с жалостью, но без снисхождения. И смысл сказанного не сразу дошел до нас, как и до Анса; Стивенсу пришлось повторить:

— Нет, Анс, отца убили не вы.

— Что? — произнес Анс. И дернулся. Не встал, но, казалось, внезапно, яростно ринулся к Стивенсу. — Трепло...

— Нет, Анс. Не вы убили отца. Убил его тот, в чьей голове созрел замысел убить старика, сидевшего за этим столом изо дня в день, пока старый негр не будил его со словами, что пора домой, — старика, который ничего, кроме добра, не сделал ни единому мужчине, женщине или ребенку и верил, что чист перед собой и Богом. Нет, не вы убили отца. Вы потребовали у него то, что считали своим, а получив отказ, ушли, больше не переступали порог отцовского дома и не разговаривали с отцом. Вы помалкивали, когда до вас доходили слухи, что отец приводит землю в запустение, она уже стала для вас «этой проклятой фермой». Помалкивали, пока не узнали, что сумасбродный старик раскапывает могилы, где лежат родные вашей матери, ваши родные. И лишь тогда вы отправились на встречу с отцом, хотели обратиться к нему с увещаниями. Но вы не способны увещать, а он не был способен слушать увещания. Нашли вы его там, в роще, с дробовиком. Дробовик вряд ли произвел на вас впечатление. По-моему, вы отняли ружье у старика, избили его голыми руками и бросили возле лошади; возможно, сочли его мертвым. Но когда вы ушли, в рощу пришел некто другой и обнаружил лежащего. Некто другой, желающий его смерти, не от гнева и возмущения, а из расчета. Ради выгоды, может быть, ради завещания. Пришел, обнаружил, что вы ушли, и прикончил старика. Потом вдел ногу в стремя и стал бить лошадь, чтобы она пошла вскачь, однако впопыхах забыл то, чего забывать не стоило. Но убили отца не вы. Потому что вернулись домой, а узнав, как нашли тело старика, ничего не сказали. Потому что у вас мелькнула мысль, которую вы не высказали бы даже себе. А потом узнали об условиях завещания и утвердились в той мысли. И обрадовались. Потому что жили в одиночестве, пока не ушла юность, а с ней и желания; вам только хотелось, чтобы вас не тревожили, как и прах вашей матери. А кроме того, что такое земля и положение в обществе для отшельника с запятнанным именем?

Мы слушали, не перебивая, пока голос Стивенса не замер в маленькой полуподвальной комнате, где воздух всегда неподвижен, где никогда не бывает сквозняков.

— Не вы, Анс, убили вашего отца и судью Дюкинфилда. И если б убийца вовремя вспомнил, что эта лошадь раньше принадлежала судье Дюкинфилду, судья остался бы жив.

Мы тихо дышали, сидя за столом, из-за которого судья взглянул в дуло пистолета. На столе с тех пор ничего не трогали. Там так и лежали бумаги, ручки, чернильница и маленькая бронзовая шкатулка с искусной чеканкой, которую двенадцать лет назад судье привезла из Европы дочь — для чего, не знали ни она, ни он, поскольку годилась эта шкатулка для ароматических солей или табака, а судья не употреблял ни того, ни другого, поэтому пользовался ею как прессом для бумаг — ненужным, поскольку сквозняков в комнате не бывает. Но шкатулка постоянно стояла на столе, мы все видели, как судья забавлялся ею во время разговоров, открывал пружинную крышку и смотрел, как она захлопывается от малейшего прикосновения.

Когда я вспоминаю то дело сейчас, мне ясно, что с дальнейшим можно было и не затягивать. Кажется, что мы все понимали с самого начала; кажется, что я и сейчас ощущаю то безжалостное, подменяющее собой жалость отвращение, как при виде наколотого на булавку червя, когда испытываешь такую тошнотворную гадливость, что готов раздавить его даже голой рукой, и у тебя одна мысль: «Раздави его. Размажь. Прикончи». Только у

Стивенса был другой план. Поняли мы это уже потом, поняли, что не могли уличить того человека, и требовалось, чтобы он выдал себя сам. Вынудил его к этому Стивенс небезупречным способом, мы потом ему это высказали. («А, — отмахнулся Стивенс. — Правосудие всегда небезупречно. Оно всегда состоит из несправедливости, везения и рутины в разных долях».)

Но мы не представляли, куда Стивенс клонит, когда он вновь заговорил тем же легким, разговорным тоном, положив руку на бронзовую шкатулку. Правда, людей часто уводят в сторону предвзятые мнения. Поражают нас не факты и обстоятельства, а то, что мы должны были б понять, не прими за правду то, что в ту минуту казалось нам правдой. Стивенс заговорил о вреде курения, о том, что человек не получает настоящего наслаждения от табака, пока не поверит, что курение ему вредно, и что некурящие упускают одно из величайших наслаждений для мыслящего человека: сознание, что он предается пороку, вредному лишь для себя.

— Анс, вы курите? — спросил Стивенс.

— Нет, — ответил Анселм.

— Вирдж, и вы тоже?

— Не курю, — ответил Вирджиниус. — У нас никто не курил — ни отец, ни Анс, ни я. Наверно, это наследственное.

— Фамильная черта, — сказал Стивенс. — А как по материнской линии? Как вы, Гренби?

Додж быстро глянул на Стивенса и отвел взгляд. Несмотря на неподвижность, он, казалось, медленно корчился под дешевым аккуратным костюмом.

— Я не курю, сэр. Никогда не курил.

— Видимо, потому что вы проповедник, — сказал Стивенс.

Додж не ответил. Лишь снова глянул на Стивенса с кротким, донельзя смущенным видом.

— А я давно курю, — сказал Стивенс. — С тех пор, как в четырнадцать лет меня наконец перестало мутить от дыма. Стаж изрядный, достаточный, чтобы стать разборчивым в табаке. Да и большинство курильщиков разборчивы, несмотря на утверждение психологов и стандартизированный табак. Или можно стандартизировать только сигареты? А может, они кажутся стандартизированными только некурящим? Я заметил, что некурящие говорят о табаке ерунду, как и остальные о том, чего не употребляют, с чем незнакомы. Потому что люди склонны к предвзятым, превратным взглядам. Взять хотя бы человека, который торгует табаком, а сам не курит. Покупатели распечатывают пачки сигарет и закуривают, не отходя от прилавка. Спросите его, пахнет ли дым разных сигарет одинаково, трудно ли ему различить их по запаху. Хотя, может, здесь играют роль форма и расцветка пачки; психологи пока не объяснили, где кончается зрение и начинается обоняние или кончается слух и начинается зрение. Это может сказать вам любой юрист.

Старшина присяжных снова перебил его. Мы сидели молча, но, должно быть, все думали, что морочить голову убийце — одно дело, а нам, присяжным, — совсем другое.

— Если это расследование, — сказал старшина, — его нужно было провести до того, как созвали нас сюда. А если способ доказывания, то сперва нужно взять под арест убийцу. Догадки, конечно, штука хорошая...

— Ладно, — ответил Стивенс. — Дайте мне еще немного времени. Если сочтете, что моя догадка ни к чему не ведет, — скажите, я поведу дело по-вашему. Возможно, сначала вам покажется, что я слишком много себе позволяю, испытывая ваше терпение. Но мы нашли судью Дюкинфилда застреленным за этим столом. Это факт. И дядюшка Джоб весь день просидел в коридоре, где каждый идущий в эту комнату (если только не спустится по судейской лестнице из зала суда и не влезет в это окно) должен пройти мимо него не дальше чем в трех футах. И, насколько нам известно, за семнадцать лет ни единый человек не прошел мимо него незамеченным. Это факт.

— Так к чему же ведет ваша догадка?

Но Стивенс опять повел речь о табаке, о курении.

— На той неделе я заглянул в аптеку Уэста за табаком, и он рассказал мне о человеке, тоже разборчивом в куреве. Достав табак из ящика, Уэст взял пачку сигарет и протянул мне. Пачка пыльная, поблекшая, словно долго провалялась там, и Уэст рассказал, что какой-то коммивояжер несколько лет назад оставил ему две таких. «Курили их когда-нибудь?» — спросил он меня. «Нет, — ответил я. — Должно быть, такие курят в больших городах». Тут он рассказал мне, что другую пачку продал только накануне. Сидел за стойкой, пока продавец обедал, просматривал газету. Потом поднял взгляд и увидел перед собой человека, он так незаметно, неслышно подошел, что Уэст даже подскочил от неожиданности. Человек невысокий, одет по-городскому, спрашивает пачку сигарет, о которых Уэст и не слышал. «Нет у меня таких, — отвечает Уэст. — Не держим». — «Чего ж так?» — спрашивает тот. «Не курят их у нас», — отвечает Уэст. Этого одетого по-городскому человека он описал так: лицо будто восковое, чисто выбритое, глаза тусклые и голос какой-то тусклый. Увидев его глаза, Уэст глянул на ноздри и понял, с чего он так выглядит. Наркотиком накачался. «Не спрашивают их у меня», — говорит Уэст. Тот: «А я что делаю? Предлагаю вам липкую бумагу для мух?» Потом купил одну из тех двух пачек и вышел. Уэст говорит, что и разозлился, и почувствовал себя так, будто вот-вот вырвет. Сказал мне: «Знаете, что бы я сделал, если б хотел учинить какую-то мерзость, а сам боялся? Сунул бы этому типу десять долларов, сказал бы, что учинить, и чтобы я потом его не видел. Вот какое чувство у меня от него осталось, будто вот-вот стошнит».

Стивенс сделал паузу и оглядел нас. Мы все пристально смотрели на него.

— Тот человек приехал откуда-то на машине, на большом «родстере». У него кончились сигареты, к которым он привык.

Стивенс вновь сделал паузу, медленно повернул голову и обратил взгляд на Вирджиниуса. Они почти целую минуту неотрывно смотрели друг на друга.

— А один негр сказал мне, что в ночь накануне убийства судьи Дюкинфилда та большая машина стояла в сарае Вирджиниуса Холленда.

И мы вновь смотрели, как упорно они глядят друг на друга, не меняя выражения лиц. Стивенс заговорил спокойно, задумчиво, почти рассеянно:

— Кое-кто не хотел, чтобы он приезжал сюда в большой машине, которую всякий видевший запомнит и узнает. Может, этот кое-кто запрещал ему приезжать в ней, даже угрожал. Только человек, которому доктор Уэст продал те сигареты, не стал бы слушать угроз.

— Хотите сказать, что «кое-кто» — это я? — спросил Вирджиниус. Он не шевельнулся, не отвел упорного взгляда от Стивенса. Но Анселм шевельнулся. Повернул голову и бросил быстрый взгляд на брата. В комнате стояла полная тишина, однако, когда Гренби Додж заговорил, мы недослышали, не поняли сразу, что он сказал; с тех пор как мы вошли в кабинет, он нарушил молчание лишь во второй раз. Голос его звучал еле слышно, с той смущенной негромкостью, с тем мучительным стремлением держаться в тени, которые нам были давно знакомы.

— Человек, о котором речь, приезжал ко мне, — сказал Додж. — И остался. К дому приехал в сумерках, сказал, что ищет небольших лошадей для этой... игры...

— Для поло? — спросил Стивенс.

Додж, отвечая, ни на кого не смотрел; казалось, он обращается к своим рукам, медленно елозящим по коленям:

— Да, сэр. И Вирджиниус был там. Мы разговаривали о лошадях. А утром он сел в машину и уехал. Лошадей таких у меня никогда не бывало. Я не знаю ни откуда он приехал, ни куда укатил.

— Или кого еще приезжал повидать, — сказал Стивенс. — Или что еще сделать. Этого сказать вы не можете.

Додж не ответил. В этом не было нужды, он вновь потупился и стал похож на маленького, слабого, прячущегося в норке зверька.

— Догадка моя ведет вот к чему, — сказал Стивенс.

Тут бы нам и уразуметь. Все было на виду. Почувствовать — того, кто чувствовал то, что Стивенс назвал ужасом, злобой, неистовым желанием повернуть время на секунду вспять, удержаться от слов, от поступка. Но, может, этот человек еще не почувствовал, не ощутил удара, воздействия, как человек может секунду-другую не ощущать пулевой раны. Потому что Вирджиниус тут заговорил грубо, отрывисто:

— А как вы собираетесь это доказать?

— Что доказать, Вирдж? — спросил Стивенс.

И они поглядели друг на друга спокойно, твердо, словно боксеры. Не фехтовальщики, а боксеры или дуэлянты с пистолетами.

— Доказать, кто вызвал из Мемфиса и нанял того головореза, наемного убийцу? Этого и доказывать не нужно. Он сам сказал. По пути в Мемфис этот убийца переехал в Бэттенберге ребенка (опять был накачан наркотиком; возможно, сделав свое дело здесь, принял еще дозу), его взяли, упрятали под замок, а когда действие наркотика стало проходить, он рассказал, куда ездил и к кому. Весь трясся, рычал в той камере, куда посадили его, отобрав пистолет с глушителем.

— А, — сказал Вирджиниус. — Прекрасно. Значит, остается доказать, что он был в тот день в этой комнате. Как же вы это сделаете? Освежите память старика-негра еще одним долларом?

Но Стивенс, казалось, не слушал. Он стоял в конце стола, между обеими группами, и теперь не выпускал из руки бронзовую шкатулку, вертел ее, разглядывал и говорил непринужденно, задумчиво:

— Все вы знаете отличительную особенность этой

комнаты. Здесь не бывает сквозняков. И если в субботу накурят, в понедельник, когда дядюшка Джоб откроет дверь, дым будет лежать у плинтуса, будто спящая собака. Всем вам доводилось это видеть.

— Да, — сказал старшина присяжных. — Доводилось.

— Так, — продолжал Стивенс, по-прежнему будто не слушая, и завертел в руке закрытую шкатулку. — Вы спрашивали, к чему ведет моя догадка. Слушайте. Сделать это мог только догадливый человек — способный подойти к стойке так, что владелец, поглядывающий то в газету, то на дверь, не заметит его. Городской человек, требующий городских сигарет. Потом этот человек вышел из аптеки, подошел к зданию суда, вошел и поднялся наверх, как мог бы любой. Возможно, его видела дюжина людей; возможно, еще вдвое больше даже не взглянули на него, потому что есть два места, где никто не разглядывает лица людей: это храмы правосудия и общественные туалеты. Тот человек вошел в зал заседаний, спустился по судейской лестнице в коридор, увидел дремлющего в своем кресле дядюшку Джоба. И, возможно, прошел по коридору и влез в окно за спиной судьи Дюкинфилда. А может, прошел прямо от лестницы мимо дядюшки Джоба. Пройти на расстоянии восьми футов мимо спящего старика не трудно для человека, незаметно подошедшего к стойке, за которой сидел владелец. Может даже, он закурил сигарету из той, купленной в аптеке пачки, прежде чем судья заметил, что он находится в комнате. А может, судья тоже спал в кресле, как зачастую бывало. Может быть, этот человек, стоя здесь, выкурил сигарету, смотрел, как дым плывет через стол к стене, скапливается там, и думал о легких деньгах и недалеких провинциалах, а потом уже вытащил пистолет. И выстрел прозвучал не громче чирканья спички, от которой он прикуривал, потому что этот человек принял меры против шума. А затем вышел тем же путем, что и вошел, те же самые люди видели и не замечали его, а в пять часов дядюшка Джоб пришел будить судью, сказать, что пора домой. Так ведь, дядюшка Джоб?

Старый негр поднял взгляд.

— Я смотрел за ним, как обещал госпоже, — сказал он. — Пекся о нем, как обещал госпоже. А когда вошел сюда, сперва подумал, он спит, как иногда...

— Постой-постой, — перебил Стивенс. — Ты вошел, увидел его, как всегда, в кресле, и, подходя к столу, заметил дым у стены за столом? Ты ведь так мне рассказывал?

Негр, сидевший в своем стянутом проволокой кресле, заплакал. Бессильно плачущий, он походил на старую обезьяну, по его черным щекам катились слезы, и он утирал их узловатой рукой, дрожащей от старости, а может, и не от нее.

— Я сюда много раз приходил по утрам убираться. Дым всегда лежал здесь, а он в жизни и одной затяжки не сделал, входит он сюда, потянет своим большим носом и говорит: «Да, Джоб, выкурили мы вчера вечером, как енота, весь состав присяжных».

— Нет-нет, — сказал Стивенс. — Расскажи, как увидел дым за столом в тот вечер, когда пришел будить его, звать домой, когда никто не проходил мимо тебя, кроме мистера Вирджа Холленда. Мистер Вирдж не курит, и судья не курил. Но за столом лежал дым. Расскажи то, что мне рассказывал.

— Дым лежал. И я подумал, мистер Дюкинфилд спит, как всегда, подошел будить его...

— А эта коробка стояла на краю стола, судья вертел ее, пока разговаривал с мистером Вирджем, и когда ты протянул руку, чтобы разбудить судью...

— Да, сэр, коробка свалилась со стола, а я думал, он спит...

— Коробка свалилась со стола. И громко стукнулась о пол, ты удивился, что судья не проснулся от стука, и посмотрел на коробку. Она лежала с открытой крышкой, в дыму, ты подумал, что она сломалась. И потянулся за ней, судья ее любил, потому что ее привезла из-за моря мисс Эмма, хоть ему в этом кабинете пресс для бумаг был не нужен. Ты захлопнул крышку, поднял коробку и поставил на стол. А потом обнаружил, что судья не просто спит.

Стивенс умолк. Мы старались дышать беззвучно и все же слышали свое дыхание. Стивенс завертел шкатулку туда-сюда, держа ее, казалось, очень бережно. Разговаривая со старым негром, он чуть отвернулся и теперь стоял лицом не к присяжным, к столу, а к скамье.

— Дядюшка Джоб называет ее «золотой коробкой». Неплохое название. Лучше придумать трудно. Ведь металлы почти все одинаковы; просто одними люди дорожат больше, чем другими. Но у всех металлов есть определенные общие свойства. Одно из них — все, закрытое в металлической коробке, сохраняется дольше, чем в деревянной или картонной. Например, можно закрыть дым в металлической шкатулке с такой тугой крышкой, как эта, и он не выйдет оттуда даже за неделю. Мало того, аптекарь, курильщик или человек, продающий табак, скажем доктор Уэст, сможет определить, от какого табака дым, особенно если это незнакомая марка, не продающаяся в Джефферсоне, каких у него случайно оказалось две пачки, и сможет вспомнить, кому он ее продал.

Мы не шевельнулись. Мы неподвижно сидели и слышали торопливые, спотыкающиеся шаги, потом увидели, как человек выбил шкатулку у Стивенса. Но даже и теперь мы не смотрели на него. Мы смотрели вместе с ним, как отскочила крышка шкатулки, и оттуда потянулся какой-то туман, вяло расходящийся в воздухе. Потом все, как один, перегнулись через стол и уставились на рыжеватую, непримечательную голову Гренби Доджа, разгоняющего дым, стоя на коленях.

— Но все же я... — сказал Вирджиниус. Мы впятером стояли во дворе здания суда и глядели друг на друга, помигивая, словно только что вышли из пещеры.

— У вас составлено завещание, так ведь? — спросил Стивенс. Тут Вирджиниус уставился на Стивенса и замер.

— А-а, — наконец протянул он.

— Обычный акт передачи в опеку, какие могут оформить деловые партнеры, — сказал Стивенс. — Вы с Гренби наследники и душеприказчики друг друга ради совместной защиты совместных владений. Это вполне естественно. Видимо, эту мысль подал Гренби, сказав, что сделал вас своим наследником. Так что свою копию завещания разорвите. Если считаете нужным завещать землю, завещайте ее Ансу.

— Ему незачем ждать наследства, — сказал Вирджиниус. — Половина земли — его.

— Вы позаботитесь о ней как следует, и он это знает, — сказал Стивенс. — Ансу земля не нужна.

— Да, — сказал Вирджиниус и отвел взгляд. — Но я хочу...

— Позаботьтесь о земле как следует, — сказал Стивенс. — Он знает, что вы это сделаете.

— Да, — сказал Вирджиниус. И вновь посмотрел на Стивенса. — Что ж, видимо, я... мы оба обязаны вам...

— Больше, чем вы думаете, — сказал Стивенс. Говорил он очень спокойно. — И той лошади. Через неделю после смерти вашего отца Гренби накупил столько крысиного яду, что хватит отравить трех слонов. Это мне говорил Уэст. Однако, вспомнив, что та лошадь принадлежала судье, травить крыс, пока завещание не утверждено, Додж побоялся. Потому что человек он хитрый и вместе с тем невежественный — сочетание опасное. По невежеству он полагает, что закон нечто вроде динамита: слуга того, кто поспешит прибегнуть к нему, но слуга опасный; а по хитрости — что люди служат закону только ради личных целей. Я это понял, когда он прислал ко мне негра узнать, влияет ли на утверждение завещания то, какой смертью умер человек. И я понял, кто прислал этого негра, понял, что, с каким бы ответом ни вернулся негр, тот человек, что его прислал, уже решил не верить ответу, поскольку я служитель этого слуги, этого динамита. Так что, если б та лошадь была обычной или Гренби вовремя вспомнил об этом, вы уже лежали бы в могиле. Гренби, возможно, оказался бы не в лучшем положении, чем сейчас, но вы были бы мертвы.

— А, — спокойно сказал Вирджиниус. — Стало быть, я оказался в должниках.

— Да, — сказал Стивенс. — В большом долгу. Вы кое-что должны Гренби.

Вирджиниус удивленно поглядел на него.

— За налоги, которые он ежегодно выплачивал в течение пятнадцати лет.

— А, — произнес Вирджиниус. — Да. Я думал, что отец... В ноябре Гренби всякий раз брал у меня в долг, немного, всегда разные суммы. Говорил, что на покупку скота. Кое-что возвращал. Но все еще должен мне... хотя нет. Теперь я должен ему. — Говорил он очень серьезно, рассудительно. — Когда человек начинает делать зло, важно не что он делает, а что из этого выходит.

— Но другие люди, посторонние, накажут его именно за то, что он делает, чтобы не наказали пострадавшие от того, что выходит. И для нас, посторонних, хорошо, что сделанное дает нам возможность вырвать его из рук пострадавших. Я вырвал его из ваших рук, Вирдж, хоть он вам и родня... Понимаете?

— Понимаю, — ответил Вирджиниус. — Да я все равно бы не...

Потом внезапно глянул на Стивенса.

— Гэвин.

— Что? — спросил Стивенс.

Вирджиниус пристально смотрел на него.

— Вы там складно говорили о химии и прочих вещах, об этом дыме. Я, пожалуй, кое-чему поверил, кое-чему — нет. И скажи я, чему поверил, а чему нет, вы надо мной рассмеетесь.

Лицо у него было совершенно серьезное. И у Стивенса тоже. Однако в глазах, во взгляде Стивенса что-то сквозило; что-то озорное, но отнюдь не насмешливое.

— Прошла целая неделя. Если вы открывали шкатулку посмотреть, есть ли там дым, он бы вышел. А не будь дыма, Гренби не выдал бы себя. И прошла целая неделя. Откуда вы знали, остался в шкатулке дым или нет?

— Я не знал, — ответил Стивенс. Быстро, весело, почти радостно, чуть ли не сияя. — Не знал. Поэтому выждал до последней минуты, а потом напустил туда дыму. Перед тем как вы вошли в комнату, я напустил в шкатулку дыма из трубки и захлопнул крышку. Но я не знал. И страху натерпелся больше, чем Гренби Додж. Но все получилось, как надо. Дым продержался в шкатулке около часа.

ПРОСТЕР РУКУ НА ВОДЫ

I

По тропинке между рекой и плотной стеной кипарисов, тростника, каменного дерева и шиповника шли двое. Тот, что постарше, нес джутовый мешок, стиранный и словно бы глаженный. Младшему, судя по лицу, еще не исполнилось двадцати. Стояла середина июля, и уровень воды в реке упал.

— При такой воде он небось натаскал рыбы, — сказал парень.

— Если охота нашла, — заметил старший. — Они с Джо осматривают перемет, когда вздумается Лонни, а не когда идет клев.

— Ну, тогда рыба будет на перемете, — сказал парень. — А кто ее снимет, Лонни, по-моему, все равно.

Вскоре тропинка пошла вверх и вывела их к расчищенному, похожему на мыс выступу. Там стояла островерхая коническая хибарка, сооруженная частью из подгнившего брезента и непригнанных досок, частью из расплющенных жестяных канистр. Над ней косо торчала ржавая печная труба, возле стены лежали охапка дров, топор и вязанка тростника. Потом они увидели на земле перед открытой дверью около дюжины поводцов, недавно нарезанных из лежащего рядом мотка веревки, и ржавую жестянку, до половины засыпанную крупными рыболовными крючками, к некоторым были привязаны поводцы. Однако никого из людей там не было.

— Лодки нет на месте, — сказал старший. — Значит, Лонни в лавку не ушел.

Увидев, что парень идет дальше, он вздохнул и едва собрался крикнуть, как вдруг из кустов выскочил человек и встал перед ним с каким-то жалобным хныканьем — невысокий, но с могучими руками и плечами; взрослый, хотя в его манере держаться было что-то детское, босой, одетый в старый комбинезон, с назойливым взглядом глухонемого.

— Привет, Джо, — сказал человек с мешком, повысив голос, как поступают люди, зная, что их не смогут понять. — Где Лонни? — И показал мешок. — Рыба есть?

Но тот лишь упорно глядел на него, отрывисто хныча. Затем повернулся и побежал по тропинке туда, где скрылся парень, как раз закричавший:

— Погляди-ка на перемет!

Старший пошел к нему. Возбужденный парень склонился над водой, стоя возле дерева, от которого светлая хлопковая веревка, туго натягиваясь, уходила в воду. Глухонемой стоял позади него, беспрестанно хныча и нетерпеливо переступая с ноги на ногу, однако не успел старший подойти, как он повернулся и торопливо пробежал мимо него назад к хибарке. Река обмелела, и веревке, протянутой с берега на берег и привязанной к деревьям, полагалось бы находиться над водой, а погружаться лишь висящим на поводцах крючкам. Но она, тяжело провиснув посередине, уходила в воду, сильно отклоняясь вниз по течению, и на ней что-то болталось, это было видно даже старшему.

— Огромная, как человек! — воскликнул парень.

— Вон лодка Лонни, — сказал старший. Парень тоже увидел ялик на другой стороне реки, ниже по течению, уткнувшийся носом в куст ивняка. — Сплавай, пригони ее, поглядим, что там за рыбина.

Парень сбросил башмаки и комбинезон, стянул рубашку, вошел в воду и поплыл прямо поперек реки, чтобы течением его снесло к ялику, добрался до него, взял весло и стал грести обратно. Он стоял, выпрямясь, и нетерпеливо глядел на тяжелый прогиб веревки, где то и дело тяжело перекатывалась вода. Ялик он подогнал к старшему, который заметил, что глухонемой опять стоит позади, по-прежнему отрывисто хныча, и собирается лезть в лодку.

— Отойди! — сказал старший, отстраняя его. — Отойди, Джо!

— Быстрей! — поторопил его парень, жадно глядя на погрузившуюся веревку, где, как он видел, что-то медленно всплывало и погружалось снова. — Там кое-что есть, не сойти мне с этого места. Здоровенная, прямо как человек!

Взявшись за веревку, старший шагнул в ялик и, перебирая ее, стал тянуть лодку вдоль перемета.

Вдруг с берега у них за спиной Джо начал издавать настоящие вопли. Они были весьма громкими.

II

— Кто-то погиб? — спросил Стивенс.

— Лонни Гриннап. — Обязанности коронера[1] исполнял старый сельский врач. — Утонул. Два человека утром нашли его на собственном перемете.

---

[1] Коронер — следователь по делам о внезапной и насильственной смерти.

— Да что вы! — поразился Стивенс. — Бедный недоумок. Поеду туда.

Как окружному прокурору ему там было нечего делать, даже будь эта смерть не случайной. Он это знал. Ему хотелось увидеть лицо покойного по личным причинам. Нынешний округ Йокнапатофа обязан своим существованием не одному пионеру, а трем. Они вместе приехали сюда верхом из Каролины через Камберлендское ущелье, когда Джефферсон был еще факторией агентства по делам индейцев чикасо, купили земли, обзавелись семьями, разбогатели и скончались, а теперь, сотню лет спустя, во всем основанном ими округе оставался лишь один представитель тех трех фамилий.

Это был Стивенс, так как последний из Холстонов скончался в конце прошлого столетия, а Луи Гренье, на чье мертвое лицо Стивенс ехал взглянуть по июльской жарище за восемь миль, и не знал, что он Луи Гренье. Не мог даже написать «Лонни Гриннап», как именовал себя, — одинокий, как Стивенс, известный всему округу человек лет тридцати пяти, чуть пониже среднего роста, черты его лица с золотистой, не знавшей бритвы бородкой и добродушными светлыми глазами, постоянно спокойного, приветливого, если присмотреться, могли показаться изящными. О нем говорили «тронутый», но тронулся он невесть на какой почве лишь слегка, лишился немногого, о чем стоило бы жалеть. Лонни соорудил себе хибарку из старого брезента, непригнанных досок и расплющенных жестяных канистр, где жил годами вместе с глухонемым сиротой, которого приютил десять лет назад, одевал, кормил и воспитывал и который в умственном отношении отставал даже от него самого.

А хибарка, перемет и верша Лонни находились почти в самом центре тех тысячи с лишним акров, что принадлежали его предкам. Но об этом он не подозревал.

По мнению Стивенса, Лонни не принял, отверг бы мысль, что одному человеку можно или нужно иметь столько земли, раз земля принадлежит всем, каждому для блага и удовольствия. Так, на те тридцать-сорок квадратных футов, где стояла его хибарка, к той части реки, где был протянут его перемет, мог в любое время, бывал он сам дома или нет, прийти кто угодно, пользоваться его снастями и питаться его припасами, пока они не кончались.

И сам он иногда закрывал дверь хибарки, забивал под нее клин, чтобы не забрались бродячие животные, и без предупреждения или приглашения появлялся с глухонемым воспитанником в домах или лачугах, находящихся за десять-пятнадцать миль, где оставался неделями, неизменно спокойный, добродушный, ничего не требующий и не заискивающий. Спал он там, где хозяин мог его уложить — на сеновале, на кровати в спальне или комнате для гостей, а глухонемой парень ложился на крыльце или на земле у крыльца, откуда мог слышать дыхание того, кто стал ему и отцом, и братом. Этот единственный на всей безгласной земле звук он улавливал даже во сне.

Только что перевалило за полдень. Дали застилала голубая жаркая дымка. Наконец в том месте длинной равнины, где шоссе поворачивает и дальше идет параллельно руслу реки, Стивенс разглядел лавку. Не случись ничего, там было бы пустынно, но теперь он уже видел вокруг нее заезженные машины с откинутым верхом, фургоны, оседланных мулов и лошадей, водителей и наездников он всех знал по фамилиям. Они тем более знали Стивенса, голосовали за него из года в год и звали по имени, хотя он им был не совсем понятен, как его ключик Фи-Бета-Каппа на часовой цепочке. Стивенс притормозил рядом с машиной коронера.

Дознание явно проводилось не в лавке, а в стоящей рядом мельнице, у ее распахнутой двери толпа мужчин в чистых субботних комбинезонах и рубашках, с обнаженными головами и белыми полосками на загорелых шеях от субботнего бритья, была самой плотной и тихой. Люди посторонились, пропуская Стивенса. Внутри стояли стол и три стула, на стульях сидели коронер и оба свидетеля.

Стивенс мельком глянул на мужчину лет сорока, держащего чистый джутовый мешок, сложенный несколько раз так, что напоминал книгу, и на парня, чье лицо хранило выражение давнего и все же неодолимого изумления. Тело находилось под покрывалом на низкой платформе, к которой крепилась утихшая мельница. Он подошел к нему, приподнял угол покрывала и взглянул в лицо покойного, затем опустил покрывало и повернулся, уже направляясь к выходу, но потом передумал. Придвинулся к людям, стоящим со шляпами в руках у стены, и стал слушать показания — парень изумленным, усталым, недоверчивым голосом заканчивал рассказ о том, как они обнаружили тело. Увидев, как коронер подписал свидетельство и спрятал ручку в карман, Стивенс понял, что в город пока возвращаться не станет.

— Ну вот и все, — сказал коронер. Потом взглянул в сторону двери. — Ладно, Айк. Теперь можете его забирать.

Стивенс вместе с остальными потеснился и обратил взгляд на четверых, идущих к покрывалу.

— Айк, вы будете его хоронить? — спросил он.

Старший обернулся и бросил на него быстрый взгляд.

— Да. Лонни хранил похоронные деньги в лавке у Митчелла.

— Вы, Поуз, Мэттью и Джим Блейк, — сказал Стивенс.

Теперь Айк обернулся с удивлением, почти раздраженно.

— Разницу мы доплатим.

— Я помогу, — предложил Стивенс.

— Спасибо, — ответил Айк. — Обойдемся.

Тут возле них появился коронер и раздраженно потребовал:

— Хватит, ребята. Освободите дорогу.

Вместе с остальными Стивенс вышел на воздух, на

яркий свет. Возле двери уже стоял поданный задом фургон. Задняя стенка его была снята, дно устлано соломой. Стивенс вместе с остальными стоял, обнажив голову, и смотрел, как четверо людей выходят из-под навеса с обернутой в покрывало ношей и движутся к фургону. На помощь им из толпы вышли еще четверо или трое. Стивенс тоже шагнул вперед, тронул парня за плечо и вновь увидел на его лице выражение давнего, невероятного, неистового изумления.

— Ты отправился за лодкой и пригнал ее, еще не зная о случившемся? — сказал он.

— Да, — ответил парень. Сперва он говорил довольно спокойно. — Подплыл к лодке, взял ее и стал грести обратно. Я только знал, что на лесе что-то есть. Видно было, как она...

— Значит, назад ты плыл, таща лодку, — сказал Стивенс.

— ... погружается в во... Сэр?

— Ты плыл назад, таща лодку. Подплыл к лодке, взял ее и вплавь потащил к берегу.

— Нет, сэр! Я стоял в лодке и греб. К берегу! Я ведь ничего не подозревал! Видно было, как рыбы...

— Чем? — перебил Стивенс. Парень удивленно взглянул на него. — Чем ты греб к берегу?

— Веслом! Взял весло, стал грести обратно и все время видел, как они там кишат. Они не хотели уплывать! Даже когда мы подняли тело, они все еще жрали его! Рыбы! Что черепахи набрасываются на утопленников, я знал, а тут рыбы! Жрали его! Мы ведь думали, тащим из воды рыбу! И вытащили! В рот теперь ее не возьму! Никогда!

Длилось все это как будто бы недолго, однако день ушел куда-то, а с ним и палящий зной. Снова сидя в машине и держа руку на ключе зажигания, Стивенс смотрел на фургон, уже готовый тронуться. *Здесь что-то не так,* думал он. *Картина не полная. Я что-то упустил, прошляпил. Или чего-то еще не последовало.*

Фургон уже тронулся и пересекал пыльную дорогу, направляясь к шоссе, двое из взявших тело сидели на козлах, двое ехали сбоку на оседланных мулах. Стивенс повернул ключ; машина пришла в движение. Обогнала фургон она уже на большой скорости.

Проехав с милю по шоссе, Стивенс свернул на проселочную дорогу, снова к холмам. Начался подъем, заходящее солнце то появлялось, то исчезало за ними. Вскоре дорога разветвилась. Внутри угла стояла белая церковь без колокольни, рядом находилось неогражденное кладбище — беспорядочная кучка могил с дешевыми мраморными надгробьями или просто окаймленных рядами перевернутых банок, фаянсовых осколков и битого кирпича.

Стивенс, не раздумывая, подъехал к церкви и развернул машину так, чтобы видеть развилку и поворот, за которым исчезала из виду дорога, по которой он только что ехал. Ему было слышно, как фургон приближается к повороту. Затем послышался шум грузовика. Грузовик приближался сзади, из-за холмов, на большой скорости и появился в поле зрения, уже замедляя ход, кузов его с невысокими бортами был застелен брезентом.

На развилке грузовик подъехал к обочине и остановился; тут Стивенс вновь заслышал фургон, потом разглядел в сумерках его и двух всадников, выезжающих из-за поворота, на пути у них возле грузовика теперь стоял мужчина. Стивенс узнал в нем Тайлера Болленбоу, фермера, мужа и отца семейства, человека, по слухам, крутого, уверенного в себе. Уроженец Йокнапатофы, Тайлер уезжал на Запад, возвратился, неся с собой, будто миазмы, слухи о выигранных деньгах, женился, купил землю и больше в карты не играл, но в иные годы закладывал урожай и, получив деньги, пускался в рискованные сделки с хлопком. Он высился в облаке пыли возле фургона и говорил с сидящими там людьми, не жестикулируя и не повышая голоса. Рядом с ним стоял человек в белой рубашке, которого Стивенс не узнавал или не мог как следует разглядеть.

Рука Стивенса потянулась к ключу; с шумом двигателя машина пришла в движение. Включив фары, он быстро выехал с кладбища, и, едва остановился позади фургона, человек в белой рубашке с криком вскочил к нему на подножку, тут Стивенс узнал в нем младшего брата Тайлера, несколько лет назад он уезжал в Мемфис, где, по слухам, во время забастовки ткачей устроился в вооруженную охрану, но последние два-три года жил у брата, скрываясь, как поговаривали, не от полиции, а кое от кого из своих мемфисских дружков или сообщников в последних делах. Имя его то и дело мелькало в газетных сообщениях о скандалах и драках на сельских танцах и пикниках. В Джефферсоне, где по субботам он напивался и начинал хвастать былыми подвигами или клясть нынешнюю жизнь и старшего брата, заставляющего работать на ферме, двое полицейских однажды схватили его и бросили в камеру.

— За кем это, черт возьми, ты шпионишь? — крикнул он.

— Бойд, — приказал старший Болленбоу, не повышая голоса, — марш в кабину.

Крупный, невозмутимый, он, не шевельнувшись, устремил на Стивенса взгляд светлых, холодных, ничего не выражающих глаз.

— Здорово, Гэвин.

— Здорово, Тайлер, — ответил Стивенс. — Хочешь забрать Лонни?

— Может, кто-нибудь против?

— Я — нет, — сказал Стивенс, вылезая из машины. — Помогу вам его перегрузить.

Потом снова сели в машину. Фургон тронулся. Грузовик отъехал назад и развернулся, уже набирая скорость; промелькнуло два лица — на одном, заметил Стивенс, свирепость сменилась страхом; на другом не увидел ничего, кроме спокойных, холодных светлых глаз. Надтреснутый хвостовой фонарь исчез за холмом. *Номерной знак округа Окатоба,* мысленно отметил Стивенс.

На другой день Лонни Гриннапа отвезли на кладбище из дома Тайлера Болленбоу.

На похороны Стивенс не ездил.

— Джо, видимо, тоже там не было, — сказал он. — Глухонемого приемыша.

— Да. Не было. Люди, ходившие в воскресенье утром поглядеть на тот перемет, говорили, что он все еще крутился там, искал Лонни. Но на похоронах его не было. Теперь, когда найдет, то прилечь рядом может, только вот дыхания его уже не услышит.

III

— Да что вы! — поразился Стивенс.

Вторую половину того дня он провел в Моттстауне, центре округа Окатоба. И хотя было воскресенье, хотя сам не знал, что искать, к вечеру он все-таки разыскал его — агента страховой компании, где одиннадцать лет назад жизнь Лонни Гриннапа застраховали на пять тысяч долларов с удвоенным вознаграждением за смерть от несчастного случая в пользу Тайлера Болленбоу.

Придраться было не к чему. Врач-эксперт до освидетельствования в глаза не видел Лонни Гриннапа, но Тайлера Болленбоу знал много лет, Лонни поставил на заявлении свою отметку, а Болленбоу уплатил первый взнос и регулярно вносил остальные. Секретности никакой в этой страховке не было, а что она совершена в другом городе, Стивенс странным не находил.

Округ Окатоба находится сразу же за рекой, в трех милях от жилья Болленбоу, а Стивенс кроме него знал еще нескольких людей, которые владеют землей в одном округе, а покупают машины и помещают деньги в банк в другом, следуя присущему выросшим в сельской местности людям легкому, видимо, атавистическому недоверию, очевидно, даже не к людям в белых воротничках, а к мостовым и электричеству.

— Значит, компанию пока не извещать? — спросил агент.

— Нет. Примите требование, когда Болленбоу его предъявит. Объясните, что на улаживание всех дел уйдет примерно неделя, а через три дня отправьте ему приглашение явиться в контору и встретиться с вами в девять или десять часов на другое утро; для чего и зачем — не объясняйте. Потом, узнав, что извещение он получил, позвоните мне в Джефферсон.

Рано утром, почти на рассвете, разразилась гроза. Стивенс лежал в постели, глядя на вспышки молний, прислушиваясь к грому и шумной ярости ливня, и думал о том, как он хлещет и растекается неистовыми ручьями мутной воды по сырой, одинокой могиле Лонни Гриннапа на бесплодном холме возле церкви без колокольни, барабанит о хибарку из брезента и жести над буйством вздувшейся реки, где глухонемой парень, должно быть, ждет, когда Лонни вернется домой, зная, что с ним что-то случилось, но не зная, как и почему. *Не зная как*, думал Стивенс. *Его как-то обдурили. Не потрудились даже связать. Попросту обдурили.*

В среду вечером страховой агент из Моттстауна сообщил по телефону, что Болленбоу предъявил требование.

— Отлично, — сказал Стивенс. — В понедельник отправьте ему приглашение на четверг. И сообщите мне, когда узнаете, что Болленбоу его получил.

Положив трубку, он подумал: *Я играю в стад-покер с человеком, доказавшим, в отличие от меня, что он игрок. Но, по крайней мере, я заставил его взять карту. И он знает, кто с ним заодно в этой игре.*

В понедельник после второго звонка из Моттстауна Стивенс знал только, что будет действовать сам. Он собирался было попросить у шерифа помощника или взять с собой кого-нибудь из друзей. *Но даже друзья не поверят, что у меня лишь взятая втемную карта,* сказал он себе, *однако я убежден: один человек, даже дилетант в убийстве, может считать, что уничтожил за собой все следы. Но когда убийц двое, ни один не будет уверен, что другой не оставил улик.*

Итак, Стивенс отправлялся один. У него был пистолет. Он осмотрел его и сунул опять в ящик стола. *По крайней мере, из него меня никто не застрелит,* сказал он себе. И выехал из города, как только стемнело.

На сей раз Стивенс проехал мимо лавки, темневшей на обочине. Подъехав к дороге, на которую сворачивал девять дней назад, он повернул направо, проехал с четверть мили и свернул в захламленный двор, свет фар упал на темную лачугу. Стивенс не стал их выключать. В желтом свете он подошел к лачуге и крикнул: «Нейт! Нейт!»

Свет в лачуге не зажегся, но почти тут же послышался голос негра:

— Я иду в лагерь мистера Лонни Гриннапа. Если до рассвета не вернусь, сходишь в лавку и скажешь.

Ответа не было. Потом женский голос произнес:

— Отойди от двери!

Мужчина что-то пробормотал.

— Ничего не могу поделать! — крикнула женщина. — Уйди от двери и не суйся к этим белым!

Стало быть, я не единственный, сделал вывод Стивенс и подумал, что негры часто, почти всегда интуитивно распознают зло. Он вернулся к машине, погасил фары и взял с сиденья фонарик.

Стивенс отыскал грузовик. Приблизив лучик света, снова прочел тот же номер, что девять дней назад видел скрывающимся за холмом. Выключил фонарик и положил в карман.

Через двадцать минут Стивенс понял, что о свете беспокоиться нечего. Он уже шел по тропинке между черной стеной зарослей и рекой, ему был уже виден слабый свет за брезентовой стеной хибарки и слышны два голоса — один холодный, ровный и спокойный, другой визгливый, резкий. Он споткнулся об охапку дров, потом еще обо что-то, нашел дверь, распахнул ее и вошел в разоренное жилище покойного — соломенные матрацы были сброшены с деревянных топчанов, печь опрокинута, посуда валялась на полу, — где Тайлер Болленбоу встретил его с пистолетом в руке, а младший стоял, чуть пригнувшись, над опрокинутым ящиком.

— Назад, Гэвин, — сказал Болленбоу.

— Назад, Тайлер, — ответил Стивенс. — Уже слишком поздно.

Младший выпрямился. По выражению лица Стивенс понял, что тот узнал его.

— Ну, черт... — произнес Бойд.

— Это конец, Гэвин? — спросил Болленбоу. — Только честно.

— По-моему, да, — сказал Стивенс. — Брось пистолет.

— Кто еще с тобой?

— Нас достаточно, — ответил Стивенс. — Брось пистолет, Тайлер.

— Черт возьми, — сказал младший. Он подался вперед; Стивенс видел, как глаза Бойда быстро перебегали то на него, то на дверь. — Врет он. Никого с ним нет. Он просто шпионит, как и в тот день, сует нос в чужие дела, о чем пожалеет. Потому что в этот раз нос ему могут откусить.

Чуть пригнувшись и слегка расставив руки, он двинулся к Стивенсу.

— Бойд! — произнес Тайлер. Тот продолжал надвигаться на Стивенса, без улыбки, но с каким-то странным светом, блеском в лице. — Бойд! — повторил Тайлер. Вдруг он тоже рванулся с поразительной скоростью, схватил младшего и одним махом руки отшвырнул к топчану. Они глядели друг на друга — один холодный, спокойный, безо всякого выражения на лице, держа перед собой не наведенный ни на что пистолет, другой — чуть пригнувшийся, рычащий.

— Чего ты, черт возьми, хочешь? Чтобы он свез нас в город как овечек?

— Это мое дело, — ответил Тайлер. И перевел взгляд на Стивенса. — Гэвин, я ничего подобного не замышлял. Застраховал его, платил взносы — да. Но никаким умыслом тут и не пахло: переживи он меня — значит, я зря платил взносы, переживи я его — получу все, что причитается. Секрета тут никакого. Все делалось в открытую. Прознать об этом мог любой. Может, Лонни и рассказывал кому-нибудь. Я ему не запрещал. Да и кто может сказать что против? Я всегда кормил его, когда он бывал у меня, приходил он когда хотел, оставался сколько хотел. Но такого я не замышлял.

Младший, прислонясь к топчану, куда Тайлер отшвырнул его, неожиданно засмеялся.

— Вот как ты запел, — сказал он. — Вот, значит, куда ты клонишь? — Тут смех перешел в рычанье, но переход был столь незначительным или, может, быстрым, что его никто не уловил. — Не я страховал его на пять тысяч! Не я собирался получать...

— Цыц, — перебил Тайлер.

— ...эти деньги, когда его нашли на...

Тайлер твердым шагом подошел к нему и дважды, ладонью и тыльной стороной той же руки, ударил его, в другой руке он по-прежнему держал пистолет.

— Говорю «цыц», Бойд, — сказал он и снова взглянул на Стивенса. — Я этого не замышлял. Теперь не хочу брать эти деньги, даже если их согласны выплатить, потому что у меня был другой расчет. Другая ставка. Ну, что же ты решил?

— Разве об этом нужно спрашивать? Предъявлю обвинение в убийстве.

— А ты докажи! — прорычал младший. — Попробуй, докажи! Я не страховал его жизнь на...

— Заткнись, — оборвал Тайлер. И заговорил почти любезно, глядя на Стивенса светлыми, ничего не выражающими глазами: — Ты этого не сделаешь. У нас доброе имя. По крайней мере, было добрым. Его, может, никто не прославил, но никто и не запятнал до сих пор. Я никому не задолжал. К чужому добру рук не тянул. Ты не должен делать этого, Гэвин.

— Я не должен делать ничего иного, Тайлер.

Болленбоу взглянул на Стивенса и глубоко вздохнул, но в лице его ничто не изменилось.

— Ты требуешь око за око и зуб за зуб.

— Требует справедливость. Может быть, и Лонни Гриннап. А ты бы не стал?

Болленбоу еще несколько секунд глядел на него. Потом повернулся и махнул рукой брату, а затем Стивенсу, спокойно и властно. Все трое вышли из хибарки и встали в идущем из двери свете; откуда-то налетел ветерок, прошуршал наверху в листве и замер, стих.

Стивенс сперва не понимал, что задумал Болленбоу. С нарастающим удивлением он смотрел, как Тайлер обернулся к брату, вытянул руку и заговорил уже по-настоящему суровым тоном:

— Вот и конец спору. Я боялся с той самой ночи, когда, придя домой, ты все рассказал. Нужно было б воспитать тебя получше, но у меня не вышло. Держи пистолет. Наберись духу и кончай.

— Смотри, Тайлер! — предупредил Стивенс. — Не делай этого.

— Не суйся, Гэвин. Раз тебе нужен труп за труп, ты его получишь. — Он стоял лицом к брату и даже не взглянул на Стивенса. — Держи, — сказал он. — Наберись духу и кончай.

Случилось непоправимое. Стивенс видел, как младший отскочил назад. Видел, как Тайлер шагнул вперед, и, казалось, услышал в его голосе удивление, изумление, затем сознание ошибки.

— Брось пистолет, Бойд, — сказал Тайлер. — Брось.

— Спохватился? — сказал младший. — В ту ночь я сказал тебе, что получишь пять тысяч, когда его найдут на перемете, и попросил у тебя десять долларов, а ты отказал. Пожалел несчастной десятки. Ну вот и заслужил. Получай.

Низко, у самого бедра младшего, сверкнула вспышка; когда Тайлер упал, оранжевое пламя рванулось еще раз.

Теперь мой черед, подумал Стивенс. Они стояли лицом друг к другу; он снова услышал, как откуда-то налетел короткий порыв ветра, встряхнул листву и замер.

— Бойд, — сказал Стивенс, — беги, пока не поздно. Хватит с тебя. Беги, ну!

— Само собой, сбегу. Теперь ты беспокоишься обо мне, потому что скоро вообще перестанешь беспокоиться. Сбегу и следов не оставлю, только сперва посчитаюсь с одним шустрым типом, который сует нос в чужие дела...

Сейчас выстрелит, подумал Стивенс и прыгнул. На миг ему показалось, что он видит себя взлетевшим над головой Бойда, каким-то образом отразившимся в слабом отсвете реки, в том свечении, что вода отдает темноте. Потом понял, что видел не себя, что слышал не ветер, когда тот человек, тот не имевший языка и не нуждавшийся в нем призрак, что ждал девять дней, когда Лонни вернется домой, бросился сверху на спину убийце, вытянув руки, изогнув и напрягши тело в безмолвной и смертоносной решимости.

Сидел на дереве, подумал Стивенс. Из пистолета сверкнуло пламя. Он видел вспышку, но выстрела не услышал.

IV

После ужина, когда Стивенс с забинтованной головой сидел на веранде, появился шериф округа — тоже крупный человек, приветливый, вежливый, с глазами еще более светлыми, холодными и невыразительными, чем у Тайлера Болленбоу.

— Дело у меня всего минутное, — сказал он, — иначе бы не стал вас беспокоить.

— Чем? — спросил Стивенс.

Шериф присел на барьер веранды.

— Голова как, ничего?

— Ничего, — ответил Стивенс.

— И слава Богу. Вы, наверно, слышали, где мы нашли Бойда?

Стивенс ответил шерифу столь же невыразительным взглядом.

— Может быть, — добродушно сказал он. — Сегодня я не припоминаю ничего, кроме боли в голове.

— Вы же и сказали нам, где искать. Когда я добрался туда, вы были в сознании. Пытались дать Тайлеру воды. Вы нам и велели посмотреть на перемете.

— Да? Ну и ну, чего только не скажет человек, когда пьян или не в себе. А ведь иногда он оказывается прав.

— Вы оказались правы. Мы осмотрели перемет, Бойд висел на одном из крючков, совсем как Лонни Гриннап. Тайлер Болленбоу лежал с перебитой ногой и второй пулей в плече, а у вас на черепе такая царапина, что туда можно было б уложить сигару. Гэвин, как он оказался на перемете?

— Не знаю, — ответил Стивенс.

— Да бросьте. Сейчас я не шериф. Как Бойд оказался там?

— Не знаю.

Шериф пристально поглядел на него; Стивенс не отвел взгляда.

— И всем друзьям на этот вопрос отвечаете так?

— Да. Я же был ранен, понимаете. Не знаю.

Шериф достал из кармана сигару и стал разглядывать.

— Джо — тот глухонемой, воспитанник Лонни, — кажется, наконец ушел. В прошлое воскресенье он еще крутился возле хибарки, но с тех пор его никто не видел. Мог бы и остаться. Его бы никто не тревожил.

— Может, там ему очень не хватало Лонни.

— Может, и так. — Шериф встал. Откусил кончик сигарты и закурил. — А все остальное из-за раны не побыли? Как вы заподозрили что-то неладное? Что это мы все прошляпили?

— Весло, — ответил Стивенс.

— Весло?

— Вы когда-нибудь осматривали перемет у себя в лагере? При этом не гребешь веслами, а тянешь лодку, перебирая веревку руками от одного крючка к другому. Лонни никогда не брал весла; он всегда привязывал ялик к дереву, где был закреплен перемет, а весло оставлял дома. Но когда тот парень его обнаружил, весло лежало в ялике.

Содержание

Лоуренс Сэндерс
ПЛЕНКИ АНДЕРСОНА

Грэм Грин
ТРЕТИЙ

Уильям Фолкнер
РАССКАЗЫ

Художник Сергей Шехов

Ответственный за выпуск А. Рыбакова
Технический редактор М. Столярова
Корректоры Г. Иванова, И. Объедкова

Издательская лицензия № 070512 от 9.06.97
Подписано в печать 12.09.97. Формат 84x108/32. Бумага кн.-журн.
Печать офсет. Усл.п.л. 28,56. Тираж 5000 экз. Заказ 2107
Издательство «Остожье». 107005, Москва, Бауманская ул., д. 50/12.
При участии ГП ИПФ «Ставрополье»
Государственное предприятие издательско-полиграфическая фирма
«Ставрополье», 355012, Ставрополь, ул. Спартака, 8.